L S

W. KAMPMANN · DEUTSCHE UND JUDEN

WANDA KAMPMANN

DEUTSCHE UND JUDEN

Studien zur Geschichte

des deutschen Judentums

1963

VERLAG LAMBERT SCHNEIDER · HEIDELBERG

Satz und Druck: Heidelberger Verlagsanstalt und Druckerei GmbH
Heidelberg

INHALTSVERZEICHNIS

VORWORT

Die Geschichte der Juden in Deutschland umfaßt nur einen räumlich und zeitlich begrenzten Ausschnitt aus der 2000-jährigen Exilsgeschichte des jüdischen Volkes, aber sie endet mit der größten Katastrophe seiner bisherigen geschichtlichen Existenz. Sie verbindet sich von Anfang an mit dem Problem des Antijudaismus der christlichen Kirchen, später mit der sehr komplexen Erscheinung des Antisemitismus, nicht nur in Deutschland, sondern in den meisten europäischen Ländern jüdischen Exils. In fast allen Darstellungen der deutschen und der abendländischen Geschichte wird das Judentum, seine Rechtsstellung, seine wirtschaftliche Funktion, seine Emanzipation im 19. Jahrhundert, nur am Rande erwähnt, und die Ursprünge des Antisemitismus sind erst ein Gegenstand der Forschung, seit sich die Zeitgeschichte mit der Entstehung des Nationalsozialismus beschäftigt. Das ist begreiflich, denn die kleinen jüdischen Gemeinden im Mittelalter führten eine in sich geschlossene Sonderexistenz, sie waren ein wirtschaftlicher, aber kein politischer Faktor, und das jüdische Mittelalter reicht bis in das 18. Jahrhundert hinein. Das Hofjudentum des 17. und 18. Jahrhunderts ist ein Spezialthema der Fachgelehrten, die Emanzipation und Assimilation der letzten 150 Jahre sind ein Gegenstand der Gesellschaftswissenschaft. Die deutsche Geschichte konnte man schreiben und lehren, ohne die jüdische Volksgruppe anders als mit gelegentlicher Erwähnung ihrer Ausnahmesituation einzubeziehen.

Hier hat sich etwas geändert, weil die jüdische Katastrophe der Hitlerzeit zugleich eine Katastrophe der deutschen Geschichte ist. Mit der Rassendoktrin des Nationalsozialismus, die zum Fundament einer politischen „Weltanschauung" und zum Motiv politischer Aktionen wurde, rückt der Antisemitismus, der bisher nur ein Programmpunkt politischer Sektenführer und ein Hirngespinst urteilsloser und fanatisierter Volksschichten zu sein schien, in den Brennpunkt des Geschehens, wird zu Schuld und Verhängnis und verknüpft sich unlösbar mit einem entscheidungsvollen Abschnitt unserer Geschichte. Wenn man hier nur „dämonische Kräfte“ am Werk sieht, die plötzlich im deutschen Volk auftauchen, dient man unbewußt der Apologie. Was sich der rationalen Durchdringung entzieht, erscheint als etwas, das man schlechterdings hinnehmen muß. Mit der Berufung auf den „uralten Judenhaß“ kommt man in die Gefahr, das ungeheuerliche Geschehen der Ausrottung als die verbrecherische Übertreibung eines traditionellen Haßgefühls zu „erklären“ und es einigermaßen verständlich einzuordnen in die Geschichte der Verfolgungen, die es immer gegeben hat. Es bleibt nur der Weg der Analyse historischer Situationen, die mannigfaltig bedingt, aber in ihren Folgeerscheinungen nicht determiniert sind, weil sie stets auch für Entscheidungen offen waren. Aus der Fülle geschichtlichen Stoffes sind im folgenden Zustände, Ereignisse, Institutionen und Lehrmeinungen herausgegriffen, die das deutsch-jüdische Zusammenleben in seinen verschiedenen Phasen charakterisieren.

1. KAPITEL

JÜDISCHES LEBEN IM DEUTSCHEN MITTELALTER

Die Kreuzzüge

In den ersten nachchristlichen Jahrhunderten sind Juden mit den römischen Heeren über Gallien nach Deutschland gekommen. Die früheste Urkunde, ein Dekret Konstantins von 321, bezeugt sie ausdrücklich als römische Bürger in Köln. Aber auch im weiteren Rhein- und Donaugebiet, in Mainz, Worms, Trier, Augsburg und Regensburg, an den wichtigen Verkehrsstraßen also, hat es zu dieser Zeit wohl schon Siedlungen jüdischer Kolonisten, Kaufleute und Handwerker gegeben. Um 900 waren Juden am Handel mit Böhmen beteiligt, im 10. Jahrhundert sind sie an der Elbe nachweisbar. Ihre Geschichte können wir erst seit der Karolingerzeit fortlaufend verfolgen. Im Reiche Karls d. Gr. waren die Juden frei, aber als Fremde schutzlos, wenn sie nicht unter die besondere Schutzherrschaft des Königs gestellt wurden. Das geschah in Form von Schutzbriefen, wie ja im Mittelalter das Privileg die grundsätzliche Rechtsform für die Begründung von Berechtigungen ist, die vom allgemeinen Rechtszustand abweichen.[1] Auch einzelne Kirchen, Geistliche, Kaufleute, Frauen konnten den besonderen Königsschutz erlangen, und es gab keinen diskriminierenden Unterschied bei der Verleihung solcher Schutzbriefe an jüdische Kaufleute. Da immer nur einzelne privilegiert wurden, später auch jüdische Gemeinden in einzelnen Städten, handelt es sich noch nicht um ein spezifisches Judenrecht, nicht um den Sonderstatus einer ganzen sozialen Gruppe; der bildet sich erst nach den Kreuzzügen als Folge ihrer verheerenden Wirkungen heraus, da sich die bisherige Privilegierung als unzureichend erwiesen

[1] Vgl. G. Kisch, Forschungen zur Rechts- und Sozialgeschichte der Juden in Deutschland während des Mittelalters. Stuttg. 1955.

hatte. Nun brauchen die Juden besondere Schutzgesetze, nicht bloß als Kaufleute und Stadtbewohner, sondern als Nicht-Christen, die der Verfolgung durch die Christen ausgeliefert waren.

Die Juden des frühen Mittelalters waren, was sie schon im Altertum gewesen waren, Stadtbewohner, also Kaufleute, Handwerker und Ackerbürger, sie besaßen Häuser, Gärten und Weinberge, waren auch Ärzte und Talmudgelehrte. Daß sie keine Grundherren und keine Bauern waren, verhinderte die lehensrechtliche Ordnung der feudalen Gesellschaft, die durch religiöse Eide gefestigt war, Nichtchristen also nicht zuließ. Aber auch das jüdische Ritualgesetz, der gemeinsame Gottesdienst, die Sabbatheiligung und die Erziehung der Kinder verlangten, daß Juden in geschlossenen Siedlungen zusammenwohnten. Außerdem waren sie schutzbedürftig in einer fremden, oft feindseligen Umwelt. Für den Handel waren sie durch ihre internationalen Verbindungen und durch die Kenntnis orientalischer Sprachen besonders geeignet, auch durch den Kredit, den sie unter den weit verstreuten Glaubensgenossen besaßen. Könige und Bischöfe als Stadtherren schätzen die wirtschaftliche Bedeutung der jüdischen Gemeinden, statten sie mit Privilegien aus, sichern ihnen Schutz ihres Lebens und Eigentums zu, gewähren Freizügigkeit und freie Ausübung ihrer Geschäfte und verbieten – ganz im Sinne des kanonischen Rechts – die Zwangstaufe.[2] Wenn die Juden in besonderen städtischen Quartieren zusammenwohnen, so entspricht das mittelalterlichem Brauch. Bestimmte soziale, kommerzielle und gewerbliche Gruppen, die auch innerlich durch Rechte und Lasten verbunden sind, rücken in ihren Gassen zusammen. So sind auch die Judengassen, die seit dem Ende des 11. Jahrhunderts überall erwähnt werden, wenigstens in ihren Anfängen zu er-

[2] S. Privileg des Bischofs Rüdiger v. Speyer und Judenprivileg Kaiser Heinrichs IV. bei E. L. Ehrlich, Geschichte der Juden in Deutschland, Düsseldorf 1954, S. 11 ff.

klären. Sie liegen oft in der Nähe des Marktes und der landesherrlichen Burg. Die Absonderung der Juden von der Bürgerschaft, die zum Ghetto führt, vollzieht sich erst im 13., in Deutschland im 14. Jahrhundert, als sich die Beschlüsse des 3. und 4. Laterankonzils (1179 und 1215) allmählich auswirken. Erst jetzt werden die Judenviertel gegen die übrige Stadt durch Mauern und Tore abgesperrt.

Diese Tatsachen müssen bekannt sein, wenn man Einbruch und Wende im Zeitalter der Kreuzzüge verstehen will. Die Lage der Juden war nie ungefährlich. Sie bilden eine religiöse Minderheit, unterscheiden sich von ihrer Umgebung in der Ausübung ihres Glaubens, in ihren Festen, in Sprache und Sitten; sie sind in manchen Städten wohlhabend geworden durch den aufblühenden Handel und die wachsende Geldwirtschaft. Das Zinsverbot der Kirche, das nur die Christen betrifft, drängt die Juden seit dem 12. und 13. Jahrhundert in den Geldhandel, einen wirtschaftlich notwendigen, aber verachteten Beruf. Die verhängnisvolle Entwicklung beginnt sich abzuzeichnen: die Juden werden zu Gläubigern, die Christen zu Schuldnern, ein stets gespanntes Verhältnis, das zu Entladungen drängt. Das kirchliche Recht gesteht ihnen zwar Sicherheit des Lebens und Eigentums zu, verlangt aber von jeher ihre strenge Trennung von den Christen. Der oft wiederholte Erlaß der Konzilien des 6. und 7. Jahrhunderts, der den Juden verbietet, „von Gründonnerstag bis Ostersonntag auf den Straßen und dem Markte sich wie zum Hohne zu zeigen“,[3] deutet zugleich die immerwährende Bedrohung an, unter der sie lebten.

Die Ereignisse des Jahres 1096 sind bekannt. Peter von Amiens hatte durch seine Predigten in Frankreich eine große Schar Begeisterter um sich versammelt, aus allen Schichten kamen sie, meist Bauern, aber auch Stadtvolk.

---

[3] Regesten der Geschichte der Juden im fränkischen und deutschen Reiche. Bearbeitet von J. Aronius. Berlin 1902, S. 15.

Es waren die jüngeren Söhne ritterlicher Familien dabei, aber auch Straßenräuber und verbrecherisches Gesindel, das nichts zu verlieren hatte und alles zu gewinnen hoffte, bußgierig und beutelüstern zugleich, von unermeßlichen Hoffnungen auf ein besseres Dasein erfüllt, das man sich aber erst durch eine lange Pilgerfahrt und durch den Sieg über die Ungläubigen erkämpfen mußte. Der Weg war weit und keinerlei Vorsorge getroffen. Im April trifft Peter in Köln ein, zieht aber mit seinem Heerhaufen weiter nach Ungarn. Die Juden haben sich mit Wegzehrung und Empfehlungsbriefen an andere jüdische Gemeinden losgekauft. In Deutschland läßt er seine Anhänger zurück, neue Scharen laufen ihnen zu; die aber haben mit dem Heiligen Land keine Eile, weil inzwischen eine andere Parole gezündet hat, die ihnen alles auf einmal verspricht. Der jüdische Chronist berichtet: „Als sie (die Kreuzfahrer) in die Städte kamen, in denen Juden wohnten, sprachen sie untereinander: Sehet, wir ziehen den weiten Weg, um die Grabstätte aufzusuchen und uns an den Ismaeliten (Bekenner des Islam) zu rächen, und siehe, hier wohnen unter uns die Juden, deren Väter ihn unverschuldet umgebracht und gekreuzigt haben! So lasset uns zuerst an ihnen Rache nehmen und sie austilgen unter den Völkern, daß der Name Israel nicht mehr erwähnt werde (Psalm 83, 5); oder sie sollen unseresgleichen werden und zu unserem Glauben sich bekennen.“ [4] Dies ist die religiöse Wurzel der Verbrechen, die nun begangen werden: Bekehrungseifer, Rache an den Mördern Christi. Und bald heißt es in volkstümlicher Vereinfachung des kirchlichen Ablaßversprechens: wer einen Juden tötet, erhält Vergebung seiner Sünden.

Es sind drei jüdische Chroniken erhalten, die das Massensterben in den rheinischen Städten, in Speyer, Worms,

---

[4] Bericht des Salomo bar Simeon, etwa 1140 in Mainz geschrieben. Quellen zur Geschichte der Juden in Deutschland, II. Bd. Hrsg. A. Neubauer und M. Stern. Berlin 1892, S. 82.

Mainz, Trier und Köln, schildern, die frühesten Zeugnisse jüdischer Geschichtsschreibung des Mittelalters, die zuerst Licht in das Dunkel jüdischer Existenz im Abendland bringen. Es sind Märtyrerchroniken, von Hymnen und Klagegesängen durchsetzt, die später zum Teil in die Liturgie aufgenommen werden. Hier wird, oft mit den Worten der Propheten und in biblischen Bildern, berichtet, was sich an genau bezeichneten Tagen in den genannten Städten begeben hat, wieviele geopfert wurden oder sich selber opferten „zur Heiligung des göttlichen Namens", so lautet die formelhafte Wendung für den Märtyrertod, in dem sich das Prophetenwort erfüllt.

Wir forschen heute in diesen Quellen eher nach den Tätern als nach den Opfern, auch nach den Machthabern, nach den Verantwortlichen der Stunde und nach dem Verhalten der Unbeteiligten, für die sich der jüdische Chronist nur insoweit interessiert, als sie Schutz gewähren können oder nicht. Wir fragen nach den Beweggründen, nach der Geistesverfassung, nach dem Spielraum von Verantwortung und Gewissensfreiheit in der düsteren Wirrnis, die Haß, Angst, Fanatismus und Habgier erzeugen.

Die Antworten bleiben spärlich, wenn man sich streng an die Fakten hält, aber sie lassen doch einige Schlüsse zu. Als die ersten Nachrichten von Judenverfolgungen in Frankreich am Rhein bekannt werden und Gottfried von Bouillon droht, zuerst müsse man die Feinde Christi im Lande ausrotten, bevor man sein Grab befreie, schickt der Vorsteher der alten Mainzer Judengemeinde aus der angesehenen Familie der Kalonymus Boten nach Italien an Heinrich IV. und erwirkt einen kaiserlichen Erlaß, der allen geistlichen und weltlichen Fürsten auferlegt, die Juden zu schützen. Gottfried läßt sich durch Geldsummen beschwichtigen, auch die Bischöfe und die Bürger der Städte nehmen die Opfer an Geld und Kostbarkeiten an (oder in Verwahr!), die die Juden sich sofort selbst auferlegen, auch wenn die Obrigkeiten den erbetenen Schutz nicht leisten können oder wollen. Das hängt offenbar mit der allgemeinen Einschätzung jüdischen Besitzes zusammen, der vielfach durch das Pfandleihgeschäft zustande gekommen war und den man sich als einen unrecht erworbenen erklärte, zumal fast alle Stände bei den Juden verschuldet waren. Von Bernhard von Clairvaux wird später ausdrücklich gerühmt, daß er kein Geld angenommen habe. Auch waren die Kreuzzüge kostspielig – sollten die Juden reich und ungeschoren zu Hause bleiben?

Es ist anzunehmen, daß den Bischöfen ernsthaft daran lag, die Juden ihrer Städte vor Mord und Plünderung zu schützen, nicht nur wegen des kaiserlichen Edikts, sondern auch aus Gehorsam gegen die kanonischen Gesetze, die den Judenmord verwarfen. Einige waren auch an dem Bestehen jüdischer Gemeinden aus wirtschaftlichen Gründen interessiert. Sie öffnen den Verfolgten ihre Pfalzen oder versuchen sie an sichere Orte zu bringen; der Erzbischof von Köln verteilte die Juden auf sieben Orte der Umgebung, ohne sie retten zu können. In den Städten entsteht immer die gleiche Situation: die Scharen des Wüterichs Emich von Leiningen, der in Westdeutschland auf eigene Faust Kreuzfahrten unternimmt, haben Freunde innerhalb der Mauern, vermutlich unter dem armseligen Volk, das Beute wittert. Die Bürger fürchten selbst für Leben und Besitz, sie öffnen die Tore. Sollen die Truppen des Bischofs für die Juden kämpfen? Die meisten fliehen. „Auch der Bischof", so heißt es von Ruthard von Mainz, „floh aus seiner Kirche, denn sie wollten auch ihn töten, weil er zugunsten der Juden gesprochen hatte."[5] Es hängt manchmal von dem Verhältnis des Bischofs zu seiner Stadt ab, ob ihm wie in Speyer die Rettung gelingt. In der äußersten Gefahr bedrängen Bischof und Bürger die Juden, sich zu bekehren und taufen zu lassen. Man nimmt Zwangstaufen vor gegen päpstliches und kaiserliches Verbot,

[5] Ehrlich, S. 15. Vgl. S. Schiffmann, Die deutschen Bischöfe und die Juden zur Zeit des ersten Kreuzzuges. ZGJD 1931.

manchmal, um sie für den Augenblick zu retten; die Motive verwirren sich. Die so Getauften zünden die Synagoge an und verbrennen darin. Man versucht, den massenhaften Selbstmord der Juden zu hindern, setzt ihrer „Verstocktheit“ mit allen Mitteln zu, mit der Folter, mit Versprechungen, mit dem Anblick der mörderischen Wut der Kreuzfahrer – und liefert sie schließlich der Mordlust des Pöbels aus.[6] Der Annalist Saxo vermutet, es hätten nicht Christen um der Juden willen gegen Christen kämpfen wollen,[7] damit bringt er die Entscheidung, die ja für die Verbrecher und gegen die unschuldig Verfolgten gefällt wurde, auf die Formel, die ihm und seinen Zeitgenossen verständlich war.

Daß der zweite Kreuzzug (1146) nicht so furchtbare Folgen für die klein gewordenen Judengemeinden in Deutschland hatte, ist einmal den Weisungen des Bernhard von Clairvaux zu verdanken, dann aber auch dem wirksamen Schutz, den die festen Burgen (z. B. die Wolkenburg bei Köln) den flüchtigen Juden gewährten. Aber die Verrohung des Gefühls, die Verwilderung der Sitten, die faktische Rechtlosigkeit der Juden wird an allen Einzelvorgängen deutlich, die die Chroniken aufzeichnen. Die Habgier ist einmal geweckt, und für die Beschwichtigung des Gewissens haben die Kreuzzugsparolen die bequeme Rechtfertigung geliefert. Die Juden in Würzburg glaubten im Jahre 1147, friedlich in der Stadt bleiben zu können, obwohl die anderen jüdischen Gemeinden am Main schon Burgen und feste Türme aufgesucht hatten. Ihre Anwesenheit reizt offenbar den Pöbel. Man findet dann eine Christenleiche im Fluß und ermordet alle Juden der Stadt. Für fingierte oder ganz ungeklärte Verbrechen werden den jüdischen Gemeinden von der städtischen Obrigkeit hohe

[6] Quellen, Neubauer u. Stern, S. 127 f. Über Zwangstaufen im Mittelalter vgl. Peter Browe S. J., Die Judenmission im Mittelalter und die Päpste. Rom 1942, S. 14 ff.

[7] Aronius, Regesten, S. 87.

Strafgelder auferlegt, die kollektive Haftung ist selbstverständlich, das wirkliche Verbrechen eines Juden fordert gleich ein Pogrom heraus, die Bestattung der Leichen muß wiederum mit Geld erkauft werden.[8]
Das Martyrologium des Nürnberger Memorbuches zählt die Gemeinden auf, die dem Märchen vom Hostienfrevel der Juden zum Opfer gefallen sind. Die Erfindung ist so absurd, daß es schwer fällt, daran zu glauben, daß 146 jüdische Gemeinden im 13. Jahrhundert ihretwegen verfolgt und vernichtet worden sind. Bestimmte Anklagen verbreiten sich wie Epidemien, so die Blutbeschuldigung (Ritualmord), später die Brunnenvergiftung, mit der man anfangs die Leprosen verdächtigt, schließlich konzentriert sich der unsinnige Vorwurf auf die Juden. In Frankreich und England tauchen dieselben Gerüchte und Beschuldigungen auf, sie nähren sich aus den gleichen Quellen. Der Brand des Londoner Judenviertels am 3. September 1189 fügt dem typischen Bild vielleicht noch einen neuen Zug hinzu: da das große Fest bei der Krönung von Richard Löwenherz in Westminster den Anlaß gab zur Judenvertilgung und Plünderung, muß man annehmen, daß der Pöbel auf seine Weise an den Lustbarkeiten der Vornehmen teilnehmen wollte, von denen er sonst ausgeschlossen war. Es wird erwähnt, daß man den Torwächter mit dem Tode bestrafte, weil er den Vorgang verschwiegen hatte; von einem Strafgericht über die Täter verlautet nichts.[9]

Die Kammerknechtschaft (servitus camerae)

Die Verfolgungen im Zeitalter der Kreuzzüge haben die Rechtsstellung der Juden in entscheidender Weise beeinflußt; kaiserliche und kirchliche Gesetzgebung wirken hier zusammen. Mit dem juristischen Begriff der Kammer-

---

[8] Quellen, Neubauer u. Stern, S. 210 (Über die Verfolgung in Neuß von 1187).

[9] Quellen, Neubauer u. Stern, S. 204.

knechtschaft bezeichnet man einen Abschnitt der jüdischen Rechts- und Sozialgeschichte, der im 13. Jahrhundert beginnt und um die Mitte des 14. Jahrhunderts eigentlich abgeschlossen ist. Aber als Rechtsvorstellung wirkt die sonderbare Institution noch Jahrhunderte nach. Gleichzeitig verändern die Städte ihre wirtschaftliche und soziale Struktur.

Heinrich IV. veranstaltet nach seiner Rückkehr nach Deutschland eine strenge Untersuchung der Vorgänge in den rheinischen Städten, forscht nach dem Vermögen der getöteten Juden und macht überall seine Rechte darauf geltend. Bischof Ruthard von Mainz wird der unerlaubten Bereicherung angeklagt und muß fliehen. Die Erfahrungen, die der Kaiser gemacht hat, veranlassen ihn nun, in den Mainzer Reichslandfrieden von 1103 unter die schutzbedürftigen (homines minus potentes) und besonders „befriedeten" Personen zum ersten Male die Juden aufzunehmen, die neben Klerikern, Frauen und Kaufleuten ausdrücklich genannt werden, und zwar nicht bestimmte Personen oder Gruppen, sondern Juden schlechthin.[10]

Dieser Rechtszustand findet 120 Jahre später noch im Sachsenspiegel seinen Ausdruck. G. Kisch nimmt an, daß der Sonderschutz ganz eng mit dem Waffenverbot für Juden zusammenhängt, das sich jetzt durchsetzt. Wer sich nicht selbst verteidigen kann (Geistliche, Frauen), ist besonders schutzbedürftig, aber zugleich ist der „befriedete" Mensch auch waffenunfähig, es tritt also eine Wechselwirkung ein. Wer das Waffenrecht verloren hat, ist in seiner rechtlichen und sozialen Stellung herabgedrückt, ist nach germanischer und mittelalterlich-deutscher Auffassung Unfreier, Knecht und in vollständige Abhängigkeit von seinem Herrn gebracht.[11] Am Ende der Entwicklung

[10] Aronius, Regesten, S. 97: Juraverunt, dico, pacem ecclesiis, clericis, monachis, laicis, mercatoribus, mulieribus ne vi rapiantur, Judeis.

[11] G. Kisch, S. 41 ff. Man kann die Wandlung, die sich hier vollzieht, an den Quellen verfolgen, die bei Ehrlich zusammengestellt sind.

steht die Kammerknechtschaft. Der Ausdruck servi nostri und servi camerae nostrae erscheint zum ersten Mal in einer Urkunde Friedrichs II., der 1236 das Privileg für die Juden in Worms auf alle deutschen Juden ausdehnt und sie dabei als „seine Knechte" bezeichnet; das bleibt während des ganzen Mittelalters üblich.
Was hat sich inzwischen geändert? Vom Verlust des Waffenrechts, das die Juden 1096 nach manchen Urkunden noch besaßen, war schon die Rede. Neue Judenverfolgungen hatten auf Grund einer Ritualmordanklage stattgefunden, die ein kaiserlicher Prozeß später als gegenstandslos verwarf. Zu Beginn des 13. Jahrhunderts hatte auch die Kirche mehrmals zur Judenfrage Stellung genommen, sie hatte die patristische Lehre von der „ewigen Knechtschaft der Juden" als Strafe für ihre Verwerfung Christi erneuert und auf dem 4. Laterankonzil (1215) außer dem wiederholten Ämterverbot eine Kleiderordnung erlassen, die Juden wie Sarazenen äußerlich kenntlich machen und sie von der christlichen Umwelt trennen sollte.[12] Der Zustand der Untertänigkeit und offenbaren Erniedrigung, die „servitus Judaeorum", war ursprünglich in der Kirchenlehre rein spirituell aufgefaßt – Israel als das Volk, das sich der göttlichen Gnade widersetzt, das verblendete Volk, die besiegte Synagoge, wie sie mit verbundenen Augen und gebrochenem Stab neben der sieghaften Kirche am Portalgewände steht – aber im 13. Jahrhundert erhält unter dem Einfluß des römischen Rechts der Begriff servus die Bedeutung des privaten Eigentums. Die kaiserliche

[12] Die Kirche übernahm das „Judenzeichen" in gelber Farbe aus der mohammedanischen Gesetzgebung gegen die Ungläubigen, die schon im 7. Jh. zur Wahrung der Glaubensreinheit von den Christen ein blaues, von den Magiern ein schwarzes, von den Juden ein gelbes Abzeichen forderte. Obwohl die Konzilien die Judentracht – seit Clemens IV. (1265) ist es der gelbe Hut – immer wieder zur Pflicht machten, blieb das Gebot in Deutschland und Italien lange unbeachtet. Den weltlichen Herren lag wenig daran, und die Juden fürchteten die Diffamierung und den Spott des Pöbels. Im 15. Jahrhundert schärften Nikolaus Cusanus und Johannes von Capestrano auf ihren Reisen die Kleiderverordnung von neuem ein (Encyclopaedia Jud. „Judenzeichen").

Kanzlei übernimmt den theologischen Gedanken und macht ihn juristisch deutlich: servitus camerae, d. i. nicht gerade Hörigkeit, bedeutet aber persönliche und wirtschaftliche Abhängigkeit vom Kaiser im Rechtssinne. Nach Einführung der Kopfsteuer für Juden im 14. Jahrhundert und unter der Fürstenwillkür in den deutschen Territorien wird die Kammerknechtschaft faktisch zur persönlichen Unfreiheit. Die Entwicklung zum Ausnahmestatus, zum Sonderrecht der Juden, ist abgeschlossen.

Wirtschaftliche und soziale Wandlungen gehen im 13. und 14. Jahrhundert mit denen der Rechtsverhältnisse zusammen. Seit die Reformkirche mit dem Zinsverbot ernst gemacht hat – bis ins 11. Jahrhundert hinein waren noch die Klöster die Geldgeber – seit christliche Kaufleute im Gefolge der Kreuzfahrer die Verbindung mit dem Orienthandel selber aufgenommen haben und Genossenschaften bilden, die den Juden verschlossen sind, seit die Handwerker sich zu Zünften zusammenschließen, Kredite aber für die wachsende Geldwirtschaft notwendiger sind als je, bleibt den Juden als einziger und ihnen ausdrücklich zugewiesener Erwerb das Geldgeschäft, verbunden mit der Pfandleihe. Sie erhalten oft nur zu diesem Zweck das Niederlassungsrecht in den Städten, man kann sie nicht entbehren. Der Zinsfuß war im Mittelalter wegen des Risikos allgemein sehr hoch, er wurde von den Behörden festgesetzt (der Rheinische Städtebund bestimmt ihn 1255 mit 33 bis 43 Prozent). Für die jüdischen Geldverleiher gab es noch ein besonderes Risiko, weil die Schuldner vor gewalttätiger Beseitigung ihrer Schuldtitel nicht zurückschreckten. König Wenzel verfügte zweimal eine allgemeine Tilgung der Schulden, die seine christlichen Stände bei den Juden hatten; dafür zeigten sich ihm die Fürsten und Herren erkenntlich. In den Städten war der Handwerkerstand besonders verschuldet, auf dem Lande der Kleinadel, im 15. Jahrhundert auch die Bauern.

Seit dem Interregnum wirkt sich die Tatsache, daß die

Juden mit Leben und Besitz zur kaiserlichen Kammer gehören, daß es also ein besonderes Judenregal gibt, aus Schutzpflicht und Besteuerungsrecht zusammengesetzt, in verhängnisvoller Weise aus. Die kaiserlichen Kassen sind gewöhnlich leer, Rechte und Einnahmequellen werden verschleudert, und das Judenregal wird zu einem Handelsobjekt: es wird verpfändet, verschenkt, vererbt, vertauscht.[13] Fürsten, Bischöfe, Grafen und Städte erwerben nun den sog. Judenschutz, er umfaßt eine Art Nutzungsrecht an den Juden. Die Goldene Bulle überträgt es z. B. den Kurfürsten zusammen mit der Bergwerksnutzung. Daß die Schutzgewalt der kleinen Herren für die Juden sehr viel drückender ist als die kaiserliche, ist wohl begreiflich, zumal die Ansprüche der Kaiser keineswegs aufhören. In den meisten Städten zahlen die Juden Schutzgelder sowohl an den Kaiser wie an den Rat der Stadt und an die bischöflichen Stadtherren.

Der Schwarze Tod

Wenn man die Exilsgeschichte des jüdischen Volkes zu gliedern versucht, wird man immer Ereignisse nennen müssen, die von außen kommen, Völkerbewegungen, gesetzgeberische Maßnahmen fremder Herren, Vertreibungen, Verfolgungen, Naturkatastrophen, aus denen wieder Vertreibungen und Verfolgungen entstehen. Es handelt sich um die Geschichte eines Volkes ohne Land, ohne Staat, ohne Regierung, das abhängig ist von äußeren, oft zufälligen Faktoren.

Die große Pest, die Europa in den Jahren 1348/49 überfällt, trifft die Juden in einer Situation, die den Keim zu einer Katastrophe bereits enthält. Bezeichnenderweise brechen die Verfolgungen in Deutschland schon ein halbes Jahr vor dem Eintreffen der Seuche aus. Wie bei den Kreuzzügen fragen wir uns: was geschah damals in den

[13] I. Elbogen, Geschichte der Juden in Deutschland. Berlin 1935, S. 52.

deutschen Städten, in denen sich größere Judengemeinden befanden? Wie verhielten sich geistliche und weltliche Machthaber, wie die Bürger dieser Städte, wie die Juden selbst? Manche Zusammenhänge lassen sich deutlich machen, vieles bleibt unbegreiflich.

Man kann die Ausbreitung des Gerüchts von der Brunnenvergiftung genau verfolgen: von Südfrankreich wandert es über die Schweiz nach Süddeutschland, an den Rhein, nach Franken und Thüringen, nach Schlesien und Österreich; dem Gerücht folgen die Prozesse mit Anwendung der Folter, die Scheiterhaufen, die Pogrome. In vielen Städten zünden die Juden ihre Wohngasse an und verbrennen sich in ihren Häusern. Die Chroniken der Städte nennen häufig die Zahl der Toten, auch die Todesarten, sie schildern die Vorgänge der Massenverbrennungen auf der Rheininsel bei Basel, auf dem Judenfriedhof in Straßburg, auf dem Markt in Nürnberg und bemerken einsichtig: „Ihr bares Geld war die Vergiftung, welche die Juden tötete.“[14] Man muß bei der erstaunlichen Gefühllosigkeit, die die Schilderung dieser Ereignisse beherrscht – auch frühe Holzschnitte stellen sie mit barbarischer Deutlichkeit dar – immer bedenken, daß das Gerechtigkeitsgefühl damals noch durchaus heidnische Züge hatte, es ist Rachebedürfnis. J. Huizinga hat diese spätmittelalterliche Welt, die allgemein an Hinrichtungen ein stumpfes Ergötzen oder – wenn sich der Rachedurst befriedigte – auch eine Art Jahrmarktsvergnügen fand, sehr eindringlich geschildert. Die Leute einer französischen Stadt kauften einmal einen Räuberhauptmann für teures Geld nur um des Vergnügens willen, ihn zu vierteilen.[15] Die Metzeleien

[14] So der Straßburger Chronist Königshoven, zit. bei E. Weyden, Geschichte der Juden in Köln. Köln 1867, S. 188. R. Hoeniger, Der schwarze Tod in Deutschland (Berlin 1882, S. 39 ff) weist nach, daß Judenverfolgungen und Geißelfahrten wohl in kausalem Zusammenhang mit den Pestgerüchten standen, in ihrer rapiden Verbreitung über das Reich der Pest aber fast überall vorauseilten. Wo keine Juden ansässig waren, wie im Ordensstaat, wurden die getauften Juden ermittelt und verbrannt (S. 7).

[15] J. Huizinga, Herbst des Mittelalters. Stuttgart 1953⁷, S. 18.

zur Zeit des Schwarzen Todes wollen also auch in diesem Zusammenhang gesehen werden.
Die Magistrate der Städte hatten seit dem 13. Jahrhundert durch eine Reihe von kleinlichen und z. T. rein vexatorischen Bestimmungen (über die Sondertracht der Juden, über das Ausgehverbot in der Karwoche, über das laute Singen in Synagogen, über das Verbot christlicher Ammen, des Besuchs christlicher Schenken und Badehäuser u. dergl.) alles getan, um die Kluft zwischen den Bürgern und der Judengemeinde groß und feindlich aufzureißen; sie konnten sich dabei auf Konzilsbeschlüsse berufen, mit deren Ausführung sie es aber sonst nicht so ernst nahmen. Auch die Kopfsteuer, die Ludwig der Bayer 1342 eingeführt hatte, war ehrenrührig, ebenso das ausgeklügelte System einer Bettsteuer, Küchensteuer und Pergamentsteuer, die den königlichen Hofbeamten gezahlt werden mußten, und das von Clemens IV. (1265) angeordnete Judenabzeichen, der gelbe spitze Hut, war es nicht minder. Es war also alles geschehen, um die kleine Gruppe von Ungläubigen, eine verachtete Minderheit, dem Haß und der straflosen Willkür des Volkes preiszugeben.
Als sich die Pest ausbreitet und der Ruf nach den Schuldigen laut wird, wehren die Magistrate zuerst dem Verfolgungswahn, sie fürchten die Unordnung und die Gesetzlosigkeit mit all ihren Folgen. Rat und Bürgerschaft von Regensburg schützen auf diese Weise die jüdische Gemeinde, aber das ist eine Ausnahme. In anderen Städten wird der Rat von der Bürgerschaft abgesetzt, und ein neues Stadtregiment verfügt das peinliche Verfahren und die Todesstrafe. An den meisten Orten gibt man den Drohungen der Volksmassen bald nach. Auch der Kaiser müßte Schutz gewähren. Karl IV. erläßt zwar Dekrete gegen den Judenmord, verpfändet aber zugleich den Städten das Judenregal, da er Geld braucht. Nach der Katastrophe erklärt er die Bürger für „quitt, ledig und los gar und gänzlich“ ... „um dieselbe Tat, Geschehnis oder

Gericht, die sie begangen haben an denselben Juden, um alles das Gut, das sie ihnen genommen, gewonnen oder empfangen haben, heimlich oder öffentlich".[16] Es ist eine Generalamnestie, aber nachdem man ihm einen Anteil am jüdischen Vermögen zugesichert hat. Diese Großzügigkeit im Vergessen und Vergeben ahmen die Reichsfürsten nach, als wenige Jahre nach der Pest ihre Städte um die Erlaubnis bitten, die Juden wieder aufnehmen zu dürfen. Papst Clemens VI. tritt dem Massenwahn zwar sogleich mit einer Bulle entgegen, die sich auf alte kanonische Gebote beruft, und schützt seine Juden in Avignon, sie bleibt aber sonst ohne Wirkung.

Man könnte sich fragen, warum die Juden nicht rechtzeitig die Flucht ergreifen. Sie sehen die Katastrophe oft monatelang vor sich. Aber die mittelalterliche Lebensordnung hat keine Lücken, keine Hohlräume, in die eine kleine Gruppe von „Ungläubigen" hätte einsickern können. Ihre Duldung beruht auf dem notwendigen, aber verachteten Zinsgeschäft, dies ist der ihnen einzig zugewiesene soziale Ort, um dieses Gelderwerbs willen schützt man sie und – tötet man sie. Sie hätten sich nur zu dem fahrenden Volk der Landstraßen gesellen können, die strenge Ausübung der talmudischen Gesetze verbot es ihnen; sie hätten sich taufen lassen können, wie es die spanischen Juden getan haben (die Marranen), wir hören davon nicht. Dann lodern überall die Scheiterhaufen, werden die Judenviertel geplündert und verbrannt, sie hätten nirgendwo mehr Aufnahme finden können.

Die Vertreibung der Juden aus den Städten

Die Ereignisse des 14. und 15. Jahrhunderts in Köln können als Paradigma für die Schicksale der jüdischen Gemeinden in den verworrenen Herrschafts- und Sozialver-

---

[16] Ehrlich, S. 31.

hältnissen des späten Mittelalters gelten.[17] Sie nehmen einen durchaus typischen Verlauf. In den meisten Städten des Reiches, die die Juden nach 1349 wieder aufgenommen haben, wiederholt er sich mit geringen Variationen.
Das Kölner Judenviertel wurde in der Bartholomäusnacht am 23./24. August 1349 vom Pöbel gestürmt, als „slacht der joden" ist es den Chronisten der Stadt bekannt. Die Juden werden ermordet, die letzten verbrennen in ihren Häusern. Um den Nachlaß entsteht ein jahrelanger Streit zwischen der Stadt, dem Erzbischof und dem Grafen von Jülich, der behauptet, auch Schutzjuden im Kölner Ghetto gehabt zu haben. Eine Kette von lästigen Prozessen entwickelt sich daraus, denn auch die Ansprüche der Bürger auf verlorenen Hauszins müssen erfüllt werden. Die Stadt ist mit diesen verdrießlichen Angelegenheiten – die ihr gleichwohl einigen Gewinn gebracht haben – kaum fertig, als im Jahr 1372 der Erzbischof Friedrich von Saarwerden im Einverständnis mit dem Rat die Juden zurückholt und sie mit den alten Privilegien ausstattet. Es sind nur 15 Familien, und jeder Hausstand wird nach seiner Zahlungsfähigkeit sorgfältig eingeschätzt. Irgendwo in kleinen Städten haben sie die Verfolgung überlebt und ihr Gewerbe wieder aufgenommen; vertriebene Juden aus Frankreich kommen hinzu. Sie sollen dem Bischof und der Stadt als Geldgeber dienen; denn auf ihre Darlehen war es abgesehen, nicht so sehr auf das Aufnahme- und Schutzgeld. Ihre Zahl vermehrt sich in den nächsten Jahren, mit jedem einzelnen werden Sonderverträge abgeschlossen, und das Privileg gilt immer nur für zehn Jahre. So ist es nun in fast allen deutschen Städten: die Aufnahme bleibt begrenzt, und das Privileg ist zeitlich knapp befristet, oft nur auf zwei Jahre, da sich die Forderungen dann höher schrauben lassen. Dieser Zustand währt in Köln bis zum Jahre 1423, dann treibt der Rat der Stadt die Juden „auf

[17] Vgl. hierzu: E. Weyden, a.a.O., S. 192 ff. Und: Die Juden in Köln von den ältesten Zeiten bis zur Gegenwart. Hrsg. Zvi Asaria. Köln 1959.

ewige Zeiten“ aus. Sie erhalten erst nach den Revolutionskriegen, also von 1798 an, wieder ein Niederlassungsrecht innerhalb der Stadtgrenze.
Was ist inzwischen geschehen? Man muß den Knäuel von Ansprüchen, Rechten und Willkürakten entwirren, um den folgenschweren Entschluß der Kölner Bürgerschaft nach seinen Motiven zu begreifen. Die Judengemeinde zahlte Schutzgelder an den Erzbischof und die Stadt, sie zahlte die Kopfsteuer, den „Goldenen Opferpfennig“, an König Sigismund, der ihn bereits verpfändet hatte. Da sein Geldbedarf während des Konstanzer Konzils und während der Hussitenkriege ständig wuchs, wurden erhebliche Sonderabgaben von der Gemeinde erpreßt, gelegentlich einfach die Hälfte ihres Vermögens. Wahrscheinlich veranlaßte der Erzbischof die Juden, sich beim König – der seine Forderungen stets mit Schutzversprechungen verband und sie immer noch „seine und des Reiches Kammerknechte“ nannte – über die hohen Abgaben an die Bürgerschaft zu beklagen, denn die Judensteuer war seit langem Streitobjekt zwischen Bischof und Stadt. Die Juden, von allen Seiten bedrängt, suchen bezeichnenderweise Hilfe und Schutz bei Sigismund, obwohl der in Ungarn ist und nur mit Drohungen an die Stadt antworten kann. Die Stadt entledigt sich des lästigen Handels: sie beruft sich auf ihre städtischen Freiheiten und vertreibt die Juden. Aber hier fehlt noch eine Voraussetzung: die Anwesenheit der Juden war damals keine wirtschaftliche Notwendigkeit mehr; denn das kanonische Zinsverbot wurde im 15. Jahrhundert nicht mehr eingehalten, und die Lombarden waren schon längere Zeit als ernsthafte Konkurrenten im Geldhandel aufgetreten.
Der Kölner Magistrat rechtfertigt acht Jahre später – so lange hat sich der Handel hingezogen – seinen Beschluß in einem Schreiben an Sigismund und zählt die Gründe auf.[18]

---

[18] Ehrlich, S. 42 f.

Der Brief ist ein für die geschichtliche Situation aufschlußreiches und psychologisch interessantes Dokument. Er beginnt mit dem alten, während der Hussitenbewegung neu erhobenen Vorwurf, die Juden hätten versucht, „etliche einfältige Christenleute zu bekehren", man müsse deshalb „Irrungen" unter den Christen befürchten. Das war stets die Sorge der Kirche gewesen, sie begründete auf den Konzilien die Beschlüsse über die scharfe Trennung von Christen und Juden damit. Bei der allgemeinen Verachtung, die man den Juden zollte, war die Gefahr des Abfalls der Christen in Köln sicher gering. Es folgt ein Argument, das sich nicht ganz abweisen läßt: man habe Mühe gehabt, die zum Hussitenkrieg ausziehenden Kreuzfahrer an einem Anschlag gegen die Juden zu verhindern. Solche Pogrome hatten den Hussitenkrieg an anderen Orten in der Tat begleitet, allerdings nicht in Köln. Es sei ferner wider Gottes und der Kirche Gebot, daß man Geld auf Zinsen ausleihe. Eingestandenermaßen hatte man die Juden zu diesem Zweck wieder in die Stadt zurückgeholt, als nach dem Weberaufstand die Kassen leer waren! Das Schreiben fährt fort: In den anderen Kurfürstentümern am Rhein seien die Juden auch schon vertrieben worden. Das Beispiel hat also eingeleuchtet. Aber die Erinnerung daran, daß Köln „eine von den heiligsten Städten der Christenheit" sei, die schon deshalb keine Juden dulden könne, ist nach allem, was vorausgeht, von peinlicher Unwahrhaftigkeit. Es folgt noch das Märchen von der Brunnenvergiftung, vorsichtigerweise als bloßes Gerücht bezeichnet, man müsse um solcher Gerüchte willen aber immer Aufläufe, Schaden und Verdruß befürchten – was wiederum richtig ist. Und am Schluß spricht sich der Bürgerstolz der von Kaisern und Königen „gefreiten und privilegierten" Stadt aus: sie kann innerhalb ihrer Mauern festsetzen, was ihr nützlich zu sein scheint, und bittet, sie der Juden wegen nicht mehr zu behelligen. Als 1499 die Stadt Nürnberg ihre Juden vertreibt, setzt der Magistrat sogar durch, daß das Recht der Nichtaufnahme von Juden für alle Zeiten als Privileg vom Kaiser anerkannt wird. – Im ganzen ist das Rechtfertigungsschreiben des Kölner Rates ein erstaunliches Dokument in seiner Verbindung von nützlichen Erwägungen und frommer Heuchelei, die sich offenbar ganz gebräuchlicher Formeln bedient. In der kaiserlichen Kanzlei, wo man darin auch nicht unerfahren war, wurde es sicher richtig gelesen.

Im Laufe des 15. und zu Anfang des 16. Jahrhunderts wurden die jüdischen Gemeinden aus allen größeren Städten des Reiches ausgewiesen; die echten und die vorgegebenen Gründe waren ähnlich wie in Köln. Ihre Lage hatte sich durch die hussitischen Unruhen und durch die Kirchenreform, durch eine verschärfte Inquisition und durch die Judenmission der Predigerorden überall verschlechtert. Die Erbitterung über die Häretiker steigerte auch die zornige Ungeduld über die verstockten Juden.

Seit 1451 wirkte der Franziskanerobservant Johannes von Capestrano in der Hussitenmission und im Dienst des Türkenkrieges in Österreich, Deutschland und Polen. Er war Ratgeber mehrerer Päpste und als Legat mit diplomatischen Aufträgen beschäftigt, ein hinreißender Kanzelredner, der in der Bekehrung der ungläubigen Juden noch eine besondere Aufgabe sah. In Breslau bestand er nach einem angeblichen Hostienfrevel auf dem Verfahren des geistlichen Gerichts. In Wien und Nürnberg sprach er auch zu den Juden selber, die gezwungen wurden, ihn anzuhören. Für die Zwangspredigten der Judenmission nahmen die Predigerorden gewöhnlich die Hilfe weltlicher Behörden in Anspruch, die die Teilnahme der Juden durch Drohungen, Strafen und direkten Zwang erreichten. Das Baseler Konzil hatte 1434 die Zwangspredigten, wie schon manche Päpste vor ihm, ausdrücklich gebilligt.[19] Als der Ingolstädter Theologieprofessor Petrus Nigri (Peter

[19] Peter Browe S. J., Die Judenmission im Mittelalter und die Päpste. Rom 1942, S. 54.

Schwarz) 1474 in bayrischen und fränkischen Städten Missionspredigten hielt, mußte man in Nürnberg den Juden Stadtknechte zu ihrem Schutz mitgeben, denn die Predigten ließen das niedere Volk nicht klar erkennen, ob mit den Juden, die auf das härteste verdammt wurden, die Pharisäer und Hohenpriester und der Verräter Judas gemeint seien oder die Juden, die sie als verstockte Sünder neben sich sahen.[20] In Italien verboten manche Städte die Predigten der Wandermönche, die sich oft mehr gegen den Wucher der Juden richteten als sich um ihre Bekehrung bemühten; sie befürchteten mit Recht die Volksaufstände. Daß die Judenmission im Mittelalter so wenig Erfolg hatte, ist verständlich. Aber auch die abergläubischen Märchen von durchstochenen und blutigen Hostien und für die Passahfeier ermordeten Kindern wurden von Klerikern auf der Kanzel behandelt und in Flugschriften verbreitet.[21] Sie vermehrten den Haß auf beiden Seiten und vertieften die Kluft zwischen Christen und Juden. Für die angeblich von Juden gemordeten Kinder wurden Sühnekapellen oder Altäre errichtet, wo sich alsbald Heilungswunder begaben. Das im Elsaß entstandene „Endinger Judenspiel", das die Ermordung einer christlichen Bettlerfamilie durch die Juden des Ortes und das peinliche Gerichtsverfahren zum Gegenstand hat, gibt ein deutliches Bild von solchen Vorgängen.[22]

In Konstanz wurde den Juden schon 1431 das Wohnrecht in der Stadt entzogen, aus Speyer wurden sie 1435, aus Mainz 1473 endgültig vertrieben. In München hatten Hostienfrevel- und Blutbeschuldigungsanklagen schon während des 14. und beginnenden 15. Jahrhunderts die Zahl der Juden erheblich vermindert, 1442 verbannte sie der Herzog aus München und Oberbayern, 1450 auch aus Niederbayern, das bis in die zweite Hälfte des 18. Jahr-

---

[20] Browe, S. 32.

[21] Browe, S. 286 f.

[22] Das Endinger Judenspiel, hrsg. Karl v. Amira, Halle 1883, S. 69 f.

hunderts „judenfrei" blieb. Die aus Nürnberg 1499 vertriebenen Juden siedelten sich z. T. in Fürth an. Seit 1693 ist ihnen das Betreten der Stadt gegen Zahlung eines Leibzolls und mit einer Geleitperson, zuerst einem Musketier, später einer alten Frau, wieder gestattet. Beides wurde erst im Jahre 1800 abgeschafft.[23] In Breslau (1453) und in Berlin (1510) waren es angebliche Hostienfrevel, die den Anlaß zur Austreibung gaben. Regensburg, das eine der ältesten jüdischen Gemeinden beherbergte, die sich im Spätmittelalter zu hoher Blüte entwickelt hatte, verjagte seine Juden erst 1519, als die wirtschaftliche Bedeutung der Stadt durch die Entdeckung neuer Handelswege im Niedergang begriffen war. Sie hatten ihre Synagoge selbst niederreißen müssen, ihr Friedhof wurde zerstört, die Grabsteine verwendete man als Bausteine. Man hat sie später wie in vielen Städten in den Stadtmauern und den Fundamenten alter Häuser wiederentdeckt. Erst am Ende des 17. Jahrhunderts wurden wieder einige Schutzjuden in Regensburg aufgenommen, weil sie sich zur Beschaffung von Geldern für den „immerwährenden Reichstag", der große Kosten verursachte, als nützlich erwiesen.

Im 15. und 16. Jahrhundert setzt die große Ostwanderung der Juden ein, über Böhmen und Schlesien nach Polen, wo sie von den polnischen Königen bereitwillig aufgenommen werden. Die Vertriebenen bleiben in der slawischen Umgebung ihrer dem Mittelhochdeutschen nahe verwandten jiddischen Sprache treu und wirken kraft ihrer Sprache an der Kolonisierung des Ostens durch die Deutschen mit.

Ein beträchtlicher Teil der deutschen Juden aber überlebt die Verfolgungen und Vertreibungen im Lande; denn geistliche und weltliche Fürsten nehmen sie auf, wenn sie aus den großen Städten vertrieben werden. Auch aus den Territorien werden sie wieder ausgewiesen, aus den rheinischen Kurfürstentümern, später aus Mecklenburg, aus

[23] Encyclopaedia Judaica „Nürnberg".

Brandenburg und aus Sachsen, aber niemals aus allen gleichzeitig und nicht für die Dauer. Die Vielgliedrigkeit des Reiches, die verworrenen Herrschaftsverhältnisse, die stets nahen Grenzen, die Eifersucht der Fürsten untereinander und ihr ständiges Geldbedürfnis – dies alles verhilft den hier und dort Vertriebenen an anderen Orten wieder zu einer nur geduldeten, rechtlosen Existenz. Sie sind immer abhängig vom Gutdünken der Kaiser, Kurfürsten, Fürsten und Städte und stets gezwungen, das Aufenthaltsrecht, die sog. „Stättigkeit", und das Berufsrecht käuflich zu erwerben.[24]

[24] Vgl. S. Dubnow, Weltgeschichte des jüdischen Volkes. Berlin 1927, VI, Kap. 3.

2. KAPITEL

DER EINFLUSS VON HUMANISMUS UND REFORMATION

Reuchlin und die Kölner Dominikaner

Die Krisen und Wandlungen des 16. Jahrhunderts berühren immer, wenn auch oft an der Peripherie, das Schicksal des jüdischen Volkes. Die politisch-rechtliche Auseinandersetzung zwischen Kaiser und Fürsten betrifft auch das Judenregal; Landesherren und Stände streiten sich über Aufenthaltsrecht und Vertreibung, theologische Fakultäten und Humanisten über die Bedeutung der talmudischen Literatur, die die einen verbrennen und die anderen erhalten möchten. Während des Bauernkrieges geraten die Juden zwischen die Fronten der kämpfenden Parteien. Die revolutionären Bauern und die verarmten Ritter sehen in den jüdischen Geldverleihern, so armselig ihr Gewerbe damals schon war, doch die Herrschaft des Kapitals verkörpert, die sie in ihrer bedrängten Lage hassen mußten; Adel und Bürgertum machen sie mitverantwortlich für die soziale Revolution. Für die Scholastiker der theologischen Fakultäten sind die Juden und ihre heiligen Bücher mitschuldig an der Glaubensspaltung, für die Reformatoren am Türkenkrieg und am Sektierertum. Die Juden befinden sich jeweils auf der verketzerten Gegenseite in den Streitgesprächen dieser Zeit; ihre Gegner wechseln, aber die Feindschaft der christlichen Umwelt bleibt. Wenn sie einmal Freunde und Verteidiger gewinnen, wie im Streit der Humanisten gegen die Spätscholastiker, so zeigt sich doch bald, daß bei den meisten nicht die damalige Judenheit gemeint war, sondern ihre große Vergangenheit, das biblische Schrifttum.

Als die Kölner Dominikaner den getauften Juden Pfefferkorn zu ihrem Werkzeug machten, planten sie einen Generalangriff gegen den Talmud und die rabbinischen Schriften. Sie wollten die hartnäckige Unbelehrbarkeit der Juden an der Wurzel angreifen, dabei hatten Konvertiten schon immer gute Dienste geleistet. Der Dominikanerorden hatte neben der Ketzerverfolgung und der Heidenmission auch die Judenbekehrung als seine besondere Aufgabe übernommen.[1] Seine enge Verbindung zu Spanien ließ befürchten, daß er die spanischen Methoden der Schaudisputationen, der Zwangsbekehrungen und schließlich der Austreibung im Sinne hatte. Zwar waren die Juden nach der kirchlichen Lehre keine Ketzer, keine vom Glauben Abgefallenen, da sie nie dazu gehört hatten. Wenn man ihnen aber im Talmud die Lästerung der christlichen Lehre nachweisen konnte, war der Grund gegeben, das jüdische Schrifttum zu verbrennen. Schon 1239 hatte Gregor IX. auf die Angaben eines getauften Juden (Nikolaus Donin) hin eine Prüfung der jüdischen Bücher angeordnet. Sie wurden in Paris beschlagnahmt, und die Juden sollten in einer öffentlichen Disputation bekennen, ob im Talmud das Christentum beschimpft werde. Als man ihre Verteidigung als ungenügend erkannte, wurden die jüdischen Bücher in einem feierlichen Akt 1242 in Paris verbrannt. Disputationen und Talmud-Verbrennungen fanden auch später in Spanien statt und unter dem Einfluß der Gegenreformation noch 1553 und 1559 in Italien.[2]

Die Absicht des Ordens stand also ganz in der mittelalterlichen Tradition. Wenn die Wahrheit der christlichen Religion bewiesen werden kann – wovon der apologetische Rationalismus der Spätscholastik überzeugt war – dann entspringt ihre Ablehnung dem bösen Willen und der Verstocktheit. Der Schritt zur Zwangsbekehrung oder zur Zwangstaufe, die von päpstlichen Bullen immer wieder

---

[1] Vgl. Wilh. Maurer, Kirche und Synagoge. Stuttgart 1953, S. 33 f.

[2] Über die öffentlichen Disputationen als Bekehrungsmittel vgl. Peter Browe, S. 65 ff.

bekämpft werden mußte, war schnell getan. Die Austreibung der Juden aus Spanien im Jahre der vollendeten Reconquista und der Entdeckung Amerikas (1492), aus Portugal im Jahre 1496 und die Anwendung der Inquisition gegen die Zwangsbekehrten (Marranen), die heimlich an jüdischen Gebräuchen festhielten, waren ein böses Signal für alle europäischen Länder, in denen es Judengemeinden gab.

Das ist der historische Hintergrund für den Pfefferkorn-Handel. Er begann damit, daß der Schützling der Dominikaner von Maximilian ein Mandat erwirkte, das ihm die Konfiskation der talmudischen Literatur erlaubte. Der Kaiser, der nachträglich wieder schwankend wurde, beauftragte einige Gelehrte, darunter den Inquisitor Jacob Hochstraten und den ersten Hebraisten seiner Zeit Johannes Reuchlin, mit der Untersuchung der Angelegenheit. Damit nahm die religiöse Auseinandersetzung, das jahrhundertealte Gespräch zwischen Ekklesia und Synagoge, eine neue Wendung. In Reuchlins Schriften tauchen Argumente auf, die an den Humanitätsgedanken der Aufklärung gemahnen, obwohl sie einen ganz anderen Ursprung haben.

Der Streit war mit einer Reihe von Schmähschriften eröffnet worden, die Pfefferkorn in den Jahren 1507/09 im Auftrag und wohl auch mit Hilfe des Ordens verfaßt hatte. Hier finden sich alle Vorwürfe der antijudaistischen Literatur des Mittelalters: der Talmud enthalte Beleidigungen Christi und der Jungfrau Maria, er lehre lästerliche Gebräuche, die Juden seien Bluthunde, die sich vom Schweiße der Christen nährten. Man solle ihnen ihre Kinder entreißen und sie taufen (was trotz häufiger päpstlicher Verbote immer wieder vorkam), man solle sie die niedrigsten und entehrendsten Arbeiten verrichten lassen, und das Volk solle gegen sie aufstehen, damit die Fürsten sie aus dem Lande verjagten.

Da es bei diesen Angriffen zunächst auf die Vernichtung der religiösen Schriften abgesehen war, trat Reuchlin gegen sie auf. Das Interesse des gelehrten Humanisten für das Judentum war wissenschaftlicher Natur. Er hatte auf mehreren Reisen nach Italien den Kreis der Florentiner Platoniker kennengelernt und war mit Marsilio Ficino und Pico della Mirandola befreundet. Vielleicht glaubte Reuchlin, wie die italienischen Frühhumanisten, die griechische Philosophie und die christliche Botschaft in Einklang bringen zu können und in der jüdischen Mystik der Kabbala, die auch Pico eifrig studierte, ein Bindeglied gefunden zu haben. Wenn die Quellen altjüdischen Glaubens ein Ausdruck der göttlichen Uroffenbarung waren, dann mußten sie sich mit der christlichen Tradition vereinigen lassen, dann war die Synagoge nicht mehr die besiegte und geblendete Sklavin, sondern die Schwester der Ekklesia.[3] Von dem universalen Theismus der Italiener ist Reuchlin nicht unberührt geblieben; obwohl er sich in seinen Schriften zur Rechtslage der Juden nicht unmittelbar nachweisen läßt, hat er doch auf Ton und Stimmung humanisierend eingewirkt.

Fünf Jahre vor dem Pfefferkorn-Streit hatte Reuchlin ein kurzes Sendschreiben zur Bekehrung der Juden herausgegeben unter dem Titel „Warum die Juden so lang im Elend sind“ (nach der alten Wortbedeutung: in der Fremde, in der Verbannung). Er gab die Antwort ganz im Sinne der von Gregor d. Gr. begründeten kirchlichen Tradition: ihrer großen Sünde wegen, den Messias nicht erkannt zu haben und ihn noch täglich zu verleugnen. Ihre Bekehrung könne aber nur durch Unterricht und Überzeugung, nicht durch Furcht und Zwang erreicht werden. Die Schrift endet mit einem Gebet, das der liturgischen Fürbitte am Karfreitag ähnlich ist.[4]

---

[3] Vgl. Maurer, S. 38.

[4] Vgl. Guido Kisch, Zasius und Reuchlin. Eine rechtsgeschichtlich-vergleichende Studie zum Toleranzproblem im 16. Jahrhundert. Konstanz u. Stuttgart 1961, S. 20 f. Kisch stellt der theologischen und dogmengeschichtlichen Darstellung W. Maurers eine rechtsgeschichtliche Untersuchung der Schriften Reuchlins gegenüber.

Von dieser frühkirchlichen Auffassung ist Reuchlin niemals abgewichen. Er stützt sich in seinem Gutachten zur Frage der hebräischen Literatur sowohl auf das kanonische wie auf das römische Recht, gibt aber den altrömischen Rechtssätzen, die er auf die im Heiligen Römischen Reich lebenden Juden anwendet, eine neue und ungewöhnliche Deutung. Sein Gutachten, das in den 1511 erschienenen „Augenspiegel" aufgenommen wurde, enthält folgende Grundsätze: Die Juden als Untertanen des Reiches wie wir alle – er nennt sie auch concives nobiscum romani imperii – sollen bei kaiserlichen Rechten erhalten bleiben. Kaiserliches und königliches Recht und fürstliche Satzungen haben festgelegt, daß niemand das Seine durch Gewalt verliere. Die Juden sollen ihre Synagogen „ohne Irrung und Eintrag" behalten. Die Judenbücher sind weder vom geistlichen noch weltlichen Recht verworfen und verdammt, deshalb soll man sie ihnen nicht entreißen und verbrennen.[5] Reuchlin erinnert ferner daran, daß man die Juden nicht als Ketzer behandeln könne. Er macht eine wichtige Unterscheidung: sie seien wohl unseres Glaubens Feinde, aber sie seien nicht unseres, d. h. des römischen Reiches Feinde, sondern säßen mit uns „in einem Bürgerrecht und Burgfrieden". Es gebe auch kein Gebot, nicht mit Juden rechtlich, geschäftlich und wirtschaftlich zu verkehren, man könne vielmehr mit ihnen handeln, Verträge schließen, Steuern von ihnen nehmen, mit ihnen disputieren und von ihnen lernen. Und er fügt noch ein theologisches Argument hinzu: „Zuletzt soll ein Christenmensch den Juden liebhaben als seinen Nächsten; das alles ist im Rechte begründet.[6]

Mit dieser humanen Auslegung alter judenrechtlicher Bestimmungen wollte Reuchlin den ursprünglichen Sinn sowohl des römischen Rechts wie des Kirchenrechts wieder

---

[5] Wortlaut mit Angabe der Justinianischen und kirchlichen Rechtsquellen bei Kisch, S. 24 f.

[6] Kisch, S. 28 f. und Anmerkung S. 77.

herstellen, der durch den Begriff der servitus Judaeorum in Verwirrung geraten war. In der Kammerknechtschaft, die praktisch als eine Form von Leibeigenschaft auferlegt wurde und den Fürsten jede Willkür erlaubte, sah er eine Entstellung altrömischer Rechtsgrundsätze; er stellt ihr deshalb die „communis civilitas“ gegenüber, den gemeinsamen Bürgerstand aller Untertanen des Reiches. Während die Kirche seit dem 3. und 4. Laterankonzil auf scharfe Trennung von Christen und Juden drängte, mahnte Reuchlin an die immer noch möglichen und praktisch gehandhabten Formen friedlichen Verkehrs mit ihnen und erinnerte an die mildere Form eines christlichen Staatsideals, bei der die Synagoge als religio licita ein Daseinsrecht hatte. Da er das hebräische Schrifttum, das seine große Entdeckung war, bewunderte, fühlte er sich zur Verteidigung aufgerufen, als der Scheiterhaufen für die jüdischen Bücher angezündet werden sollte.

In einer Zeit, die vom Lärm der Hostienfrevel- und Ritualmordprozesse, der Synagogenzerstörungen und Austreibungen erfüllt war, erklang seine Stimme wie ein Anruf der Menschlichkeit. So verstanden ihn die jüdischen Gemeinden, und deshalb hoffte ihr Führer und Sprecher Josel von Rosheim, es sei eine große Wende im Schicksal seiner Glaubensgenossen eingetreten. Sie feierten ihn als „einen Weisen der Völker“ und seine Verteidigung der jüdischen Lehre in Zeiten der Schmach und Erniedrigung als „ein Wunder im Wunder“.[7]

Aber Reuchlin hatte seine humanistischen Freunde bei der Verteidigung der Juden keineswegs alle hinter sich. Im Kampf gegen die Kölner Dominikaner allerdings, der durch die scharfe und geistreiche Satire der „Dunkelmännerbriefe“ berühmt geworden ist, unterstützten sie ihn. Die literarische Fehde weitete sich zu einer humanistisch-scholastischen Auseinandersetzung aus, in die die

---

[7] Selma Stern, Josel von Rosheim. Stuttgart 1959, S. 43.

Pariser Universität, Ludwig XII. und die Kurie hineingezogen wurden. Gegen Reuchlin hatten die Dominikaner einen Ketzerprozeß angestrengt, der sich lange hinschleppte und 1520 mit seiner Verurteilung endete. Reuchlin unterwarf sich. Inzwischen hatten Luthers Thesen die christliche Welt in Aufruhr versetzt. Die jüdische Literatur aber ist vor dem Scheiterhaufen bewahrt worden. Das hat nicht allein Reuchlins Gutachten bewirkt, sondern auch das Eingreifen des Mainzer Erzbischofs, die schwankende und gleichgültige Haltung des Mediceerpapstes Leo X., die fragwürdige Figur des Denunzianten Pfefferkorn und die Unbeliebtheit der dominikanischen Inquisition in Deutschland.

Luthers Haltung zur Judenfrage

Luther hatte im Reuchlinstreit die Partei der Humanisten gegen die Dominikaner ergriffen, er hatte mit der Begründung, daß man in Gottes Geschichte und Heilsplan nicht eingreifen dürfe, die gewaltsame Bekehrung mit Zwangspredigten und Zwangstaufen jüdischer Kinder verworfen. Er war davon überzeugt, daß die Schuld am Unglauben der Juden auch bei denen liege, die die Botschaft auf eine so ungemäße Weise verkündeten, und er hoffte, daß das von Menschensatzungen gereinigte Evangelium die Juden von der Wahrheit der christlichen Verkündigung überzeugen werde. Das spricht er aus in seiner ersten theologischen Schrift zur Judenfrage von 1523 „Daß Jesus Christus ein geborener Jude sei." „Wenn ich ein Jude gewesen wäre und hätte solche Tölpel und Grobiane gesehen den Christenglauben regieren und lehren, so wäre ich eher eine Sau geworden als ein Christ. Denn sie haben mit den Juden gehandelt, als wären es Hunde und nicht Menschen. Und wenn wir gleich hoch uns rühmen, so sind wir dennoch Heiden und die Juden von dem Geblüt Christi, wir sind Schwäger und Fremdlinge, sie sind Blutsfreunde,

Vettern und Brüder unseres Herrn", heißt es hier.[8] Man müsse aber „christlicher Liebe Gesetz an ihnen üben und sie freundlich annehmen, mit lassen erwerben und arbeiten, damit sie Gelegenheit und Raum gewinnen, bei und um uns zu sein, unsere christliche Lehre und (christliches) Leben zu hören und zu sehen. Ob etliche halsstarrig sind, was liegt daran? Sind wir doch auch nicht alle gute Christen".[9]

Das war der reformatorische Auftakt, und die Juden knüpften große Hoffnungen daran. Die missionarische Absicht, die Luther selbstverständlich war, überhörten sie nicht, aber sie klang anders als die Drohungen der spanischen Inquisition. Deshalb schickten die Marranen in Antwerpen Luthers Schrift heimlich an die bedrohten Glaubensbrüder in Spanien, damit sie Trost und Hoffnung daraus schöpften.[10] Heinrich Graetz sagt in seiner Geschichte der Juden: „Das war ein Wort, wie es die Juden seit einem Jahrtausend nicht gehört hatten."

Luther hat später die Existenz des Judentums noch in mehreren theologischen Schriften behandelt, sie war für ihn kein nebensächliches Problem. Er hat es leidenschaftlich erörtert und dabei offenbar eine Wandlung durchgemacht, die man psychologisch, historisch und theologisch zu erklären versucht hat, die aber immer noch Rätsel aufgibt. 1538 erschien seine Schrift „Wider die Sabbater", 1543 verfaßte er drei größere Abhandlungen zur Judenfrage, von denen die umfangreichste „Von den Juden und ihren Lügen" die bekannteste und wichtigste ist. Sie ist schon in der Frühzeit des Nationalsozialismus öfter neu gedruckt und propagandistisch ausgewertet worden. Dabei konnte man Luthers sieben Ratschläge zur Bekämpfung und Ausrottung des Judentums wörtlich übernehmen, ein Kommentar hätte sie nur abgeschwächt.

---

[8] M. Luther, Ausgew. Werke, Ergänzungsreihe III. Bd. München 1936[2], S. 2 f.
[9] Luther, III, 28.
[10] S. Stern, Josel von Rosheim, S. 128.

Die psychologische Erklärung, daß Luther sich im Alter durch Enttäuschung und Verbitterung zu gehässigen Äußerungen habe hinreißen lassen, ist zwar sehr populär geworden, sie genügt aber nicht. Sie macht auch den theologischen Ansatz nicht sichtbar, von dem Luther sowohl in seiner Frühschrift wie später ausgeht: dort hatte er die Halsstarrigen angesprochen in einer Art Gemeinschaft des Predigers mit seinen Hörern, „... sind wir doch auch nicht alle gute Christen." Jetzt spricht er nur noch mit den Christen, vor allem mit den Obrigkeiten, über Verlorene und Verdammte, die auf keine Predigt hören, die im toten Winkel der Verkündigung sitzen. Vor ihnen muß man die Christen um ihres Seelenheils willen beschützen, damit sie nicht in „falscher Barmherzigkeit" der Sünde verfallen, den Verfluchten Raum und Platz gegeben zu haben.[11] Luther hatte immer gelehrt, daß die Hl. Schrift den Abfall der Juden vorausgesagt habe, daß die Synagoge unter dem Todesurteil Gottes stehe und daß sich am jüdischen Schicksal seit 1400 Jahren das Strafgericht Gottes offenbare. Aber das Urteil schloß nicht aus, daß ein Rest von ihnen gerettet werde. Von dieser theologischen Voraussetzung aus schien Luther zuerst die Verkündigung an die Juden noch möglich, darum ist seine erste Schrift eine Einladung, seine späte bedeutet die Ausschließung aus dem Raum der Verkündigung, und das heißt in einer fürchterlichen Konsequenz die Ausschließung aus der menschlichen Gemeinschaft. Daraus folgt alles andere.
Aber was war inzwischen geschehen? Luthers Verhältnis zu den Juden war von Anfang an durch die vielen Sekten belastet, besonders durch die Antitrinitarier; ihr entschiedener Monotheismus, ihre Leugnung der Dreifaltigkeit, schien der jüdischen Lehre verwandt zu sein. Eine kleine Gruppe von Täufern in Schlesien begann 1528 damit, den Sabbat einzuhalten, hier spielte auch die Erwar-

[11] Vgl. hierzu die eingehende theologische Analyse von Martin Stöhr, Luther und die Juden. Evangelische Theologie, 1960, 4. Heft.

tung einer nahen Wiederkunft des Messias eine Rolle. Luther war seit der Bewegung, die Thomas Münzer und Karlstadt entfesselt hatten, und seit den bösen Erfahrungen des Bauernkrieges wie gebannt von den gefährlichen Irrtümern des Schwärmertums. Die Vermutung, daß eine jüdische Gegenmission in Mähren sich diese Irrtümer zunutze machen könnte, erbitterte ihn; seine Enttäuschung über die Unbelehrbarkeit der Juden schlug in Haß um. Er las damals die Schmähschriften der Konvertiten, des Paulus von Burgos und des Antonius Margaritha.[12] Die Argumente des mittelalterlichen sakramental begründeten Judenhasses haben Luther wohl nie ferngelegen, in seinen späten Schriften tauchen sie alle wieder auf. Die Juden, als vom Sakrament Ausgeschlossene, leben in einer dämonischen Sphäre, sie sind Teufelskinder und treiben Zauberei. Wer mit ihnen umgeht, wird ihrer Sünden teilhaftig. „Darum hüt' dich vor den Juden und wisse, wo sie ihre Schulen haben, daß daselbst nichts anderes ist als ein Teufelsnest, darin eitel Eigenruhm, Hochmut, Lügen und Lästern ... Und wo du einen Juden siehest und hörest lehren, da denke nicht anders, als daß du einen giftigen Basilisken hörest, der auch mit dem Gesicht die Leute vergiftet und tötet.“ [13]

Die unter dem Zorn Gottes Stehenden, so meint Luther jetzt, sind nicht zu retten. Im babylonischen Exil sprach Gott zu ihnen durch die Stimme der Propheten, während „hier in diesem Elende nicht eine Fliege mit einem Flügel ihnen zischet zum Trost. Heißt das nicht verlassen von Gott, so mag der Teufel auch rühmen, er sei noch nicht verlassen von Gott.“ [14] Daß Gottes Stimme schweigt, ist für Luther nun der Beweis ihrer ewigen Verdammnis.

---

[12] Paulus von Burgos (Salomon ben Levi) trat 1390 zum Christentum über und wurde 1415 Erzbischof von Burgos. Antonius Margaritha, Enkel eines Talmudgelehrten, wurde 1522 getauft und gab 1530 das Buch „Der gantz Jüdisch Glaub“ heraus.

[13] Luther, III, 97.

[14] Luther, III, 60.

Die Schrift „Von den Juden und ihren Lügen" ist eine beschwörende Mahnung an die Christen; die Juden werden nicht mehr angesprochen, sie sind jetzt zum Gegenstand der Weisungen an Fürsten, Pfarrer und Gemeinden geworden, nämlich wie man es mit ihnen halten solle, um die Christen vor Schaden zu bewahren. Es handelt sich um sieben Ratschläge, die das Fazit der Erörterung bilden: Man solle die Synagogen und Schulen verbrennen und noch höllisches Feuer hineinwerfen, damit Gott unseren Ernst und alle Welt solches Exempel sehe. Man solle ihre Häuser zerstören und sie wie die Zigeuner „unter ein Dach oder Stall" tun, damit sie wissen, daß sie nicht Herren im Land, sondern im Elend und gefangen sind. Ihre Gebet- und Talmudbücher solle man ihnen abnehmen, auch die Bibel, denn sie gebrauchten sie nur zur Lästerung, und den Rabbinern das Lehren verbieten. „Geleit und Straße" müsse man ihnen aufheben, „denn sie haben nichts auf dem Lande zu schaffen, weil sie nicht Herrn noch Amtleute, noch Händler oder desgleichen sind, sie sollen daheim bleiben."[15] Den Geldhandel solle man ihnen verbieten und ihnen Barschaft und Kleinodien abnehmen, man könne sie den willig sich bekehrenden Juden als Lohn geben. Den jungen und starken Juden und Jüdinnen solle man „Flegel, Axt, Karst, Spaten, Rocken, Spindel" in die Hand geben und „ihnen das faule Schelmenbein aus dem Rücken vertreiben". Sollten sie aber mit dieser Knechtsarbeit den Christen nur Schaden tun, so sei es ratsam, bei „gemeiner Klugheit der anderen Nationen" zu bleiben und sie für immer aus dem Lande zu vertreiben. „Denn, wie gehört, Gottes Zorn ist groß über sie, daß sie durch sanfte Barmherzigkeit nur ärger und ärger, durch Schärfe aber wenig besser werden. Drum immer weg mit ihnen."[16] Hier sind die Obrigkeiten unmittelbar angesprochen, denn sie tragen in den protestantischen Landesfürstentümern

[15] Luther, III, 191.

[16] Luther, III, 193.

die Verantwortung für ihre christlichen Untertanen. Luther scheut keine Übertreibung, keine paradoxe Verkehrung der Wirklichkeit, auch keine demagogischen Mittel, um ihnen die Gefahr, von der er überzeugt war, deutlich zu machen. „Sie (die Juden) halten uns Christen in unserem eigenen Lande gefangen; sie lassen uns arbeiten im Nasenschweiß, Geld und Gut gewinnen, sitzen sie dieweil hinter dem Ofen, faulenzen, pompen und braten Birnen, fressen, saufen, leben sanft und wohl von unserem erarbeiteten Gut ..., sind also unsere Herren, wir ihre Knechte ..."[17] „Sie leben bei uns zu Hause, unter unserem Schutz und Schirm, brauchen Land und Straßen, Markt und Gassen, dazu sitzen die Fürsten und Oberkeit, schnarchen und haben das Maul offen, lassen die Juden aus ihrem offenen Beutel und Kasten nehmen, stehlen und rauben, was sie wollen, ... sie lassen sich selbst und ihre Untertanen durch der Juden Wucher schinden und aussaugen und mit ihrem eigenen Gelde sich zu Bettlern machen."[18]

Und um es auf volkstümliche Weise klarzumachen, daß man es mit „Schlangengezücht und Teufelskindern" zu tun habe, wiederholt Luther die „Historien" von gemordeten Kindern und vergifteten Brunnen, die Päpste und Kaiser des Mittelalters schon als unbeweisbar und widervernünftig verworfen hatten und die damals der protestantische Prediger an der St. Lorenz-Kirche in Nürnberg, Andreas Osiander, auch bekämpfte. „Daher gibt man ihnen oft in den Historien Schuld, daß sie die Brunnen vergiftet, Kinder gestohlen und zerpfriemet haben, wie zu Trent, Weissensee usw. Sie sagen wohl nein dazu. Aber, es sei oder nicht, so weiß ich wohl, daß es am vollen, ganzen, bereiten Willen bei ihnen nicht fehle, wo sie mit der Tat dazu kommen könnten, heimlich oder offenbar."[19]

---

[17] Luther, III, 187.

[18] Luther, III, 141.

[19] Luther, III, 140, vgl. auch S. 186, 188.

Kann man annehmen, daß es Luther bei der Anwendung dieser „scharfen“ Barmherzigkeit wirklich noch ernst war mit der Hoffnung, „ob wir doch etliche aus der Flammen und Glut erretten könnten“? Wohl kaum.[20] Aber Luther wendet sich an die Landesherren, und damit werden seine Ratschläge politische Weisungen. Für den protestantischen Fürstenstaat, der die Ordnung der Landeskirche übernehmen muß, wird jetzt die alte Frage wieder aktuell, die schon das Staatskirchentum zur Zeit Justinians beschäftigt hatte, nämlich wie in einem christlichen Staatswesen eine religiös und national andersartige Gruppe ihren Platz finden könne. Die protestantischen Reichsstände und die Juden erwarteten von Luther eine Antwort. Wir müssen uns fragen, wie er sich die Existenz des jüdischen Volkes in der neuen res publica christiana denkt, ob seine Ratschläge realisierbar sind und welche Wirkung sie haben können, auch wenn sie die Rechtsfrage nicht berühren. Das heißt, wir müssen sie politisch ernst nehmen und dürfen uns mit der theologischen Interpretation nicht begnügen.

Von den sieben Punkten beziehen sich die ersten vier auf die Unterdrückung und Ausmerzung der jüdischen Religion und die Zerstörung der jüdischen Häuser, da Luther meint, in ihnen werde dieselbe „Abgötterei“ getrieben wie in den Synagogen und Schulen. Das geht weit über die strenge Judengesetzgebung im kirchlichen Recht des Mittelalters hinaus, das zwar die Trennung von den Christen forderte, aber den Juden Synagoge und Wohnstätte (später im Ghetto) zugestand. Der Hinweis auf die Zigeuner (damit sie ihr „Elend“ auch spüren!) bedeutet Heimatlosigkeit, Nomadentum, Recht- und Schutzlosigkeit. Das Verbot jeglichen Handels und der Benutzung von Straßen und Märkten würde den Juden die einzige Erwerbsmög-

[20] M. Stöhr, a.a.O. S. 175 ff. weist nach, daß keine theologische Deutung die unbarmherzigen Ratschläge Luthers in barmherzige verwandeln könne und daß es sich für ihn jetzt bei der Bekehrung nur noch um einen „frommen Wunsch“ handele.

lichkeit rauben, die Enteignung ihres Besitzes sie unter das Bettelvolk hinabstoßen, die Belohnung der Täuflinge eine Bekehrung fragwürdig machen. Der letzte Ratschlag – er ist später immer wiederholt worden – bezieht sich auf die harte körperliche Arbeit, erweist sich aber als ganz unrealistisch. Hier werden die jungen und kräftigen Juden angesprochen, Knechtsarbeit, Sklavenarbeit ist gemeint, denn sie können kein Land besitzen. Also Auflösung der Familien und der Gemeinden, in denen sich der jüdische Kultus verwirklicht? Zwangsarbeit im Dienste der Christen, von denen sie doch getrennt sein sollen? Hier kann von gesellschaftlicher Einordnung keine Rede mehr sein, auch nicht von Deklassierung, hier handelt es sich nur um die Zerstörung einer religiösen Lebensordnung und um die Ausstoßung einer kleinen Gruppe aus der menschlichen Gemeinschaft. Soll das heißen, daß die Obrigkeiten als Gerichtsvollzieher Gottes sein Strafgericht an dem fremden Volke ausführen sollen? So wollte es Luther aber nicht verstanden wissen. Klar wird sein Gedanke erst im allerletzten Punkt: am besten für alle (d. h. für die Fürsten und die christlichen Untertanen) sei die Austreibung der Juden. Damit ist das Problem der Einordnung und des Zusammenlebens als unlösbar bezeichnet und beiseite geschoben, es ist aus der Verantwortung der christlichen Obrigkeit entlassen. Man muß den Schluß ziehen, daß sich aus der theologischen Überzeugung von der Verworfenheit des jüdischen Volkes und seiner ewigen Verdammnis keine Rechtsnormen für seine Existenz in dieser Welt herleiten lassen.

Martin Butzer und die Judenordnung in Hessen

Es gibt eine reformatorische Äußerung zur Judenfrage, die unmittelbarer als Luthers Schriften in die Rechtspraxis des Landesfürstentums eingreifen sollte: das Gutachten zur hessischen Judenordnung von 1538, von Martin Butzer, dem Straßburger Reformator, verfaßt und von sechs hessischen Geistlichen mitunterzeichnet. Im selben Jahre hatte Butzer dem Landgrafen Philipp geholfen, die Täuferbewegung in Hessen zu unterdrücken; jetzt wird er zur Regelung der Judenfrage herangezogen. Das Problem stellt sich hier ganz deutlich, und der Lösungsversuch ist charakteristisch für die Tendenzen der Zeit. Von Luthers Spätschriften ist er noch unbeeinflußt. In den 20er Jahren war den Juden der Aufenthalt in Hessen verboten, 1532 aber für sechs Jahre wieder erlaubt worden. Jetzt legte der Landgraf seinen Prädikanten sieben Artikel einer verhältnismäßig milden Judenordnung vor, die vielleicht von den besorgten Juden selbst entworfen, jedenfalls in der landgräflichen Kanzlei formuliert worden waren. Er forderte ein Gutachten aus christlich-reformatorischer Verantwortung.

Butzer geht darin wie Luther von der heilsgeschichtlichen Stellung der Juden aus, die erwählt, dann verworfen und mit äußerster Strenge vielleicht noch zu retten seien. Da es in einem Staatsgrundgesetz vor allem darum geht, die einzige und wahre Religion im Staate zu erhalten und zu vermehren, können ungläubige Fremde nur unter strengsten Bedingungen geduldet werden. Es folgen die schon der christlichen Spätantike bekannten Verbote für die Juden, neue Synagogen zu bauen und mit Christen über ihren Glauben zu diskutieren. Auch auf die Zwangspredigten, die bisher eine Domäne der Bettelorden waren, glaubt der Reformator nicht verzichten zu können. Für die soziale Stellung der Juden im Staate hat Butzer neue Vorschläge; er begründet sie mit Bibelworten, die er wie Rechtsparagraphen behandelt.[21] „Der Fremdling, der bei dir ist, wird über dich steigen und immer oben schweben; du aber wirst heruntersteigen und immer unterliegen, . . . er wird das Haupt sein, und du wirst der Schwanz sein"

---

21 W. Maurer, Martin Butzer und die Judenfrage in Hessen. Zeitschrift des Vereins für hessische Geschichte und Landeskunde, 1953. Band 64, S. 38 f.

(5. Mose 28, 43, 44). „Dies göttlich Recht", sagt Butzer, „sollen unsere Oberen an den Juden vollstrecken und sich nicht unterstehen, barmherziger zu sein als die Barmherzigkeit selbst", d. h. sie sollen sie in den untersten Stand hinabdrücken. Der wird im folgenden sehr genau bezeichnet. Es dürfen ihnen nur die „mühseligsten und ungewinnlichsten Arbeiten, als da sein der Bergknappen Arbeit, graben, walmachen, Stein und Holz hauen, Kalk brennen, Schornstein und Kloaken fegen, Wasenmeister oder Schinder Werk treiben und dergleichen". Wenn sie auf solche Weise nicht zu bekehren seien, so dienten sie doch den Christen zum Exempel, um sie „von der Gottlosigkeit abzuschrecken, deren Straf und Buss an den Juden so ernstlich vor Augen wär".[22]

Es ist eine Verbindung von Missionseifer und Bibelgläubigkeit mit praktischer Nüchternheit, Seelenhärte und moralischer Selbstsicherheit, die allen Ernstes aus Not und Elend noch ein Exempel zu machen wünscht. Das Bild von Haupt und Schwanz ist einprägsam, es rechtfertigt jede Art von Unterdrückung, macht sie sozusagen zur Christenpflicht. Das hätte nicht nur den Obrigkeiten, sondern auch den abergläubischen und begehrlichen Massen einleuchten können. Aber hier muß deutlich gesagt werden, daß die Reformatoren die Volksaufstände und Gewaltakte gegen die Juden sehr scharf bekämpften. Auch die Scheiterhaufen wurden nicht mehr angezündet, wie noch 1453 in Breslau nach den Predigten Capestranos und zuletzt 1510 in Berlin nach einem angeblichen Hostiendiebstahl, dessen wahren Sachverhalt Melanchthon 29 Jahre später aufgedeckt hat. Es hatte in beiden Fällen Massenverbrennungen gegeben, die die zeitgenössischen Holzschnitte mit viel Sinn für Realistik schildern. Die soziale Deklassierung der Juden, die Butzer ohne Be-

---

[22] Briefwechsel Landgraf Philipps v. Hessen mit Bucer. Hrsg. v. Max Lenz. Publikationen aus den königl. preuß. Staatsarchiven, 5. Bd. Leipzig 1880, S. 56 f.

denken als Vollstreckung des göttlichen Urteils bezeichnet, sollte von der Obrigkeit jetzt auf Grund von Rechtsnormen, also ordnungsgemäß, praktiziert werden, um die Christen in ihrem Glauben und in ihrer wirtschaftlichen Betätigung zu schützen.

Ob diese Haltung humaner ist, könnte man in Zweifel ziehen. Wer aber die geschichtlichen Folgen betrachtet, muß zugeben, daß sie sich damals wenigstens mildernd ausgewirkt hat; denn die Landesfürsten behandeln die Judenfrage im Laufe der Zeit immer nüchterner und praktischer im Sinne der Staatsräson. Schon dem Landgrafen von Hessen erscheinen die Bestimmungen Butzers zu eng und zu hart. Er fürchtet, die Juden könnten sich auf diese Weise in seinem Lande nicht halten, und findet eine Kompromißlösung, die ihnen beschränkten Handel und Kreditgeschäfte erlaubt. Er begründet sie auch mit Bibelstellen, denkt aber zugleich politisch und verhält sich dabei toleranter als seine Theologen.

Wie steht es überhaupt mit der unmittelbaren und praktischen Wirkung von Luthers Schriften auf die rechtliche und soziale Lage der deutschen Juden? Wir wissen nur, daß zwei protestantische Fürsten unter Berufung auf Luther den Juden das Geleit aufkündigten und ihnen den Durchzug durch ihre Länder – es waren Kursachsen und die Neumark – bei strenger Strafe untersagten. Das bedeutet nicht viel, da katholische Landesherren sich nicht anders verhielten. Nirgendwo ist man der Aufforderung gefolgt, die Synagogen zu verbrennen, den Rabbinern die Lehre zu verbieten und die Juden zu harter und erniedrigender Arbeit zu zwingen. Die religiöse Unduldsamkeit findet im Zeitalter der Glaubenskriege andere Gegner als die spärlichen Reste der Judengemeinden, die sich in kleinen Städten, in den Zwerggebilden der Territorien und in Bistümern hier und da gehalten haben. Luther hatte selber von ihrem schwankenden und unsicheren Schicksal gesagt: „Sie sitzen immer auf der Schuckel und Wurf-

schaufel. Heute nisten sie hie, morgen werden sie vertrieben und ihre Nester zerstört, und ist kein Prophet hie, der da spreche, fliehet dorthin oder hie her, sondern müssen auch des Orts ihres Elendes ungewiß sein und schweben im Winde, wo er sie hinweht."[23]
Wer wirtschaftlichen Nutzen aus ihnen ziehen wollte, tat besser daran, ihnen den Geldhandel und die Pfandleihe zu überlassen, allenfalls das Wechslergeschäft und auf dem Lande den Hausier- und Nothandel; denn hohe Schutzgelder, Steuern und Leibzoll brachten das Geld schon wieder in die fürstlichen Kassen, zumal die Fürsten in Bezug auf das Judenregal von ihren Landständen unabhängig waren und an ihm eine sichere Einnahmequelle besaßen.

Aber wenn die Ratschläge Luthers auch nicht befolgt wurden, so hat seine Behandlung der Judenfrage doch geistige Wirkungen hervorgebracht, denen man bis in die neueste Zeit nachgehen kann. Vorerst wurden die jungen protestantischen Staaten mit Grundsätzen belastet, die z. T. an das mittelalterliche Ketzerrecht erinnern und die als wirtschaftliche Richtlinien (Verbot des Kreditwesens, Sklavenarbeit) veraltet und unpraktikabel waren. Den Landesherren gaben Luthers Judenschriften später bei der Abfassung der Judenreglements, die den Ausnahmestatus bis in das 19. Jahrhundert hinein festsetzten, eine gleichsam theologische Rechtfertigung und damit ein gutes Gewissen. Dem Antisemitismus haben sie Argumente geliefert, die nie wieder aus der Diskussion verschwunden sind. Das typisierte Bild des arbeitsscheuen, wucherischen, seine christliche (später arische) Umwelt aussaugenden, sie insgeheim beherrschenden Juden, die Verteufelung seines Glaubens und seiner Sitten, erbt sich jahrhundertelang fort und lebt im Rassenantisemitismus des 19. Jahrhunderts weiter.

---

[23] Zit. nach W. Maurer, Kirche und Synagoge, S. 101.

Als Butzers Gutachten den jüdischen Gemeinden in Hessen bekannt wurde, befürchteten sie von den „Judenpredigten" eine neue Form der Zwangsmission und wandten sich in ihrer Gewissensnot an Josel von Rosheim, den Vorsteher der Judenschaft im Unterelsaß. Er antwortete ihnen mit einer „Trostschrift an seine Brüder wider Buceri Büchlein", die in Bruchstücken erhalten geblieben ist.[24] Josel, dessen Verwandte dem Endinger Judenmord zum Opfer gefallen waren, ist für die deutschen Juden damals eine Art Generalsachwalter. Die Urkunden der Zeit bezeichnen ihn als „Obersten über alle Juden deutscher Nation", als „gemeiner Judenschaft Befehlshaber und Regierer".[25] Das sind ungewöhnliche Titel; der einfache jüdische Geldhändler aus dem Unterelsaß verdankt sie lediglich seinem tapferen Eintreten für das Daseinsrecht des jüdischen Volkes und seinem hohen Ansehen an den Fürstenhöfen und in der kaiserlichen Kanzlei. Denn es hat niemals ein politisches Band gegeben, das die Juden in Deutschland zu einer Körperschaft vereinigte. Josel trat aus eigener Verantwortung als Fürsprecher, als Bittsteller, als Ankläger und als Verteidiger auf den Reichstagen auf, er verhandelte mit Maximilian, mit Karl V., mit Ferdinand, mit Fürsten, Bischöfen und Städten, um die Einhaltung von Verträgen zu fordern, um Privilegien und Handelserleichterungen für seine bedrängten Glaubensgenossen zu beschaffen und um Ausweisungsbefehle rückgängig zu machen. Er durchwanderte 40 Jahre lang das Reich vom Elsaß bis Böhmen und Schlesien, wenn es galt, Ritualmordprozesse niederzuschlagen, die angeschuldigten Juden

---

[24] L. Feilchenfeld, Rabbi Josel von Rosheim, Straßburg 1898. Anhang XVI, S. 180 ff.

[25] Vgl. hierzu die Biographie von Selma Stern, a.a.O., die ein wichtiges Kapitel der jüdischen Exilsgeschichte vor dem Hintergrund des Reformationszeitalters und unter der Einwirkung seiner geistigen und sozialen Umwälzungen darstellt.

vor der Folter zu bewahren oder sie Standhaftigkeit im Martyrium zu lehren. Er verband die Tätigkeit des gesetzeskundigen Juristen und erfahrenen diplomatischen Unterhändlers mit der eines geistlichen Beraters.

Josel erkannte die unselige Wechselwirkung, die mit dem Zinsgeschäft verbunden war, den Zirkel von Erpressung und Wucher. „Aber so man uns dasselbig schwer Joch abtät, wollten wir leichter von solchem lassen, dann etliche Völker, die kein Spruch oder Fug haben zu wuchern",[26] heißt es in der „Trostschrift", die zugleich eindringliche Mahnungen an seine Glaubensbrüder enthält, sich von der Sünde der Habgier und Hoffart nicht verführen zu lassen. „Seid fromm und leidet auch, so werdet ihr von Martin Butzers Ratschlag wohl bleiben", rät er ihnen. In den Eingaben an die königlichen Kommissare stehen Sätze, die das göttliche Recht beschwören und an die Flugschriften der aufständischen Bauern gemahnen: „Das Erdreich ist frei und von Gott, unser aller Schöpfer, den Menschen zum Trost und zur Nutznießung übergeben."[27] Der Entwurf einer „ehrbaren Ordnung und Satzung" für die Judenschaft schließt mit der Bitte an sämtliche Stände des Reiches, die Juden nicht zu vertreiben. „Denn wir auch Menschen von Gott dem Allmächtigen auf der Erde zu wohnen geschaffen, bei euch und mit euch zu wohnen und zu handeln."[28]

Im Jahre 1530 gelang es Josel in Innsbruck in der Anwesenheit Karls V. einen schlimmen Vorwurf abzuwehren, der leicht eine Katastrophe über die Judenschaft in Deutschland hätte heraufbeschwören können, wie sie sich bei den Kreuzzügen ereignet hatte. Man verdächtigte sie nämlich der Spionage im letzten Türkenkriege und der heimlichen Sympathie mit den Glaubensfeinden. Nun

---

[26] S. Stern, S. 142. In der alten Wortbedeutung ist „wuchern" gleich Zins nehmen.

[27] S. Stern, S. 65.

[28] S. Stern, S. 100.

hatte sich der Islam in der Tat den Juden gegenüber tolerant gezeigt, und die aus Spanien vertriebenen sephardischen Juden waren vom Sultan freundlich aufgenommen worden, eine Tatsache, die dem Judenhaß für eine Kollektivbeschuldigung schon Anlaß genug gab. Es ist der sparsamen Äußerung Josels in seinen Memoiren zu entnehmen, daß er den Kaiser von der Grundlosigkeit der Anklage überzeugen konnte.

Als der Kurfürst von Sachsen 1536 den Juden Ansiedlung, Aufenthalt und Durchreise in seinem Land verbot, versuchte Josel bei Luther vorgelassen zu werden, um ihn zur Vermittlung zu bewegen. Luther lehnte das in einem höflichen, aber grundsätzlichen Schreiben ab, aus dem zuerst seine veränderte Haltung zur Judenfrage deutlich wurde. Er hatte gerade von der Sekte der Sabbater in Mähren gehört. Als einige Jahre später seine Schrift „Von den Juden und ihren Lügen" erschien, fürchtete Josel ihre Wirkung auf die Volksstimmung und wandte sich mit einer Verteidigungsschrift an den Straßburger Magistrat. Der weigerte sich zwar, bei den verbündeten Fürsten und Städten zugunsten der Juden zu intervenieren, aber er verbot doch den Druck von Luthers antijüdischen Schriften in seinem Gebiet.

Bei dem Zustand völliger Rechtlosigkeit war die Schutzherrschaft des Kaisers über seine Kammerknechte immer noch die letzte und einzige Hoffnung. Daher bemühte sich Josel von Rosheim ständig um die Bestätigung alter Rechte und um die Wiederherstellung eines früheren, zwar unfreien, aber einigermaßen gesicherten Zustandes, um das Daseinsrecht der Juden im Römischen Reich Karls V. Auf das Privileg von 1544, das großzügigste und freiheitlichste, das den Juden je erteilt wurde, haben seine zahlreichen Eingaben sicher Einfluß gehabt. Man nimmt sogar an, daß er der eigentliche Urheber dieser „Magna Charta" der Juden gewesen sei. In völligem Gegensatz zu Luthers Ratschlägen an die Fürsten bestätigte das kaiserliche Privileg die Juden in ihren alten Rechten, gewährleistete ihnen Sicherheit des Geleits, des Handels und Wandels, verbot die Austreibung aus den Territorien und Reichsstädten, die Schließung der Synagogen, versprach ihnen Schutz vor der Anklage des Ritualmordes und erlaubte ihnen sogar einen höheren Zinsfuß als den Christen, weil sie höher besteuert wurden.[29]

Traditionsgefühl und hohes Selbstbewußtsein haben dazu beigetragen, daß Karl V. ein altes Hoheitsrecht der Krone wieder herstellte, das kaiserliche Judenregal, das er gegen die Ansprüche der Fürsten und Städte zu verteidigen unternahm. Josel von Rosheim hatte wohl gehofft, daß sich aus der Kammerknechtschaft eine Form von eingeschränktem Reichsbürgerrecht der Juden entwickeln würde, denn in den Prozeßakten bezeichnet er nach 1544 die Juden als Cives Romani, als Untertanen des Reichs, wie es schon Reuchlin getan hatte.

Aber die Wirklichkeit sah anders aus. Der Kaiser als sakraler Hüter von Recht und Sitte, der in dem ständisch aufgebauten Reichsgebilde auch dem jüdischen Volk auf einer unteren Sprosse ein rechtlich verbrieftes, eingeschränktes, aber gesichertes Dasein gewährt – das war ein idealistisches Wunschbild, nicht unähnlich dem Traum von mittelalterlicher Kaiserherrlichkeit, den der Ritter von Berlichingen hegte, als die Zeit sich längst gewandelt hatte. Fürsten und Städte kümmerten sich wenig um kaiserliche Privilegien, und von beider Finanzhilfe war der Kaiser abhängig. In der Folgezeit gebrauchte und mißbrauchte der fürstliche Territorialstaat das Judenregal nach den Gesetzen der Staatsräson und der Wirtschaftspolitik.

---

[29] S. Stern, S. 160 f.

3. KAPITEL

DAS JUDENTUM IM ABSOLUTISTISCHEN STAAT DES 17. UND 18. JAHRHUNDERTS

Die Vertreibung aus Wien 1670

Als im Jahre 1670 Leopold I. die Ausweisung der Juden aus Wien und den österreichischen Erblanden verfügte und dabei seiner spanischen Gemahlin, der Jesuitenpartei am Hofe und der durch die Türkengefahr erregten Volksstimmung Einfluß gewährte, gab Kurfürst Friedrich Wilhelm von Brandenburg seinem Residenten in Wien zu verstehen, daß er „nicht ungeneigt" sei, „daferne es reiche und wohlhabende Leute wären, welche ihre Mittel ins Land bringen und hier anlegen wollten, ein vierzig bis fünfzig Familien in Unseren Landen aufzunehmen."[1] 1685 beantwortete er die Aufhebung des Edikts von Nantes durch Ludwig XIV. mit dem Edikt von Potsdam, das den vertriebenen Hugenotten in Brandenburg Aufnahme gewährte. In beiden Fällen wird einem Akt religiöser Unduldsamkeit eine nüchterne wirtschaftspolitische Maßnahme entgegengestellt. Der Kurfürst beharrt auch später allen Beschwerden seiner Stände zum Trotz darauf, daß die zugelassenen österreichischen Juden seinem Lande nützlich seien und er sie in ihren Privilegien schützen werde. Er ist dabei nicht von Toleranzideen bestimmt, sondern von dem neuen und überaus einleuchtenden merkantilistischen Grundsatz, daß man dem Staat vor allem eine aktive Handelsbilanz verschaffen müsse. Der kunstvolle Mechanismus des absolutistischen Staates gewährt also unter ganz bestimmten Bedingungen und Beschränkungen, die man Privilegien nannte und die noch genauer zu untersuchen sind, nicht nur den Réfugiés aus Frankreich, sondern auch den Juden aus Österreich einen

[1] S. Stern, Der Preußische Staat und die Juden. II. Akten, Berlin 1925, S. 7.

Platz. Der bleibt nicht unangefochten, solange Fürst und Stände miteinander um die Herrschaft ringen. Der Dualismus der Staatsform bestimmt von nun an die Judenpolitik in den deutschen Territorialstaaten.[2]

Die Vertreibung der großen und wohlhabenden Judengemeinde aus Wien war ein Ereignis, das die europäische Öffentlichkeit beschäftigte; denn an der Tagesordnung waren Dekrete dieser Art nicht mehr und vom Kaiser schon gar nicht zu erwarten. Was waren die Gründe? Wir haben es mit einem Bündel von abergläubischen Vorstellungen und Befürchtungen, wirtschaftlichen Interessen, kirchlichem Ehrgeiz oder Bigotterie und mit bestimmten politischen und sozialen Zuständen zu tun, die den Entschluß begünstigten. Der protestantische Verfasser der „Jüdischen Merckwürdigkeiten", die 1714–17 in Frankfurt erscheinen, der Orientalist und Konrektor Joh. Jak. Schudt, nennt folgende Gründe, wobei er sich mit Fleiß in zeitgenössischen Berichten und Urkunden umgetan hat: man habe den Juden eine Reihe von Verbrechen vorgeworfen, Kindesentführung, heimliche Beschneidung von unehelich Geborenen, Diebstähle, lasterhafte Lebensführung und Schädigung des städtischen Bürgertums durch unlauteren Wettbewerb.[3] Die Kaiserin habe als Spanierin das gottlose Treiben der „Erzfeinde des Christentums" in ihrer Nähe nicht dulden wollen. Ferner habe sich die Zahl der Juden in den Ländern der habsburgischen Krone seit den Verfolgungen in Polen und der Ukraine bedrohlich vermehrt. Man müsse auch den Verdacht haben, daß sie bei ihrem lebhaften Handel mit dem Orient im heimlichen Einverständnis mit den Türken seien, eine Anschuldigung, die schon Josel von Rosheim bei Karl V. hatte bekämpfen müssen.

Als die Absicht des Kaisers bekannt wird, wenden sich die

---

[2] Vgl. S. Stern, Das Judenproblem im Wandel der Staatsformen. ZGJD, 2, 1930.

[3] J. J. Schudt, Jüdische Merckwürdigkeiten. Frankfurt a. M. 1714, I, 342 ff.

Vorsteher der jüdischen Gemeinde mit Bittschriften an ihn, berufen sich auf den Schutz, der ihnen als Kammerknechten des Reiches verbrieft war, auf ihre Loyalität und Devotion, und erwähnen die Summe von 600 000 Gulden, die während der letzten Jahre in die kaiserliche Kasse geflossen seien. Der Handel in den kaiserlichen Erblanden würde großen Schaden leiden, die Preise würden steigen – womit sie recht behalten. Wegen der Vergehen einzelner (es gebe in jedem Gemeinwesen verbrecherische Individuen!) könne man sie nicht insgesamt so grausam bestrafen, da „ein Jude zu sein, an sich selbst kein Laster ist, wie wir dann römische Bürger sind ...". Aber der Kaiser bleibt bei seinem Entschluß.

Am 14. Februar 1670 wird auf den öffentlichen Plätzen unter Trompetenschall feierlich verkündet, daß bis zum Fronleichnamsfest alle Juden Wien und die österreichischen Länder verlassen haben müssen. Daß noch ein diplomatischer Weg versucht wird, um das Unheil abzuwenden, ist ein Zeichen dafür, daß die Zeiten sich doch geändert haben: die Wiener Gemeinde ruft den in Hamburg lebenden Residenten der Königin Christine von Schweden, Manuel Texeira, der seiner Herkunft nach ein portugiesischer Marrane ist, um seine Vermittlung an. Trotz eines diplomatischen Briefwechsels mit der schwedischen Königin und mit römischen Kardinälen bleibt die Aktion des hochgestellten und reichen Juden ohne Erfolg. Was sich weiter in Wien abspielt, erinnert an spätmittelalterliche Vorgänge in den deutschen Reichsstädten. Die Häuser im Judenviertel, das von nun an Leopoldstadt heißt, werden vom Magistrat an die Bürger verkauft, und die große Synagoge wird in eine christliche Kirche umgebaut, dem hl. Leopold geweiht und mit einer Inschrift versehen, die besagt, daß der Kaiser diese Synagoge „als eine Mördergrube zum Hause Gottes" habe „aufrichten und einweihen lassen im Jahre 1670".[4]

[4] Schudt, I, 348.

Die Vertriebenen – man schätzt ihre Zahl auf drei- bis viertausend – wandern nach Ungarn, nach Venetien, in die Randländer der Türkei, 50 Familien nimmt Brandenburg auf. Daß sich niemand zur Taufe bereitgefunden hatte, um dem Schicksal der Heimatlosigkeit zu entgehen und sich „die reiche Nahrung" in der Residenz zu erkaufen, hat schon die Zeitgenossen in Erstaunen versetzt.
In Wien trat sehr bald ein, was die Finanzbeamten der Hofkammer befürchtet und die Juden vorausgesagt hatten: der Niedergang des Handels, die rapide Verteuerung der Waren, die Klagen der Wiener Bürgerschaft über die hohen Steuern, die den Ausfall der Schutzgelder ersetzen mußten. Der Staatsschatz war nicht nur bedeutender Einkünfte beraubt, sondern auch des billigen und reichlichen Kredits, den damals nur die jüdischen Finanzleute gewähren konnten. Da der Kaiser sein Ausweisungsdekret nicht so bald widerrufen kann, wird es von Fall zu Fall suspendiert, d. h. für tüchtige jüdische Heereslieferanten und Financiers, die man in der Notzeit der Türkenkriege dringend braucht. 1674 erhält Samuel Oppenheimer aus Heidelberg den Titel „Kaiserlicher Faktor und General-Kommissarius", 10 Jahre später läßt er sich in Wien nieder. Die Belieferung der kaiserlichen Armeen und die Kreditbeschaffung, also die wirtschaftliche Grundlage der Kriegführung, ist ohne seine Tätigkeit nicht zu denken. Nach seinem Tode führt Samson Wertheimer aus Worms das Bankhaus weiter und dient drei Kaisern als „Oberhoffaktor" und Finanzagent; die inzwischen angewachsene jüdische Gemeinde leitet er als Rabbiner. Als im Jahre 1700 nach einer Rauferei zwischen Handwerksgesellen und jüdischen Dienern das Haus S. Oppenheimers vom Pöbel geplündert wird, läßt man zwei der Rädelsführer am Fenstergitter der jüdischen Wohnung aufhenken. Die Enteignung der „Judenstadt" durch den Magistrat 30 Jahre zuvor war auch nicht gerade ein Rechtsakt gewesen – haben sich die Zeiten geändert? Oder

wird die Austreibung von 1670, eine Maßnahme, die vom Geist der Gegenreformation geprägt war und die Einheit des Glaubens anstrebte, hier durch das Hoffaktorensystem sozusagen wirtschaftlich korrigiert? Oder hatte man damals den Kaufleuten und Handwerkern in Wien nachgegeben und folgte später den Ratschlägen der Finanzbehörden?

Überall wird die Vielschichtigkeit des jüdischen Problems sichtbar, auch wenn man den Hintergrund der Ereignisse in Österreich betrachtet. Seit 1648 die Aufstände der orthodoxen russischen Bauern und der ukrainischen Kosaken gegen die polnische Fremdherrschaft ausgebrochen waren und sich in Kreuzzüge gegen die Juden verwandelt hatten, die dort als Zwischenpächter vom polnischen Adel eingesetzt waren, hatten sich jahrelang Gruppen verelendeter Flüchtlinge auf den Weg nach Westen begeben. Überall tauchten sie auf, in Venedig, Amsterdam, Hamburg, in Preußen, Böhmen und Österreich. „Das gesamte jüdische Polen schien gleichsam in die Luft gesprengt worden zu sein, und die ganze Welt war nun mit seinen Trümmern bedeckt.“ [5] Diese Rückwanderung des Ostjudentums in der zweiten Hälfte des 17. Jahrhunderts hat die gesamte jüdische Situation in Mitteleuropa mannigfach beeinflußt, ein Vorgang, der sich viel später, in den beiden letzten Jahrzehnten des 19. Jahrhunderts und nach dem 1. Weltkrieg, wiederholt. Damals wirkt sich der Zustrom polnischer Flüchtlinge, die manchmal Talmudgelehrte, meist aber wandernde Bettler und Hausierer waren, auf die Judenreglements der absolutistischen Staaten höchst negativ aus, und er belastet die an sich schon angefochtene Existenz der zugelassenen, der „privilegierten“ Juden auf eine bedrohliche Weise.

Die Wiener Ereignisse und ihre Folgen enthalten alle

---

[5] Dubnow, VII, 41 ff. Hier werden ausführlich die sozialen und nationalen Ursachen des Chmelnickij-Aufstandes und der Massaker in der Ukraine dargestellt.

Elemente der Judenfrage im 17. und 18. Jahrhundert: die Tendenzen der Gegenreformation[6] wie die Anfänge merkantilistischer Praxis, die Haltung der Bürger und der Behörden, das Hoffaktorenwesen und die Existenz eines jüdischen Proletariates. Sie zeigen das Dilemma, in dem sich der neuzeitliche Staat den Juden gegenüber befindet, die er loswerden möchte und die er doch nicht entbehren kann.

Allgemeine Situation der Juden im 17. Jahrhundert

Es ist nun zu fragen, wo sich im Reich nach den Vertreibungen aus den größeren Städten und aus vielen Territorialstaaten die Juden eigentlich befinden, wie sie überlebt haben und wie sie leben. In den Städten hatten sich jedesmal die Handwerker und die Kaufmannsgilden durchgesetzt, wenn die Ausweisung im Rat beschlossen wurde, in den Territorien die Stände gegenüber dem Landesfürsten, der sich manchmal für den Verlust der Schutzgelder von ihnen entschädigen ließ. Die rheinischen Erzbischöfe, die den Juden das Wohnrecht in ihren Residenzen versagt haben, dulden sie auf dem Lande. Die Kölner Juden lassen sich in Deutz nieder, dürfen die Stadt aber nur gegen Passierschein am Tage und in Begleitung eines Stadtknechtes betreten. Die aus Regensburg Vertriebenen werden vom Herzog von Bayern jenseits der Donaubrücke angesiedelt, die Juden der Reichsstadt Dortmund nimmt Duisburg auf. Die jüdische Gemeinde in Fürth vor den Toren Nürnbergs blüht auf unter dem Schutz rivalisierender Herrschaften, des Markgrafen von Ansbach und des Bischofs von Bamberg. Im allgemeinen aber sind es geistliche und weltliche Zwergstaaten und Ortschaften der Reichsritter, die sich in ständiger Geldnot befinden und deshalb ein paar jüdischen Familien Aufnahme gewähren. Hier leben diese vom Trödel- und Hausierhandel, vom

[6] Sehr anschaulich behandelt bei Gustav Freytag, Bilder aus deutscher Vergangenheit. III. Band: Jesuiten und Juden.

Viehhandel auf dem Lande, als Vermittler bei bäuerlichen Grundstückskäufen und als Geldwechsler; bei der allgemeinen Not der Münzverschlechterung sind sie an der verhaßten Tätigkeit der „Kipper und Wipper" mitbeteiligt.[7] Da sie von den städtischen Mittelpunkten des wirtschaftlichen Lebens, von den Zünften und vom geregelten Warenhandel bürgerlicher Kaufleute ausgeschlossen sind, bleibt ihnen der Handel mit Altwaren und der Verkauf von Pfändern übrig, der dem Hehlergewerbe so gefährlich nahe ist wie der Geldverleih dem Wucher und der Geldwechsel in einer Zeit des Münzwirrwarrs dem Betrug. Der schäbige Trödeljude, der insgeheim über Schätze verfügt, die ihm sein dunkles Gewerbe eingebracht hat, wird damals in satirischen Flugblättern und Spottversen zu einer volkstümlichen Figur, mit seinem fremdartigen Deutsch und seinen unverständlichen Gebräuchen auch von dem ärmsten Bauern und dem städtischen Gesindel verachtet, das sonst selbst auf der untersten Stufe dem Spott der Wohlhabenden ausgeliefert war.[8] In den geistlichen Spielen erscheint der jüdische Wucherer als habsüchtiger Herbergswirt von Bethlehem und als Judas, der um die 30 Silberlinge schachert, in Szenen also, die der moralischen Erbauung wegen gewöhnlich breit ausgesponnen wurden. In dieser bedenklichen Typisierung und Verallgemeinerung ist er bis heute nicht aus dem Bewußtsein unkritischer, der Gedankenschablone verfallender Schichten geschwunden.

Hoffaktoren

Auch den Hofjuden haben Überlieferung, Legende, Roman und Film in gefährlicher Weise dämonisiert. Seine Stellung und seine Funktion müssen zuerst einmal aus

---

[7] F. Priebatsch, Die Judenpolitik des fürstlichen Absolutismus im 17. und 18. Jahrh. Festschrift für D. Schäfer. Jena 1915, S. 568 ff.

[8] Viel Material bringt G. Liebe, Das Judentum in der deutschen Vergangenheit, Diederichs-Verlag, Jena 1924, aber unter antisemitischem Vorzeichen.

den Bedürfnissen und den besonderen Bedingungen des damals entstehenden absolutistischen Staatswesens und der Spannung zwischen Fürst und Ständen abgeleitet werden. Was dann noch übrigbleibt, hat wieder mit dem jüdischen Problem an sich zu tun. Denn es haben nicht italienische Abenteurer und spanische Projektenmacher, nicht die Alchimisten in früherer Zeit und später die Monopolisten, die an den deutschen Höfen ihr Glück versuchen, das Geldbedürfnis der Fürsten auf die Dauer befriedigen können, sondern die jüdischen Faktoren. Da die Forschung die eigentümliche Institution des Hoffaktorentums längst geklärt hat, können ihre Ergebnisse hier kurz zusammengefaßt werden.[9] Sie sind nicht unwichtig, wenn man bedenkt, daß die beharrliche Vorstellung von der geheimnisvollen Macht eines Weltjudentums hier ihre Wurzeln hat.

In ländlichen Bezirken, wo es keine bürgerliche Konkurrenz gab, handelten die Juden auch mit Korn, Wein, Vieh, mit den Landesprodukten also, und belieferten in Kriegszeiten Fürsten und Söldnerführer mit allem, was Truppen und Festungen bedürfen. Während des Dreißigjährigen Krieges war das eine ebenso gefährliche wie gewinnbringende Tätigkeit, die die Kenntnis der Schleichwege zwischen den Fronten, die weitverzweigte Verbindungen und waghalsige Kredite voraussetzte. Einigen gelingt es zur Verproviantierung der Läger in kurzer Zeit die Lebensmittel ganzer Landstriche aufzukaufen und die rasch gewonnene Beute des Siegers auf den Markt zu bringen.[10] Bald kann keine kriegführende Macht die Dienste jüdischer Milizfaktoren entbehren, keine friedliche aber kostspielige Hofhaltung den Agenten, Darlehensvermittler, Silberlieferanten für die staatliche Münze und den Scha-

---

[9] Vgl. H. Schnee, Die Hoffinanz und der moderne Staat. Geschichte und System der Hoffaktoren an deutschen Fürstenhöfen im Zeitalter des Absolutismus. 3 Bde. Berlin 1953.

[10] Priebatsch, S. 575 f.

tullenverwalter, der Juwelen und Luxuswaren verschafft. Diese Stellung nahm Jost Liebmann am verschwenderischen Hof Friedrichs I. von Preußen ein. Samuel Oppenheimer begann seine Laufbahn als Kammeragent und Armeelieferant des Pfalzgrafen Karl Ludwig in Heidelberg und beschaffte dann Munition und Proviant für Ludwig von Baden, den „Türkenlouis", und für den Prinzen Eugen. Er leitete im Dienste des Kaisers das Proviantwesen im Reich, in Ungarn und Siebenbürgen und versorgte Festungen am Rhein und an der Donau. In Hannover hilft ein jüdischer Hoffaktor dem Herzog Ernst August bei der Erwerbung der Kurwürde, ein anderer bringt die Summen auf, die der sächsische Kurfürst für die polnische Königskrone braucht.[11]

Im 17. und 18. Jahrhundert ist das Hofjudentum zu einer allgemeinen Einrichtung geworden, auch in den Territorien, die Juden sonst nicht zulassen. Es bildet sich eine Art jüdischer Aristokratie heraus, ein paar hundert Familien, in den Residenzen Europas, vor allem an den kleinen deutschen Fürstenhöfen zerstreut und isoliert lebend, später wohl untereinander verwandt, aber von der Masse ihrer jüdischen Glaubensgenossen durch ihre Ausnahmestellung, ihre „Generalprivilegierung", ihren Einfluß und ihren Reichtum getrennt. Ihre Tätigkeit bringt hohe Gewinne, aber Darlehen, Geschenke, Bestechungen sind kostspielig, und vor Gewaltstreichen der Schuldner, vor dem Verlust ihrer Stellung bei einem Thronwechsel sind sie niemals sicher. Soliden Reichtum haben erst die folgenden Generationen als Besitzer großer Bankhäuser erworben.

Es ist im Grunde ein paradoxes Verhalten, daß sich der absolutistische Staat beim Aufbau seiner Machtstellung jüdischer Faktoren und Agenten bedient und ihnen wichtige Positionen einräumt, während die Masse der jüdischen Bevölkerung in diesen Staaten unter kleinlichen und

[11] S. Stern, Jud Süß. Ein Beitrag zur deutschen und zur jüdischen Geschichte. Berlin 1929, S. 17 f.

entehrenden Bedingungen lebt oder überhaupt nicht zugelassen wird. Man muß nach den Gründen fragen.
Da ist zuerst das Geldbedürfnis der deutschen Fürsten, das sich nach dem Dreißigjährigen Kriege durch die Kosten der stehenden Heere und der selbständigen Außenpolitik ins Unermeßliche steigert, während die Länder verarmt sind und die Stände sich zur Geldbewilligung immer schwerer bereitfinden. Fast alle merkantilistischen Maßnahmen zur Erschließung neuer Geldquellen, also die Einrichtung staatlicher Monopole und Manufakturen, die protektionistische Steigerung des Exports, die Erhebung neuer Steuern, sprechen unverhüllt die Absicht aus, den Souverän von seinen Ständen unabhängig zu machen, und sind dem in Gilden und Zünften organisierten Bürgertum als Einbruch in seine Rechte und in seine Produktions- und Absatzgebiete verhaßt; das war im England der Stuarts so und im preußischen Staat Friedrich Wilhelms I. Bei dieser Auseinandersetzung zwischen Fürst und Ständen leistete der jüdische Hoffaktor, mit dem man bei seiner unsicheren Rechtslage rücksichtslos umspringen konnte und der selber ständisch nicht gebunden war, die nützlichsten Dienste, sowohl bei der Kreditbeschaffung wie als Pächter der Münze, der Lotterien, der Monopole und staatlichen Manufakturen. Er wurde reich dabei, er erhielt Spezialprivilegien, er wurde auch mit bedenklichen Aufträgen versehen, er war Werkzeug, Ratgeber und Günstling der Fürsten zugleich und erlitt häufig das Günstlingsschicksal: Gegenstand des Hasses zu werden bei allen, die durch die fürstliche Machtpolitik benachteiligt waren, beim einfachen Volk, das unter dem Steuerdruck litt, und bei den Ständen, die sich in ihren Rechten gekränkt sahen. Hier den „jüdischen Geist“ zu beschwören, also eine angeborene Begabung für bedenkenlose Spekulation oder hemmungslosen Machttrieb anzunehmen, ist eine gefährliche Vereinfachung und bequeme Irrationalisierung. Es gilt vielmehr, die komplizierten Zusammen-

hänge bei der Entstehung des absolutistischen Staates zu begreifen und die Aufgaben nüchtern zu umschreiben, die einer abseitsstehenden und im Grunde rechtlosen Gruppe dabei zufiel. Daß sie sie mit Talent und Leidenschaft ergriff, kann ihr niemand verübeln.

Jud Süß

Der württembergische Hoffaktor Süß Oppenheimer, der legendär gewordene Jud Süß, ist die prägnanteste Gestalt des deutschen Hofjudentums, und die Ereignisse nehmen den oben bezeichneten Verlauf: dem glänzenden Aufstieg, der rastlosen Tätigkeit im Dienste des Herzogs und seines eigenen Ehrgeizes folgen Sturz, Gefängnis, Marter und Todesstrafe. Ein charakteristischer, aber zugleich extremer Fall: der Antisemitismus hat aus ihm – wie später aus dem Aufstieg des Hauses Rothschild – ein Symbol gemacht.
In der Pfalz und in Frankfurt war die Familie der Oppenheimer durch Geldleihe und Handel mit Stoffen und Luxuswaren reich geworden.[12] Hier waren die Lebensbedingungen für die Juden günstig, da der Kurfürst Karl Ludwig seine neugegründete Residenz Mannheim französischen Hugenotten, holländischen Wiedertäufern und portugiesischen und deutschen Juden zur freien wirtschaftlichen Betätigung geöffnet hatte, um mit ihrer Hilfe und nach holländischem Vorbild ein blühendes Gemeinwesen zu schaffen. Josef Süß stand schon in Verbindung mit den größten Bankhäusern, als er 1732 dem Prinzen Karl Alexander von Württemberg begegnete, der im Türkenkrieg Generalfeldmarschall geworden, in Wien zum Katholizismus übergetreten war und von 1733 an als Herzog sein protestantisches Land regierte. An Verstand und Willenskraft war er dem Herzog weit überlegen. In Württemberg herrschten seit 1514 die Stände, die einen ausschließlich bürgerlichen Charakter hatten, da der Adel

---

[12] Vgl. für das folgende S. Stern, Jud Süß, S. 20 ff.

meist reichsfrei geworden war. Karl Alexander versuchte, wie schon sein Vorgänger, sich von den Fesseln der ständischen Verfassung zu befreien; er berief die Landtage nicht mehr ein, errichtete Staatsmonopole, deren Verpachtung er seinem Hoffaktor überließ, vertrat das Recht der fürstlichen Steuererhebung und führte auf den Rat von Süß den „Besoldungsgroschen", eine Art Lohnsteuer für Beamte, ein, der sogleich als „Judengroschen" besonders verhaßt war. Auch an der Akzise, die vorher die Stände verwaltet hatten, verlangte er seinen Anteil.
Daß er seinem Hofjuden das Privileg erteilte, Lotterien und Hasardspiel einzurichten, wobei die Staatskasse auf hohe Einnahmen rechnete und der „Entrepreneur" sich an suspekten Geschäften bereichern konnte, ist charakteristisch für die Zeit und das Verhältnis von Fürst und Hofagent. Der Plan einer Staatsbank, die neues Geld ins Land ziehen und Ordnung in das verwirrte Münzwesen bringen sollte, scheiterte an der Eifersucht der Kaufleute und am Mißtrauen der Behörden. Das Vorbild war die 1694 gegründete Bank von England, das aber den konservativ gesinnten Ständen in Württemberg nicht einleuchtete.

Plänemacher, Ratgeber, „Verführer" war immer Jud Süß. Ihm war auch die Belieferung der Münze mit Edelmetall aufgetragen, ein ebenso gewinnbringendes wie gefährliches Geschäft, das man damals in allen Staaten den Juden überließ. Sie konnten das überall knapp gewordene Silber mit Hilfe ihrer auswärtigen Beziehungen noch am ehesten beschaffen und waren seit Jahrhunderten mit allen Praktiken des Geldwechsels und der Münzprägung vertraut, sie scheuten auch das hohe Risiko der Transporte nicht.[13] Die Münzverschlechterung, die man Süß vorwarf, war ein in allen Staaten mehr oder minder geübtes Ver-

[13] S. die Schreiben von Süß an Karl Alexander vom 26. März 1734, 17. März 1735, 24. April 1736 und viele andere, die alle über die fast unüberwindbaren Schwierigkeiten einer regelmäßigen Silberlieferung und über die Gefahren des Transports bitter klagen. Stern, Jud Süß, Akten Nr. 17, 23, 38.

fahren, mit der Geldknappheit fertigzuwerden. Friedrich der Große gab diesen Auftrag später an seine Münzjuden Ephraim und Itzig.
Eine bedenkliche Einnahmequelle des absolutistischen Staates war auch der „Diensthandel“ oder Ämterverkauf, der überall üblich war, in Frankreich gegen ganz bestimmte Taxen und im Staate Friedrich Wilhelms I. in Form einer Zahlung an die „Rekrutenkasse“. Er wurde skrupellos gehandhabt, da man Staatsstellungen an die Meistbietenden verkaufte und Titel und Funktionen eigens erfand, um das Geschäft einträglich zu machen. Karl Alexander und sein Berater haben den großzügigsten Gebrauch davon gemacht, wie sie beide von der unbegrenzten Machtfülle des Fürsten überzeugt waren, in dem sich der Staat verkörpert. In den ausführlichen Gutachten, die Süß über das staatliche Finanzwesen und den Behördenapparat verfaßt hat, zeigt sich seine klare Vorstellung von dem rational aufgebauten absolutistisch-merkantilistischen Fürstenstaat, den er an die Stelle des alten Patrimonial- und Ständestaates setzen wollte. Rücksichtslos bekämpft er Stände, Zünfte, verbriefte Rechte und was sich ihm als historisch und verfassungsmäßig, aber als widervernünftig und unzweckmäßig in den Weg stellt. Er führt herausfordernd das Leben eines großen Herrn, weiß sich aber von der Freundschaft des Herzogs allein abhängig und kennt den Haß seiner Gegner und die wachsende Mißstimmung im Lande. Er fürchtet sogar, daß „wann meine Feinde nichts mehr wissen, das Punctum Religionis ihre Rachbegierde bemänteln muß“.[14]
Der unerwartete Tod des Herzogs, die sofortige Verhaftung seines Günstlings, der Hochverratsprozeß, die vergeblichen Bekehrungsversuche im Kerker, der Tod in einem Käfig am Galgen – das sind die Tatsachen, deren sich sofort die Legende, moralisierend und triumphierend,

[14] Stern, Jud Süß, Akten Nr. 51, S. 277.

bemächtigt. In der Masse der Flugschriften, Karikaturen, Satiren und Bänkellieder ist sie unmittelbar nach seinem Tod fertig da, so wie sie Jahrhunderte weiterlebt. Der Erzschelm und Diebsjude, der leibhaftige Antichrist, der böse Genius seines ritterlichen Herzogs, der teuflische Verführer, der trügerische Schätze hervorzaubert – hier wird die Mythologisierung ganz deutlich, die in der antisemitischen Literatur bis in die jüngste Vergangenheit hinein ihr Wesen trieb.[15] In seinem Schicksal offenbart sich den Zeitgenossen das göttliche Strafgericht, nicht an irgendeinem Helfershelfer des absolutistischen Willkürregiments, sondern am Juden; denn Jud Süß wurde zum Typus des Juden schlechthin. Die mitangeklagten Räte des Herzogs kommen mit leichten Strafen davon.

Die Juden im brandenburgisch-preußischen Staat bis zur Emanzipation

An der allgemeinen Lage der Judenschaft in Deutschland hatte das Hoffaktorentum wenig geändert. Aber der absolutistische Staat, der den Hofjuden für seine Zwecke gebrauchte und einzelnen Familien den glänzenden Aufstieg ermöglichte, hat auch eine breitere jüdische Schicht aus rein machtpolitischen, finanziellen und wirtschaftlichen Gründen in seine Staats- und Wirtschaftsordnung aufgenommen. Es beginnt hier also eine neue Phase der jüdischen Geschichte in Deutschland, und man kann das schon erwähnte Edikt des Großen Kurfürsten von 1671 als ihren Ausgangspunkt ansehen.
Durch eine Reihe von Judenreglements ist die Entwicklung des jüdischen Problems bis zur Emanzipation sehr deutlich akzentuiert. Sie zeigen nicht nur den Rechts-

---

[15] Wenn Werner Sombart (Die Juden und das Wirtschaftsleben. Leipzig 1911, S. 50) sagt, daß „wir uns den modernen Fürsten nicht gut ohne den Juden denken" können, „etwa wie Faust nicht ohne Mephistopheles", so zeigt diese für beide Seiten unglückliche Metapher, daß sich auch die Wissenschaft des populären Klischees bedient.

zustand, sondern spiegeln zugleich die Auseinandersetzung zwischen den beiden Faktoren des Wirtschaftslebens jener Zeit: der fortschrittlichen merkantilistischen Politik der Landesherren und dem beharrenden Element des in Gilden und Zünften organisierten Bürgertums.

Das Edikt vom 21. März 1671 trägt den für die protestantischen Landesfürsten bezeichnenden Titel „Edikt wegen aufgenommenen 50 Familien Schutz-Juden, jedoch daß sie keine Synagogen halten", eine Einschränkung, die man Luthers Warnung schuldig zu sein glaubte. In Privathäusern dagegen war ihnen Gebet und Zeremonie erlaubt, mit der Mahnung, „sich alles Lästerns und Blasphemierens bei harter Strafe zu enthalten".[16] Von diesem Artikel abgesehen, erweist sich das Edikt als ein Akt der Staatsräson und des modernen Wirtschaftsgeistes, denn es bricht endgültig mit den Niederlassungsverboten der Vergangenheit.[17] Es erlaubt den mit Schutz- oder Geleitsbrief versehenen (den „vergleiteten") Juden den Verkauf ihrer Waren in offenen Läden und Buden, den Besuch der Jahr- und Wochenmärkte, die Freizügigkeit und den Hausbesitz und befreit sie innerhalb des Staates von der Entrichtung des Leibzolls. Es ermahnt die Magistrate, sie „willig und gern aufzunehmen", „sie billig zu tractieren, von niemand sie beschimpfen oder beschwären zu lassen und sie als andere ihre Bürger und Einwohner zu halten." – Der Kurfürst wollte Handel und Verkehr in seinem wenig entwickelten und abseits gelegenen Staate auf neue Grundlagen stellen und die zünftlerische Wirtschaft, die, kleinlich und krämerhaft und an enge Absatzgebiete gebunden, nur dem nächsten Bedürfnis diente, auflockern durch eine zwar gefährliche, aber zugleich aufmunternde Konkurrenz. Die Organisation der Zünfte hatte bisher den wirtschaftlichen

[16] Stern, Der preußische Staat und die Juden, II, Akten, Nr. 12.

[17] Für das folgende vgl. Hugo Rachel, Die Juden im Berliner Wirtschaftsleben zur Zeit des Merkantilismus, ZGJD, 2, 1930, und Ismar Freund, Die Emanzipation der Juden in Preußen. I. Bd., Berlin 1912.

Wettbewerb überwacht und dem Erwerbssinn und dem kaufmännischen Ehrgeiz enge Grenzen gesetzt. Absatz und Produktion, Einkaufs- und Verkaufspreis, die Arbeitszeit und die Zahl der Hilfskräfte waren genossenschaftlich geregelt, die einzelnen Branchen ängstlich voneinander getrennt.
Die fast unbeschränkte Handelserlaubnis war ein auch für christliche Kaufleute ungewöhnliches Privileg, denn sie durften entweder mit Tuchen oder mit Ellen- und Stückkram oder mit Spezereiwaren handeln. Sie wurde deshalb als Einbruch in einen alten und verbrieften Rechtszustand angesehen. Die Klagschriften der Stände und Innungen geben ein deutliches Bild davon.
Die Gewandschneider in Frankfurt a. O. protestieren schon, bevor sich die angekündigten zehn jüdischen Familien dort niedergelassen haben. Sie verweisen auf ihre 300 Jahre alten Innungsprivilegien, auf die Opfer, die der Staat mit Kontribution und Einquartierung von ihnen verlange, auf die Armut des Landes und den geringen Umsatz.[18] Die Eingabe der Landstände vom Dezember 1672 meldet folgende Beschwerde an: „Die Juden seind im Lande nicht so seßhaftig, mit Eiden und Pflichten Ew. Kurf. Durchl. oder dem Lande nicht verwandt, an keine Innungsarticel oder Verfassungen verbunden, negotiiren mit Wolle, Tuch, Seiden, Leinwand, Schuhe, Kleidern und allen anderen Sachen ohne Unterscheid, schlachten und verkaufen das Fleisch unbesichtiget und ungeschätzet, laufen auf die Dörfer und in die Städte, hausieren und dringen sich zu den Leuten, geben ihre Waren, welche meistenteils alt und schluderhaft sein, um einen geringen Preis, ziehen und locken die Käufer und den Landmann hierdurch an sich, betrügen ihn aber in effectu und nehmen auch den anderen Einwohnern, die bishero die Last und Hitze getragen, die Nahrung vor dem Munde hinweg.

[18] Stern, Akten, Nr. 16.

Scheuen sich nicht, an dem heiligen Sonntage mit Kaufen und Verkaufen umzugehen, auf die Dörfer und in die Kruge zu laufen und ihre Waren anzubringen. Wo sich etwas an guten Gelde aufdecket, wird es von diesen Leuten aufgewechselt, nichts minder wird zum Schaden der Einwohner heimlicher Wucher getrieben ... (Die Juden) sind also weit melioris conditionis als die Christen; denn die Bürger und Einwohner müssen Kontribution und Einquartierung tragen, Wachten und andere Verpflichtungen über sich nehmen, den Innungsarticeln und Verfassungen nachleben, mit gewisser Hantierung und Nahrung sich vergnügen ...“[19]
In der „Bittschrift der sämtlichen Innungen in Berlin und Kölln“ vom 23. August 1673 wiederholt sich das alles, nur wird der Ton schärfer: „Diese Unchristen laufen von Dorfe zu Dorfe, von Städten zu Städten“, „halten alle Tage Jahrmarkt“, daß wir nicht mehr den Fuhrlohn noch das liebe Brot verdienen. Der Diebstahl nimmt überhand, denn sie kaufen die gestohlenen Sachen. Daher ist unser Unglück so groß, „daß wir, ja mit uns die ganze Stadt und in derselben Kirchen und Schulen, in welchen die Ehre Gottes fortgepflanzet werden soll, dadurch verderben müssen.“ Wenn die Juden schon geduldet werden sollen, „auf welchen Fall diese müßigen Leute den Ackerbau gleich Christen zur Hand nehmen und mit der Pflugsterzen die Faulheit aus den Gliedern bringen könnten“, so müsse ihnen das Herumziehen auf dem Lande etc. ernstlich verboten werden.[20] Der letzte Satz ist fast wörtlich Luthers Schrift „Von den Juden und ihren Lügen“ entnommen, nur wirkt er gerade an dieser Stelle recht ungereimt, da vorher die Plackerei der Juden mit dem Hausierhandel eindringlich geschildert wurde. Später wird die Absicht der Kaufmannsgilden immer deutlicher, die Juden vom geregelten, ehrenhaften, „christlichen“

19 Stern, Akten, Nr. 23.
20 Stern, Akten, Nr. 27.

Handel überhaupt auszuschließen und ihnen nur das Geschäft mit alten Kleidern und Trödelwaren zu überlassen. Aber die Juden erlangten gegen Zahlung von 5000 Talern noch einmal die Verlängerung ihres Privilegs von 1671, das in der Folgezeit immer mehr durchlöchert und beschnitten wurde.

In diesen Zusammenhang gehört noch die Kramerbeschwerde vom 19. April 1700, daß „die Juden so verwegen geworden, daß sie in ihren Buden nicht allein Regale machen lassen, darin sie die Waren ordentlich setzen können, sondern sie stellen auch gar vor ihren Buden gemalte Aufsätze aus, damit man sehen könne, was für Waren darin zu finden",[21] daß sie ferner ihre Waren durch betrüglichen Handel an sich bringen, kein großes Sortiment halten, nicht soviel Unkosten an Gewölbezins und Dienstlohn aufwenden und um einen weit besseren Preis verkaufen könnnen.

Das sind Klagen, aus denen nicht nur verständlicher Konkurrenzneid des vielfach eingeschnürten gewerblichen Bürgertums spricht, sondern auch ein allgemeines tiefes Unbehagen angesichts einer Wirtschaftsform, die von dem bürgerlich-zünftlerischen Handel wesensverschieden war. Dieser beschränkte sich auf das Ladengeschäft, erwartete dort den Käufer, war ruhig-behaglich und vom Grundsatz der „auskömmlichen Nahrung" beherrscht. Der handelnde Jude dagegen suchte den Kunden auf, war erfinderisch in der Werbung (Schaukästen!) und verstand es, sich den Verhältnissen und Bedürfnissen anzupassen.[22] Für ihn war sein Gewerbe nicht wie für den an die Innung gebundenen Kaufmann der einmal für immer zugewiesene Raum seiner Betätigung, sondern eine Sprosse, auf der er zur Wohlhabenheit aufsteigen konnte, wenn er alle Chancen, auch die Jahrmärkte, das Hausieren, den Tausch- und Pfänderhandel, wahrnahm und sich bei großem Umsatz mit klei-

---

[21] Zit. nach H. Rachel, S. 180.

[22] Freund, I, 10 f.; Rachel, S. 178.

nem Vorteil begnügte. Und was nicht in den Beschwerden zum Ausdruck kommt oder nur mit verächtlicher Betonung: die Juden lebten bedürfnislos, sie waren sparsamer, nüchterner, regsamer als die bürgerlichen Handwerker und Handelsleute. Sie waren zugleich unbedenklicher, was das Risiko und die Geschäftsmoral anging, vom Verlust ohnedies stets bedroht und als Fremde unter Fremdenrecht und in einer Art Pariastellung nicht gewillt, die doppelte Moral in ihrem geschäftlichen Verhalten aufzugeben. Daher der unaufhörliche Vorwurf des Wuchers und der betrügerischen Praxis von seiten der christlichen Konkurrenz.

Kurfürst Friedrich Wilhelm I. antwortete auf die Klagen der Landstände zuerst kurz und bündig, daß die Juden mit ihren Handlungen dem Lande nicht schädlich, sondern nutzbar seien. Aber auf die Dauer bleiben die Beschwerden doch nicht ohne Wirkung auf ihn und erst recht nicht auf seine Nachfolger, zumal die jüdische Bevölkerung vor allem in Berlin zahlenmäßig rasch anwächst (um 1700 etwa 1000 Seelen). Das ist verständlich bei dem starken Zustrom polnischer Juden in die Mark und bei der Anziehungskraft, die eine größere jüdische Gemeinde mit Synagoge auf die Einwanderer hat, die hoffen, in das Hausgesinde eines Schutzjuden aufgenommen zu werden oder sonst in der Stadt Unterschlupf zu finden.

Die Generalreglements von 1700–1750

Es gibt vier umfassende Judenordnungen oder Generalreglements in Preußen, sie stammen aus den Jahren 1700, 1714, 1730 und 1750. Ihre Bestimmungen sind im allgemeinen gültig bis zum Emanzipationsedikt von 1812.

Die Verordnung des Kurfürsten Friedrich III. vom 24. Januar 1700 betrachtet die Juden ganz nüchtern als Finanzobjekt, sie erhöht die Schutzgelder, führt den entehrenden Leibzoll wieder ein, legt ihnen die Kosten der Wer-

bung und Montierung eines Regiments Fußsoldaten auf und verspricht mit Rücksicht auf die Beschwerden der Kaufleute, ihre Zahl allmählich wieder auf 50 Familien zu reduzieren. Die überzähligen Familien sollen aussterben.[23] Später werden die Bestimmungen über die Beschränkung der Bevölkerungszahl genauer. 1714 heißt es zum ersten Mal, daß ein Schutzjude höchstens drei Kinder auf seinen Schutzbrief „ansetzen" könne. Für die „Ansetzung" des zweiten und dritten Sohnes, also die Erlaubnis zu Heirat und Gewerbe, war ein bestimmtes Vermögen nachzuweisen und eine Taxe zu zahlen. Als Friedrich Wilhelm I. die Judenfrage 1730 in einem Generalreglement erneut in Angriff nahm, setzte er die Zahl der Kinder für einen Schutzbrief auf 2 fest, die übrigen mußten auswandern, wenn sie erwachsen waren und eine Familie gründen wollten. Jüdische Angestellte und Bedienstete durften nicht heiraten.[24]
Die Bestimmungen werden schärfer und enger im Generalprivilegium Friedrichs d. Gr. von 1750, das eine Unterscheidung von ordentlichen und außerordentlichen Schutzjuden verfügt. Die namentlich aufgeführten, mit Schutzbrief versehenen „ordentlichen Schutzjuden" dürfen jetzt nur ein Kind „ansetzen", die außerordentlichen sind zahlenmäßig unbegrenzt, haben Schutz aber nur auf Lebenszeit, dürfen nicht heiraten und keinen selbständigen Beruf ausüben. Bei hohem Vermögensstand sind Ausnahmen zulässig, d. h. die zweiten und dritten Söhne reicher Juden können nur aufgenommen werden, wenn sie wenigstens 10 000 Taler Vermögen ins Land bringen. Als 1763 die Staatskasse erschöpft war, erkaufte die in der Mark ansässige Judenschaft sich für 70 000 Taler das Recht auf die „Ansetzung" des zweiten Kindes.[25] Witwen, die wieder heiraten, dürfen ihren Schutzbrief nur dann behalten,

---

[23] Stern, Akten, Nr. 246.

[24] Freund, II, 6 ff. und 15 ff.

[25] Freund, I, 19.

wenn sie durch die Ehe ein ansehnliches Vermögen von auswärts ins Land ziehen.

Das Reglement ist, wie man sieht, sorgfältig durchdacht, damit sich die Zahl der Schutzfamilien nicht erhöht, das Geld aber im Lande bleibt und sich mehrt. Es greift tief in die persönlichen Verhältnisse ein, die es umso kleinlicher regelt, je weniger sich das natürliche Wachstum der Gemeinde auf die Dauer verhindern läßt. Schließlich war mit viel Geld alles zu erreichen, und die wenigen generalprivilegierten Familien der Hofjuden lebten ohne jede Einschränkung in Berlin. Im ganzen war es eine Gesetzgebung, deren Unmoral später von den Reformern aufs heftigste kritisiert wurde.

Für die Schutzgelder hatte man das Pauschalsystem eingeführt: eine bestimmte Summe mußte von der ganzen Judenschaft aufgebracht werden, die Umlegung überließ man den jüdischen Vorstehern. Es war eine Art der Besteuerung, die an das russische Mir-System der Zarenzeit erinnert. Bei Diebstählen, Betrügereien, Bankrotten galt der Grundsatz der solidarischen Haftung, d. h. jede Gemeinde war verantwortlich für das Delikt, das eines ihrer Mitglieder begangen hatte, und mußte auch finanziell dafür einstehen. Es gibt noch eine Reihe von kleinlichen und entehrenden Bestimmungen, die mehr als die finanziellen Lasten die Juden zu der inständigen Bitte veranlaßten, man möge das Edikt, dessen Wortlaut ihnen eben mitgeteilt war, wenigstens nicht veröffentlichen. Es werde ihren auswärtigen Kredit vernichten und ihnen im Ausland Schande bereiten.[26] Scham und Schmerz sind in dieser Bitte unverkennbar.

Aber auch ihr Handelsverkehr wird aufs äußerste eingeschränkt, und zwar auf Luxuswaren, modische Artikel, Juwelen, Edelmetalle, auf genau bezeichnete Stoffe, Tressen, Bänder, auf alles das, was den Zünften und Gilden keine Konkurrenz macht und was den wichtigen Handel

[26] L. Geiger, Geschichte der Juden in Berlin. Berlin 1871, S. 55.

mit Polen und Rußland fördern kann, der sich z. T. in jüdischen Händen befindet.[27] Da die Gewerbeordnungen der Zünfte damals ähnlich detaillierte Vorschriften enthalten, kann die peinliche Genauigkeit dieser Liste weiter nicht überraschen. Wichtig war es, daß die christlichen Kaufleute die Schließung der offenen Judenläden nicht hatten durchsetzen können. Sie hatten schon 1716 in ihrer Handelsordnung, die bis 1802 gültig blieb, den bezeichnenden Satz aufgenommen: „Alldieweil die Kaufmannsgülde aus ehrlichen und redlichen Leuten zusammengesetzet, also soll kein Jude, strafbarer Todtschläger, Gotteslästerer, Mörder, Dieb, Ehebrecher, Meineidiger oder der da sonst mit öffentlichen groben Lastern und Sünden beflecket und behaftet, in unserer Gülde nicht gelitten, sondern davon gänzlich ausgeschlossen sein und bleiben.“ [28]

Daß Juden in die christlich-bürgerlichen Kaufmanns- und Handwerkerverbände nicht aufgenommen wurden, war erklärlich, vom christlichen, aber auch vom jüdischen Standpunkt aus; denn die strenge Einhaltung ihrer religiösen Gesetze und rituellen Vorschriften (Sabbat, Speisegesetze) verbot ihnen seit jeher eine enge Lebensgemeinschaft mit Nichtjuden. Aber daß ihnen noch im 18. Jahrhundert die Ausübung jedes bürgerlichen Handwerks versagt wird, mit Ausnahme des Petschierstechens (Stempelschneidens), Gläserschleifens und der Gold- und Silberstickerei, Beschäftigungen also, die nicht zunftmäßig organisiert waren, ist seltsam in der Zeit merkantilistischer Wirtschaftsordnung, als die Réfugiés aus Frankreich gerade wegen ihres Gewerbefleißes geschätzt waren. Auch der Landbesitz und die Bauernarbeit, ja die Ansiedlung in ländlichen Distrikten war ihnen nicht erlaubt, obwohl der König nach seinen eigenen Worten Türken und Heiden zu holen bereit war, um sein Land zu „peuplieren“.

---

[27] S. Artikel XVIII: „Mit was für Waaren die Schutz-Juden eigendlich handeln können.“ Freund, II, 40.

[28] Zit. nach Geiger, S. 34.

Gewiß spricht aus diesen Verboten die Abneigung, die Friedrich II. ebenso wie sein Vater den Juden gegenüber empfand. Er teilte die aufklärerische Verachtung ihres „religiösen Aberglaubens", ihrer vernunftwidrigen Zeremonialgesetze und ihres orthodoxen Rabbinertums mit Voltaire. Auch wirtschaftlich hielt er sie im allgemeinen für schädlich, nur in besonderen Fällen für nützlich in hohem Maße. Es kam also darauf an, sie richtig einzusetzen. Das ist der Geist des reinen Obrigkeitsstaates, der alles vom Zwang und vom Reglement erwartet und jedem Stand seine Aufgabe zuweist: dem Bauernstand die Lieferung von Rekruten, den Bürgern die Mehrung des Volkseinkommens und dem Adel die Pflicht der Vaterlandsverteidigung. Da die Juden aber keinem Stand angehören, unter einem beschränkten und stets kündbaren Fremdenrecht stehen, können sie unmittelbarer und rücksichtsloser im Sinne der Staatsräson nutzbar gemacht werden. Die Voraussetzung ist, daß die ausführenden Beamten bei der Verwaltung und Rechtsprechung den Absichten der königlichen Judenordnungen blindlings zu folgen bereit sind; das ist aber schon seit der Behördenorganisation Friedrich Wilhelms I. aus vielerlei Gründen nicht mehr der Fall.

Die Funktion des jüdischen Elements im absolutistischen Staat bestand darin, „Commercia, Manufacturen und Fabriquen" zu betreiben, wobei ihr Warenhandel sich nach merkantilistischem Grundsatz vor allem mit dem Export von Fertigwaren und dem Import von Rohstoffen befassen sollte. Die berüchtigte Maßnahme des Zwangsexports muß in diesem Zusammenhang gesehen werden, so die bekannte Verfügung von 1769, daß Juden bei der Erteilung von Schutzprivilegien und Heiratskonzessionen aus der Königl. Manufaktur Porzellan im Werte von 300 bis 500 Talern entnehmen mußten, um es im Ausland zu verkaufen.[29] Sie konnten es nicht aussuchen, erhielten die

[29] Rachel, S. 190.

Ausschußware, erlitten beim Verkauf große Verluste und verdarben den Ruf der preußischen Porzellan-Manufaktur im Ausland.
Industrielle Betriebe übernahmen vermögende Juden nicht gern. Man machte also die Erwerbung des Schutzbriefes oder die „Ansetzung" eines zweiten oder dritten Kindes von einer Fabrikgründung abhängig, zwang sie gelegentlich auch zur Übernahme unrentabler Fabriken. Die Münzlieferanten des siebenjährigen Krieges mußten ihr erworbenes Kapital in Textilfabriken und Gold- und Silber-Manufakturen anlegen, es sind daraus blühende Industrien entstanden. Man trug jetzt keine Bedenken mehr, wenn ein jüdischer Fabrikbesitzer christliche Arbeiter beschäftigte, ja die preußische Krone schickte selber die Potsdamer Waisenkinder in die Spitzenklöppelei des Veit Ephraim.[30]
Die jüdischen Fabrikanten bleiben aber Ausnahmen, trotz staatlicher Privilegien und staatlichen Zwangs. Sie haben auch nicht die spezifische Form des modernen Kapitalismus geschaffen, die rationelle Organisation der Arbeit im industriellen Betrieb, wie man zeitweilig angenommen hat.[31] Sie sind Außenseiter der kapitalistischen Produktion, wenn man von der Bekleidungsindustrie absieht, die ursprünglich etwas mit Heereslieferungen zu tun hatte. Max Weber wirft die Frage auf, warum es angesichts des ostjüdischen und des Ghettoproletariats keinem Juden zur Zeit des Merkantilismus eingefallen sei, eine Industrie mit jüdischen Arbeitern zu schaffen, wie es die Puritaner mit ihren Glaubensgenossen getan haben. Er sieht den Grund – unter anderem – in der rechtlich ungesicherten und prekären Lage der Juden, bei der sie den Geldhandel,

[30] Priebatsch, S. 59.
[31] Vgl. hierzu W. Sombart, Die Juden und das Wirtschaftsleben, der in den Juden die Begründer des modernen Kapitalismus sieht. Zur Kritik an Sombart vgl. F. Rachfahl, Das Judentum und die Genesis des modernen Kapitalismus. Preuß. Jahrbücher, 147, 1912. Ferner: H. Arendt, Elemente und Ursprünge totaler Herrschaft. Frankfurt a. M. 1955, I, Kap. 2.

also den beweglichsten Besitz, vorziehen mußten und das Risiko eines gewerblichen Dauerbetriebs scheuten.[32] Man kann hinzufügen, daß z. B. bei jüdischen Bankerotten, die nach dem Judenreglement immer als betrügerisch galten, die ganze Familie den Schutzbrief verlor, Eltern und Erben für die Zahlung der Schulden haftbar waren und die Gemeinde-Ältesten auch noch wegen Verletzung ihrer Aufsichtspflicht zur Verantwortung gezogen werden konnten.

Als für die Finanzierung des 3. Schlesischen Krieges große Geldsummen bereitliegen mußten, übernahmen Berliner Juden 1755 die Generalpacht aller preußischen Münzen. Im Laufe des Krieges erwies sich die inflationistische Maßnahme der Münzverschlechterung als notwendig. Es war eine ebenso bedenkliche wie unpopuläre Finanzoperation, für die der König die Verantwortung trug, die man aber den Generalpächtern zur Last legte. „Von außen schön, von innen schlimm, von außen Friedrich, von innen Ephraim", lautete der bekannte Spottvers auf die entwertete Münze. Beide, Veitel Ephraim und Daniel Itzig, wurden bei der Silberlieferung, auch durch die Valutagewinne, sehr reich, aber sie gingen aus dem bedenklichen Geschäft, dessen Riesengewinne in die Staatskasse flossen, unangefochten hervor.

Das Generalreglement Friedrichs d. Gr. war in sich so widerspruchsvoll wie sein Prinzip: nämlich eine Bevölkerungsgruppe möglichst nutzbar zu machen, die er an sich für schädlich hielt. Es hätte eigentlich nur schlimme Folgen haben können. Die Vermehrung der Lasten (Erhöhung der Schutzgelder, Heiratsgelder, Wiedereinführung des Leibzolls, Rekrutensteuern etc.) und die Beschränkung des Warenhandels zwangen die Juden, die Erwerbsmöglichkeiten aufs äußerste auszunutzen, auch wucherische Zinsen zu nehmen. Das Pauschalsystem bot den Anreiz, die ille-

---

[32] Vgl. Max Weber, Wirtschaft und Gesellschaft, Tübingen 1922, 4, S. 351.

gale Einwanderung zu begünstigen, um mehr Steuerträger zu gewinnen. Die kollektive Haftung für Diebstähle und Betrügereien war von Grund auf demoralisierend; entweder verführte sie dazu, die Vergehen der Glaubensgenossen zu decken oder zu verschleiern, oder sie zwang dazu, ein hartes Kontrollsystem innerhalb der Gemeinde und an den Toren der Stadt einzurichten, das „verdächtige Elemente", meist arme Juden, vertrieb oder gar nicht erst zuließ. Sowohl das eine wie das andere ist geschehen. Im allgemeinen konnten solche Bestimmungen die „Schädlichkeit" der Juden, die sie bekämpfen wollten, nur erhöhen, wenn es nicht schon im Beamtentum Friedrich Wilhelms I. Anhänger des modernen Naturrechts und des aufgeklärten Wohlfahrtsstaates gegeben hätte, die in der Verwaltungspraxis vernünftiger und humaner handelten, als die königliche Ordre es vorschrieb und die ständisch und zünftlerisch gesinnten Magistrate der Städte es verlangten. Seit das gesamte Judenwesen, auch die Erteilung von Schutz- und Geleitbriefen, nicht mehr den Judenkommissionen, sondern der zentralen Behörde des General-, Kriegs- und Domänendirektoriums unterstellt war (1730), hatte sich das Verhältnis der Juden zum Staat wesentlich geändert. Sie standen jetzt faktisch nicht mehr unter der patria potestas, d. h. unter dem Willkürregiment des Fürsten, obwohl ihre Abhängigkeit von dessen Gnade formelhaft in allen Judenordnungen erscheint, sondern unter den staatlichen Behörden. Ihre Steuern flossen in die Staatskasse, nicht mehr in die fürstliche Schatulle. Das bedeutete das Ende des fürstlichen Judenregals, das für das jüdische Mittelalter kennzeichnend ist.[33]

---

[33] Vgl. Selma Stern, Der preußische Staat und die Juden. Schriftenreihe wissenschaftlicher Abhandlungen des Leo-Baeck-Instituts. Tübingen 1962. III, 1, S. 18 ff., S. 45 f. Auf Grund umfänglicher Aktenforschungen kommt die Verfasserin zu dem überraschenden Ergebnis, daß die „eiserne Zeit" unter den ersten preußischen Königen doch den Grund gelegt habe für die politische Eingliederung des Judentums in den Staat und für seine kulturelle Assimilation. Obwohl der absolutistische Staat in den Juden nur brauchbare Werkzeuge seiner merkantilistischen Wirtschaftspolitik sah und keineswegs

Salomon Maimon

Für die Juden in Polen erstrahlt das Berlin Friedrichs im Licht der Aufklärung, einer neuen Stufe humaner Bildung und Gesittung. Wer dort aufgenommen war in den Kreis wohlhabender und gebildeter jüdischer Familien, durfte hoffen, seinen Wisssensdurst zu stillen. In den Lebenserinnerungen des Philosophen und Kantschülers Salomon Maimon, die Goethes Freund Karl Phil. Moritz 1792 herausgegeben hat, gibt es Szenen, die die Situation scharf beleuchten. Als der junge Maimon, der eine elende Jugend im polnischen Litauen verlebt hat, der talmudischen Gelehrsamkeit überdrüssig und von der Begierde nach philosophischer und naturwissenschaftlicher Erkenntnis gequält, in abgerissener Kleidung vor den Toren Berlins erscheint, wird er als Betteljude von einem jüdischen Torwächter sogleich in das Armenhaus am Rosenthaler Tor gesteckt, empfängt dort ein Almosen und muß am nächsten Tag weiterwandern, ohne die Stadt betreten zu haben. Er zieht nun wirklich bettelnd durch das Land, versinkt ins tiefste Elend, wird endlich Hauslehrer bei einem reichen Juden in Posen, gerät dort in Konflikt mit dem orthodoxen Rabbinertum und hält nach geraumer Zeit seinen Einzug in Berlin, weil er sich diesmal einer Postkutsche bedient hat. Hier kontrollieren aber jüdische Gemeindewärter die Gasthöfe, um den Zuzug verdächtiger Elemente zu verhindern. Salomon Maimon findet einen Landsmann aus Polen, der führt ihn in eine vornehme jüdische Familie ein. Seine theologischen Kenntnisse, vor allem aber seine Kommentare zu Schriften des Maimonides legitimieren ihn, seine Fähigkeit, in barbarischem Deutsch über philosophische Themen zu diskutieren,

darauf bedacht war, ihre soziale und rechtliche Situation zu verbessern, habe er doch die Schranken aufgehoben, die ihn von der jüdischen Körperschaft trennten, er habe sie aus der Enge ihrer kulturellen Autonomie befreit und sie allmählich mit den eigenen Interessen und den Leistungen des ganzen Volkes verbunden (S. 105).

setzt alle in Erstaunen. „Man betrachtete mich“, so erzählt er, „als ein redendes Tier und ergötzte sich mit mir, wie man sich mit einem Hund oder mit einem Star, der einige Worte auszusprechen gelernt hat, zu ergötzen pflegt.“ [34] Als er bei Moses Mendelssohn eingeführt ist, der damals schon eine europäische Berühmtheit war, kann er fürs erste unangefochten in Berlin leben. Mendelssohn selber mußte 1776, als er eine Reise nach Dresden unternahm, am Stadttor noch den Leibzoll entrichten, als sei er eine Ware. Es war die Summe, die man, wie er selbst voll Bitterkeit sagt, für einen polnischen Ochsen zu bezahlen hatte.

Von einem gebildeten preußischen Beamtentum wurde dieser Zustand am Vorabend der französischen Revolution als unwürdig und grotesk empfunden; von ihm geht dann auch der Reformgedanke aus.

[34] S. Maimon, Geschichte des eigenen Lebens (1754–1800). Berlin 1935, S. 124.

4. KAPITEL

DIE JUDEN IN HAMBURG UND DAS FRANKFURTER GHETTO

Die Hamburger Judengemeinde und die „Denkwürdigkeiten der Glückel von Hameln".

Es gab zwei freie Reichsstädte, in denen im 17. und 18. Jahrhundert größere Judengemeinden lebten, Hamburg und Frankfurt. In Hamburg waren schon vor 1600 portugiesische Marranen aus Holland eingewandert, die man zuerst gern für Katholiken gehalten hätte, die sich aber bald offen zum Judentum bekannten. Da sie einen blühenden Handel mit Rohrzucker, Tabak, Gewürzen, Wein und indischen Kattunen betrieben, sich bald auch an der Gründung des Hamburger Bankhauses beteiligten, wurden sie vom Senat nicht ungern gesehen und gegen die Bürgerschaft geschützt, die sie vertreiben wollte. Die portugiesischen Juden waren reich und angesehen, einige besorgten die diplomatischen Geschäfte der Könige von Polen, Portugal und Schweden. Im Hause ihres Residenten Manuel Texeira nahm Königin Christine bei einem Hamburger Aufenthalt sogar Quartier.[1] Den deutschen Juden gegenüber bildeten die Sephardim eine Art Aristokratie, fremdländisch, bevorzugt und selbstbewußt.

Die deutschen Juden hatten kein Niederlassungsrecht in Hamburg, trotzdem lebten einige Familien dort als Wechsler und Kleinhändler oder im Gesinde der vornehmen Portugiesen. Wir kennen ihr Leben mit merkwürdiger Genauigkeit aus einer der ganz seltenen jüdischen Selbstbiographien jener Zeit, aus den „Denkwürdigkeiten der

---

[1] Schudt, I, 374 f., sagt zu diesem Ereignis: „Es war bei Christen ein großes Ärgernis, einen von Gott verworfenen Juden einem Christlichen Hoch-Edlen Magistrat einer so ansehnlichen Stadt vorzuziehen und der Ehre so hoher Einkehr und Bewirtung zu würdigen."

Glückel von Hameln",[2] die 1646 in Hamburg geboren wurde und 1724 in Metz starb, Zeitgenossin also der Lieselotte v. d. Pfalz, der sie an Herzenswärme, an naiver Frische und Ursprünglichkeit ihres Wesens verwandt ist. Sie schreibt in jiddischer Sprache nur für ihre Kinder und Enkel, und es sind Geburten, Hochzeiten, Todesfälle, die sie beschäftigen, auch Geschäftsreisen, Unfälle, Rettung aus großer Gefahr, rasch erworbener Reichtum, Unglück und Verlust. Sie begreift das alles als fromme Jüdin, stets eingedenk, daß Gott auf alle Weise segnend, strafend und tröstend in ihr persönliches Leben eingreift und in das jüdische Schicksal schlechthin. Wir sehen in den Memoiren dieser Frau die jüdische Welt gleichsam von innen, streng gebunden an Religions- und Sittengesetze, ebenso streng an die geläufigen Formen des Gelderwerbs, völlig abgeschlossen von der christlichen Umgebung, wenn auch in sie eingebettet. Nur an den Rändern dieser Welt verkehrt man mit den „Fremden", d. h. man handelt mit ihnen, beugt sich ihren Geboten, freut sich auch einmal ihrer Gunst (die Hochzeit des Hofjuden Gomperz in Kleve 1674, an der Prinzen und adlige Herren teilnehmen!) und fürchtet wie seit je die Ausschreitungen des Pöbels. Aber das alles geschieht außen, es ist schicksalhaft, man hat kaum Einfluß darauf. Wichtig ist der Schreiberin, wie ihre Verwandten, wie ihre zahlreichen Kinder unter so einschränkenden Bedingungen – die ihr selbstverständlich sind – rechtlich, wohlhabend, fromm und gesichert leben können. Daß eins nicht ohne das andere gedeiht, die Rechtschaffenheit nicht im Elend, hat sie begriffen, und so ist vom Heiratsgut, vom Barvermögen, von den Geschäftsaussichten oft und ausführlich die Rede. Es ist nicht gleichgültig, ob jemand bei einem Heiratsprojekt „ein Mann von 15 000 Reichstalern" ist und „seinen Kindern Tausende als

[2] „Denkwürdigkeiten der Glückel von Hameln". Übersetzt und hrsg. von A. Feilchenfeld, Berlin 1913.

Mitgift" gibt, wenn man bedenkt, daß das Recht zu leben und zu atmen mit Geld erkauft werden mußte.
Die Erinnerungen der Glückel von Hameln beginnen mit der Vertreibung der deutschen Juden aus Hamburg. Sie ziehen in das nahe Altona, das unter dänischer Herrschaft steht und wo die Gemeinde seit längerer Zeit Synagoge und Friedhof besitzt. Die knappe und sachliche Schilderung ihrer Lebensweise ist so eindringlich, daß man sie nicht übergehen kann. Die Juden aus Altona machen ihre Geschäfte in Hamburg – wie es die Deutzer Juden in Köln tun mußten – und erreichen mit viel Mühe und Geld, daß man ihnen Tagespässe für das Betreten der Stadt ausstellt. Arme Händler wagen es, sich ohne Paß einzuschleichen; man steckt sie ins Gefängnis, wenn sie ertappt werden. „Das alles hat viel Geld gekostet", bemerkt die Erzählerin dazu, „und man hat Not gehabt, sie wieder frei zu bekommen. Des Morgens in aller Frühe, sobald sie aus dem Bethaus gekommen sind, sind sie in die Stadt gegangen, und gegen Abend, wenn man das Tor hat zumachen wollen, sind sie wieder nach Altona zurückgekehrt, . . . oft sind sie ihres Lebens nicht sicher gewesen wegen des Judenhasses, der bei Bootsleuten, Soldaten und anderem geringen Volk herrschte, so daß eine jede Frau Gott gedankt hat, wenn sie ihren Mann glücklich wieder bei sich hatte."[3]
Im Schwedenwinter 1657 fliehen die Altonaer Juden vor den Kriegswirren in die feste Stadt, der Rat nimmt sie auf, aber die Geistlichen dulden nicht, daß sie in Hamburg ihre Gebetsversammlungen halten. „Wie schüchterne Schafe mußten wir dann nach Altona ins Rathaus gehen. Das hat eine Zeitlang gedauert, dann sind wir wieder in unsere Schülchen (Betstuben) gekrochen. Also haben wir zuzeiten Ruhe gehabt, zuzeiten sind wir wieder verjagt worden – so geschieht es bis auf diesen Tag, und ich fürchte, daß solches immer dauern wird, so lange wir in

---

[3] Glückel von Hameln, S. 15 f.

Hamburg sind und so lange die Bürgerei[4] in Hamburg regiert. Gott möge sich in seiner Gnade bald über uns erbarmen und uns seinen Messias senden."
Diese Messiashoffnung schien sich 1665 zu erfüllen, als das Gerücht von dem in Smyrna aufgetretenen Wundertäter und Sektengründer Sabbatai Zewi wie ein Sturmwind durch ganz Europa lief und sich an vielen Orten jüdische Familien oder ganze Gemeinden, wie die Ghettobewohner in Avignon, rüsteten, nach Jerusalem zu ziehen. Glückel schildert die Freudenfeste in der Synagoge und die Vorbereitungen ihres Schwiegervaters, der Haus und Hof in Hameln verkauft und Fässer mit Proviant nach Hamburg schickt für die weite Reise nach Palästina. Die religiöse Erregung, die damals die Judenschaft vor allem in Polen erfüllt, von der aber auch die sephardischen Juden in Amsterdam und Hamburg ergriffen werden, die Hoffnung auf Erlösung vom 1600jährigen Exil, die sich nicht erfüllt, gehört der innerjüdischen Geschichte an, sie kann in diesem Zusammenhang nur erwähnt werden. Was die Verfasserin der Denkwürdigkeiten aber von den heimlichen Gottesdiensten in Hamburg sagt, bezeichnet sehr genau den Zustand in der protestantischen Freien Reichsstadt, in der die orthodoxe lutherische Geistlichkeit dem ökonomisch gesinnten Senat schwere Vorwürfe macht, daß er die Juden ihres Geldes wegen dulde und ihren „Teufelsdienst" in den Synagogen ruhig geschehen lasse.
Im Jahre 1644 war in Hamburg das Buch „Judaismus oder Judentum, d. i. ausführlicher Bericht von des jüdischen Volkes Unglauben, Blindheit und Verstockung" erschienen, in dem Johannes Müller, der Senior an der Petrikirche war, aus Luthers judenfeindlichen Schriften dogmatische Grundsätze entwickelte und die vollständige Knechtung der „Feinde Christi" empfahl.[5] Die Auseinandersetzung

[4] D. i. die „erbgesessene Bürgerschaft"; der Senat war duldsamer. Glückel v. H., S. 18.

[5] Vgl. auch Schudt, II, 6. Buch, 6. Kapitel.

zwischen dem Bekehrungs- und Verfolgungseifer des orthodoxen Luthertums und dem freieren, praktisch gesinnten Handelsgeist der weltoffenen Stadt dauert lange. Inzwischen wächst die wirtschaftliche Bedeutung des Handels mit Spanien und Portugal, den die jüdischen Einwanderer beherrschen. Ihre bloße Drohung, sie würden sich in einer anderen Hafenstadt niederlassen, sichert ihnen zuletzt das Wohnrecht in Hamburg.

Das Ghetto in Frankfurt am Main

Die Frankfurter Juden haben vom Ende des Mittelalters bis zum Jahre 1796 den Wollgraben an der Stadtmauer, eine enge Gasse hinter hohen Mauern, bewohnt, deren drei Tore nachts und an Sonn- und Feiertagen geschlossen wurden. Es haben sich hier Formen des Ausgeschlossenseins und zugleich des engen Zusammenlebens mit der Bürgerschaft entwickelt, wie sie es sonst in Deutschland nicht gab. Nur in großen Städten wie Prag, Venedig, Rom hat sich bis in die Neuzeit hinein das Ghetto in seiner strengen Form erhalten, in Rom wurden seine Mauern erst 1870 niedergelegt. Daß es seine Bewohner geprägt und in der christlichen Umgebung die Vorstellung von jüdischer Sonderart erst recht verfestigt hat, ist begreiflich. Auf den Knaben Goethe machte diese enge, dunkle, von Menschen wimmelnde Judengasse noch den Eindruck düsteren Geheimnisses, das ihn abstieß und zugleich seine Neugierde reizte.

Daß die Juden in einem geschlossenen Wohnbezirk lebten, hat sich erst im späten Mittelalter durchgesetzt. Die Kirche hatte immer auf Trennung von den Christen, auch auf die Entfernung jüdischer Behausungen aus dem Umkreis der Kirchen gedrängt, die weltlichen Machthaber fürchteten Übergriffe des Pöbels, und die Juden selbst fühlten sich in der Zeit der Verfolgungen hinter Mauern und geschlossenen Toren sicherer. In Frankfurt entschloß sich der Rat

1460 auf Drängen des Kaisers und der Kirche, die Juden aus den Gassen am Dom zu entfernen und ihnen ein entlegenes Quartier anzuweisen, eine einzige Gasse, die um 1500 etwa 100 Bewohner in 15 Häusern hatte, in der 1709 aber über 500 Familien (etwa 3000 Personen) auf demselben Raum wohnten, in aufgestockten und vornüber gebauten Häusern mit Zwerchhäusern im Dachgeschoß, zahllosen Hinterhäusern und Aufbauten aller Art, mit dunklen, feuchten Höfen.[6] Die Zahl der Bewohner wuchs so rasch, weil Frankfurts Handel damals einen großen Aufschwung nahm, die Messen viele Fremde herbeiführten und weil die „Judenstättigkeit" und der Schutz des Kaisers einige Sicherheit des Wohnrechts verbürgten. In einer Zeit der allgemeinen Teuerung und Münzverschlechterung kommt es aber zu einem der charakteristischen Handwerkeraufstände gegen die Mißwirtschaft des Rates. Die Anführer agitieren gegen die Juden, und die Revolte entlädt sich in der Plünderung der Judengasse und der Austreibung ihrer Bewohner im Jahre 1614. Es ist der Fettmilch-Aufstand, nach dem Lebkuchenbäcker und Demagogen Vincenz Fettmilch so genannt. Es geschieht also jetzt, was sich in anderen deutschen Städten mehr als hundert Jahre zuvor ereignet hatte, nur nimmt die Sache eine andere Wendung. Der Kaiser läßt nach gründlicher Untersuchung den Rädelsführer hinrichten, verurteilt die Stadt zum Schadenersatz und läßt die Juden in einem festlichen Aufzug zwei Jahre später unter kaiserlichem Geleit in die Stadt zurückbringen. Von nun an hängt an jedem der drei Tore der Judengasse ein kaiserlicher Adler mit der Aufschrift: „Röm. Kays. Majestät und des h. Reiches Schutz". Das Wohnrecht wird ihnen in einer neuen „Judenstättigkeit" auf alle Zeiten verbürgt und die zulässige Bewohnerzahl auf 50 Familien festgesetzt. Im übrigen

[6] I. Kracauer, Die Geschichte der Judengasse in Frankfurt a. M., in: Festschrift zur Jahrhundertfeier der Realschule d. israelit. Gemeinde zu Frankfurt a. M., 1906, S. 322 ff.

wird durch eine Reihe von Verboten die Schranke aufgerichtet, die die Bewohner der Judengasse von den Bürgern der Stadt trennen soll.[7]

Folgende Verordnungen sind bis in die 2. Hälfte des 18. Jahrhunderts hinein gültig gewesen: es war den Juden verboten, nachts, an Sonn- und Feiertagen und von Karfreitag bis nach Ostern die Gasse zu verlassen. Außerdem waren bei Krönungen, Festlichkeiten und Hinrichtungen die Tore der Gasse geschlossen. Bei der Anwesenheit fürstlicher Persönlichkeiten durften sie sich vor deren Quartieren und am Mainufer nicht sehen lassen. Die Stadt durften sie nur zu geschäftlichen Zwecken betreten, bestimmte Straßen und Plätze, später die Anlagen auf dem Glacis, blieben immer für Juden gesperrt. Nicht mehr als zwei Personen sollten nebeneinander gehen, eine Vorschrift, die sicher häufig übertreten wurde, denn 1756 entrüstet sich der Senat noch in einer Verlautbarung, daß „so jüdische Manns- als Weibsleute einzeln und haufenweise auf Sonn- und Feiertage alle Straßen der Stadt durchstreichen und gleichsam darin spazieren gehen".[8]

Diese „Mißstände" werden in immer erneuten Edikten bekämpft, ja die kürzesten Wege zum Arzt, zur Hebamme, zum Marktschiff, zur kaiserlichen Post, die die Juden auch während der Sperrzeiten betreten durften, werden umständlich angegeben. Für den Einkauf auf dem Lebensmittelmarkt ist im Sommer die Zeit vor 7, im Winter die vor 8 Uhr morgens bestimmt. Auch das Judenabzeichen, der gelbe Ring, außerhalb der Gasse stets sichtbar zu tragen, wird in die 1705 erneuerte „Stättigkeit" noch einmal aufgenommen. Seine Abschaffung wurde erst 1728 vom Reichshofrat verfügt; fast zur selben Zeit haben die Juden in Preußen sich diese Befreiung von einer schmählichen

---

[7] Der vollständige Text der „Judenstättigkeit" von 1616, bestätigt 1705 von Joseph I., der ein interessantes kulturgeschichtliches Dokument ist, bei Schudt, III, 156–194.

[8] Zit. nach Kracauer, S. 416.

Kennzeichnung, die sie überall dem Spott des Pöbels und den Späßen der Kinder aussetzte, durch eine hohe Geldsumme erkauft. Aus den kanonischen Gesetzen des Mittelalters werden die Verbote christlicher Ammen und christlicher Dienstboten übernommen, wie überhaupt die strenge Absonderung der Juden in der gewerbereichen und handelsoffenen Reichsstadt ein befremdliches und versteinertes Stück Mittelalter ist, so argwöhnisch gehütet wie die Judengasse, die jahrhundertelang um keinen Fußbreit verlängert oder erweitert werden durfte, obwohl die Bewohnerzahl ständig stieg.

Joh. Jak. Schudts Schilderung des Ghettobrandes von 1711

Wir sind über das Frankfurter Judentum durch Joh. Jak. Schudts umfangreiches Werk „Jüdische Merckwürdigkeiten, samt einer vollständigen Juden-Chronik“ (Frankfurt a. M. 1714–18) aufs genaueste unterrichtet. Der Verfasser dieses Kompendiums barocker Gelehrsamkeit ist Theologe, Orientalist und Konrektor am Gymnasium. Er wollte als Augenzeuge nur den Brand des Ghettos von 1711 beschreiben; es wird eine allgemeine Historie des jüdischen Exils daraus, in der er mit ungeheurem Fleiß zusammenträgt, was in der Weltliteratur über die Juden geschrieben worden ist. Eine Fundgrube also kulturgeschichtlicher Fakten und als solche in der jüdischen Historiographie viel benutzt. Was der Verfasser außerdem an Fabeleien, Volksaberglauben, gehässigen Vermutungen und Sottisen aller Art aus einer zum großen Teil judenfeindlichen Literatur zusammenträgt, hat man mit Recht wenig beachtet, den Quellenwert seiner Chronik und Beschreibung der Frankfurter Judengasse aber immer hoch geschätzt.

Uns ist heute auch der Chronist selber interessant, ein Gelehrter und ein loyaler protestantischer Bürger der Freien Reichsstadt, aus dem die öffentliche Meinung seiner Zeit und seiner bürgerlichen Umwelt spricht. Er erörtert die

Gewissensfragen des orthodoxen Luthertums ebenso ausführlich wie die Rechtssatzungen der kaiserlichen und städtischen Obrigkeit. So erläutert er auch seinen Standpunkt in der „Vorrede“: obwohl er Lutheraner sei, möchte er in der Judenfrage unparteiisch sein und niemanden verletzen; denn er habe „von Jugend auf einen Ekel gehabt“, „daß man um der Religion willen jemand soll hassen und anfeinden“. Er fühlt sich einig mit dem Rat der Stadt, der den Juden Wohnrecht und Nahrung bewilligt, er verurteilt die „Injurien und hartes Tractament des Pöbels“ und will die Fehler einzelner nicht der gesamten Judenschaft aufbürden. Alles löbliche und eines gelehrten Chronisten würdige Vorsätze. Der Gegenstand seiner Studien machte es aber offenbar schwer, ihnen treu zu bleiben. Denn Schudt zitiert ausgiebig und kritiklos die Schmähschriften der Konvertiten des späten Mittelalters, den protestantischen Eiferer Joh. Müller aus Hamburg und vor allem das bösartigste Kompendium des Judenhasses: Eisenmengers „Entdecktes Judentum“.[9] Das mag noch mit dem kompilatorischen Charakter seines Werkes und der gelehrtenhaften Neigung, möglichst nichts auszulassen, erklärt werden. Wir müssen deshalb seine Schilderung der Katastrophe von 1711, die er miterlebt hat, genauer betrachten, wenn wir seine Denkweise und die des Frankfurter Bürgertums, mit dem er sich einig weiß, erkennen wollen.

Im Hause des Rabbiners war am 14. Januar 1711 das Feuer ausgebrochen, das in einer einzigen Nacht die zwischen hohen Mauern eingezwängte Judengasse völlig verzehrte und sie säuberlich ausbrannte, aber nicht auf die bürgerlichen Quartiere übersprang. Das ist für den Chro-

[9] J. Eisenmenger, Entdecktes Judentum. Das Buch wurde 1700 in Frankfurt a. M. gedruckt, auf inständige Bitten der Frankfurter Judenschaft und durch Vermittlung S. Oppenheimers vom Kaiser aber verboten. Friedrich I. von Preußen erlaubt 1711 einen Nachdruck in Königsberg, da es „die Beförderung der christlichen Religion zum Endzweck gehabt“, „die Juden aber ihres Irrtums und ihrer Blindheit überführt werden möchten“. Schudt, III, 1 ff.

nisten wie für seine Mitbürger das „offenbare Strafgericht Gottes", das die Juden so unvermutet überfällt „wie der Strick die Vögel, da sie am fröhlichsten hüpfen".[10] Als der Brand bemerkt wurde und die Feuerglocke in der Stadt ertönte, hielten die Bewohner der Judengasse die Tore zuerst noch geschlossen aus Angst vor Plünderung. Das Teufelsnest möge ruhig ausbrennen, meinen die Bürger, aber sie wollen löschen, damit das Feuer nicht überspringt. Als sie eingelassen werden, hat der Wind die Flammen schon durch das enge, steile Gewinkel der Gasse gefegt. Er hat das Gottesgericht ausgeführt, sagt der Chronist, denn kein Christenhaus ist getroffen, und der nahe Pulverturm blieb auch verschont. Die Stadt hat später eine Denkmünze prägen lassen, auf der die Gestalten jammernder Juden zu sehen sind und der heile Pulverturm inmitten züngelnder Flammen, der den Beweis förmlich auf die Spitze treibt.[11] Die Umschrift lautet: „Ac bonum quod sic probat" (Das Rechtschaffene bewährt sich). Die zuerst geschlossen gehaltenen Tore zeigen die Verblendung des jüdischen Volkes. Die von der Feuersbrunst bloßgelegten Keller und unterirdischen Gänge bringen die Bosheit, die Falschmünzerei, die gehorteten Schätze ans Tageslicht, als habe das gefährliche Geheimnis des Ghettos aufgedeckt werden sollen.

Was den Verfasser im folgenden beschäftigt, ist das Verhalten der Bürger. Soll man die obdachlosen Juden in christliche Häuser aufnehmen? Darf man ihnen dort Betstuben erlauben? Soll man den Wiederaufbau der Judengasse, den Bau einer neuen Synagoge gutheißen? Hat Luther nicht den Rat gegeben, die Stätten der Lästerung zu verbrennen und sie in Ställen und Scheunen hausen zu lassen wie die Zigeuner? Aber sie sind Schutzangehörige der Stadt und der Röm. Majestät! In diesem Konflikt

[10] Schudt, II, 70.

[11] Abbildung bei Schudt, II, 83.

zwischen Rechtgläubigkeit und reichsbürgerlicher Loyalität weiß sich der Konrektor keinen anderen Rat, als die Christen aufs dringlichste zu ermahnen, sich trotz der aufgedrungenen Wohngemeinschaft jedes künftigen Verkehrs zu enthalten und sich vor allem von jüdischem Geld nicht zur Vermietung ihrer Räume verführen zu lassen. Eine Sorge, die sicher nicht unbegründet war, denn es gab viele wohlhabende Juden in der dunklen Enge des Ghetto, Großhändler, Geldwechsler, Pfandleiher, die ihren Geldvorrat noch in Sicherheit gebracht hatten und in manchen Bürgerhäusern nicht ungern aufgenommen wurden. Auch von falschem Mitleid ist die Rede, – es wird sich da gerade um das echte gehandelt haben. Die Juden, so gesteht der Verfasser, der um Gerechtigkeit bemüht ist, hätten ohne gotteslästerliche Reden und Anklagen ihr Schicksal hingenommen und ihre große Sünde bekannt, die es verschuldet. Auch hätten sie den Verlust ihrer heiligen Bücher am meisten beklagt, woran sich die Christen ein Beispiel nehmen dürften! Nun aber sollten sie in Zukunft den Christen durch betrügerischen Handel das Brot nicht wegnehmen und vom Teufelswerk in ihren Synagogen endlich lassen, da ihnen die Strafe so deutlich zuteil geworden sei. – Und so spricht hier doch wieder der Schulmeister zu hoffnungslos verstockten Bösewichten.

Denkmodelle und Urteilsschablonen werden hier sichtbar, die ein zähes Leben haben. Wahrscheinlich kann man das von allen Denkgewohnheiten sagen, die das eigene Wertbewußtsein erhöhen, das Gewissen beruhigen und einen überlieferten, vorteilhaften und bequemen Zustand als mit der göttlichen Weltordnung übereinstimmend erklären.

Der Frankfurter Magistrat läßt auf Befehl Josephs I. die Judengasse wieder aufbauen, gegen die Eingaben der Zünfte und Krämergilden, die verlangen, er solle „Gottes Werk vervollständigen“ und die Juden austreiben. Aber der Ghettozwang bleibt bestehen. 1745 werden wegen angeblicher Feuergefahr die Mauern noch erhöht und Luft und Licht ausgesperrt. Fremde Reisende schildern in den 70er und 80er Jahren die feuchte, übelriechende Gasse und die graubleichen Gesichter der Einwohner. 1778 beantragt ein jüdischer Rechenlehrer Wohnerlaubnis in der Stadt, um seinen Beruf ausüben zu können, 1783 ein jüdischer Arzt, da er in der Judengasse seine Kinder nicht zu brauchbaren Menschen erziehen könne. Alle solche Anträge werden abgewiesen, da die Juden nichts anderes bezwecken als „die Gesetze zu untergraben und sich wieder successive in christlichen Wohnungen einzunisten, . . . und das ohnehin so sanfte Joch der Christen noch gänzlich abzuschütteln".[12] In der Gesamtheit ertragen die Juden das Ghetto als unabänderliches Geschick, sie verlangen nicht seine Auflösung, sie kämpfen am Ende des 18. Jahrhunderts nur erbittert um das Recht der freien Bewegung in Luft und Sonne, ganz einfach um die Spaziergänge auf dem Glacis. Das städtische Bauamt behandelt die Gesuche, als müßten die neuen Anlagen vor wilden Tieren geschützt werden. „Selbst das Gras auf dem Glacis ... würde notleiden; denn wozu ist ein Jude, der einmal einige Freiheit genießet, nicht aufgelegt!"[13] Es tadelt den „grenzenlosen Hochmut dieses Volkes", das „bei allen Gelegenheiten den christlichen Einwohnern sich gleichzusetzen" wünsche. Die Petitionen aus der Judengasse werden dringlicher. 1784 fordern sie, nun nicht mehr als gnädige Erlaubnis, sondern „im Namen des beleidigten Rechtes, der Humanität und der fortgeschrittenen Zivilisation, die auch im Juden den Menschen sehe", das Recht auf den Sonntagsausgang um 5 Uhr nachmittags (nach beendigtem christlichem Gottesdienst), sie verlangen auch ein ärztliches Gutachten über die gesundheitswidrige Beschaffenheit der Gasse. In diesem Punkt gibt der Rat nach. Inzwischen war Chr. W. Dohms Schrift „Über die bürgerliche Verbesserung der

---

[12] Kracauer, 415.

[13] Kracauer, 418 f.

Juden“ erschienen (1781), und Joseph II. hatte im gleichen Jahre sein Toleranzedikt erlassen. Für die Frankfurter Juden aber beginnt die neue Zeit erst im Juni 1796; bei der Belagerung durch die Franzosen brennt das Ghetto ab und wird nicht wieder aufgebaut. Bis dahin dauerte das jüdische Mittelalter.

5. KAPITEL

MOSES MENDELSSOHN UND DIE BERLINER AUFKLÄRUNG

Moses Mendelssohn und sein Freundeskreis

Wir haben es hier mit einer Epoche der jüdisch-deutschen Geschichte zu tun, die um 1750 beginnt, im preußischen Emanzipationsedikt von 1812 gipfelt und im Wiener Kongreß, der den Umschwung bereits deutlich macht, ihr Ende findet. Während eines halben Jahrhunderts wird das jüdische Problem in all seinen Verzweigungen diskutiert, jetzt aber auf beiden Seiten, denn die Juden nehmen seit Moses Mendelssohn an diesem Gespräch teil. Das war bisher nur in theologischen Disputationen, in den Streitgesprächen zwischen Ekklesia und Synagoge, geschehen, die während des ganzen Mittelalters stattfanden. Auch gegen antijüdische Schmähschriften hatten Rabbiner gelegentlich, die talmudische Lehre erläuternd und verteidigend, das Wort ergriffen. Eine solche Apologie des Judentums, die „Vindiciae Judaeorum" des Manasse ben Israel von 1656 ließ Mendelssohn noch 1782 in Berlin als „Rettung der Juden" neu herausgeben und versah sie mit einer „Vorrede", die allerdings den Wandel der Zeiten deutlich macht. Während im 17. Jahrhundert noch die abergläubischen Verdächtigungen des Volkes und die feindseligen Behauptungen der Geistlichen zu bekämpfen waren, geht es jetzt zum ersten Mal in der jüdischen Geschichte um das praktische Problem der „bürgerlichen Aufnahme", um die Befreiung von den Fesseln der Ausnahmegesetze, um die rechtliche und staatsbürgerliche Emanzipation der Juden. Die Verfechter dieses Gedankens auf der jüdischen wie auf der christlichen Seite waren sich darüber klar, daß sie keine Apologie der Juden, sondern die „Sache der Menschlichkeit" im Auge hatten.

Wenn aber der Staat bereit war, vorerst unter Vorbehalten und mit pädagogischen Absichten, die jüdischen Einwohner als Bürger in die staatliche Ordnung einzugliedern, so erhob sich die nunmehr innerjüdische Frage nach dem Verhältnis von Assimilation und Bewahrung jüdischer Tradition. Das alles war zu diskutieren. Es geschieht fast gleichzeitig im österreichischen Beamtentum unter Joseph II., in der französischen Nationalversammlung und in Preußen im Kreise aufgeklärter Philosophen, Literaten und Juristen.

„Alles, was man den Juden vorwirft", heißt es in der berühmten Schrift des preußischen Archivars und Kriegsrates Chr. W. von Dohm, „ist durch die politische Verfassung, in der sie jetzt leben, bewirkt." Und: „Das beste Mittel, den Besitzstand eines Vorurteils kräftig zu unterbrechen, ist, den Mitteln nachzuspüren, wie er erworben worden." Das ist eine radikale Änderung des Standpunktes und zugleich eine revolutionäre Kritik am Generalreglement Friedrichs d. Gr., die immerhin zu seinen Lebzeiten möglich war. Dohms Schrift „Über die bürgerliche Verbesserung der Juden" ist 1781 in Berlin erschienen; sie beeinflußt nicht nur die Gedanken der preußischen Reformer, sondern gibt auch die Richtlinien für die Emanzipation in den westeuropäischen Ländern an, vor allem in Frankreich.

Dohm gehörte zum Freundeskreis Moses Mendelssohns. Man kann die Wandlung im Verhältnis zum jüdischen Problem, die hier einsetzt, nur verständlich machen, wenn auf der anderen Seite der Durchbruch des Judentums in die europäische Bildungswelt, die geistige Emanzipation also, deutlich geworden ist, die sich mit der Gestalt Mendelssohns verknüpft. Statt den durch die Aufklärung verwandelten Bildungshorizont des späten 18. Jahrhunderts abzutasten, die philosophischen, pädagogischen, nationalökonomischen und literarischen Strömungen aufzuzählen, die auf die jüdische Situation ebenso stark einwirkten wie

auf die Rechtslage des Dritten Standes, wollen wir von der einzigartigen Gestalt des jüdischen Philosophen ausgehen, in dessen Werk und Schicksal sich alle Linien schneiden.
Im allgemeinen historischen Bewußtsein lebt Mendelssohn als Freund Lessings und Urbild des Nathan, als Verfasser popular-philosophischer Schriften, die von den Zeitgenossen sehr hoch geschätzt wurden, aber unter der Wirkung von Herder und Kant schnell in Vergessenheit gerieten. Nur seine jüdische Leistung ist wirklich lebendig geblieben, sie gab den Anstoß zu einer Wandlung, die das jüdische Leben in seinem Grunde ergriffen hat.
Eine bewegende und imponierende Gestalt, niemand konnte sich ihrer Wirkung entziehen, klein, der Rücken gekrümmt vom Studium in frühester Jugend, der Blick strahlend und warm, geistige Schärfe und Sanftheit des Wesens vereinigend. Die Sprache seiner philosophischen Schriften ist klar und fließend, erreicht oft die Schärfe und Eleganz der Lessingschen Diktion und schwillt an zu einem milden Pathos und zu beschwörendem Ernst, wo das Schicksal seiner Glaubensgenossen ihn hinreißt. Aber seine Anklage verletzt nicht, und sein Sinn für Gerechtigkeit ist so fein und scharf, daß er zum politischen Führer seines Volkes nie geeignet war, es auch niemals hat sein wollen. Er scheut die tragische Unausweichlichkeit und liebt die schwer errungene Harmonie. So erstaunlich ist seine Erscheinung, die Judentum und Weltweisheit vereinigt, für die Zeitgenossen, daß schon früh die Legende an seinem Bilde formt. Für das jüdische Geschichtsbewußtsein, das in Mendelssohn den Anbruch einer neuen Zeit feiert, sind alle Stufen seines schlichten Lebens, alle Begegnungen, Erfolge und geistigen Auseinandersetzungen zu Sinnbildern geworden.
Das beginnt mit dem 14jährigen Sohn des Dessauer Thoraschreibers, der allein nach Berlin wandert, um dort zu „lernen“. „Mit dem Bildungshunger von Jahrhunderten“, so hat man gesagt, eignet er sich die Grundlagen der Wis-

senschaft seiner Zeit an. Ein polnischer Rabbi lehrt ihn die Mathematik aus einem hebräischen Euklid, bei zwei jüdischen Ärzten (nur das Medizinstudium war den Juden damals schon erlaubt) lernt er lateinisch, französisch und englisch, mit jungen Leuten vom Joachimsthalschen Gymnasium disputiert er bald über philosophische Gegenstände – und lernt dabei deutsch. Er schreibt hebräische Werke ab, hungert sich durch, wird Hauslehrer bei dem Seidenfabrikanten Isaak Bernhard, dann Buchhalter in seinem Geschäft. So traf ihn noch Lavater an bei einem Besuch im Jahre 1763. „Den Juden Moses, den Verfasser der Philosophischen Gespräche und Briefe über die Empfindungen, fanden wir in seinem Comptoir mit Seide beschäftigt. Eine leutselige, leuchtende Seele im durchdringenden Auge und einer äsopischen Hülle ..., ein Mann von scharfen Einsichten, feinem Geschmack und ausgebreiteter Wissenschaft, ... vertraulich und offenherzig im Umgange ... Ein Bruder seiner Brüder, der Juden, gefällig und ehrerbietig gegen sie, auch von ihnen geliebt und geehrt.“ [1]

Es war die Freundschaft mit Lessing gewesen, die den jungen gelehrten, aber scheuen und von der geistigen Gesellschaft Berlins ausgeschlossenen Juden plötzlich in das philosophische Gespräch hineingezogen hatte. Zum Freundschaftsbund gehörte auch der gewandte Buchhändler und Verleger Nicolai und der junge begabte Thomas Abbt, der damals Shaftesbury übersetzt und ihn zusammen mit einer Übersetzung Mendelssohns herausgeben möchte. „Ich bin begierig darauf, was unsere Theologen sagen werden“, schreibt er an Nicolai, „wenn ein Lord, ein Kaufmann und ein Professor; ein Freigeist, ein Jude und ein Christ Hand in Hand erscheinen: Shaftesbury, Moses und Abbt.“ [2]

Das ist keck und herausfordernd, ein Windstoß, der Vorurteile wegfegt, und das Thema kündigt sich an, das Les-

---

[1] B. Bervin, Moses Mendelssohn im Urteil seiner Zeitgenossen. Kantstudien Nr. 49, Berlin 1919, S. 44.

[2] An Nicolai, 9. Febr. 1762. Bervin, S. 25.

sings Nathan zugrunde liegt. Das Gespräch wird in diesem Kreise zur Denkform, ein Gespräch, an dem jeder teilnehmen kann, der sich von der dogmatischen Enge und der ständischen Gebundenheit befreit hat. Moses Mendelssohn war für den Freundeskreis auch deshalb so wichtig, weil seine Herkunft, sein Außenseitertum und sein ungewöhnlicher Bildungsgang am deutlichsten dartun konnten, daß das moralische Prinzip unabhängig von allen historischen Bedingtheiten ist, wenn es das Individuum von innen her bestimmt. An ihm schien sich ein Kernsatz der Aufklärung zu bestätigen.

Lessing hatte sein Lustspiel „Die Juden" 1751, also schon drei Jahre vor der Bekanntschaft mit Mendelssohn, geschrieben; es war ein ungeschickter dramatischer Versuch, aber ein kühner Vorstoß gegen althergebrachte Vorstellungen, eine seiner ersten „Rettungen". Denn hier tritt ein edler, gebildeter und selbstloser Jude auf, und die literarische Kritik, vor allem der Göttinger Orientalist Michaelis, erhebt sofort Protest: einen solchen Juden gebe es nicht. Wenige Jahre später hatte Mendelssohn der literarischen Öffentlichkeit bewiesen, daß es ihn gab. Seine philosophisch-ästhetischen Schriften, vor allem aber der „Phädon", das Gespräch über die Unsterblichkeit (1767), das eine Art Erbauungsbuch für das gebildete aufklärerische Bürgertum wird, erregen ein ungeheures Aufsehen. Der „Phädon" wird in fast alle europäischen Sprachen übersetzt, sein Verfasser der „deutsche Sokrates" genannt, die französische Ausgabe setzt noch „Juif á Berlin" auf das Titelblatt, um die Sensation zu erhöhen. J. H. Voss versetzt ihn später sogar in die Reihe der Unsterblichen, nennt ihn zusammen mit Petrus, Moses, Konfuzius, Homer und Sokrates und rühmt ihn „den Edlen Mendelssohn, der hätte den Göttlichen nimmer gekreuzigt",[3] ein Nachsatz,

[3] F. Bamberger, Die geistige Gestalt Moses Mendelssohns. Schriften der Gesellschaft zur Förderung der Wissenschaft des Judentums, Nr. 36, Frankfurt a. M. 1929, S. 5.

der in seiner biedermännischen Selbstverständlichkeit die fatale Mischung von überschwenglicher Bewunderung dieses einzelnen und treubewahrtem Vorurteil genau bezeichnet. Ein Lob, das beleidigt; Mendelssohn hat dergleichen manchmal zurückweisen müssen.

Daß er zugleich streng an den Gesetzen des Judentums festhielt, obwohl er sich mit seinen philosophischen Freunden so deutlich zum ethischen Universalismus der Vernunftreligion bekannt hatte, erfuhr die Öffentlichkeit erst durch Lavaters Bekehrungsversuch. Es war eine plumpe und wohlgemeinte öffentliche Aufforderung, die Beweise des französischen Philosophen Bonnet für die Wahrheit des Christentums entweder zu widerlegen oder sich für den christlichen Glauben zu entscheiden. Wohlgemeint, weil Lavater glaubte, es bedürfe bei Mendelssohn nur noch eines kleinen Schrittes, sich überzeugen zu lassen, aber zudringlich und taktlos, weil er ihn damit auf den Kampfplatz der öffentlichen religiösen Auseinandersetzung forderte, die Mendelssohn aus seiner innersten Natur heraus ablehnen mußte. Sein offener Brief an Lavater ist so klug wie überlegen und von klarster Entschiedenheit. „Ich begreife nicht, was mich an eine, dem Ansehen nach so überstrenge, so allgemein verachtete Religion fesseln könnte, wenn ich nicht im Herzen von ihrer Wahrheit überzeugt wäre“, heißt es da. Und an anderer Stelle: „Man muß gewisse Untersuchungen irgendeinmal in seinem Leben beendiget haben, um weiterzugehen.“ Auch verbiete es ihm die gedrückte Lage seines Volkes, das vom „Wohlwollen der herrschenden Nation“ abhängig sei, Religionsstreitigkeiten öffentlich auszufechten und die Duldung aufs Spiel zu setzen, die man ihm in Preußen gewähre. „Ist es doch nach den Gesetzen Ihrer Vaterstadt“, so fährt er fort, „Ihrem beschnittenen Freunde nicht einmal vergönnt, Sie in Zürich zu besuchen!“[4]

---

[4] M. Mendelssohns Gesammelte Schriften. Leipzig 1843, III, 41 f., 47.

Diese Auseinandersetzung erregt das geistige Deutschland, und allgemein wird Lavater getadelt, „der Mann, der über den ehrlichen, ruhigen, dienstfertigen, stillen Weltweisen Mendelssohn herpoltert, um ihn zu bekehren, da doch Mendelssohn ihn unbekehrt ließ“,[5] – so Lichtenberg, der kein Freund der Juden war, da er ihre Religion nur für ein abgeschmacktes Zeremoniell hielt. Aber Lichtenberg spricht hier aus, was die gebildete Öffentlichkeit damals von Bekehrungsversuchen hielt.

Mendelssohn wurde 1771 von der Akademie der Wissenschaften in Berlin zu ihrem Mitglied gewählt, eine hohe Auszeichnung und ein Akt geistiger Freiheit und Vorurteilslosigkeit, der in seiner Wirkung nicht dadurch abgeschwächt wurde, daß der König seine Unterschrift versagte. Man hatte den Schüler von Leibniz, Locke und Wolff, den Philosophen, der europäischen Ruhm erlangt hatte, unbeschadet seines jüdischen Glaubens in die Gelehrtenrepublik aufgenommen. Die Folgen für das Judentum waren unabsehbar. Noch hundert Jahre später feiert man Mendelssohns Leistung damit, daß man ihn als den zweiten Moses bezeichnet, der sein Volk aus der Sklaverei geführt und es von den Fesseln des Wahns und Aberglaubens befreit habe, daß er zuerst die „schier undurchdringliche Mauer“ durchbrochen habe, „die Christen und Juden in Deutschland schied“.[6] Was 1879 bei einem Jubiläum von deutschen Reichsbürgern jüdischen Glaubens in einer fortschrittsfreudigen Zeit ausgesprochen wird, ist seit längerem Gegenstand zweifelnder Fragen geworden. Sie betreffen nicht die Persönlichkeit Mendelssohns, wohl aber seine philosophische Deutung des Judentums und die Folgerungen, die der Liberalismus des 19. Jahrhunderts daraus gezogen hat.

Das Thema dieser Untersuchung erweitert und verzweigt

---

[5] Bervin, S. 48.

[6] Lessing-Mendelssohn-Gedenkbuch. Zur 150. Geburtstagsfeier von Lessing und Mendelssohn. Leipzig 1879, S. 131, S. 17.

sich von nun an, da sich die jüdische Frage im Prozeß der Einbürgerung und kulturellen Assimilation immer mehr differenziert und die jeweilige Synthese des jüdischen Zeitbewußtseins immer größere Bereiche der deutschen Geistesgeschichte einbezieht. Es kann hier nicht das ganze Geflecht aufgezeigt werden, man muß sich begnügen, einzelne Fäden zu verfolgen und Berührungspunkte deutlich zu machen.

„Jerusalem oder über religiöse Macht und Judentum"

Es bedeutet eine Epoche in der jüdischen Geistesgeschichte, daß Mendelssohn den Vernunftglauben der Aufklärung mit der jüdischen Gesetzesreligion zu vereinigen wußte, daß er sein Judentum in der philosophischen Sprache seiner Zeit zu deuten unternahm. In seiner Abhandlung „Jerusalem oder über religiöse Macht und Judentum" (1783) unterscheidet er zwischen dem geistigen Gehalt der jüdischen Religion und dem Judentum als einem Inbegriff bestimmter Gebote und schriftlich fixierter Gesetze.[7] Die religiöse Grundüberzeugung ruht auf den ewigen Wahrheiten, „die der menschlichen Vernunft nicht nur begreiflich, sondern durch menschliche Kräfte dargetan und bewährt werden können".[8] Sie sind dem Menschen nicht durch übernatürliche Offenbarung kundgetan und können nicht als Dogmen gelehrt, sondern nur dadurch verstanden und angeeignet werden, daß die Vernunft fähig ist, sie aus sich selbst hervorzubringen und sie als notwendig einzusehen. Gott lehrt sie durch die Schöpfung selbst, die für alle Menschen leserlich und verständlich ist; er bestätigt sie nicht durch Wunder, sondern er erweckt den Geist im Menschen, der beobachtet und sich von Wahrheiten überzeugen kann. Auf Offenbarung dagegen beruhen die Gesetze und Lebensregeln des jüdischen Volkes, sie gehen auf

[7] Ernst Cassirer, Die Philosophie M. Mendelssohns. In: M. Mendelssohn zur 200jährigen Wiederkehr seines Geburtstages. Berlin 1929, S. 66.
[8] Ges. Schriften, III, 311.

ein einmaliges geschichtliches Ereignis – die Gesetzesverkündigung auf dem Sinai – zurück und sind einem einzigen Volk für alle Zeiten gegeben. Sie sind das verpflichtende Grundgesetz seiner religiösen und nationalen Existenz. Wenn die Vernunftwahrheit die universalistische Richtung des jüdischen Glaubens bezeichnet – den ethischen Rationalismus, wie ihn Lessings Nathan verkündet – so gibt ihm die Gesetzesoffenbarung seine nationale Grundlage. Die absondernde Wirkung der Zeremonialgesetze erkennt Mendelssohn wohl, aber sie ist für ihn ein vorbedachtes Mittel, das die Verschmelzung des Judentums mit der Umwelt verhindern soll.[9] Dieses Gesetz, von dem er zugibt, daß es später durch Mißverständnisse und rabbinische Spitzfindigkeit ausgeartet sei, bleibt doch die Essenz des Judentums; es gilt unverbrüchlich, nur eine neue göttliche Offenbarung könnte es ändern. Und mit deutlicher Anspielung auf die geplanten Reformen und Erziehungsmaßnahmen Josephs II. sagt er: „Wenn die bürgerliche Vereinigung (Emanzipation) unter keiner anderen Bedingung zu erhalten ist, als wenn wir von dem Gesetze abweichen, ... so müssen wir lieber auf bürgerliche Vereinigung Verzicht tun."
Es folgt die Bitte an die Nationen und die Mächtigen der Erde: „Betrachtet uns, wo nicht als Brüder und Mitbürger, doch wenigstens als Mitmenschen und Miteinwohner des Landes. Zeiget uns Wege und gebet uns Mittel an die Hand, wie wir bessere Miteinwohner werden können, und lasset uns die Rechte der Menschheit mit genießen. Von dem Gesetze können wir mit gutem Gewissen nicht weichen, und was nützen Euch Mitbürger ohne Gewissen?"[10] Das Recht der Menschheit war für Mendelssohn vor allem „zu sprechen, wie man denkt, und Gott anzurufen in der Väter Weise." Diese Stimme war damals un-

[9] Vgl. hierzu Max Wiener, M. Mendelssohn und die religiösen Gestaltungen des deutschen Judentums im 19. Jahrh., ZGJD, I, 1929, S. 201–212.

[10] Ges. Schriften, III, 358.

überhörbar, und sie wurde gehört. Mirabeau beschwört sie noch vor der französischen Nationalversammlung.
Aber zeigt Mendelssohn wirklich den Weg zur Lösung der Emanzipationsprobleme? Seine Philosophie des Judentums ist vieldeutig. Was er persönlich zu vereinigen wußte, die Vernunftreligion und die Gesetzestreue, das erweist sich später als so schwer vereinbar wie die Assimilation und die Bewahrung der alten jüdischen Lebensordnung. Wenn er seinen Glaubensgenossen rät, sich in die Verfassung eines jeden Landes zu schicken und zugleich streng nach jüdischen Gesetzen zu leben, so war das zwar individuell möglich, aber für eine jüdische Gemeinschaft – und das jüdische Religionsgesetz verlangt das Gemeindeleben – erhoben sich in dem damals entstehenden National- und Militärstaat lauter ungelöste Fragen.
Auch die Gleichsetzung des Religiösen mit dem Sittlichen konnte man von Mendelssohn herleiten, und da führt der Weg in das liberale Kulturjudentum des 19. Jahrhunderts, in dem die religiöse Tradition abreißt. Die 200-Jahrfeier von Mendelssohns Geburtstag im Jahre 1929 stand bereits unter anderen Vorzeichen als das Jubiläum im Bismarckreich. Man feiert ihn nun nicht mehr als den Befreier und Führer in das Gelobte Land (der staatsbürgerlichen und kulturellen Gleichheit), sondern erinnert sich ehrfürchtig an ihn, der zuerst die neue Bindung vollzog, die jeder Generation eine stets neu zu lösende Aufgabe auf die Schultern legt. Franz Rosenzweig nennt Mendelssohn damals den „ersten deutschen Juden, in dem schweren, beide Worte verantwortenden Sinn, in dem wir Deutschjuden unser Deutschjudentum nehmen."[11]

Christian Wilhelm Dohm

Als Mendelssohn seine Bekenntnisschrift „Jerusalem" verfaßte, lag die erste Ausgabe des Buches „Über die bürger-

[11] Vorspruch zu einer Mendelssohn-Feier. Der Morgen, V, 1929, S. 374.

liche Verbesserung der Juden“ seines Freundes Chr. W. Dohm ihm bereits vor. Er hatte selber den Anlaß dazu gegeben; denn als die schwerbedrängten elsässischen Juden ihm ihre Denkschrift zuschickten, bat er Dohm, sie für den französischen Staatsrat in die rechte Form zu bringen. Dohm ergriff die Gelegenheit, das jüdische Problem staatsrechtlich, philosophisch und geschichtlich zu bearbeiten, er tat es gründlicher und unvoreingenommener, als das bis jetzt geschehen war. Dabei haben Montesquieu und Rosseau auf ihn gewirkt, auch die Lehre der Physiokraten, er hat Turgots gescheiterte Reform genau beobachtet, er beruft sich auf Adam Smith, er kennt die Parolen der amerikanischen Unabhängigkeitsbewegung und bewundert das im Entstehen begriffene Staatswesen, das seine Bürger nicht nach ihrer Religion und Herkunft fragt. Er ist überzeugt, daß einander verfolgende Religionssysteme die „natürlichen Bande der Menschheit“ zerreißen und daß es die hohe Aufgabe des Staates sei, statt Abneigung und Vorurteil unter seinen Bürgern den Wetteifer und die freie Tätigkeit zu fördern.

Dohm spricht keine neuen Gedanken aus, aber er wendet die Grundsätze der europäischen Aufklärung konsequent auf das jüdische Problem an, das bisher unbeachtet geblieben war. Er beginnt also mit einer freimütigen Darstellung ihrer gegenwärtigen Situation, der mannigfaltigen Beschränkungen ihrer Lebens- und Erwerbsbedingungen, der Eingriffe in ihr Familienleben (Heiratsalter, „Ansetzung“ des 2. Kindes), ihres Ausschlusses von Handwerk und Ackerbau, von der Erziehung auf Schulen und Universitäten, der kleinlichen und raffinierten Besteuerung und Nutzbarmachung. Und warum das alles? Weil man behauptet, ihr schädlicher Charakter mache solche Behandlung notwendig! Man verwechselt hier aber die Ursache mit der Wirkung. Der Nationalcharakter eines Volkes, so lehrt der Schüler Montesquieus, ist keine feste Größe, sondern von vielen veränderlichen Bedingungen, vor allem von der politischen Verfassung abhängig. Die jetzige Judenpolitik aber ist ein Überbleibsel mittelalterlicher Barbarei. Und nun gibt Dohm einen Überblick über die jüdische Exilsgeschichte seit der römischen Kaiserzeit, der auf dem Studium der Rechtsurkunden beruht. Er erkennt die wirtschaftlichen Motive, den Brotneid der Kleinen und die Gewinnsucht der Großen, er schildert den Schacher der Fürsten mit dem Judenprivileg, die räuberische Erpressung durch die Könige bei den Vertreibungen aus England und Frankreich, die gefahrvolle Funktion der polnischen Judenheit in dem Pachtsystem des polnischen Adels, und er schließt mit den falschen Quittungen, die die elsässischen Bauern zu einer Revolte gegen ihre jüdischen Gläubiger anstiften sollten, eine Aktion, die Anlaß zu seiner Untersuchung wurde. Es ist das Schuldkonto der Jahrhunderte, das er vor seinen Lesern aufrollt. Überall in der Welt wird, so schließt er, „ihre Tugend bezweifelt und getötet, ihr Laster genährt, notwendig gemacht und bestraft".[12]

Und nun seine Reformvorschläge, die auf den Anwalt der Juden vor der französischen Nationalversammlung, den Abbé Grégoire, und auf Mirabeau ebenso eingewirkt haben wie auf das preußische Beamtentum, das das Hardenbergsche Edikt von 1812 vorbereitet. Dohm fordert zuerst die uneingeschränkte bürgerliche Gleichberechtigung, d. h. die Abschaffung aller Ausnahmegesetze: der Aufenthaltsbeschränkungen, der Sondersteuern, der solidarischen Haftung, der Berufsbeschränkungen, aber auch der Handelsprivilegien merkantilistischer Prägung. Er fordert die Zulassung zu jedem Handwerk, das Recht auf freien Grundbesitz und bäuerliche Arbeit, die Aufhebung geschlossener Siedlungsgebiete (Ghetto, Ansiedlungsrayons im Osten). Die Juden sollen Schulen und Akademien besuchen können. Und da Bürgerrechte und Bürgerpflichten

---

[12] Chr. W. Dohm, Über die bürgerliche Verbesserung der Juden. Neue verbesserte Auflage, 1783. I, 91.

eng zusammenhängen, sollen sie zum Heeresdienst verpflichtet sein. An einem Punkt glaubt Dohm das Prinzip der freien wirtschaftlichen Betätigung durchbrechen zu müssen: als Übergangs- und Erziehungsmaßnahme schlägt er vor, die Juden zum Handwerk zu „ermuntern" (durch staatliche Erleichterungen und Verordnungen) und sie damit allmählich von ihrem traditionellen Gewerbe, dem Hausierhandel und Geldgeschäft, abzubringen.

Das Buch ruft sogleich die Gegner der Emanzipation auf den Plan, aber auch die reformfreudigen Leser nehmen Stellung. Die zweite Ausgabe von 1783 enthält eine Reihe solcher Zuschriften, die Dohm zu ausführlicher Begründung seiner Thesen und – wie das so zu gehen pflegt – zu konsequentem Ausblick in die Zukunft veranlassen. Werden die Juden um der bürgerlichen Gleichstellung willen nicht die lästigen Zeremonialgesetze abtun? Und werden sie dann nicht aufhören, eigentliche Juden zu sein? „Mögen sie doch!" antwortet der Verfasser. „Was kümmert dieses den Staat, der nichts weiter von ihnen verlangt, als daß sie gute Bürger werden, sie mögen es übrigens mit ihren Religionsmeinungen halten, wie sie wollen." Hätte man sie schon vor Jahrhunderten in die bürgerliche Gesellschaft aufgenommen, so wäre ihr Judentum längst in Vergessenheit geraten. „Politische oder religiöse Schwärmerei und Anhänglichkeit werden nur durch Verfolgung verewigt", „Gleichgültigkeit, Duldung und Unaufmerksamkeit sind ihr sicherster Tod."[13] Das hätte auch Friedrich d. Gr. sagen können.

Andere Kritiker befürchten, die Juden würden niemals loyale Staatsbürger werden, daran hindere sie gerade ihre zähe Anhänglichkeit an das talmudische Gesetz, ihre Messiaserwartung oder die Verderbtheit ihrer Sitten, jedenfalls habe man es mit einem konstanten Volkscharakter zu tun, der seine Minderwertigkeit schon in den älte-

---

[13] Dohm, II, 174, 177.

sten Zeiten bewiesen habe. Wie gut, daß unsere eigene Frühgeschichte im Dunkel germanischer Wälder verborgen geblieben sei, antwortet Dohm, man könne uns sonst die barbarischen Sitten unserer Vorfahren heute noch vorwerfen. Man befreie die Juden von ihren Fesseln, und sie werden den großmütigen und gerechten Staat bald mehr lieben als ihre Religion.

Das ist klar und scharf gesehen und scheint die Entwicklung anzukünden, die der Assimilationsprozeß notwendigerweise nehmen wird. Es ist viel Wahrheit darin, nur nicht die ganze Wahrheit, die Dohm nicht sehen konnte, weil dem Rationalisten das Wesen des Judentums fremd geblieben war. Aber das Gespräch, das hier angedeutet wurde, enthält im Kern schon die jüdische Problematik des 19. Jahrhunderts.

6. KAPITEL

DAVID FRIEDLÄNDER UND DIE ANFÄNGE DER PREUSSISCHEN REFORMBEWEGUNG

Das Promemoria von 1787

Solange Friedrich der Große lebte, war an eine grundlegende Reform der preußischen Judengesetzgebung nicht zu denken, aber auf seinen Nachfolger setzte die jüdische Gemeinde in Berlin große Hoffnungen. Wenige Monate nach dem Thronwechsel wenden sich die Ältesten im Namen sämtlicher Judenschaften mit einer Bittschrift an Friedrich Wilhelm II., man möge ihren politischen und rechtlichen Zustand bessern und sie für den Staat nützlicher machen, – eine Formel, die in Preußen doch noch angebrachter war als eine Berufung auf die allgemeinen Menschenrechte! – man möge aber bei den Beratungen das Generaljudenreglement von 1750 als nicht gegeben ansehen. Eine ausführliche Denkschrift von der Hand David Friedländers, die einen „Abriß von dem politischen Zustande der sämtlichen Jüdischen Kolonien in den preußischen Staaten" enthält, unterstützte den Antrag.[1] Es handelt sich um den ersten Reformversuch, über den man von 1787 bis 1792 verhandelt und der ergebnislos bleibt. Der Ausbruch des Krieges mit dem revolutionären Frankreich verhindert vorerst die weiteren Verhandlungen. Aber die Motive, die hier geltend gemacht werden, beleuchten den Zustand des Judentums in einer Zeit des Übergangs, und die Gestalt Friedländers repräsentiert eine geistige Oberschicht und die Krisis, in der sie sich damals befindet.

Er war 1750 aus Königsberg nach Berlin gekommen, hatte 14 Jahre lang zum engsten Kreis Mendelssohns gehört und war mit den gebildeten Kantianern Markus Herz, Laza-

[1] D. Friedländer, Akten-Stücke die Reform der Jüdischen Kolonien in den Preuß. Staaten betreffend. Berlin 1793.

rus Bendavid und Salomon Maimon befreundet. Er hatte sich 1778 an der Gründung der jüdischen Freischule beteiligt, der ersten Schule, in der jüdische Knaben die deutsche Sprache und die Elemente weltlicher Wissenschaften lernten. Der Besitz einer Seidenfabrik machte ihn finanziell unabhängig, er widmete sich nun der Ausbildung der eigenen Persönlichkeit und dem Dienst an der jüdischen Gemeinschaft. Bei seiner umfangreichen publizistischen Tätigkeit hat er das Ziel vor sich, den geistigen und sittlichen Gehalt des Judentums von der Befangenheit einer langen Ghetto-Erziehung zu befreien. Er möchte die hebräische Sprache in ihrer alten Reinheit wieder herstellen und die deutsche Sprache und Literatur zum allgemeinen geistigen Besitz der Juden machen.[2] Das ist ganz im Sinne Mendelssohns, dessen Pentateuch- und Psalmenübersetzung die geistige Brücke geschlagen hatte. Aber schroffer als Mendelssohn wandte sich Friedländer gegen das orthodoxe polnische Rabbinertum, das viele Gemeinden in Deutschland beherrschte und durch die Fremdartigkeit seiner Sitten und seiner äußeren Erscheinung die Vorstellung vom jüdischen Wesen unheilvoll beeinflußte. Und drückender empfand er das ungelöste Problem der politisch-rechtlichen Emanzipation, die Pariastellung der Juden im preußischen Staate, die in schroffem Widerspruch stand zu ihrem kulturellen Aufstieg und zu dem Gefühl von Zugehörigkeit und Loyalität, ja von geheimer Bewunderung, das sie trotz allem dem fridericianischen Staat gegenüber besaßen.

So ist in seinem „Promemoria" von 1787 und in der Einleitung, die er 1793 den von ihm herausgegebenen Akten-Stücken hinzufügt, von den wirtschaftlichen Beschränkungen wenig, von den entehrenden Bestimmungen des alten Reglements umso mehr die Rede. Das solidarische Steueraufkommen, die kollektive Haftung bei Diebstählen

---

[2] Vgl. E. Fraenkel, David Friedländer und seine Zeit. ZGJD, 6, 1935.

und Bankerotten band die Judenschaft damals zu einer Zwangsgemeinschaft zusammen und begünstigte das Kollektivurteil, daß man es mit einer betrügerischen und sittlich verdorbenen Volksgruppe zu tun habe, die mit Recht von allen ehrbaren Berufen ausgeschlossen sei. Mit einer Kriminalstatistik widerlegt Friedländer die falschen Anschuldigungen, die sogar von Michaelis erhoben wurden. Aber auch Dohms Schrift muß sich, bei aller Anerkennung ihrer edlen Absicht, einen Protest aus empfindlichem Ehrgefühl gefallen lassen.[3] Sie ist für uns Juden ein Spiegel, sagt Friedländer, so sieht man uns. Aber man kann nicht von den Juden schlechthin sprechen. Ihr Zustand ist nicht überall elend und unglücklich, ihre Sitten sind nicht überall verderbt. Die Unterschiede zwischen französischen, englischen, österreichischen, preußischen und polnischen Juden sind groß, von dem Allgemeinbegriff „Juden" leitet sich das negative Kollektivurteil her, ja schon das Wort „Jude" ist eine Charakterbezeichnung geworden. Auch ihre sogenannten guten Eigenschaften, ihre Klugheit und Wendigkeit bei körperlicher Schwäche, verdanken sie nur den ungewöhnlichen Lebensbedingungen. Wenn man sie in die bürgerliche Gesellschaft aufnimmt, werden sie „dümmer und stärker" werden und sich auch für den Militärdienst eignen! – was ganz ohne Ironie gesagt ist. Gegenstand der Erziehung, so meint Friedländer, sollten die breiten Schichten der armen Judenschaft sein, die noch unwissend und kulturlos sind, aber die Berliner Kolonie ist lange ansässig, hat nützliche Talente ausgebildet, und was man gegen eine „einwandernde Horde" geltend macht, das kann „die einzelnen Hausväter" nicht treffen. Und sich wieder auf den Göttinger Prof. Michaelis beziehend, der den „lasterhaften Charakter" der Juden beweisen wollte und sie den Deutschen gegenüberstellte, greift Friedländer erregt die Unterscheidung von Deutschen und Ju-

[3] Akten-Stücke, S. 5 ff.

den – statt der sonst üblichen von Christen und Juden – auf, hellhörig und mißtrauisch.[4] Deutsche und Juden, das sind also Eingeborene und Fremde, welch bösartige Entstellung! Wie viele Generationen werden noch warten müssen, bis man sie von dem Fremdenrecht befreit? Was müssen die vor so langer Zeit Eingewanderten tun, um von dem Staate, dem sie dienen, als Bürger aufgenommen zu werden? Sehr deutlich empfindet hier der Verfasser der Denkschrift, daß das Nationalgefühl neue Argumente gegen das Judentum bereithält, wenn die religiösen sich abgeschwächt haben.

Bittschrift und Promemoria bleiben zwei Jahre bei den preußischen Behörden liegen, dann wird der jüdischen Gemeinde ein Reformplan vorgelegt, der eine lange Reihe verklausulierter „Befreiungen, Rechte und Vergünstigungen" verspricht und eine Aufzählung der Pflichten – darunter die Militärpflicht – enthält; von bürgerlicher Gleichstellung ist aber keine Rede. Enttäuscht und erbittert empfangen die Vorsteher das Resultat so inständiger Bemühungen und – lehnen es ab, nachdem sie die einzelnen Artikel eingehend geprüft haben. „Sollte uns keine andern als die mit tiefer Verehrung beleuchteten Rechte und Vergünstigungen zugeteilt werden können: so müssen wir mit tiefgekränktem Herzen einen Wunsch äußern – einen schrecklichen Wunsch – in den aber doch alle Mitglieder der Kolonie einstimmen werden; nämlich den: daß Ew. Königl. Majestät geruhen möchten, *uns in der alten Verfassung zu lassen;* ob wir gleich voraussehen, daß die Bürde dann von Tag zu Tag unerträglicher werden wird."[5] „Wir sind", so heißt es an anderer Stelle, „ein verrenktes, kein unbrauchbares Glied in der Staatsmaschine. Wir erwarten mit kindlicher Sehnsucht den Augenblick der Einsetzung... Wir bitten nicht, daß die Fesseln, die uns

---

[4] Akten-Stücke, S. 30.

[5] Akten-Stücke, S. 182.

drücken, weiter gehängt, sondern daß sie uns ganz abgenommen werden mögen."[6]
In der Tatsache der entschiedenen Ablehnung mehr noch als in den vorsichtigen Wendungen dieses Schreibens zeigt sich das verletzte Ehrgefühl, die durch Bildung und Einsicht in ihr Schicksal neugewonnene Sicherheit der jüdischen Kolonie, aber auch das geheime Vertrauen auf die Zeitläufte, die den Wind der Befreiung in den Segeln hatten. Die stolze und resignierte Antwort auf die verstümmelte Reform wurde im Februar 1790 dem preußischen Generaldirektorium eingereicht, ein halbes Jahr also nach der Erklärung der Menschen- und Bürgerrechte in Paris. Erst 1808 werden die Pläne einer Judenreform wieder aufgenommen, diesmal mit Erfolg. Nach vierjährigen Verhandlungen bringt Hardenbergs Edikt von 1812 den Juden die bürgerliche Gleichberechtigung. David Friedländer war auf der Seite der Juden bis zuletzt die treibende Kraft.

Das Sendschreiben an Propst Teller

Was Friedländer um dieses Preises willen zu opfern bereit war, dafür gibt ein merkwürdiger Vorfall Zeugnis: das anonyme „Sendschreiben einiger Hausväter jüdischer Religion" an den liberalen Propst Teller von 1799, dessen Verfasser er war. Es enthält nichts weniger als das Angebot, die Zeremonialgesetze aufzugeben und unter der Bedingung, nur auf die „ewigen Wahrheiten", aber nicht auf die Dogmen des Christentums verpflichtet zu werden, den Eintritt in die Kirche zu vollziehen. Der Verfasser bittet, man möge das öffentliche Bekenntnis formulieren, das für die Aufnahme in „die große christliche protestantische Gesellschaft" nötig sei, die er für seine Glaubensgenossen „als Zufluchtsort" gewählt habe.[7] Natürlich wird

[6] Akten-Stücke, S. 132.
[7] Juden und Judentum in deutschen Briefen aus 3 Jahrhunderten. Hrsg. von F. Kobler, Wien 1935, S. 122 ff. Vgl. E. Littmann, David Friedländers Sendschreiben an Propst Teller und sein Echo. ZGJD, 6, 1935.

seine Bitte abgewiesen, die auf eine so naive und groteske Weise den christlichen wie den jüdischen Glauben verkennt. Friedländer war überzeugt, die Vernunftreligion werde in absehbarer Zeit die Schranken beseitigt haben, die das Dogma – er nannte es das Vorurteil – hüben und drüben aufgerichtet habe. So verstand er Herders Satz, den er als Motto über die Sammlung der Akten-Stücke zur Reform gesetzt hatte: „Es wird eine Zeit kommen, da man in Europa nicht mehr fragen wird, wer Jude oder Christ sei." Aber sein Schreiben ist auch ein Ausdruck der inneren Krise, in die das Judentum bei seiner Berührung mit der abendländischen Kultur geraten war, und ein Beweis dafür, wie unerträglich dem tätigen und gebildeten Mann die Ausschließung aus dem öffentlichen Leben und die diffamierende Zurücksetzung war, die sein jüdisches Bekenntnis ihm auferlegte.

Er wählte aber nicht den persönlichen Ausweg der Taufe, wie so viele damals, es hätte seinem Wahrheitssinn und dem Gefühl jüdischer Schicksalsverbundenheit widersprochen. Er glaubte an die Möglichkeit einer allgemeinen Lösung des Problems im Sinne der Aufklärung, die um die Jahrhundertwende aber schon längst von einer starken religiösen Strömung abgelöst war. So wurde auch in den Kreisen der Romantiker Schleichermachers scharfe Ablehnung jeder Art von „Glaubensvereinigung" als die richtige Antwort auf das „Sendschreiben" empfunden.

Berliner Salons

Bevor man in Preußen die politische Emanzipation von Seiten des Staates in Angriff nahm, schien sich in Berlin die gesellschaftliche Emanzipation vollzogen zu haben, und zwar in den jüdischen Salons, in denen adlige Offiziere und bürgerliche Intellektuelle verkehrten, Philosophen, Dichter und Staatsmänner. Im Hause des Arztes Markus Herz, der private Vorlesungen über Kant hält, bildet sich die neue Form der Geselligkeit zuerst aus.[8] Seine Frau Henriette ist mit den Brüdern Humboldt, mit Schleiermacher, mit den beiden Grafen Dohna befreundet. Einige Jahre später ist Dorothea Schlegel, die Tochter Mendelssohns und Gattin Friedrich Schlegels, der Mittelpunkt eines literarischen Kreises. Sie hatte sich taufen lassen wie alle Kinder und Enkel Mendelssohns, mit Ausnahme seines ältesten Sohnes. Im „Dachstübchen" der großen Rahel Levin verkehren alle, die im geistigen Berlin Rang und Namen haben. Etwa zwei Jahrzehnte währt diese Blütezeit deutsch-jüdischer Geselligkeit, sie umfaßt auf der jüdischen Seite nur Einzelne, Ausnahmen also, Außenseiter des Judentums. Und es handelt sich bei dieser engen Berührung des deutschen und des jüdischen Geistes, bei der freien und selbstverständlichen, völlig vorurteilslosen Form der Geselligkeit nur um „jene kurze Zeitspanne, da der alte Judenhaß wirklich abgetan und der moderne Antisemitismus noch nicht geboren war."[9] Gleich nach den Befreiungskriegen tauchen in den Schriften der politischen Romantik wieder judenfeindliche Äußerungen auf. Die politische Emanzipation wurde in den Berliner Salons nicht diskutiert – man hatte sich durch Bildung von den Fesseln der Herkunft befreit – umso mehr aber nach der preußischen Niederlage in den Kreisen der Reformer.

[8] Vgl. W. Dilthey, Das Leben Schleiermachers. Berlin 1870, S. 191 ff.

[9] H. Arendt, Elemente und Ursprünge totaler Herrschaft, S. 104. Über die Berliner Salons vgl. das Kapitel „Die Juden und die Gesellschaft".

7. KAPITEL

TOLERANZ UND GLEICHBERECHTIGUNG

Der Josefinismus in Österreich

Die Emanzipationsbewegung in Deutschland steht in engem Zusammenhang mit den Ideen des Josefinismus in Österreich wie mit der französischen Revolution und der Eroberungspolitik Napoleons. Es findet nicht nur ein Gedankenaustausch statt, sondern die gesetzgeberische Entwicklung weist in den drei Ländern manche Parallelen auf. Überall wird die Emanzipation nicht nur als eine staatsrechtliche Frage, sondern mit großem Nachdruck als eine Aufgabe der Erziehung aufgefaßt, zuerst von Dohm und Joseph II., dann auch von Mirabeau und in den Debatten der Nationalversammlung und später von Napoleon. Das hängt damit zusammen, daß sowohl Österreich wie Preußen und Frankreich ihr „ostjüdisches“ Problem hatten. Seit den polnischen Teilungen besaß Österreich in Galizien und Preußen in Westpreußen und vor allem in Posen seine judenreichsten Provinzen.[1] Hier lebten die ehemals polnischen Juden als Handwerker und Kleinhändler, als Schankwirte und Hausierer in meist elenden Verhältnissen, oft auch in ghettoartiger Absonderung von ihrer christlichen Umgebung. In Frankreich hatten sich seit der Vertreibung im späten Mittelalter nur in der Provence und in der Gegend von Bordeaux Judengemeinden halten können, die später durch die Einwanderung spanisch-portugiesischer Juden verstärkt wurden. In den großen Handelsstädten bildeten sie – wie in Holland, in England und in Hamburg

[1] Nach der Volkszählung von 1785 gab es in Böhmen, Mähren und Schlesien 68 000 Juden, in Ungarn 80 000, in Galizien 212 000, in Wien (Ober- und Niederösterreich) 652. Dubnow, VIII, 27. In den polnischen Provinzen Preußens schwankt die Zahl der Juden in den Jahren 1796 bis 1806 zwischen 150 000 und 200 000. Dubnow, VIII, 199. Nach dem Verlust dieser Provinzen hat Preußen 1811 etwa 22 000 Juden. H. Silbergleit, Die Bevölkerungs- und Berufsverhältnisse der Juden im Deutschen Reich. Berlin 1930, S. 4.

– eine wohlhabende Kaufmannsschicht, die sich von der armen Judenschaft im Elsaß sehr unterschied. Die wirtschaftliche Lage der sehr zahlreichen, meist aus Deutschland eingewanderten elsässischen Juden glich den Verhältnissen in Polen. Auch hier hatten sie die Landpacht im Dienst des Adels, das Schankgewerbe, den Kleinhandel und den Geldhandel übernommen, lauter Gewerbe, die sie bei der Bevölkerung verhaßt machen. „Il était méprisé et il est devenu méprisable", sagte der Abbé Grégoire in seiner Verteidigungsschrift für das jüdische Volk, die kurz vor der Revolution erschien. Daß die christlichen Verächter und ihre Institutionen die Schuld trugen, war seine Überzeugung, wie es die von Chr. W. Dohm war. Die elsässische Judenschaft war also das „ostjüdische" Problem für Frankreich.

In Österreich geht die Initiative zu einer Umgestaltung der jüdischen Lebensverhältnisse von Joseph II. selber aus. Der Kaiser war den Juden freundlicher gesinnt als seine Mutter Maria Theresia, die 1744 noch den Versuch gemacht hatte, sie insgesamt aus Böhmen zu vertreiben. Humane Absichten und politische Erwägungen bestimmen ihn gleicherweise, und da er die Juden nicht für unverbesserlich, sondern für erziehbar hält, so umfaßt sein Toleranzpatent von 1782 außer einer Reihe von Erleichterungen auch ein ganzes Erziehungsprogramm.[2] Ihre kulturelle Abgeschlossenheit, ihr religiös-nationales Sonderdasein, das eine jahrhundertelange Judengesetzgebung gefördert hatte, wird jetzt Gegenstand der Kritik.

In Wien lebten seit der Vertreibung von 1670 nur noch die großen Familien der ehemaligen Hoffaktoren, aber Böhmen und Mähren, Ungarn und Galizien hatten eine zahlreiche Judenschaft. Das Toleranzedikt und die spätere Gesetzgebung regeln die Verhältnisse in den Kronländern auf verschiedene Weise. Allgemein abgeschafft werden der

[2] Dubnow, VII, 409.

Leibzoll und das Judenabzeichen. Zu jeder Art von Handwerk, zum Großhandel und zur Fabrikation (mit christlichen Arbeitern), auch zur Landpacht (bei eigener Landbestellung) sind Juden zugelassen; wenn sie sich taufen lassen, wird der Boden erblicher Besitz. Der Besuch öffentlicher Schulen und Hochschulen ist ihnen erlaubt. In Böhmen und Mähren dürfen aber jüdische Ehen nur geschlossen werden, wenn die Normzahl jüdischer Familien dabei nicht überschritten wird. Diese Bestimmung ist bei der fluktuierenden Bevölkerung des ehemals polnischen Galizien nicht möglich, aber hier greifen die Erziehungsmaßnahmen des josefinischen Systems besonders tief in die jüdische Lebensform ein, wenn etwa die Ehelizenz vom Besuch einer deutsch-jüdischen Elementarschule abhängig gemacht wird, Geschäftsbücher und Urkunden nur in deutscher Sprache verfaßt sein dürfen und das Rabbinergericht (als Grundlage der Gemeindeautonomie) abgeschafft wird. Die 1788 eingeführte Militärpflicht erregte in Galizien, das von der chassidischen Bewegung erfaßt war, ernsthafte Unruhe. Daß den Wiener Juden kein öffentlicher Gottesdienst, keine Synagoge gestattet war, hängt mit dem sehr eingeschränkten Begriff von Toleranz zusammen, den das Duldungsedikt von 1781 auch auf Lutheraner, Calvinisten und nichtunierte Griechen angewandt hatte. Den drei christlichen Konfessionen, deren Anhänger damals erst die bürgerlichen Rechte erhalten hatten, war ebenfalls nur das private Exerzitium zugestanden; die öffentliche Ausübung der Religion blieb Vorrecht der katholischen, der „dominanten" Religion.

Man muß die Judengesetzgebung des kaiserlichen Erziehers, die aus dem Geist des aufgeklärten Despotismus kommt, überhaupt im Zusammenhang mit der umstürzenden und hastigen Reformtätigkeit sehen, die das alte Habsburgerreich in einen modernen Staat verwandeln sollte. Der Gedanke, die Untertanen „dem Staate nützlicher zu machen", liegt auch dem Klostergesetz von 1782 zugrunde, das die beschaulichen Orden aufhebt; die allgemeine Schulpflicht wurde allenthalben durch Zwang und Überredung eingeführt. Die Lage der Juden in den habsburgischen Kronländern ist durch die privatrechtliche Gleichstellung, vor allem durch die Aufhebung von Erwerbsbeschränkungen, aber doch bedeutend gebessert worden. In den Kreisen der „Aufklärer", d. h. in der geistig emanzipierten jüdischen Schicht, wird das Toleranzpatent Josephs II. deshalb auch mit Begeisterung aufgenommen. Das orthodoxe Judentum hingegen fürchtet mit Recht die Zersetzung seines religiösen Glaubens, der sich auf ein soziologisch und ethnisch geschlossenes Gemeinwesen stützt, das seine eigene Sprache, seine Gesetze, seine Sitten und seine eigenen Rabbinergerichte hatte.[3] In diese innerjüdische Sphäre von Schule und Sprache greift der moderne Staat nun reglementierend ein.

Die französische Revolution und das Gesetz vom 28. Sept. 1791

In Frankreich stellt sich das jüdische Problem zugleich mit der Frage, ob die Erklärung der Menschen- und Bürgerrechte eine Ausnahme dulden könne oder nicht. Mirabeau und der Abbé Grégoire verlangen, daß die Artikel, die sich auf Rechtsgleichheit und religiöse Duldung beziehen, auch konsequent auf das jüdische Volk angewandt werden, dessen elender Zustand nur die „Frucht der Tyrannei" sei; beide hatten dieses Problem kurz vor der Revolution in Flugschriften behandelt und sich auf Mendelssohn und Dohm gestützt. In der Theorie war die Sache einfach, die französisch-jüdische Wirklichkeit sah komplizierter aus. Das Dilemma deutet sich schon an, als in der Sitzung vom 23. Dezember 1789 der Abgeordnete Clermont-Tonnerre für die volle bürgerliche Gleichberechti-

[3] A. Chouraqui, Die Geschichte des Judentums. Hamburg o. J., S. 98 (Enzyklopädie des XX. Jahrh., Nr. 15).

gung der Juden eintritt und dabei ausruft: „Den Juden als Nation ist alles zu verweigern, den Juden als Menschen aber ist alles zu gewähren!"[4] Da die konservativen Gegner behaupten, sie seien eine Nation, wird die Beratung eines besonderen Dekrets zur Judenbefreiung vorerst verschoben. Erst zwei Jahre später erhalten die Juden in Frankreich das Bürgerrecht.

Es gab noch andere Umstände, die das Dekret so lange verzögert hatten. Das war einmal die Bauernbewegung im Elsaß, die sich hier nicht nur gegen den Feudaladel, sondern vor allem gegen die jüdischen Geldverleiher richtete, deren Schuldbriefe ebenso verbrannt wurden wie die Listen der Fronden und Abgaben in den Schlössern der Adeligen. Sofort wird gegen die Juden insgesamt der Vorwurf erhoben, sie gehörten zu den Unterdrückern und nicht zu den Unterdrückten. Erst als die Verfolgung und Austreibung auch der armen jüdischen Bevölkerung im Elsaß bedrohliche Formen annimmt, greift die Nationalversammlung ein. Die Gegner der Emanzipation aber führen von nun an die drohenden Volksaufstände ins Feld, wenn vom jüdischen Bürgerrecht die Rede ist.

Erschwerend wirkte sich auch aus, daß die französische Judenheit keineswegs solidarisch empfand. Die sephardischen Juden von Bordeaux besaßen längst das städtische Bürgerrecht, waren in hohem Grade assimiliert und setzten in geschickten Verhandlungen durch, daß man ihnen allein schon 1790 die volle Gleichberechtigung zugestand. Erst als die Pariser Juden die einzelnen Sektionen und dann den Stadtrat für einen erneuten Antrag an die Nationalversammlung gewonnen hatten, wurde am 28. Sept. 1791 das Dekret erlassen, das alle Ausnahmegesetze aufhob und den Juden Frankreichs alle Rechte und Pflichten des französischen Bürgers zuerkannte. – Eine mühsam errungene, aber eine volle und klare Lösung des jüdischen Pro-

[4] Dubnow, VIII, 94.

blems, soweit es durch einen gesetzgeberischen Akt überhaupt zu lösen war. Frankreich war das erste Land in Europa, das den Gedanken der Rechtsgleichheit auch auf die Juden anwendete; die amerikanische Verfassung hatte ihn schon wenige Jahre zuvor aufgenommen. Der Anwalt der elsässischen Judenschaft, Isaak Berr aus Nancy, feierte diese Tat in einem Sendschreiben an seine Glaubensgenossen mit folgenden Worten: „Der Tag ist endlich gekommen, da wir den Vorhang, der uns von unseren Mitbürgern und Brüdern trennte, zerrissen sehen!.. . Dank dem Höchsten Wesen und dem souveränen Volke sind wir nun nicht nur als Menschen, nicht nur als Bürger, sondern auch als Franzosen anerkannt."[5] Ob es dem Fabrikanten aus Nancy damals schon bewußt war, daß es künftig auf das letztere ganz besonders ankommen würde?

Napoleons Judenpolitik

Napoleon erklärte 1806 im Staatsrat, daß die Juden nach wie vor eine eigene Nation darstellten, eine Nation in der Nation, und daß man eigentlich das Fremdenrecht auf sie anwenden müsse. Es schien dann ein Akt der Großmut zu sein, daß er im folgenden Jahre eine Notabeln-Versammlung in Paris einberief, ein „jüdisches Parlament", dem eine Reihe von Fragen vorgelegt wurde. Die wichtigste war folgende: Gilt den in Frankreich geborenen Juden dieses Land als ihr Vaterland, fühlen sie sich verpflichtet, es zu verteidigen? Die Antwort der Vertreter des Judentums war spontan: „Jawohl, bis in den Tod!" Sie erklären auch, daß seit ihrer Eingliederung in die Grande Nation keine jüdische Nation mehr bestehe, was Napoleon hatte hören wollen. So wenig Grund vorhanden ist, an der Ehrlichkeit dieser Beteuerungen zu zweifeln, so muß man doch wissen, daß dieses Parlament von Anfang an unter der Drohung stand, die Juden in Frankreich würden die

[5] Dubnow, VIII, 145.

Gleichberechtigung wieder verlieren, falls es sich nicht willfährig zeige. Napoleon wünschte aber die Erklärung, daß die religiösen Gesetze des Judentums sich grundsätzlich mit denen des Staates vereinigen ließen, noch durch die Autorität einer geistlichen Körperschaft bestätigt zu sehen, und berief 1807, an die alt-jüdische Tradition anknüpfend, das Große Synhedrion (le grand Sanhedrin) in Paris ein, das aus 46 Rabbinern und 25 Laien bestand, also 71 Mitglieder zählte wie einst in Jerusalem. Obwohl es in seinen Zugeständnissen an den Staat (Anerkennung der Zivilehe, der Mischehe, Entbindung von religiösen Pflichten während der Militärzeit) noch über die Notabeln-Versammlung hinausging, erregte es doch die Hoffnung unter den Juden Europas, nun habe eine neue Zeit begonnen und „die letzten Spuren der abgestreiften Fesseln seien getilgt."[6]

Umso größer war die Enttäuschung der so überaus assimilationsbereiten französischen Judenschaft, die von der nationalen Bewegung mitgerissen war, als sie ein Jahr später durch ein Dekret Napoleons wieder in einen vorläufigen Ausnahmezustand versetzt wurde, den sie doch für immer abgeschafft glaubte. Napoleon war durch die Berichte über Grundstückspekulationen und zweifelhafte Kreditgeschäfte jüdischer Geldhändler im Elsaß, die man ihm bei einem Aufenthalt in Straßburg vorgelegt hatte, in seinem alten Mißtrauen bestärkt worden. Er verfügte keine Untersuchung der Schuldigen, sondern griff zu einer Kollektivmaßnahme. Das Dekret von 1808, das unter dem Namen décret infâme in die Geschichte eingegangen ist, hob einmal die Freizügigkeit für Juden im französischen Herrschaftsgebiet auf und bestimmte ferner, daß sie Handel und Gewerbe nur gegen Einlösung eines Patents beim zuständigen Präfekten ausüben dürften, das wieder von einem Leumundszeugnis abhängig war. Dadurch wa-

[6] E. Barre, Napoleon und die Juden. Preuß. Jahrbücher, 67, 1891, S. 141.

ren sie der Behördenwillkür ausgeliefert, die Gleichberechtigung war in einem wichtigen Punkte aufgehoben und damit die Verfassung verletzt. Ausdrücklich wurde aber ihre persönliche Verpflichtung zum Militärdienst betont, den sie nicht wie die christlichen Staatsbürger durch Freiwillige ablösen konnten. Ein anderes Dekret ordnete den jüdischen Kultus durch die Konsistorialverfassung, eine hierarchische Organisation mit einer Zentralbehörde in Paris, stellte ihn also unter Staatsaufsicht. Die Konsistorien sollten die Rabbiner bei der Ausführung der Beschlüsse des Sanhedrin überwachen, die Juden zur Ausübung nützlicher Berufe anhalten und den Behörden die jüdischen Rekruten namhaft machen, ein wohldurchdachtes Korrektionssystem also, das dem Zentralismus des napoleonischen Staates gut eingepaßt war. Da hier zum erstenmal der jüdische Kultus und seine Träger vom Staat anerkannt und nicht nur toleriert wurden, konnte es sogar für fortschrittlich gelten.

Das „schändliche Dekret“ sollte nur für 10 Jahre gelten, in der Erwartung, daß dann kein Unterschied mehr zwischen den Juden und den übrigen Bürgern bestehen werde. Es war also gleichzeitig als Straf- und als Erziehungsmaßnahme gedacht, hatte aber die Wirkung einer öffentlichen Diffamierung des Judentums, da nicht alle Kriegsgewinnler, Wucherer und Spekulanten in Frankreich, die sehr zahlreich waren, sondern alle Juden bestraft wurden. Napoleon sah sich bald genötigt, für mehrere Départements in Frankreich und Italien Ausnahmen zu machen, die sephardischen Juden in Bordeaux und in der Gironde waren von vornherein ausgenommen. Die von der Nationalversammlung 1791 gewährte bürgerliche Gleichberechtigung wurde nach dem Sturz Napoleons von den Bourbonen wieder hergestellt. In einigen rheinischen Gebieten aber, die zu Frankreich gehört hatten und 1815 preußisch wurden, behielt das Décret infâme seine Gültigkeit bis 1847.

Der Einfluß der französischen Gesetzgebung auf die deutschen Staaten

Die französische Judengesetzgebung mußte in ihren Grundzügen dargestellt werden, weil sie unmittelbar auf die deutschen Verhältnisse einwirkt. Wir geben zuerst einen Überblick über die Fakten der Emanzipationsbewegung in den deutschen Staaten; das Bild ist verwirrend genug, aber es lassen sich doch allgemeine Tendenzen darin erkennen, die fortschrittliche und reaktionäre Elemente zugleich enthalten.

Die volle Gleichberechtigung als französische Bürger erhalten zuerst die Juden der linksrheinischen Gebiete nach der Okkupation von 1792 und nach dem Frieden von Lunéville 1801. Auch in Köln, das seit 1424 keine Juden in seinen Mauern geduldet hat, werden sie nun wieder ansässig. Solange Westdeutschland entweder unmittelbar zu Frankreich oder zu der napoleonischen Herrschaftssphäre gehörte (1806–1813), galt für sie das Emanzipationsgesetz von 1791, später eingeschränkt durch das Dekret von 1808. Im Königreich Westfalen verfügte Jérôme 1808, daß alle Ausnahmegesetze für Juden aufgehoben seien und daß sie volles Staatsbürgerrecht besäßen, dasselbe galt für das Großherzogtum Berg. Jérôme ließ sich bei seiner judenfreundlichen Politik von Israel Jacobson, einem Freunde David Friedländers, beraten. Für die kurze Zeit der französischen Herrschaft (1810–1813/14) mußten auch die drei Hansestädte den Juden das Bürgerrecht gewähren. In Bremen und Lübeck war ihnen bis dahin der Aufenthalt verwehrt.

Die Rheinbundstaaten ergriffen jeweils andere Maßnahmen. Karl Friedrich von Baden erhielt durch die josefinischen Reformen den ersten Anstoß, „die bürgerliche Verbesserung" der Juden zu bedenken. Eine Ständeverfassung von 1808 gewährte ihnen das Recht von „erbfreien Staatsbürgern", aber das Gemeinde- und Ortsbürgerrecht erhielten nur diejenigen, die einen „ehrbaren" Beruf ausübten, also nicht Viehhändler, Pfandleiher und Trödler waren. In Bayern erklärte 1801 Kurfürst Maximilian IV. Joseph in einem Reskript an die General-Landesdirektion, es sei bei ihm „der landesväterliche Wunsch rege geworden, daß dieser unglücklichen Menschenklasse ... eine solche Einrichtung gegeben werden möchte, durch welche sie allmählich zu nützlichen Staatsbürgern erzogen würden".[7] Man erwartet nun eine stufenweise Erleichterung ihrer noch mittelalterlichen Lebensverhältnisse. 1804 werden den jüdischen Kindern die allgemeinen Volksschulen geöffnet, 1808 wird der schmähliche Leibzoll abgeschafft. Aber die bayrische Judengesetzgebung von 1813 behält die Einrichtung der Schutzbriefe bei, die jetzt Matrikel genannt werden und sich nur auf den ältesten Sohn übertragen lassen. Wenn die jüngeren Söhne sich selbständig machen wollten, waren sie gezwungen auszuwandern. Auf die Verminderung der Bevölkerungszahl war es bei diesem „Besserungs- oder Erziehungsgesetz" vor allem abgesehen. Neue Schutzbriefe wurden nur an Fabrikanten, Handwerker und Bauern gegeben, nicht an jüdische Kaufleute. Die alte und angesehene Fürther Judengemeinde antwortet damals, solche Bestimmungen müßten das Volk von der absoluten Schädlichkeit der Juden überzeugen, Druck und Verachtung würden die Folge sein.[8] In Württemberg werden die 1809 und 1811 unter dem Einfluß Napoleons gewährten Reformen nach den Befreiungskriegen zum Teil wieder abgebaut. Die Einrichtung des Schutzjudentums läßt man bestehen. Das streng lutherische Sachsen bleibt bis 1813 seinem Grundsatz treu, keine Juden im Lande zu dulden. Nur in Leipzig und Dresden halten sich ein paar privilegierte Familien auf.

In Frankfurt bleiben die Bürgerkollegien auch nach dem Brand des Ghetto von 1796 standhaft bei der Überzeu-

---

[7] Encyclopaedia Judaica, „Bayern".

[8] Dubnow, VIII, 250.

gung, daß Juden in besonderen Quartieren wohnen müssen, und verlangen den Wiederaufbau der Judengasse.[9] Die Pläne für das neue Ghetto, allerdings ohne Mauern und Tore, lagen bereits vor. Erst 1798 wird den Frankfurter Juden der freie Ausgang an Sonn- und Feiertagen gestattet. Als sie sich 1803 mit ihren Beschwerden an die Reichsdeputation in Regensburg wenden, erregt die Schilderung der Ghettozustände zwar Aufsehen bei den Vertretern der europäischen Mächte, aber in die innerpolitischen Verhältnisse der freien Reichsstadt will man sich nicht einmischen. Die jüdische Gemeinde erwartet dann von Dalberg, dem Fürstprimas des Rheinbundes, eine Änderung, da er als human und aufgeklärt gilt. Aber vor der Entschlossenheit der christlichen Kaufleute, keine offenen Judenläden in der Stadt zu dulden, weicht er zurück. Erst als Frankfurt bei der Gründung des Großherzogtums seine reichsstädtischen Freiheiten verliert, gewährt Dalberg 1811 den Juden das volle Bürgerrecht gegen Zahlung von 440 000 Gulden, mit der die Schutzgelder für 20 Jahre abgelöst wurden.[10] – Zäher als die landesväterliche Beschränktheit hielt hier der bürgerliche Erwerbssinn an Einrichtungen fest, die dem Recht und der Menschlichkeit Hohn sprachen. Das Ghetto hat nicht nur auf seine Insassen, sondern auch auf die Bürger der Stadt verhängnisvoll eingewirkt und ihr Rechtsgefühl abgestumpft. „Vernunft und Menschlichkeit", sagt Mendelssohn in seiner Vorrede zur „Rettung der Juden", „erheben ihre Stimme umsonst; denn grau gewordenes Vorurteil hat kein Gehör."

Fast in allen deutschen Staaten künden also in den zwei Jahrzehnten von 1791 bis 1812 die Reformbestrebungen das Ende des jüdischen Mittelalters an. Ein starker Impuls war von dem Emanzipationsedikt der französischen Nationalversammlung ausgegangen. Auch Napoleons pomp-

---

[9] Kracauer, S. 427 ff.

[10] Kracauer, Geschichte der Juden in Frankfurt a. M. 1927 II, 413.

hafte Veranstaltungen, das Notabeln-Parlament und das Große Synhedrion, die im Grunde der Omnipotenz des Staates dienen, machen weithin großen Eindruck, weil sie die Existenz des Judentums ernst und feierlich nehmen und ihm eine Art religiöser Weihe und den Anschein der Selbstbestimmung über sein Schicksal geben. Diesen Eindruck hat das Décret infâme nicht ganz verwischen können,, und so gilt Napoleon der europäischen Judenheit lange als der eigentliche Befreier. Aber auch der Korrektionsgeist der napoleonischen Judengesetzgebung hat seine Wirkung in Deutschland getan, er spricht sich vor allem in den landesherrlichen Reformgesetzen aus, die von der Voraussetzung ausgehen, daß eine schädliche Bevölkerungsschicht nur allmählich in eine nützliche verwandelt werden könne. Aus dieser Überzeugung gewinnt das handeltreibende Bürgertum ebenfalls Argumente bei seinem hartnäckigen Widerstand gegen die jüdische Konkurrenz.

Das merkwürdige, aber immerhin beachtliche Ergebnis der fürsorglichen und zugleich abwehrenden Tendenzen ist eine Gesetzgebung, die den Juden gerade die Erwerbsmöglichkeiten verbietet, die ihnen seit Jahrhunderten allein erlaubt waren, und ihnen die Berufe aufnötigt, von denen sie bisher immer ausgeschlossen waren, wie das Handwerk und den Ackerbau. Im stärksten Widerspruch zur Emanzipation wie zur edukativen „Verbesserung" stehen die Maßnahmen, die die Bevölkerungsziffer stabil halten oder sie gar durch Ehebeschränkung und Verbot der Existenzgründung vermindern wollen. Daß sich in solchen Gesetzen ein negatives Kollektivurteil ausspricht, wird in den breiten Volksschichten wohl verstanden.

8. KAPITEL

WILHELM VON HUMBOLDT UND DAS HARDENBERGSCHE EMANZIPATIONSEDIKT

Die 2. Phase der preußischen Reformbewegung

In Preußen war schon in den 80er Jahren die Frage der Judenemanzipation philosophisch und juristisch erörtert worden. Aber die Reformbewegung stockte, seit man in der französischen Revolution und allen Neuerungen, die sie hervorbrachte, das feindliche Prinzip zu erkennen glaubte. Auch die Gleichberechtigung der Juden gehörte für die Anhänger des Legitimitätsgedankens zu den „auswärtigen Schwärmereien", die als staatsgefährlich galten.[1] Als man sich 1801 endlich bereit fand, die unsinnige und schädliche Bestimmung der solidarischen Haftung der Judenschaft für Diebstähle und Bankrotte aufzuheben, glaubte man noch zum Ersatz besondere „Zensurkommissionen" einrichten zu müssen als eine Art Schutzgitter gegen „verdächtige Elemente" und unerlaubte Gewerbe. Auch die Frage der „Ansetzung" des zweiten Kindes wurde noch einmal umständlich erörtert. 1803 hatte die antisemitische Hetzschrift „Wider die Juden, ein Wort der Warnung an alle unsere christlichen Mitbürger", von dem preußischen Justizkommissar Grattenauer verfaßt, eine Flut polemischer Literatur hervorgerufen, die von der Regierung zwar später verboten wurde, die aber doch nicht ohne Einfluß geblieben war.

Erst als Stein und seine Mitarbeiter nach dem Frieden von Tilsit die Reorganisation des preußischen Staates in Angriff nahmen, war auch die grundsätzliche Lösung des jüdischen Problems unabweisbar geworden. Durch die Städteordnung von 1808 hatten die Juden vielfach das

[1] Freund, I, 90.

Orts- oder Stadtbürgerrecht erhalten, aber ihre staatsbürgerliche Stellung blieb weiterhin ungeklärt. Deshalb erhielt Minister von Schroetter vom König den Auftrag, eine allgemeine Judengesetzgebung auszuarbeiten.

Wenn man Schroetters Entwurf und die Gutachten der Ministerien[2] liest, die jeden der 122 Artikel kritisch erörtern, kann man der Gründlichkeit, dem sittlichen Ernst und der historisch-theologischen Bildung des preußischen Beamtentums den Respekt nicht versagen. Der Entwurf ist auf die Erteilung des vollen Staatsbürgerrechts hin angelegt, und der 1. Artikel spricht es auch unumwunden aus. Dann folgen aber die Bedingungen, die Ausnahmen, die Einschränkungen, die Sondererlaubnisse und die Verbote, die Geldstrafen und die Warnungen vor Bestechung, so daß der Eindruck mißtrauischer Erziehung den der Befreiung und Rechtezuteilung überwiegt. Bei der Erörterung dieses Entwurfs erscheinen alle Argumente der letzten 50 Jahre: die Grundsätze der friderizianischen Gesetzgebung, die aufklärerische Kritik Dohms und des Abbé Grégoire, die Assimilationsbestrebungen Napoleons und seine Vorbehalte, auch romantisierende Vorstellungen vom edlen und uneigennützigen Bauernstand und vom sittlich verdorbenen Kaufmannsstand, die der geplanten „Umerziehung" der Juden zugrunde liegen. Fast überall hat sich die Überzeugung durchgesetzt, daß die staatlichen Institutionen und die allgemeine Verachtung an der „Entartung" der Juden schuld seien. Nur das gemeine Volk huldige heute noch dem Aberglauben, daß sie „von Gott verworfen" seien. Aber nur allmählich könne man sie aus dem Zustand der Erniedrigung und Verderbtheit befreien und sie durch ehrliche Berufe zu Staatsbürgern erziehen. Der „Sprung von der höchsten Unterdrückung zur vollen Freiheit" sei zu groß, er werde die gesellschaftliche Ordnung erschüttern.[3]

[2] Freund, II, 228 ff.

[3] Gutachten des Staatsrats Koehler vom 13. Mai 1809. Freund, II, 252.

Die Stufen im staatlichen Erziehungsprogramm werden dann sehr genau bezeichnet, und die Zuteilung von Rechten wird von Bewährungsproben abhängig gemacht, so etwa, wenn das Gutachten der Gewerbesektion vorschlägt, das Recht auf Grunderwerb auf diejenigen Juden zu beschränken, die dreimal nacheinander zu Stadtverordneten oder zweimal zu Magistratsmitgliedern gewählt worden seien und den Beweis öffentlichen Vertrauens erbracht hätten.[4]

Das Gutachten Wilhelm von Humboldts

Man muß das Gespräch der preußischen Ministerialbürokratie in den entscheidenden Jahren der großen Staatsumwälzung kennen, wenn man das Gutachten der Kultus-Abteilung richtig würdigen will, das Wilhelm von Humboldt verfaßt hat.[5] Er war im Herbst 1808 nach sechsjährigem Aufenthalt in Rom nach Deutschland zurückgekommen und hatte im Frühjahr 1809 die „Sektion für Kultus und Unterricht" in der neugebildeten preußischen Regierung übernommen. Das Gutachten räumt althergebrachte Vorstellungen einfach beiseite, diesen Wust gutgemeinten und feingesponnenen Flickwerks für eine sehr schadhafte und veraltete Judenverfassung. Es macht fundamentale Wahrheiten wieder sichtbar, so daß die Wirklichkeit plötzlich in anderem Licht erscheint. Wahrheiten wie diese: daß der Staat in erster Linie ein Rechtsinstitut und kein Erziehungsinstitut sei, daß man Menschen als Individuen behandeln und beurteilen müsse, nicht nach ihrer Religion oder Abstammung, daß sich Nationalcharaktere schwer bestimmen ließen nach Wert und Unwert, je genauer man sie studiere, um so unsicherer werde das Urteil, daß man an die Behauptung von Nationaleigenschaften nicht die Erteilung oder Verweigerung von

[4] Freund, I, 159.
[5] Text bei Freund, II, 269–282.

Rechten knüpfen könne. Wenn der gegenwärtige Zustand, wie allgemein zugegeben, ungerecht und unmoralisch sei, wenn man die Absonderung der Juden unmerkbar machen, ihre Verschmelzung mit der Umwelt einleiten wolle, so könne man das nur durch eine plötzliche Gleichstellung erreichen. Damit handele der Staat nur gerecht, denn wer die gleichen Pflichten zu erfüllen bereit sei, müsse die gleichen Rechte besitzen; er handele auch politisch klug, denn nur durch eine plötzliche Erklärung, durch einen Sprung also, ließe sich die „inhumane und vorurteilsvolle Denkungsart" aufheben, die den Menschen nach seiner Gruppenzugehörigkeit beurteilt. Im übrigen sei die volle Gleichberechtigung nur konsequent, weil eine allmähliche Beseitigung der Schranken die Aufmerksamkeit auf die noch bestehenden lenke und die Absonderung bestätige, die sie aufheben wolle. Der Zustand des Verachtetseins lasse sich nicht gradweise aufheben!

So scharfsinnig und so mutig war das Problem bis dahin noch nicht gesehen worden. Humboldt bringt das ganze Toleranz- und Korrektionssystem des aufgeklärten Absolutismus zu Fall, das in der preußischen Bürokratie noch weiterlebte. Was er 1792 schon über die „Grenzen der Wirksamkeit des Staates" warnend gesagt hatte, das fand er in der „Vielregiererei" der staatlichen Erziehungsmaßnahmen bestätigt. Mit welchem Maßstab wollen die Behörden feststellen, ob und wieweit die Juden sich gebessert haben? Wenn man die Bürgerrechte nach Maßgabe der Kultur austeilen wolle, so müsse man das konsequenterweise auch bei den Christen tun, ein Gedanke, auf den glücklicherweise noch niemand gekommen sei. Auch die viel erörterte Gefahr, daß die Juden die Christen aus ihren Berufen verdrängen würden, sei bei ihrer geringen Zahl an sich schon eine Chimäre. Aber in welchen Zirkel begebe sich dies Raisonnement, wenn man den Unterschied zwischen Christen und Juden einerseits aufheben wolle, andererseits aber annehme, daß es nicht gleichgültig sei, ob

ein Gewerbe, auch gleich gut, von einem Juden oder Christen betrieben werde! Wollten aber die Juden die vollen Bürgerpflichten nicht übernehmen – Humboldt wußte sehr gut, daß sie es wollten – dann solle man sie lieber verbannen; denn Menschen im Staate zu dulden, die es sich gefallen lassen, daß man ihnen wenig genug traut, um ihnen die Bürgerrechte zu versagen, sei „für die Moralität der ganzen Nation in höchstem Grade bedenklich". Damit werden Inkonsequenzen, Scheinprobleme, Vorurteile aus Eigennutz als das bezeichnet, was sie sind. Auch die demoralisierende Wirkung, die die Entrechtung einer Gruppe auf die Gesellschaft im ganzen ausübt, ist noch nie so klar ausgesprochen worden. „Wenn ein widernatürlicher Zustand in einen naturgemäßen übergeht, so ist kein Sprung, wenigstens gewiß kein bedenklicher vorhanden", sagt Humboldt. „Wer vom Knecht zum Herrn wird, der macht einen Sprung; denn Herren und Knechte sind ungewöhnliche Erscheinungen. Aber wem man bloß die Hände losbindet, die erst gefesselt waren, der kommt nur dahin, wo alle Menschen von selbst sind."
Humboldt wollte keine Nachahmung der französischen Konsistorialverfassung, überhaupt keine Förderung der religiösen Institutionen, da er wie Friedländer und das geistig emanzipierte Judentum in Berlin im Zeremonialgesetz die Trennungswand zwischen Christen und Juden sah, die er beseitigt wünschte. Auch die Hoffnung, daß sie sich allmählich dem christlichen Glauben zuwenden werden, spricht er aus, womit dann das Judentum aufhören würde zu bestehen. Die chassidische Bewegung in Polen kannte er nur in der ironischen Darstellung des aufgeklärten Philosophen Salomon Maimon, und die innere Erneuerung des Judentums im 19. Jahrhundert konnte er nicht voraussehen. Herder hatte den unauflösbaren Kern der religiös-nationalen Gemeinschaft des jüdischen Volkes tiefer erkannt, aber er hatte zugleich engere Vorstellungen von dem unausrottbaren Handelsgeist des in unseren

Weltteil verschlagenen „fremden asiatischen Volkes".[6] Aus seiner Humanisierungsidee, wie er sie in der „Adrastea" darstellt, hätte sich eine praktisch wirksame Gesetzgebung nicht entwickeln lassen. Daß Humboldt sein Programm der vollen bürgerlichen Gleichberechtigung und Assimilation des Judentums aber nur mit dem „Hintergedanken" der inneren Zersetzung und künftigen Christianisierung entworfen habe, ist sicher ein ungerechter Vorwurf.[7] Sein Gutachten machte ernst mit der Idee der sittlichen Persönlichkeit, die sich nur in der Freiheit bewährt; er glaubte, das jüdische Problem lasse sich nur auf diese Weise lösen.

Das Edikt vom 11. März 1812

Als im nächsten Jahre Hardenberg zum Staatskanzler ernannt wurde, setzte sich die liberale Richtung in den preußischen Ministerien durch. Der von Humboldt beeinflußte Gesetzentwurf von Raumer, dem auch David Friedländer zugestimmt hatte, wurde nach einigen Änderungen von Hardenberg angenommen und vom König am 11. März 1812 unterzeichnet. Es war ein denkwürdiges Ereignis in der deutsch-jüdischen Geschichte. Die Juden hatten es zuletzt mit steigender Ungeduld erwartet. Zwanzig Jahre später als in Frankreich wurden ihnen die gleichen bürgerlichen Rechte und Freiheiten wie den Christen eingeräumt und die gleichen Pflichten (auch die Militärpflicht) auferlegt; sie wurden zu „Einländern und preußischen Staatsbürgern" erklärt, alle Ausnahmegesetze waren abgeschafft, aber auch die Sondergerichtsbarkeit der Rabbiner und Ältesten. Akademische Lehr- und Schulämter waren ihnen freigegeben, nur die Staatsämter blieben versperrt, hier behielt sich der König eine künftige Verfügung vor, die er aber nie erlassen hat. Sie mußten feste Familiennamen annehmen und in Urkunden und Geschäftsbüchern die deutsche Sprache gebrauchen.

[6] Herder, Adrastea. Suphan-Ausgabe, Bd. 24, S. 63.
[7] So bei Elbogen, S. 198.

Es ist aber wichtig zu wissen, daß die Emanzipation nur die mit Schutzbriefen und Konzessionen versehenen Juden umfaßte. Da Preußen 1807 die ehemals polnischen Länder mit den judenreichen Distrikten wieder hatte abtreten müssen, war die Frage des unkonzessionierten Ostjudentums in diesem Zeitpunkt nicht mehr brennend, und gegen eine Einwanderung gab es in dem Edikt schützende Paragraphen. Bei der Zählung von 1811 war also der Bestand der jüdischen Bevölkerung gering, es gab nur 29 538 privilegierte Juden, die 1812 das Staatsbürgerrecht erhielten, außerdem 3079 jüdische Fremde, die rechtlos blieben. Nach den Friedensschlüssen von 1814/15 wuchs die jüdische Bevölkerung sprunghaft auf 123 800, sie vervierfachte sich beinahe. 52 000 (42 %) Juden lebten allein in der Provinz Posen, 10 % in Westpreußen.[8] Man unterließ aber die Einführung des Emanzipationsedikts in den neu- oder wiedererworbenen Gebieten, so daß es bis 1848 Juden mit und ohne staatsbürgerliche Rechte in Preußen gab. Die Masse der rechtlosen jüdischen Bevölkerung befand sich in den östlichen Provinzen. Diese Tatsachen werden bei der Erörterung des Edikts von 1812 oft übersehen.

Die Opposition des Adels

Hardenbergs Gesetzgebung hatte mit der Abschaffung adeliger Privilegien, der Einziehung geistlicher Güter und der Einführung der Gewerbefreiheit (Aufhebung der Zünfte) den Staat nach den Grundsätzen der französischen Revolution reorganisieren wollen. In diesem größeren Zusammenhang muß auch die Judenemanzipation vom 11. März 1812 gesehen werden. Die Opposition des seiner Vorrechte beraubten Adels ist bekannt. Von Anfang an richtete sie sich auch gegen die Gleichberechtigung der Juden. Ja, bevor diese gesetzlich ausgesprochen ist, warnt

[8] Silbergleit, S. 1, 4, 6.

Fr. A. L. v. d. Marwitz in seinem Schreiben an den König („Letzte Vorstellung der Stände des Lebusischen Kreises an den König", 1811)[9] vor den Folgen der Mobilisierung des Grundeigentums, die von Stein eingeleitet und von Hardenberg im Regulierungsedikt vom 14. 9. 1811 konsequenter durchgeführt war. Folgende Sätze dieses Dokumentes altständischer Gesinnung, das von Hardenberg mit energischen Randbemerkungen versehen wurde, sind für unser Thema wichtig und deuten die künftige reaktionäre Entwicklung schon an: „Diese Juden, wenn sie wirklich ihrem Glauben treu sind, die notwendigen Feinde eines jeden bestehenden Staates (wenn sie ihrem Glauben nicht treu sind, Heuchler), haben die Masse des baren Geldes in Händen; sobald also das Grundeigentum so in seinem Werte gesunken sein wird, daß es für sie mit Vorteil zu acquirieren ist, wird es sogleich in ihre Hände übergehen, sie werden als Grundbesitzer die Hauptrepräsentanten des Staates und so unser altes ehrwürdiges Brandenburg-Preußen ein neumodischer Judenstaat werden." Im Konzept hieß es sogar „das wahre neue Jerusalem". Hardenberg vermerkt am Rande: „Diese ganze Tirade ist ebenso ungerecht als unpassend." Das war für den König gesagt.

Wir erkennen heute mehr in dieser erstaunlichen Äußerung des gebildeten preußischen Edelmannes, der zum Freundeskreis der Rahel Varnhagen gehört hatte. Einmal die kompakte Beschuldigung des jüdischen Nationalcharakters, der schlechthin als staatsfeindlich oder als heuchlerisch bezeichnet wird, in der bequemen Vereinfachung, deren sich sonst nur die Polemik antisemitischer Hetzschriften bediente. Dann eine halbe Wahrheit: da die jüdischen Bankhäuser Kapital besaßen, rechnete der Staat sogar bei dem notwendig gewordenen Verkauf der Domänen auf ihr preissteigerndes Angebot. Dann die ungeheuerliche Übertreibung: die Juden ganz allgemein im

[9] Fr. A. L. v. d. Marwitz. Ein märkischer Edelmann im Zeitalter der Befreiungskriege. Hrsg. Fr. Meusel, Berlin 1913, II, 2, S. 20 ff.

Besitz des Grundeigentums, damit Repräsentanten des Staates – das ist noch ganz ständisch gedacht – und logischerweise der Staat „ein neumodischer Judenstaat". Die Unzufriedenheit einer durch die finanzielle Krisis und den Verlust ihrer Privilegien bedrohten Klasse richtet sich von Anfang an gegen die jüdische Minderheit, ein Vorgang, der sich im Laufe des 19. Jahrhunderts in allen Schichten wiederholen wird. Daß der „neumodische", der liberale Staat mit seiner „bösen Tendenz der Gleichmachung" auch noch auf dem Boden Frankreichs zuerst entstanden war, macht ihn den preußischen Patrioten besonders verhaßt.

9. KAPITEL

DER WIENER KONGRESS

Da die rechtliche Lage der Juden in den deutschen Staaten so unübersichtlich wie widerspruchsvoll war, konnte man von der Verfassung des Deutschen Bundes, die als Bundesakte am 10. Juni in Wien unterzeichnet wurde, eine einheitliche Regelung der jüdischen Frage erwarten. Die deutschen Juden, deren Blick nach Amerika und Frankreich gerichtet war, setzten große Hoffnungen auf den Wiener Kongreß. Die Vertreter Preußens, Humboldt und Hardenberg, glaubten zuerst, die bürgerliche Gleichberechtigung entweder in den Grundrechten verankern oder sie durch einen besonderen Artikel in der Bundesakte für alle deutschen Staaten verbindlich machen zu können. Metternich war aus mancherlei Gründen – auch seine Beziehungen zu den Rothschilds und jüdischen Hofbankiers in Wien gehören hierher – der von Preußen vorgeschlagenen Lösung nicht abgeneigt, aber für eine Formulierung von Grundrechten, die die Deutschen aus dem Gefüge des Habsburger Reiches herausgegliedert hätten, nicht zu gewinnen. Die Vertreter Bayerns und Württembergs protestierten gegen jede Minderung der staatlichen Hoheitsrechte auch im Innern. Ein besonderer Judenartikel in der Bundesakte wurde überdies, da er nicht von hoher und allgemeiner Wichtigkeit sei und den Anschein einer Privilegierung erwecke, von vielen Staaten abgelehnt. So wurde die Beratung der jüdischen Frage immer wieder hinausgeschoben. Da man sich in Frankfurt und in den Hansestädten aber gleich nach der Befreiung an die eigenmächtige Wiederherstellung der alten Rechte begab, war eine allgemeine Lösung unabweisbar. Deputationen der freien Städte und der jüdischen Gemeinden drängten in Wien auf endgültige Beschlüsse.[1]

[1] Vgl. S. Baron, Die Judenfrage auf dem Wiener Kongreß. Wien u. Berlin 1920.

Das Frankfurter Patriziat empfand die erst zwei Jahre währende Gleichberechtigung der Juden als unerträglich, es wünschte sogar die Rückkehr zur Judenstättigkeit von 1616! Als die Verfassungskommission der eben wieder frei gewordenen Stadt schon im Januar 1814 vorschlug, die von Dalberg vertraglich zugesicherte und von den Juden teuer erkaufte bürgerliche Gleichheit wieder aufzuheben, wandte sich die besorgte Gemeinde an Stein um Vermittlung, wurde aber mit ihren Anträgen an die Bürgerschaft verwiesen, mit der sie sich ja gerade im Streit befand. Stein war nicht geneigt, die Gesetzgebung des Fürstprimas des Rheinbundes sonderlich zu respektieren, und glaubte überdies, der freien Stadt die Regelung ihrer inneren Verhältnisse selbst überlassen zu müssen. Die politische Gleichberechtigung der jüdischen Bevölkerung mit dem städtischen Bürgertum lehnte er aus Überzeugung ab.[2] Dagegen erklärte Hardenberg den beiden Vertretern der Frankfurter Judenschaft, die nach Wien gereist waren, daß die 1811
blieb also offen.
geschaffenen Verhältnisse rechtmäßig seien. Die Frage
In den drei Hansestädten war unter der französischen Okkupation, die als Gewaltakt gelten mußte, Gewerbefreiheit, Gleichberechtigung der Konfessionen und völlige Emanzipation der Juden verordnet worden. Obwohl die Hamburger Juden sich bald darauf am Befreiungskampf gegen die französische Besatzung beteiligt und sich überaus patriotisch erwiesen hatten, wollte die Kaufmannschaft – hier das Kleinbürgertum gegen den Wunsch des Senates – sie in den Rechtsstatus von 1710 zurückführen. Lübeck, das früher niemals Juden geduldet hatte, drohte jetzt mit Ausweisung der in der Franzosenzeit „eingeschlichenen" Familien und führte sie wenige Jahre später auch durch. Beide Parteien schickten ihre Rechtsvertreter nach Wien. Der Wiener Kongreß ist also die erste Tagung von Staats-

---

[2] Stein an Hügel, 31. Mai 1814. Briefwechsel, Denkschriften und Aufzeichnungen. Hrsg. E. Botzenhart, Berlin 1933, IV, 647 f.

männern, bei der das Schicksal der Juden zum Gegenstand einer zwischenstaatlichen Aussprache wird; zum erstenmal versuchen diese durch offizielle Vertreter die Entscheidung der Regierungen zu ihren Gunsten zu beeinflussen. Nun gerät aber die jüdische Frage auf dem Kongreß in den größeren Zusammenhang von zwei grundsätzlichen Streitfragen. Die erste lautet: ob Artikel in die Bundesakte aufzunehmen seien, die die Rechte des Souveräns im Verhältnis zu seinen Untertanen beschränkten. Die zweite und für unseren Gegenstand gewichtigere Frage bezieht sich auf die Rechtsverhältnisse, die direkt oder indirekt der französischen Herrschaft ihren Ursprung verdanken. Sollen Maßnahmen, die in den deutschen Staaten ohne die Siege des revolutionären Frankreich und ohne den Cäsarismus des Eroberers niemals getroffen worden wären, vereinheitlichende, schematisierende und den neuen Herrschern bequeme Verfügungen, die altes Recht verletzen, heute noch Gesetzeskraft haben oder nicht? Für die jüdische Bevölkerung in den linksrheinischen Gebieten, im ehemaligen Großherzogtum Berg und Königreich Westfalen, in Oldenburg und in den Hansestädten hing von der Beantwortung dieser Frage viel ab.
Wir fassen den Ablauf der Verhandlungen nun kurz zusammen. Bayern und Württemberg erklären sich gegen jede Formulierung von „Untertanenrechten" in der Bundesakte, die eine Minderung der staatlichen Hoheitsrechte bedeuten würde, also auch gegen einen verbindlichen Beschluß über die künftige einzelstaatliche Judengesetzgebung. Der Vertreter Bremens verlangt die Anerkennung des Grundsatzes, daß für das Gebiet der 32. Militär-Division (die norddeutsche Okkupationszone) die französischen Einrichtungen keinen verbindlichen Rechtszustand geschaffen hätten. Das muß zugestanden werden, da es sich hier um Besatzungsmaßnahmen handelt und nicht um einen Vertrag, wie ihn Dalberg mit der jüdischen Gemeinde in Frankfurt abgeschlossen hatte. Es wird auch erwogen, die

ganze Angelegenheit der künftigen Bundesversammlung zu überlassen, für deren Beschlüsse Sachsen jetzt die Einstimmigkeit beantragt. Das hätte bedeutet, daß auf unabsehbare Zeit alles beim alten geblieben wäre, woran die von französischer Verwaltung verschont gebliebenen Staaten ein Interesse hatten, die andern aber wieder nicht.
Die Juden selbst sind sich nicht einig, da die Frankfurter Deputation sich nur um die Erhaltung des von Dalberg geschaffenen Rechtszustandes bemüht, während der Rechtsvertreter der hanseatischen Juden auf eine einheitliche Regelung für ganz Deutschland drängt. Die Wiener Judenschaft, deren Reichtum und gesellschaftliches Ansehen bedeutend waren, da in den Salons der Arnstein und Eskeles Fürsten und Diplomaten verkehren, ist zwar zur privaten Wohltätigkeit bereit, aber in jüdisch-politischen Angelegenheiten zurückhaltend und indifferent.[3] Als im April 1815 einige Wiener Bankiers und böhmisch-mährische Industrielle eine Immediateingabe an Metternich einreichen, fordern sie nur die privatbürgerliche Gleichstellung der österreichischen Juden, nicht die staatsbürgerlich-politische, und von der zahlreichen Judenschaft in Galizien und Ungarn ist dabei nicht die Rede. Ähnlich ist es mit den Rothschilds, die die Gunst der Mächtigen gelegentlich benutzen, um bedrängten jüdischen Gemeinden zu helfen, die aber das politische Forum meiden. Nicht sie, deren Aufstieg noch im Frankfurter Ghetto begonnen hatte, vertreten die Frankfurter Judenschaft in Wien, sondern zwei Vorsteher der Gemeinde, von denen der eine, Jakob Baruch, der Vater Ludwig Börnes war. Auf die Entscheidung des Kongresses haben sie wenig einwirken können.
Im Juni 1815 ist der Entwurf der Bundesakte so weit fertig, daß Metternich zum Beitritt auffordert. An dem Artikel 16 hat man noch eine kleine, aber wichtige Änderung vorgenommen, wahrscheinlich erst in den letzten Ta-

[3] Vgl. Baron, S. 135 ff. Graetz vermutet eine größere Aktivität der jüdischen Aristokratie in Wien. XI, 297 f.

gen der Beratung und ohne jedes Aufsehen. Das Protokoll vermerkt sie nur beiläufig: „Ad art. 16 der neuen Redaction die Fassung unverändert beibehalten, da am Schlusse statt *in* den Bundesstaaten – zu setzen: *von* den Bundesstaaten – schon früher beliebt war."[4]
Wie sah der Artikel 16 nun aus? Er lautete: „Die Bundesversammlung wird in Beratung ziehen, wie auf eine möglichst übereinstimmende Weise die bürgerliche Verbesserung der Bekenner des jüdischen Glaubens in Teutschland zu bewirken sei, und wie insonderheit denselben der Genuß der bürgerlichen Rechte, gegen die Übernahme aller Bürgerpflichten, in den Bundesstaaten verschafft und gesichert werden könne. Jedoch werden den Bekennern dieses Glaubens bis dahin die denselben *von* den einzelnen Bundesstaaten bereits eingeräumten Rechte erhalten."
Die höchst unbestimmte Fassung des ersten Satzes enthält zwar ein Versprechen, wie es der Verfassungsartikel 13 ja auch enthielt, legt aber dem Bundestag keine bindende Verpflichtung auf. Er hat später die jüdische Sache auch keineswegs in Beratung gezogen, da Emanzipationsbestrebungen dem reaktionären Geist der nun folgenden Jahre von Grund auf widersprachen. Der zweite Satz garantiert zwar die Beibehaltung des Status quo, schränkt sie aber durch das Wörtchen „von" entscheidend ein: die Gebiete mit ehemals französischer Gesetzgebung sind zur Erhaltung des jüdischen Rechtsstatus *nicht* verpflichtet. Hier wird deutlich, daß Preußen und Österreich vor der Opposition der Mittelstaaten und der freien Städte zurückgewichen waren; in den ersten Junitagen des Jahres 1815, als die Entscheidung bei Waterloo noch nicht gefallen war, mußten sie den schnellen Abschluß der Bundesakte wünschen. Die Hansestädte hatten sich bei der endgültigen Fassung des Artikels durchgesetzt, Hannover und Kurhessen machen ebenfalls Gebrauch von dem beschränken-

---

[4] Baron, S. 168.

den „von". In den linksrheinischen Gebieten, wo auch der Code civil seine Geltung behält, bleibt es bei der von Frankreich eingeführten Emanzipation, auch in den italienischen Provinzen, die nun wieder zu Österreich gehören. An den Status quo gebunden ist vor allem Preußen mit seinem Edikt von 1812, auch Mecklenburg, das aber unter dem Druck der Stände und in offener Verletzung der Bundesakte die 1812 gewährte Gleichberechtigung wieder aufhebt. Bayern und Sachsen halten noch lange an ihrer alten Judengesetzgebung fest, während sich in Baden und Württemberg liberale Tendenzen durchsetzen. Als aber wenige Jahre später hier die Frage der politischen Gleichberechtigung der Juden im Verfassungsstaat und ihrer Zulassung zu Staats- und Kommunalämtern auftaucht, wird sie abschlägig beschieden.

Die Rechtslage der Juden in den deutschen Bundesstaaten ist nach 1815 verworrener denn je, sie umfaßt alle Zustände vom mittelalterlichen Judenrecht bis zur völligen Emanzipation französischer Prägung. Allein der preußische Staat kennt nun innerhalb seiner neuen Grenzen 18 verschiedene Judenordnungen, was dem Prinzip der Rechts- und Verwaltungsgleichheit gründlich widerspricht. Die liberal gesinnten preußischen Reformer begreifen die Niederlage, die sie sowohl mit ihrem Verfassungsentwurf wie mit dem Antrag auf das jüdische Bürgerrecht auf dem Kongreß erlitten haben. In den preußischen Ministerien dagegen berät man schon ein Jahr später eine Revision des Emanzipationsedikts von 1812, das nun allgemein als eine Übereilung bezeichnet wird. Der Berliner Historiker Friedrich Rühs rühmt den Artikel 16 der Bundesakte sogar als ein „diplomatisches Meisterstück", das „der übertriebenen Judenbegünstigung Schranken gesetzt habe."[5] Hier macht sich bereits eine Wandlung der öffentlichen Meinung bemerkbar, deren Ursachen wir nachgehen müssen.

---

[5] Fr. Rühs, Die Rechte des Christentums und des deutschen Volkes, Berlin 1816, S. 37.

10. KAPITEL

DAS JÜDISCHE PROBLEM IM ZEITALTER DER RESTAURATION

Erlebnis und Geschichtsbewußtsein

Als das entscheidende Merkmal der Geschichte deutscher Juden in der Zeit nach dem Wiener Kongreß bezeichnet ein jüdischer Historiker die Tendenz, „den selbständigen Charakter abzustreifen und im Strom der deutschen Geschichte unterzugehen".[1] Gleichzeitig hat sich im deutschen Geschichtsbewußtsein aber eine Wandlung vollzogen, aus der die Vorstellung von Volk, Staat und Nation mit einem tieferen Gehalt und einem neuen Anspruch hervorgeht, die Begriffe sind umfassender und zugleich ausschließender geworden. Das wird in seinen Folgen für das jüdische Problem noch zu untersuchen sein.

Bis an die Wende des 18. Jahrhunderts haben die Juden abseits von der großen Politik gelebt. Dann hat die französische Revolution, vor allem aber Napoleon, mächtig auf ihr Schicksal und auf ihr Selbstgefühl eingewirkt. Als Europa wieder zur Ruhe kommt, zeigt es sich, daß sie die Revolutionsepoche auf eine andere Weise erlebt, daß sie an Napoleon eine andere Erinnerung bewahrt haben als die Völker, unter denen sie leben. Das ist in Frankreich und Italien so, vor allem aber in Deutschland. Es war nicht in Vergessenheit geraten, daß die Pariser Versammlung jüdischer Notabeln in ihrem Aufruf an die gesamte Judenheit Europas Napoleon den „wohltätigen und tröstenden Schutzengel" genannt hatte, der „für die zerstreuten Reste von Abrahams Nachkommen eine Periode der Erlösung und des Glückes eröffnen werde".[2] Der Dichter

[1] Kobler, Juden und Judentum, S. 192.

[2] Aufruf vom 6. Okt. 1806. F. Kobler, Jüdische Geschichte in Briefen aus Ost und West. Wien 1938, S. 27 f.

Elias Halévy feierte den Kaiser in hebräischen Hymnen. In Rom hatten sich 1798 zum ersten Male die Tore des Ghetto geöffnet, als die Franzosen die Römische Republik ausriefen. Die Ghetto-Bewohner legen die spitzen Judenhüte ab, pflanzen einen Freiheitsbaum vor der Synagoge auf und ziehen mit der Tricolore durch die Stadt, – was übrigens die Entrüstung des armseligen Volkes von Trastevere erregt, das bis dahin die Juden am gegenüberliegenden Tiberufer immer noch unter sich gesehen hatte und nun, um die christliche Distanz von den Ungläubigen zu wahren, seinerseits ein Kreuz an die dreifarbige Kokarde heftet.[3] Da die Ereignisse im Kirchenstaat so überaus sinnfällig verlaufen, volkstümlicher und greller als anderswo, da sie aber charakteristische Züge aufweisen, darf man sie zur Verdeutlichung des allgemeinen jüdischen Problems heranziehen. Die französischen Truppen übergeben nämlich den jüdischen Trödlern im Ghetto die konfiszierten und geraubten Gegenstände zum Verkauf, Mobilar der aufgehobenen Klöster, auch Kultgeräte aus geschlossenen Kirchen, was im revolutionären und kirchenfeindlichen Taumel des Jahres 1798 den Beifall des Pöbels fand, später aber Empörung erregte. Übrigens hatten sich die französischen Machthaber die Judenbefreiung durch hohe Kontributionen und Erpressungen im Ghetto tüchtig bezahlen lassen, so daß das gute Geschäft eine Art Ausgleich war. Als der neugewählte Pius VII. zwei Jahre später seinen Einzug in Rom hält, tritt die alte Judenordnung wieder in Kraft. Im Jahre 1808 besetzt Napoleon den Kirchenstaat und vereinigt ihn mit Frankreich. Wieder verschwindet das Judenabzeichen, die schmähliche Kennzeichnung durch einen gelben Lappen, die Ghettotore bleiben ständig geöffnet, alle Ausnahmebestimmungen werden aufgehoben. Als die Franzosen 1814 die Stadt räumen, ist es mit der jüdischen Freiheit wieder zu Ende, das Volk

---

[3] Vogelstein-Rieger, Geschichte der Juden in Rom. Berlin 1895. S. 350 ff.

plündert das Ghetto, stimmt Hetzlieder gegen Napoleon, gegen Jakobiner und Juden an, und die Tore schließen sich wieder – bis 1848.

In Heines Familie erhielt sich lange eine Einzelheit von Napoleons Besuch in Düsseldorf im Jahre 1811, die der Minister Beugnot in seinen Memoiren mitgeteilt hat. Als sich zur Begrüßung des Kaisers Behörden und Geistlichkeit der Stadt einfanden, habe der Rabbiner für die Geistlichen das Wort ergriffen und Napoleon als den „neuen Cyros“ gefeiert. Auch dessen Antwort wurde überliefert: er habe alle Menschen als Brüder vor Gott bezeichnet, die einander lieben und dulden müßten trotz der Verschiedenheit der Religion.

Die Szene war etwas anders verlaufen nach der übereinstimmenden Schilderung der Augenzeugen, aber sie legt die Stilisierung nahe, die ihr der wohlwollende Minister des Großherzogtums Berg später gegeben hat. Nachdem die anwesenden Juristen und Würdenträger Napoleon als Friedensstifter und Gesetzgeber gefeiert hatten, der den Ruhm eines Solon und Lykurg mit dem eines Cäsar und Alexander vereinige, präsentierten sich gegen alle Etikette die Vertreter der Geistlichkeit in einer Reihe vor dem Kaiser: der 80jährige Rabbiner in der Mitte, gestützt vom Stiftsdechanten und vom Pfarrer der reformierten Gemeinde, der Napoleon als Wiederhersteller des öffentlichen Kultus und der Gewissensfreiheit anspricht.[4] Das Bild war eindringlich genug und entsprach den tiefsten Wünschen der rheinischen Judenschaft. Heine hat bekanntlich bei allen Schwankungen seines späteren Urteils daran festgehalten, daß es in einem von Napoleon beherrschten Europa keine Judenfrage mehr gegeben hätte.[5] Wie sehr

---

[4] O. R. Redlich, Die Anwesenheit Napoleons I. in Düsseldorf im Jahre 1811. Düsseldorfer Jahrbücher 1892.

[5] Vgl. die Vorrede von H. Bieber zu H. Heine, Jüdisches Manifest. New York 1946², p. IV.

sich dem 13jährigen Knaben das Bild des Kaisers in die Seele gegraben hat, ist im „Buch Le Grand“ zu lesen.
Man muß aber gleichzeitig wissen, daß die Juden in Deutschland sich als Freiwillige an den Befreiungskriegen beteiligt und sich vielfach ausgezeichnet hatten, wie es die französischen Juden in den Feldzügen Napoleons getan hatten. Die Begierde, an der großen Bewegung der Zeit teilzunehmen, aus der Isolierung herauszutreten, ein Vaterland zu haben, war bei der jungen Generation sehr stark. Wenn sich später in der jüdischen Erinnerung doch das Bild des kaiserlichen Befreiers durchsetzte, so lag das an der Reaktion in Deutschland, die das Judentum in die alten Schranken zurückwies.
Wir müssen uns nun fragen, was die volle Gleichberechtigung, die schon von Dohm gefordert wurde, die sich in den Vereinigten Staaten, in Frankreich und Holland längst durchgesetzt hatte, die von Humboldt und Hardenberg so klug begründet und so verheißungsvoll begonnen war, bis 1848 und sogar bis 1869 verzögert und aufgehalten hat und wie die rückläufigen Tendenzen und die einschränkenden Gesetze in den deutschen Staaten zu erklären sind.

Die neue Staatslehre

Was in Rom mit fast ironischer Deutlichkeit bei der zweimaligen Herrschaft der Franzosen und der zweimaligen Rückkehr der Päpste und Wiedereinführung des Kirchenregiments offenkundig wurde, bei der Öffnung und Schließung der Ghettotore also, das war nichts anderes als die enge Verbindung, die zwischen der jüdischen Emanzipation und dem auf das Naturrecht gegründeten Staatsgedanken der französischen Aufklärung besteht.
Die Staats- und Rechtstheorie der politischen Romantik, die Herders Idee vom Volksgeist und Burke's Lehre vom Staat als Organismus in sich aufnimmt, hat in ihren Ursprüngen mit unserem Problem, das für sie ein abseitiges

und wenig beachtetes war, noch nichts zu tun; sie hat es später aber entscheidend beeinflußt. Sie entwickelt sich aus der Kritik und scharfen Ablehnung der revolutionären Staatsverfassungen, die als mechanische und willkürliche dem organischen, natürlichen Staat entgegengestellt werden, der als Schöpfung des Volksgeistes aufgefaßt wird. Als Adam Müller im Winter 1808/09 in Dresden seine Vorträge über „Die Elemente der Staatskunst“ vor Diplomaten und Staatsmännern hielt, mitten in der Bewegung und Auflösung der politischen Systeme des alten Europa, definierte er den Staat als „die innige Verbindung des gesamten physischen und geistigen Reichtums, des gesamten inneren und äußeren Lebens einer Nation zu einem großen, energischen, unendlich bewegten und lebendigen Ganzen“,[6] als eine „Totalität der menschlichen Angelegenheiten“. „Trennen wir den menschlichen Charakter auch nur an irgendeiner Stelle von dem bürgerlichen: so können wir den Staat als Lebenserscheinung oder als Idee . . . nicht mehr empfinden.“[7] Das ist rational nicht mehr begreiflich, wird aber von Adam Müller auch gerade dem Vernunftrecht der Aufklärung entgegengesetzt, das dem Staatsbürger erlaubte, sich mit der Individualsphäre der Religionsmeinung und des Privatlebens aus dem Ganzen herauszunehmen. Der romantische Staatsbegriff kennt solche Einschränkung nicht, für ihn gibt es „weder in der Wirklichkeit noch in der Spekulation eine Stelle, die außerhalb des Staates liegt“.[8]

Aber der Staat hat nicht nur in seiner Präsenz das Kennzeichen der Totalität, sondern auch in seiner geschichtlichen Dimension. Während die französischen Revolutionstheoretiker „Staaten wie Maschinen erfanden“, sie auf Verträge, Konstitutionen und die „Chimäre des Natur-

---

[6] A. H. Müller, Die Elemente der Staatskunst. Neudruck, hrsg. von J. Baxa. Wien–Leipzig 1922, S. 37.

[7] Elemente, S. 48.

[8] Elemente, S. 53.

rechts“ gründeten, hat der echte Staat seinen Ursprung in Gott, wo auch der Mensch seinen Ursprung hat; er ist also nicht Menschenwerk. In seiner zeitlichen Ausdehnung stellt er „die Allianz der vorangegangenen Generationen mit den nachfolgenden“ dar; er ist also nicht nur eine Gemeinschaft des Geistes und der Gesinnung, sondern auch des historischen Schicksals. Das hatte Adam Müller von Edmund Burke übernommen, der sich im Gegensatz zu den politischen Dilettanten der französischen Nationalversammlung zur Tradition der englischen Geschichte, zu der gesammelten Erfahrung der Vorväter bekannte, auch zu alten Vorurteilen, weil oft ein tiefer Sinn in ihnen verborgen liege.[9] Der Staat, der sich auf die gemeinsame Erinnerung, auf das gemeinsame Schicksal gründet und nach eigenem Gesetz lebt, muß als Individualität angesprochen werden, als „abgerundeter Charakter“, als ein lebendiges Ganzes. Adam Müller bezeichnet ihn auch als „geschlossene Persönlichkeit“. Das steht in äußerstem Gegensatz zu dem rationalen, durch Vertrag begründeten, auf der Rechtsgleichheit seiner Bürger beruhenden Staatswesen und zu einer nach allen Seiten offenen Staatsgesellschaft, wie sie Amerika und Frankreich geschaffen hatten. – Man begreift also, daß die Einordnung einer nach eigenem Gesetz lebenden religiösen oder völkischen Gruppe um so schwieriger wird, je irrationaler die Vorstellung ist, die der Staat von sich selbst hat.

1814 hatte Savigny in seiner kleinen Schrift „Vom Beruf unserer Zeit für Gesetzgebung und Rechtswissenschaft“ dem abstrakten Naturrecht das historische Recht entgegengestellt, das zuerst durch Sitte und Volksglaube, dann erst durch die Jurisprudenz, überall aber „durch innere stillwirkende Kräfte, nicht durch Willkür eines Gesetzgebers“[10]

---

[9] Fr. Schnabel, Deutsche Geschichte im 19. Jahrhundert. Freiburg 1937². I, 194.

[10] Fr. K. v. Savigny, Vom Beruf unserer Zeit für Gesetzgebung und Rechtswissenschaft. 1840³, S. 14.

erzeugt werde, so daß also der Volksgeist der eigentliche Schöpfer des Rechtes sei. Die Einführung des Code Napoléon in deutschen Ländern und die erzwungene Gleichförmigkeit bezeichnete er als „überstandene politische Krankheit", in der Mannigfaltigkeit und Eigentümlichkeit der Landes- und Stadtrechte im alten Reich erkannte er dagegen einen organisch gewachsenen Rechtszustand, an den die neue Rechtsentwicklung anknüpfen müsse. Für die politischen Tendenzen der Restaurationszeit werden diese Gedanken grundlegend.

Den Namen gab ihr Hallers Werk „Die Restauration der Staatswissenschaft", das er am „Tage der guten Vorbedeutung, am Jahrestag der Leipziger Schlacht", am 18. Oktober 1816 mit einer Vorrede versieht: „Die Hydra der Revolution ist in ihren Werkzeugen und großenteils in ihren Resultaten vernichtet: laßt uns auch ihre Wurzel vernichten, auf daß sie nicht neue Blätter hervortreibt." Die Wurzel sieht er schon in den „berüchtigten Reformen" Joseph II., die den „Religions-Indifferentismus" einleiten und den Sansculottismus vorbereiten,[11] das Jakobinertum erkennt er bereits in „bürgerlichen Vereinigungen, künstlichen Garantien und Konstitutionen", auch wenn da viel von Liberalität, Humanität und Kultur die Rede sei.[12] In großartiger Vereinfachung entsteht so das verhaßte Gegenbild zu den patriarchalisch-adligen Herrschaftsformen mit ihren ständischen Freiheiten und Vorrechten, die der Berner Patrizier als den Naturzustand, als die ewige Ordnung Gottes, erhalten oder wieder eingeführt wissen möchte. Seine Wirkung auf die politische Romantik, mit der er sonst wenig Gemeinsames hat, vor allem auf den Kreis der Christlich-Konservativen, ist bekannt.

Was so verschiedene Geister damals vereinigte, war die Ablehnung der Revolutionsepoche mit ihren Ideen, Insti-

---

[11] K. L. v. Haller, Die Restauration der Staatswissenschaften. Winterthur 1816, I, 192 f.

[12] Haller, I, p. LXVI.

tutionen und Rechtssatzungen, war der entschlossene Dualismus des Weltbildes, den sie der Erfahrung Napoleons verdankten. Stein, Gneisenau und Arndt teilten 1813 Europa ein in die Sphäre der Freiheit und die Sphäre der Unfreiheit, der napoleonische Staat war für sie, wie für Haller, Adam Müller und Görres, das Böse schlechthin.[13] Arndt und Jahn haben die Lehre vom Volksgeist später popularisiert und sie mit dem christlich-germanischen Mittelalter in Verbindung gebracht; sie gewinnen daraus die Waffen gegen alles Fremdländische. Von der Entartung des nationalen Gedankens in der Deutschtümelei der Turner, in Schützenfesten, Burschenschaftsreden und Landtagsdebatten soll hier nicht weiter die Rede sein.

Einer von Steins Verfassungsentwürfen, die Denkschrift „Über die Herrenbank" vom 10. Februar 1816, begründet das Zweikammersystem aus der germanisch-deutschen Geschichte. Die Verschiedenheit der Stände sei alt und ehrwürdig, heißt es da, es dürfe nicht das Ungleichartige zusammengeschmolzen werden ohne Rücksicht auf Stand, Erziehung, Beruf, Vermögen, Vergangenheit und Zukunft. Wer eine Kammer vorschlage, wolle alles nivellieren. „Der Nachkomme der Zähringer, der Fürst Fürstenberg, soll gleich sein dem Sohn eines getauften Juden, sie wollen alles verwirren, alles demokratisieren . . ., sie vergessen, daß das Land, das sie konstituieren wollen, die Geschlechter, die sie unterdrücken, die Stände, die sie durcheinander mischen wollen, eine Geschichte haben, ein Gedächtnis besitzen."[14]

Wenn man in der Tat die gemeinsame Geschichte und die gemeinsame Erinnerung zum Kriterium bei der politischen Gliederung und der Zuteilung politischer Rechte macht, so hat Stein recht. Dann ist auch der getaufte Jude ein

---

[13] Fr. Meinecke, Weltbürgertum und Nationalstaat. München und Berlin 1908, S. 167.

[14] Stein, V, 297 ff. Statt „eines getauften Juden" im Text von Pertz „Emporkömmling von gestern", s. Anmerkung S. 298.

Außenseiter und Parvenu, seine deutsche Erinnerung geht nur um eine Generation zurück, sie reicht bis in die Zeit Moses Mendelssohns und der Berliner Aufklärung, seine jüdische indes, wenn er sie nicht von sich getan hat, umfaßt noch die Zeit der Erzväter und ist ehrwürdiger als die der jungen europäischen Nationen. Die Erinnerung des jüdischen Volkes hat mit der deutschen Geschichte bis ins 18. Jahrhundert hinein nicht viel mehr zu tun, als daß es sie erlitten hat. Es richten sich also neue Trennungswände zwischen Deutschen und deutschen Juden auf, wenn Begriffe wie Nationen und Stände geschichtlich legitimiert und auf gemeinsame Erfahrung begründet werden.

Die Polemik

Die judenfeindlichen Schriften, die gleich nach dem Wiener Kongreß erscheinen und die künftige Bundesgesetzgebung beeinflussen wollen, könnten, was geistigen Rang und Orginalität angeht, unerwähnt bleiben. Da ihre Verfasser aber zwei Professoren der angesehensten deutschen Universitäten sind, da vor allem der Einfluß des Philosophen J. F. Fries auf die Jenenser Burschenschaften bedeutend ist, mögen sie kurz charakterisiert werden. Man könnte sagen, daß sie die Ideen der nationalen Bewegung auf die Ebene des Hasses projizieren, der nun nicht mehr den Franzosen, sondern den Juden gilt; vor deren Einbürgerung warnen sie wie vor einer drohenden Katastrophe. Von der vaterländischen Begeisterung für Einheit und Freiheit ist hier der trübe Bodensatz von nationalem Dünkel, Enttäuschung und Rechthaberei geblieben. Die Worte Aufklärung, Humanität und Weltbürgertum erscheinen nur noch unter negativen Vorzeichen, nämlich als verblasene Ideen und Gemeinsprüche, die sich vor einer harten erlebten Wirklichkeit vollends in Dunst aufgelöst haben. Das war die Erfahrung, die der Historiker Friedrich Rühs in den Befreiungskriegen gemacht hatte. Er wurde 1810 zum ordentlichen Professor an der neugegründeten Universität Berlin ernannt und 1817 Historiograph des Preußischen Staates.[15] Beide Gelehrte, der Historiker wie der Philosoph, kennen die Realität des Judentums und seiner Probleme nicht. Fr. Rühs rühmt sich sogar, mit Juden niemals verkehrt und kein jüdisches Haus je betreten zu haben. Fries hat Salomon Maimons Lebensgeschichte gelesen und entnimmt aus den polnisch-jüdischen Zuständen, daß die Juden eine „sich selber regierende Staatsgesellschaft" unter dem strengsten aristokratischen Despotismus der Rabbiner bildeten, die Gelehrte, Priester und Adel (!) zugleich seien.[16] Außerdem hätten sie sich als eine durch Religion verschworene Krämer- und Trödlerkaste über die ganze Welt verbreitet – und was der abstrusen Behauptungen mehr sind; denn Händlerkasten bilden keinen Staat, und Staaten sind damals nicht über die Welt verbreitet. Auf das Wort Staat oder Nation aber kam es beiden Verfassern an, da sie nachweisen wollten, daß ein deutscher Staat die Juden nicht als Bürger aufnehmen könne.

Auch vom christlichen Staat ist öfter die Rede und von der „Gerechtigkeit der Christen gegen sich selber", die die Ausschließung eines fremden, schmarotzenden Volkes verlange. Aber man glaubt den Verfassern die „christliche Verantwortung" nicht recht, auf die sie sich berufen; das Wort ist allemal vertauschbar gegen Nationalgeist oder völkische Interessen. So behauptet etwa Rühs, sich auf die mittelalterlichen Ausdrücke von Judenhaß beziehend, daß selbst „ein übertriebener Eifer für das Höhere und Göttliche ... der charakterlosen Lauheit und Toleranz einer erschlafften Zeit" vorzuziehen sei.[17] Fries geht noch etwas weiter. Man hatte ihm jüdische Eigenschaften gelobt, auch

---

[15] Fr. Rühs, Über die Ansprüche der Juden an das deutsche Bürgerrecht. Berlin 1816. Und: Die Rechte des Christentums und des deutschen Volkes. Berlin 1816.

[16] J. F. Fries, Über die Gefährdung des Wohlstandes und Charakters der Deutschen durch die Juden. Heidelberg 1816, S. 15.

[17] Rühs, Ansprüche, S. 14.

bewiesen, daß die Zahl jüdischer Verbrecher sehr gering sei. Er wisse, so lautet die Antwort, daß sie sich gern von Mord und Totschlag zurückhielten, so lange noch einige Gefahr dabei sei, aber „Christen pflegen diese Eigenschaft Feigheit zu nennen und nicht unter die Tugenden, sondern unter die Laster zu zählen."[18] So merkwürdig verschieben sich die Begriffe, wenn sie in die Nähe des nationalen Hochmuts geraten. Auch von der Weltverschwörung des Judentums und seiner ungeheuren Ausbreitung ist hier schon die Rede und daß es demnächst in den Städten „Christengassen" geben werde. Die praktischen Vorschläge beschränken sich auf die Wiedereinführung des mittelalterlichen Schutzjudentums und des Judenabzeichens in Form einer „Volksschleife". Fries möchte dem Juden selber nichts anhaben, aber das Judentum ausgerottet wissen, das er als eine Pest bezeichnet, von der die Juden selbst befallen seien und von der man sie gewaltsam kurieren müsse. Es ist die seltsame Theorie eines Philosophen, der das „System der Logik" verfaßt hat, abstrakt und weltfremd, obwohl er leidenschaftlich in die Tagespolitik eingreift. Fries hielt später eine Ansprache auf dem Wartburg-Fest und wurde 1819 nach der Ermordung Kotzebues wegen seiner Verbindung mit der Burschenschaft seines Amtes entsetzt.

Als sich im Oktober 1818 in Jena die schon bestehenden Burschenschaften zur „Allgemeinen Deutschen Burschenschaft" zusammenschlossen, konnten sie sich über zwei Fragen nicht einigen, über die Judenfrage und über den Waffenzwang.[19] Eine Gruppe wollte nur Christen als Mitglieder und konnte sich dabei auf Arndt und auf Fries berufen, aber es gab auch noch eine philosophisch-humanistische Richtung unter den Studenten, die diese Einschränkung ablehnte und in der Gründungsurkunde nur die „christlich-deutsche Ausbildung einer jeden geistigen und leiblichen Kraft zum Dienste des Vaterlandes" for-

[18] Fries, S. 14.

[19] Schnabel, II, 248 f.

derte. Die Streitfrage ist im Vormärz nicht mehr geklärt worden, aber die Jenaer Urburschenschaft nahm in ihre eigene Verfassung doch den Artikel auf, daß „nur ein Deutscher und Christ", das hieß kein Jude, aufgenommen werden könne. Wenn man bedenkt, daß die Burschenschaften die Träger der nationalen Bewegung wurden, daß sich zum erstenmal in der deutschen Geschichte die akademische Jugend den politischen Aufgaben zuwandte und daß die künftigen Staatsmänner und Politiker zum großen Teil in den Burschenschaften ihre politische Erziehung erhalten haben, so ist es nicht gleichgültig zu wissen, daß diese Erziehung zur nationalen Gesinnung und politischen Tatbereitschaft, daß die Begeisterung einer idealistisch gestimmten Jugend mit dem völkischen Gedanken auch zugleich die Judenfeindschaft in sich aufnahm; sie ist als Faden von Anfang an mit eingewebt.

Im Gefolge von Rühs und Fries erscheint eine ganze Reihe judenfeindlicher Schriften, auch dickleibige Bände mit dem ganzen Aufgebot alter Ansichten, welchen, wie Ludwig Börne in einer Rezension sagt, „alle der Schmutz anklebt, den die tausend Hände, durch welche sie gegangen, abgesetzt haben." [20] Protestantische Theologen veröffentlichen Gegenschriften zur Verteidigung der Juden. Der Heidelberger Theologe und Publizist H. E. G. Paulus erläßt 1816 einen „patriotischen Aufruf an die Fürsten Deutschlands", in dem er sie auffordert, die äußere, das heißt die gesetzliche, institutionelle Verbesserung ihrer Lage von der inneren, moralischen Besserung abhängig zu machen und dem einzelnen Juden, der sich durch Erziehung und Betragen selber den guten Bürgern gleichgestellt habe, auch die gleichen politischen Rechte zu gewähren. Man dürfe die Judenschaft nicht als ein Ganzes auffassen, da das in jedem Fall ihre Absonderung nur fördern werde. Der Verfasser bemerkt nicht, daß gerade sein Vorschlag sich auf ein Kollektivurteil gründet, da er ja nur die Juden einer Moralitäts-

[20] L. Börne, Der ewige Jude. Ges. Schriften, 1862, VI, 9.

prüfung aussetzen möchte. Auf die bedenklichen Konsequenzen eines solchen staatsbürgerlichen Ausleseverfahrens für die christlichen Untertanen hatte Wilhelm v. Humboldt schon ironisch hingewiesen. Die Behauptung, daß Reformen aus dem Innern der Individuen „lebendig hervorgehen“ müssen und nicht durch den „Buchstaben des Gesetzes“ äußerlich statuiert werden könnten, beruht auf einer Verwechslung moraltheologischer und politisch-rechtlicher Kategorien, die nicht ganz selten ist.

Dagegen behandelt der Erlanger Nationalökonom Alexander Lips die jüdische Frage nüchtern und praktisch.[21] Die Mißstände des jüdischen Proletariats auf dem Lande, das sich mit Hausierhandel, Pfandleihe und kleinem Wucher durchbringt, sind für ihn gerade ein Grund, die bürgerliche Gleichberechtigung uneingeschränkt zu fordern; denn „was besser werden soll, muß vor allem ehrenvoll dastehen“. Lips ist ein Gegner des Feudalismus und des Zunftwesens, er nennt die kleinbürgerlichen Motive des Judenhasses beim Namen und verurteilt die törichte Furcht, daß eine Gruppe, die kaum mehr als 1 % des deutschen Volkes ausmache, zur Herrschaft gelangen könne. Auch gegen die Ansprüche einer Staatsreligion wendet sich der liberale Gelehrte, denn sie erzwinge erheuchelte Bekehrungen, da sie bürgerliche Vorteile mit ihnen verbinde. Wenn die gegenwärtige Existenz des Judentums ein Relikt vergangener Zeiten, unproduktiv, sogar schädlich sei, so trage die ungerechte Behandlung durch den Staat und der „böse Ausschließungsgeist“ der Gesellschaft die Schuld daran. – Alles das hatte schon Dohm vorgebracht, aber der Erlanger Professor wendet sich unmittelbar an die bayrische Ständeversammlung, die gerade mit einer Revision der Judengesetzgebung von 1813 beschäftigt ist, da die bayerische Verfassung von 1818 alles

---

[21] A. Lips, Über die künftige Stellung der Juden in den deutschen Bundesstaaten. Ein Versuch, diesen wichtigen Gegenstand endlich auf die einfachen Prinzipien des Rechts und der Politik zurückzuführen. Erlangen 1819.

beim alten gelassen hat. Er behauptet, der Judenhaß sei gefährlich angewachsen und die Anzeichen deuteten auf eine Katastrophe. Verfolgungen aber würden sich auf Recht und Sittlichkeit, auf Wohlstand und Handel verhängnisvoll auswirken.
Ein katholischer Geistlicher, Xaver von Schmid, richtet gleichzeitig eine Petition an die beratenden Stände und verlangt dringend Reformen. Beide Schriften sind im März 1819 erschienen. Im August beginnen in Würzburg die Volksaufstände gegen die Juden, die als „Hep-Hep-Bewegung" bekannt sind und sich über Bamberg, Karlsruhe und Frankfurt bis Hamburg und Kopenhagen verbreiten. Die Beratung des Reformgesetzes in der bayrischen Kammer stockt; 1822 legt die Regierung den Gesetzentwurf beiseite, da die Zeit dafür noch nicht gekommen, die Macht der Vorurteile noch allzu stark sei.

Die Judenkrawalle im Jahre 1819

Die deutsche Geschichtsschreibung hat dem häßlichen Ereignis, das die Stille des Vormärzes mißtönend unterbrach, wenig Beachtung geschenkt; es schien nur ein letztes Aufflackern dumpfer Instinkte zu sein, atypisch und folgenlos, während die Ermordung Kotzebues durch den Studenten Sand mit allem, was sie bewirkte, einem kurzen und unrühmlichen Abschnitt der innerdeutschen Geschichte das Gepräge gab. Zwischen beiden Ereignissen bestehen aber Zusammenhänge. Die jüdischen Historiker haben die Krawalle in den friedlichen deutschen Städten schärfer analysiert und symptomatische Züge in ihnen erkannt.[22] Zuerst hat Ludwig Börne auf die merkwürdige Verbindung von Nationalismus, Aristokratenhaß und Judenhaß hingewiesen,[23] die ökonomischen Wurzeln des Pöbelaufstandes sieht er aber noch nicht. Dagegen ist für die moderne So-

[22] Vgl. hierzu: Graetz, XI, 324 ff.; Philippson, I, 106 ff.; Dubnow, IX, 22 ff.
[23] L. Börne, Für die Juden. 1819. Ges. Schriften, II, 385–399.

zialpsychologie die Massenpsychose im Sommer 1819 geradezu ein Modell der Pervertierung von Haßgefühlen auf dem Untergrund wirtschaftlicher Misere und nationaler Enttäuschung.[24]

Was ist damals geschehen? Es beginnt in Würzburg mit einem derben Studentenulk. Ein alter Professor, der sich zugunsten der Juden geäußert haben soll, wird der Bestechlichkeit beschuldigt, und bei einem Studentenumzug auf der Straße ertönt der Ruf „Hep-Hep, Jud' verreck'!" An dem Tumult beteiligt sich sogleich das Kleinbürgertum, jüdische Kaufläden werden geplündert oder verwüstet, mehrere Personen im Handgemenge getötet oder verwundet. Als Soldaten die Ruhe wiederhergestellt haben, verlangt die Bürgerschaft die Austreibung aller in Würzburg ansässigen Judenfamilien. Die Vorgänge wiederholen sich wenige Tage später in Frankfurt: Straßenkrawalle, eingeworfene Fensterscheiben, Plünderungen, hier mit der besonderen Variante, daß man die Juden von den Promenaden auf dem Glacis vertreibt, während man es in Hamburg auf die Kaffeehäuser abgesehen hat. Aufläufe, Flugschriften, Schmähungen, aber auch Mißhandlungen, das „Hep-Hep" als diabolische Volksbelustigung. Die Nachricht von dem Geschehenen genügt, um in anderen Städten die gleichen Affekte und die gleichen Handlungen hervorzurufen. Überall schafft die Obrigkeit bald Ordnung, in Frankfurt läßt der erschreckte Bundestag Truppen aus Mainz kommen, die Familie Rothschild droht, die Stadt zu verlassen. In Heidelberg greifen zwei Professoren mit ihren Studenten zum Schutz der Juden ein, als die Tumulte gefährlich werden.

Sicher sind die Schriften von Rühs und Fries in akademischen Kreisen und im gebildeten Bürgertum nicht ohne Wirkung geblieben, Hetzschriften minderer Art erreichten noch breitere Schichten, aber die Ursachen liegen tiefer.

---

[24] Vgl. Eleonore Sterling, Er ist wie du. Frühgeschichte des Antisemitismus. München 1956, S. 179 ff.

Enttäuschung, Mißmut, Hoffnungslosigkeit, Erbitterung sind das Kennzeichen dieser Jahre nach dem Aufschwung der Befreiungskriege: über das dürftige Ergebnis des Wiener Kongresses, die Passivität des Bundestages, über die schwere Wirtschaftskrise, da nach Aufhebung der Kontinentalsperre Handel und Gewerbe mit dem überlegenen England nicht mehr wetteifern können, über die Polizeischikanen nach dem Attentat auf Kotzebue, über die steigenden Brotpreise nach den schweren Mißernten der Jahre 1816/17. Die Kriegsjahre hatten viele Vermögen aufgezehrt, und der Friede brachte zuerst nur Stockung, nicht neuen Erwerb. Da genügt es, daß ein jüdischer Händler den Kaffee billiger verkauft, um das handeltreibende Kleinbürgertum gegen die Konkurrenz zu erbittern. Die alte zünftlerische Wirtschaftsgesinnung, der Grundsatz des „gerechten Preises" und die Privilegierung der Zunfthandwerker hat in den wirtschaftlich zurückgebliebenen deutschen Städten noch Geltung, während sich in England und anderen puritanischen Ländern mit dem technischen Fortschritt längst die Ideen des Freihandels und der freien Konkurrenz durchgesetzt haben. Jüdische Kaufleute, mag ihre Zahl noch so gering sein, gelten als „Störer der Nahrung", da sie durch Herabsetzung der Gewinnrate, Beschleunigung des Absatzes und Kundenwerbung einem ökonomischen Rationalismus huldigten, den man als verderbliche Geschäftsmoral erbittert bekämpfte.[25]
Auch die Rothschilds förderten den Judenhaß, auf eine andere Weise allerdings; denn mit einem Gemisch von Bewunderung und Grauen hatte man ihren Aufstieg, ihren Reichtum und ihren Einfluß auf die Regierungen beobachtet, auch ihre Rolle bei der Finanzierung der letzten Kriege. Diese internationale Finanzdynastie verkörperte

---

[25] Über den Zusammenhang zwischen kapitalistischer Wirtschaftsgesinnung und dem Sonderstatus der Juden, die unter den europäischen Völkern Fremde waren und als Fremde behandelt wurden, vgl. Sombart, Die Juden und das Wirtschaftsleben, I, Kap. 7. Ferner J. Kulischer, Allg. Wirtschaftsgeschichte. München und Berlin 1929, II, 412 f.

in einer Welt der Nationalstaaten geradezu die Vorstellung, die man vom jüdischen Internationalismus hatte. Daß die über die europäischen Hauptstädte verzweigte Bankiersfamilie während des Krieges Freund und Feind mit Anleihen versorgte, mußte die Nationalgesinnten empören, daß sie immer im Bund mit den Mächtigen waren, jetzt mit Metternich und dem Hause Habsburg, reizte die Freiheitskämpfer und alle, die von der österreichischen Bundespolitik, von obrigkeitlicher Willkür, von nichterfüllten Versprechungen enttäuscht waren. Wer damals Metternich haßte, haßte auch die Rothschilds.

Die Regierungen, die überall die Ruhe rasch wieder herzustellen suchten, hatten also nicht ganz unrecht, wenn sie die Judenkrawalle mit revolutionären und demagogischen Bestrebungen in Verbindung brachten, obwohl das eine bequeme Vereinfachung der komplizierten Zusammenhänge war. Die Erregung über das Attentat des Studenten Sand war noch nicht abgeklungen, die Karlsbader Beschlüsse standen bevor, Volksbewegungen konnten also nur den Sinn einer Auflehnung gegen die Obrigkeit haben. Daß man sie gleichzeitig als Ausdruck des Volkswillens ernst nahm und beschloß, gesetzgeberische Konsequenzen daraus zu ziehen, ist zwar unlogisch, zeigt aber die allgemeine Tendenz jener Jahre an.

Von der unmittelbaren Einwirkung der Ereignisse auf die reformwilligen bayrischen Landstände war schon die Rede. Judengesetze sind jetzt nicht mehr an der Zeit, und so bleibt in Bayern der Rechtszustand mit Matrikelzwang und allen drückenden Bestimmungen bis in die 30er Jahre erhalten. Auch das unbestimmte Versprechen, daß der Artikel 16 der Bundesakte denn doch enthielt, nämlich künftig zu beraten, wie den Juden „der Genuß der bürgerlichen Rechte gegen die Übernahme aller Bürgerpflichten in den Bundesstaaten verschafft oder gesichert werden könne", wird nicht erfüllt. Zwar waren die Befugnisse des Bundes eng begrenzt, aber es gab einige Bereiche, in denen man sie ausgestalten konnte: Handel, Verkehr, Presse und „gemeinnützige Anordnungen". Der Ausbau der Bundesgesetzgebung ist bekanntlich unterblieben, so enthält auch die Wiener Schlußakte von 1820 keinen Hinweis mehr auf eine allgemeine Regelung der Judenfrage. Auch in den Rechtsstreit zwischen der Frankfurter Judengemeinde und dem Senat, der sich bis 1824 hinzieht, hat die Bundesversammlung nur zögernd eingegriffen, obwohl ihr der Schiedsspruch zustand. Daß das Schicksal der Frankfurter Juden keine schlimmere Wendung nahm, verdankten sie Metternich, bei dem die Rothschilds Fürsprache einlegten. Gabriel Rießer, der jüdische Liberale und spätere Abgeordnete der Nationalversammlung, sagt 1832 bei einem Rückblick auf das verhängnisvolle Jahr 1819, daß damals die Hoffnungen auf Verfassung, Pressefreiheit *und* Emanzipation in demselben großen Sarge begraben worden seien.[26]

Die regressive Judengesetzgebung in Preußen

In den preußischen Städten hatte es keine Volksaufstände gegeben, die unmittelbaren Einfluß auf die Haltung der Regierung hätten gewinnen können. Aber sie war durch die Unruhen in Deutschland in ihrer reaktionären Tendenz bestätigt worden. Preußen hatte innerhalb der engen Grenzen des Tilsiter Friedens seit 1812 die modernste und großzügigiste Judengesetzgebung von allen deutschen Staaten. Auf dem Wiener Kongreß war es für den Art. 16 eingetreten und fühlte sich auch später an den Status quo gebunden, der unter Bundesgarantie stand. Es ist nun wichtig zu verfolgen, wie seit 1815 durch eine Reihe von Einschränkungen und Verkümmerungen bereits zugestandener Rechte, durch ungünstige Auslegung des Edikts, durch Verwaltungsmaßnahmen und durch den Eingriff königlicher Kabinettsbefehle sich in der gesellschaftlichen

[26] G. Riesser, Ges. Schriften. 1867, II, 378.

und rechtlichen Situation des preußischen Judentums eine Wandlung vollzieht. Die Trennungswand zwischen den Staatsbürgern christlichen und jüdischen Glaubens, die Humboldt und Hardenberg beseitigt wissen wollten, richtet sich wieder auf. Man muß hier ins Detail gehen, wenn man den Vorgang im Ganzen begreifen will. Es hängt auch für das Verständnis der jüngsten Vergangenheit viel davon ab.[27]

Friedrich Wilhelm III. hatte die Reformen hingenommen, als der Befreiungskrieg gegen Napoleon bevorstand; gleich nach dem Siege zeigte sich aber seine unverhüllte Abneigung. Auch in den preußischen Ministerien wurde schon 1815 ein Umschwung der Gesinnung deutlich, als man bei der versprochenen Zivilversorgung der Kriegsfreiwilligen für Juden eine Ausnahme machte; selbst Träger des Eisernen Kreuzes blieben von den unteren Chargen des öffentlichen Dienstes ausgeschlossen. „Andere Gründe gar nicht zu erwähnen", lautet das Votum des Justizministers von Kircheisen, „ist die Vermutung weniger Moralität durch temporelle Tapferkeit nicht entkräftet".[28] Im folgenden Jahre regt der Innenminister Schuckmann, ein strenger Bürokrat, der beim König in hoher Gunst stand, von Stein aber als „Erzphilister" bezeichnet wurde, eine Revision des Edikts von 1812 an; er begründet sie mit dem sittlichen Tiefstand des jüdischen Volkes und empfiehlt eine Ausdehnung des Begriffes „Staatsamt" auf kommunale und ständische Ämter und auf die Ausübung jeder Gerichtsbarkeit und Polizei, was sich auch auf den Erwerb von Grundbesitz (mit Patrimonialgerichtsbarkeit) auswirken werde. Die Zulassung der Juden zu Staatsämtern hatte sich der König in § 9 des Edikts vorbehalten, hier war der Punkt, wo eine Revision einsetzen konnte.

[27] Für das folgende vgl. die ausführliche Darstellung der legislativen Entwicklung in Preußen bei Jost, Philippson und Freund, ferner: Gabriel Riesser, Betrachtung über die Verhältnisse der jüdischen Untertanen der preußischen Monarchie, 1832/33. III, 1–417.

[28] Freund, II, 466.

Das Votum des Finanzministers bezeichnet die Emanzipation überhaupt als eine Übereilung und schlägt eine Klassifizierung der Juden nach ihrer Nützlichkeit vor. In die unterste Klasse gehörten Schacherjuden und Schriftgelehrte (Rabbiner) mit Ghetto- und Kopfsteuer, in die mittlere Großhändler und Kapitalisten, in die oberste solche Juden, die eine Wissenschaft, eine Kunst oder ein bürgerliches Gewerbe ausübten. Nur den letzteren sollen die Rechte des Emanzipationsedikt eingeräumt werden. Im übrigen soll das Judenabzeichen wieder eingeführt, eine Normzahl für die jüdische Bevölkerung festgesetzt werden und die Militärpflicht bestehen bleiben.[29] Der Einfluß des Historikers Rühs ist in dem Schriftwechsel der Ministerien mit Händen zu greifen. Der Polizeiminister Wittgenstein stimmt besonders der vorgeschlagenen Klassifikation zu, da sie der Wirklichkeit entspreche.

Aber alles das ging natürlich zu weit. Eine Gesetzgebung wäre erforderlich gewesen, die die Preußische Regierung mit der Bundesgarantie für den Art. 16 in Konflikt gebracht hätte. Es war also nur möglich, den Weg der Verwaltungsinterpretation, des ministeriellen Zirkularreskripts und vor allem der königl. Kabinettsordre einzuschlagen.

Das Prinzip der Rechts- und Verwaltungsgleichheit, das sonst in Preußen gültig war, verlangte eigentlich die Anwendung des Hardenbergschen Edikts auch auf die wieder- und neuerworbenen Gebiete. Das hatte man im Anfang auch beabsichtigt, beschloß dann aber, vorerst alles beim alten zu lassen. So blieb z. B. in der Provinz Sachsen, in der Lausitz, im ehemaligen Schwedisch-Pommern ein Judenrecht gültig, das dem preußischen von 1750 ähnlich war, und die zahlreiche Judenschaft in Posen lebte weiterhin ohne bürgerliche Rechte unter den alten Beschränkungen von Freizügigkeit, Grunderwerb, Handel und Ge-

[29] Votum des Finanzministeriums vom 28. 11. 1818, gez. Wolfart. Freund, II, 475–496.

werbe. 1818 war das auf 10 Jahre befristete napoleonische Dekret, das die linksrheinische, sonst mit bürgerlichen und politischen Rechten ausgestattete Judenschaft unter Ausnahmebestimmungen gestellt hatte, erloschen; in Frankreich hatten es die Bourbonen bereits aufgehoben. Eine preußische Kabinettsordre verfügte aber seine Verlängerung auf unbestimmte Zeit. Bis 1845 haben jüdische Kaufleute hier zur Ausübung ihres Berufes das „Moralitätspatent" beibringen müssen. Das Gesetz galt der Bekämpfung des Wuchers, aber es traf alle.

In offenbarem Widerspruch zu § 8 des Emanzipationsedikts stand der im Jahre 1822 verfügte Ausschluß der Juden von akademischen Lehr- und Schulämtern. Anlaß war die Bemühung des Rechtsphilosophen und Gegners der historischen Rechtsschule Eduard Gans um eine Professur in Berlin. Als er zum Christentum übergetreten war, konnte er den Lehrstuhl übernehmen. Den gebildeten Juden stand eigentlich nur noch der Arztberuf offen, da sie Richter nicht werden konnten, auch von der Advokatur ausgeschlossen wurden und ihnen 1842 durch Kabinettsordre die juristische Laufbahn untersagt wurde.

Inzwischen haben Ministerialverfügungen den Begriff „Staatsamt oder öffentliche Bedienung" auf die Berufe des Apothekers, Feldmessers, Auktionators, Scharfrichters (durch Reskript vom 17. August 1827!) ausgedehnt.[30] Als im Jahre 1823 ein allgemeines Gesetz die Einrichtung von Provinzialständen anordnet und der erste Schritt zu einer konstitutionellen Entwicklung getan wird, taucht in Preußen die Frage der Aktivbürgerschaft zum ersten Male auf. Sie wird für die Juden negativ entschieden, da die Wählbarkeit zum Abgeordneten von der Zugehörigkeit zu einer christlichen Kirche abhängig gemacht wird. Die revidierte Städteordnung von 1831 schließt sie von den wichtigsten Kommunalämtern aus, ein Zirkularreskript von 1833 fügt

[30] Rönne-Simon, Die früheren und gegenwärtigen Verhältnisse der Juden in den sämtlichen Landestheilen des preuß. Staates. Breslau 1843, S. 280 ff.

die Schulzenämter hinzu, weil polizeiliche, also obrigkeitliche Funktionen mit ihnen verbunden seien. Eine Kabinettsordre von 1822 hatte bereits verfügt, daß Juden – obwohl zum Militärdienst verpflichtet – zur Bekleidung höherer Militärchargen (d. h. zur Offizierslaufbahn) nicht berechtigt seien, mit der Begründung, daß Militärpersonen Staatsdiener seien.

Sehr empfindlich traf die rheinische Judenschaft eine Verfügung Schuckmanns von 1822 mit dem Inhalt, daß Einwohner israelitischen Glaubens aus den Geschworenenlisten zu streichen seien. Seit der Einführung des Code Napoléon waren sie im Besitz voller staatsbürgerlicher Rechte gewesen, im ehem. Großherzogtum Berg hatte auch das „schändliche Dekret" niemals Geltung gehabt. Die Düsseldorfer jüdische Gemeinde weist also in einer Petition auf die Verletzung des geltenden Strafgesetzes hin, das unter den Richtern keinen Unterschied nach der Religion gestattet. Es hätten in den Rheinprovinzen bisher Katholiken, Reformierte, Lutheraner, Mennoniten und Israeliten als Geschworene nebeneinander gesessen, ohne mit den Grundsätzen ihres Bekenntnisses in Konflikt zu kommen. Der Verlust eines bürgerlichen Rechtes gelte gemeinhin als entehrende Strafe. Der „unvernünftige, fanatische Judenhasser", so schließt das Schreiben, erhalte scheinbar den Beweis, daß auch die Regierung den Juden verachte.[31] Die Antwort des Ministeriums lautet, daß kein Staatsbürger ein Recht darauf habe, daß gerade er in die Geschworenenliste aufgenommen werde, in den alten preußischen Provinzen besäßen die Juden dieses Recht auch nicht, und es könne nur *ein* Staatsrecht für die ganze Monarchie Anwendung finden, – was allerdings reine Theorie war!

In Wirklichkeit gab es die sonderbarsten Widersprüche in den preußischen Rechtsverhältnissen: die Juden waren

[31] A. Wedell, Geschichte der jüdischen Gemeinde Düsseldorfs. Düsseldorfer Jahrbuch 1888, 3, 179 ff.

hier Staatsbürger, dort Schutzverwandte, hier Eigentümer, dort Mieteinwohner, hier freizügig, dort an bestimmte Wohnorte gebannt, der Staat wünschte Entwicklung aller bürgerlichen Gewerbe, erschwerte sie aber gleichzeitig durch Handwerksverbote und Moralitätspatente.[32] Verwirrend waren auch die Verfügungen, die die jüdische Religionsgemeinschaft betrafen. Während man früher das Zeremonialgesetz als hinderlich für die Aufnahme der Juden in den Staatsverband angesehen hatte, wurde 1823 jede allgemeine Reform der Synagoge verboten und 1829 die Abweichung vom Ritus, da sie nur zur Gründung neuer Sekten führen werde. Auch christliche Vornamen zu führen, wurde den Juden untersagt; als aber eine gelehrte Abhandlung von Leopold Zunz, dem Begründer der „Wissenschaft des Judentums", über „Die Namen der Juden" (Leipzig 1837) erschien, die den Begriff des „christlichen" Vornamens gründlich untersuchte, ließ man von dem Projekt ab. Was auf jüdischer Seite als ehrenrührig und kränkend empfunden wurde, war in den christlich-konservativen Kreisen am Hofe Friedrich Wilhelms III. sicher nicht so gemeint. Aber wie war es gemeint?
Die Juli-Revolution hatte in den süddeutschen Verfassungsstaaten die Emanzipation gefördert, in Preußen dagegen nur verzögert. Nach den politischen Unruhen trat die Judengesetzgebung wieder in den Hintergrund. Auf den Thronwechsel im Jahre 1840 setzten die deutschen Juden dieselbe Hoffnung wie alle liberalen und fortschrittlichen Kreise in Preußen. Den Worten Friedrich Wilhelms IV. glaubten sie entnehmen zu können, daß feste gesetzliche Bestimmungen in einem freiheitlichen Geiste zu erwarten seien. Der König hatte aber vor den jüdischen Deputationen Berlins und Breslaus nur seiner Freude Ausdruck gegeben, daß auch die Juden in Posen inzwischen fortgeschritten seien und daß „mit diesem Werke der Ver-

[32] Vgl. Jost, Neuere Geschichte der Israeliten von 1815–1845. Berlin 1846–47, S. 291 f.

edelung fortgefahren werden solle, soweit es in der Macht des Regenten stehe, hierauf einzuwirken".[33] Das war recht unklar.

Zwei Jahre später machte eine Regierungserklärung die Absichten des Königs deutlicher. Die künftige Gesetzgebung müsse das Besondere im Dienste des Judentums möglichst erhalten und es seiner inneren Durchbildung überlassen, ohne es in das Leben des christlichen Staates hineinzuziehen. Sie habe vor allem dafür zu sorgen, daß es seine Kräfte in einem eigenen Wirkungskreis ungestört betätigen könne. Dazu erschienen dem König zwei Maßnahmen besonders geeignet, einmal die Einführung „jüdischer Korporationen", wobei er an die mancherorts noch bestehende jüdische Gemeindeautonomie hätte anknüpfen können, und dann der Ausschluß von der Militärpflicht und, was sich von selbst verstand, von öffentlichen Ämtern, da es „nach dem Wesen des christlichen Staates" nicht zulässig sei, „den Juden irgendeine obrigkeitliche Gewalt über Christen einzuräumen oder Rechte zu bewilligen, welche das christliche Gemeinwesen beeinträchtigen können".[34] Die Denkschrift von 1847 erläutert später die sog „Judenschaften" oder „Korporationen" dahin, daß sie dem Judentum „eine ehrenhafte Stellung sichern und zugleich eine weitere Annäherung an die christliche Bevölkerung durch vermehrte Teilnahme und geregelte Mitwirkung am Gemeindeleben vermitteln" sollen.[35] Vielleicht hatte das der König wirklich beabsichtigt, seine Vorstellung von einer ständisch-korporativen Verfassung und ihrer möglichen politischen Auswirkung ist verschwommen genug. Ganz deutlich war jedenfalls, daß jüdische Korporationen sich in einer Gemeinde- oder Ständeversammlung *nur* als ein Moment der Ausschließung und Ab-

---

[33] Jost, S. 294.

[34] Antwort des Königs an die petitionierenden jüd. Gemeinden vom 5. Mai 1842. Jost, S. 300 f.

[35] Der erste Vereinigte Landtag in Berlin 1847. I. Abt. d. vollständ. Verhandlungen, Hrsg. Ed. Bleich. Berlin 1847, S. 251.

trennung von der bürgerlichen Gesellschaft ausgewirkt hätten, daß die mittelalterliche Phantasie des Königs allen Tendenzen des modernen Verfassungsstaates zuwider lief und bei den Juden außerdem böse Erinnerungen an den Sonderstatus wachrief. Wenn man den Vorschlag, ihnen die Militärpflicht zu erlassen, hinzunimmt – was sogar nach Privilegierung aussehen konnte – so war es doch wohl auf Ausgliederung und nicht auf Annäherung abgesehen. Die Juden erhoben einmütigen Protest, und als die Regierung den freiwilligen Militärdienst zugestand, verlangten sie die Dienstpflicht, gerade die Pflicht als ein Recht. So hatte sich im deutsch-jüdischen Bewußtsein das Verhältnis zu Staat und Nation seit dem 18. Jahrhundert gewandelt.
Nicht die Korporationsidee, aber die Vorstellung vom Aufbau eines christlichen Staatswesens hatte Friedrich Wilhelm von Stahl übernommen, der als Staatsrechtler seit 1840 den Berliner Lehrstuhl einnahm und die Staatsphilosophie des preußischen Hofes und der Christlich-Konservativen maßgeblich bestimmte. Von seinem Verhältnis zum Judentum wird bei den Verhandlungen des Vereinigten Landtags noch ausführlicher die Rede sein.
Wir müssen uns nun der Gegenseite zuwenden, der liberalen und konstitutionellen Bewegung, die das jüdische Problem auf eine andere Weise zu lösen wünschte. Die preußische Regierung konnte sich bei ihren ersten rückschrittlichen Maßnahmen noch auf die „Stimme des Volkes" berufen. Sie hatte nämlich bei einer Rundfrage an die gerade eingerichteten Provinzial-Landtage durchweg die Antwort erhalten, daß das Emanzipationsedikt eine Übereilung gewesen sei und daß allerlei Gewerbeverbote wegen des Wuchers und der Konkurrenz, auch privatrechtliche Einschränkungen wegen der niedrigen Bildungsstufe und des eigentümlichen Nationalcharakters des jüdischen Volkes neuerdings zu empfehlen seien. Darauf liefen die sehr detaillierten und interessenbedingten Vorschläge der Stände in den Jahren 1824–27 hinaus.

1842 erging erneut eine Aufforderung an die Provinzialbehörden, Berichte über die bürgerlichen Verhältnisse der Juden einzusenden. Sie wird auf dem 7. Rheinischen Provinzial-Landtag (1843) gründlich erörtert, und die Abstimmung bringt eine überwältigende Mehrheit für die sofortige Abschaffung des Napoleonischen Dekrets und für die bürgerliche und politische Gleichstellung. Die Kritik der rheinischen Stände an den Regierungsmaßnahmen seit 1822 ist nicht ohne Schärfe: man habe den Begriff des Staatsamts ungebührlich erweitert, wenn Advokaten, Apotheker und Geschworene darin einbegriffen seien, die Verlängerung des Dekrets von 1808 sei erniedrigend, die Juden seien keine Fremdlinge, da sie länger im Rheinland wohnten als die Germanen (!?), es komme bei ihrer bürgerlichen Einschätzung nicht auf angeblich antisoziale Lehren des Talmud, sondern auf ihre gegenwärtige Haltung und bürgerliche Pflichterfüllung an – und was den niedrigen Bildungsstand angehe, so gebe es ihn unter Christen auch.[36]

Es ist im wesentlichen das Bürgertum der großen rheinischen Städte, längst gewohnt, mit einer geistig emanzipierten und gebildeten jüdischen Bevölkerung zusammenzuleben, das sich in diesem Votum für Fortschritt, Liberalität und Gleichheit vor dem Gesetz ausspricht und damit nicht nur für das Judentum, sondern für den Verfassungsstaat und gegen die absolutistischen Tendenzen der preußischen Monarchie kämpft. Emanzipation wurde hier in dem Sinne verstanden, wie es zuerst Ludwig Börne, dann Gabriel Riesser in einer Reihe von Streitschriften verkündet hatten. Es ist das Vorspiel für das große Streitgespräch über die Judenfrage im Vereinigten Landtag. Die Antwort der preußischen Regierung war ausweichend: es seien bereits legislative Beratungen im Gange, der Antrag solle aber erwogen werden.

---

[36] Verhandlungen des 7. Rheinischen Provinziallandtags, 1843. S. 542 ff.

11. KAPITEL

DER POLITISCHE LIBERALISMUS

Gabriel Riesser

Gleich nach der Juli-Revolution war in den süddeutschen Verfassungsstaaten die Judenemanzipation zum Gegenstand der Landtagsdebatten geworden. Das politische Interesse in Deutschland galt vor allem dem badischen Landtag, der zu einer Schule des Liberalismus wurde. Seine Verhandlungen waren öffentlich und erschienen unzensuriert in der Presse. „Der sinkende Nebel des Vorurteils hat die Höhen des Lebens verlassen; er lastet nur noch auf den Niederungen, aber der Himmel ist heiter"[1] – so erschien dem jungen Gabriel Riesser die politische Zukunft, als er mit seiner ersten Schrift „Über die Stellung der Bekenner des mosaischen Glaubens in Deutschland" (1831) in den Kampf um die Emanzipation eingriff. Er wollte keine Rechtfertigung seiner Glaubensgenossen und verlangte keine Zugeständnisse von der anderen Seite, sondern das ganze Recht, die volle Menschenwürde; er wußte sich dabei einig mit den Grundsätzen des politischen Liberalismus, die er später als Abgeordneter in der deutschen Nationalversammlung vertrat. Die Emanzipation des jüdischen Volkes war nur einer dieser Grundsätze, aber sie war *sein* besonderer Auftrag. Er hatte ihn begriffen, als der badische Landtag, in dem 1831 die Liberalen die Führung übernommen hatten, die Rechtsstellung der Juden beriet.

Gabriel Riesser war ein Enkel des Raphael Cohen, der aus Litauen nach Deutschland geflüchtet war und als Rabbi von Altona gegen die deutsche Bibelübersetzung Mendelssohns den Bannfluch geschleudert hatte. Sein Vater schlug schon den Weg ein, den Mendelssohn gewiesen hatte.

[1] Riesser, II, 87.

Riesser wurde 1806 in Hamburg geboren, erlebte als Kind in Lübeck, wohin die Familie unter französischer Herrschaft übergesiedelt war, die Vertreibung der Juden und bewahrte auch die Erinnerung an die Hep-Hep-Bewegung des Jahres 1819. Er studierte Jura in Kiel und Heidelberg, Philosophie in München, wurde aber in Heidelberg unter nichtigen Vorwänden als Privatdozent nicht zugelassen, obwohl die unbesoldete Dozentur kein Staatsamt war und grundsätzlich jedem offenstand. Er war eine glänzende juristische Begabung, im Freundeskreis geliebt und verwöhnt, er war wohlhabend, aber die normale Laufbahn des Juristen war ihm verwehrt; denn Hamburg ließ ihn nicht zur Advokatur zu, weil Juden dort kein Bürgerrecht hatten. Damals entschloß sich Riesser, Anwalt seiner Glaubensgenossen im Kampf um die Emanzipation zu werden. Ein späterer Versuch, in Kurhessen das Bürgerrecht zu erwerben, scheiterte auch. Den einzigen Ausweg, der ihm zum Eintritt in das bürgerliche Leben verholfen hätte, die Taufe, lehnte er ab.

Das sind seine Lebenserfahrungen, man muß sie kennen, aber man darf ihren Einfluß nicht überschätzen. Nicht weil ihm Unrecht geschehen war, sondern weil er Rechtlosigkeit und Unordnung so leidenschaftlich empfand, nahm er den Kampf auf. Eine private Gelehrtenexistenz hätte ihm niemand verwehrt, aber er war ein politischer Mensch, den es zum verantwortlichen Handeln drängte und für den sich Menschenwürde nur in der freiheitlichen und gerechten Ordnung des Zusammenlebens entfalten konnte. In der Bildungswelt des deutschen Idealismus war er heimisch, Schillers sittliches Pathos und Hegels dialektische Schärfe haben seine Denkweise geformt, die Freude am Bilderreichtum, an rhetorischem Glanz und an deklamatorischer Weitschweifigkeit teilt er mit den großen Rednern der Paulskirche. Seine Liebe zum Deutschtum hat die enthusiastischen Züge, die auch für Disraelis Engländertum bezeichnend sind; was nicht ererbt, nicht selbstverständlich ist, wird oft mit größerer Vehemenz ergriffen und verteidigt. Riesser stellt zuerst den Typus dar, der bis zum Ende des 19. Jahrhunderts das Bild der deutschen Judenheit beherrscht, den „deutschen Staatsbürger jüdischen Glaubens". „Wir sind entweder Deutsche oder wir sind heimatlos", – man fragt sich, ob ein solches Bekenntnis nicht auch eine veränderte Auffassung vom Judentum enthält und worin es eigentlich besteht, denn Riesser hatte sich von der religionsgesetzlichen Regelung des jüdischen Lebens freigemacht, er war religiös freisinnig und bekannte sich dazu. Den Kampf für die Emanzipation führte er als Politiker und als Jurist, aber er hätte ihn nicht führen können, wenn er von den sittlich-religiösen Werten der jüdischen Gotteslehre nicht überzeugt gewesen wäre.[2] Hinzu kommen die starke Bindung an die Familie, die Pietät, das Traditionsbewußtsein, die Schicksalsgemeinschaft. Daß das Judentum völkisch oder national zu verstehen sei, leugnete er, es war für ihn ein Glaubensbekenntnis neben anderen Bekenntnissen. Wenn man bedenkt, welche Bedeutung die Nation im europäischen Denken des 19. Jahrhunderts hatte, versteht man die starke Abwehr des Begriffs „jüdische Nation", der wieder in die Isolierung geführt hätte. Also nicht für die Rechte des jüdischen Volkes und für die Glaubensinhalte seiner Religion, sondern für das allgemeine Menschenrecht auf freie Betätigung im Staate und auf freie Glaubensentscheidung führt Gabriel Riesser seinen Kampf, das gibt ihm die unerschütterliche Sicherheit und das hohe Pathos.

Der Badische Landtag

Daß die liberale badische Kammer ihm den Anlaß gab, ist eigentlich erstaunlich, aber man vergißt leicht, daß Preußen durch die Gesetzgebung der Reformzeit einen Vor-

---

[2] Vgl. Max Wiener, Jüdische Religion im Zeitalter der Emanzipation. Berlin 1933, S. 268 f.

sprung hatte, der durch die restaurativen Maßnahmen nicht aufgehoben war. Mendelssohn, Dohm und Friedländer hatten in Berlin gewirkt. Dagegen ist die süddeutsche Judengesetzgebung bis weit in das 19. Jahrhundert hinein von dem Erziehungssystem Josephs II. beeinflußt. Die bürgerlichen Rechte wurden von der Ausübung eines bürgerlichen Berufes abhängig gemacht, dabei aber so ausgelegt, daß sie weder kommunale noch staatliche Rechte umfaßten. Bei der beruflichen Umschichtung hatte Württemberg einigen Erfolg, die Zahl der jüdischen Bevölkerung, die sich dem Ackerbau, dem Handwerk oder wissenschaftlichen Berufen zuwandte, stieg an. In Bayern hielten viele Städte an dem Niederlassungsverbot für Juden fest, die Zünfte schlossen jüdische Lehrlinge auch weiterhin aus. Wenn zu den zahlreichen verbotenen Berufen der des Bierbrauers und des Hopfenhändlers gehörte, so war das Konkurrenzangst und nicht „Erziehung". Nach der Juli-Revolution werden in den Landtagen Stimmen für die Gleichberechtigung laut, aber die Regierungen rühren sich nicht. Der Rechtsstatus der Juden in Bayern und Württemberg bleibt bis 1848 im wesentlichen unverändert.

Die badische Verfassung galt als die liberalste, weil die Abgeordneten der 2. Kammer nicht mehr nach ständischem Wahlrecht gewählt wurden. Da sie einem christlichen Bekenntnis angehören mußten, waren Juden ausgeschlossen. Überhaupt zeigte die badische Verfassung von 1818 gegenüber dem Judenedikt Karl Friedrichs von 1809, das auch ein Erziehungsgesetz war, bevormundend, aber tolerant und wohlwollend, einige Rückschritte. Da die Unruhen des Jahres 1819 in den badischen Städten besonders heftig gewesen waren, erwog man später sogar seine Aufhebung. Nach der Juli-Revolution faßte die liberale Mehrheit des Landtags den Beschluß, einer Versammlung jüdischer Notabeln eine Reihe von Forderungen vorzulegen, von deren Erfüllung die staatsbürgerlichen Rechte abhängig sein sollten. Man verlangte den Verzicht auf die hebräische

Sprache im Kultus und im Religionsunterricht, auf die Beschneidung, auf die Speisegesetze und auf den Sabbat – vorerst für 10 Jahre, es sei dann der Beweis erbracht, daß die Juden bereit seien, ihre „Nationalität" aufzugeben. Es war hier nichts weniger verlangt, als daß Juden aufhören sollten, Juden zu sein, um badische Staats- und Gemeindebürger werden zu können, wobei für die Gesamtheit ihrer religiösen Bräuche das Wort Nationalität gewählt wurde. So präzise ist diese Forderung sonst nirgendwo zum Ausdruck gekommen; im konservativen Preußen wünschte man zur gleichen Zeit, daß Juden im strengsten Sinne Juden bleiben sollten.

Der jüdische Oberrat in Karlsruhe lehnte das Ansinnen ab und fügte hinzu: „Der Todeskeim für alle religiösen Gefühle wäre es, wenn Änderungen in den Kirchen- und Religionssystemen in der Absicht zur Erreichung zeitlicher Vorteile, und seien sie auch von der höchsten politischen Wichtigkeit, vorgenommen werden, ... sie erschüttern nämlich die ganze religiöse Grundlage des Menschen, welche die Basis aller Sicherheit und Gedeihung der Staatsgesellschaft bildet." [3]

Die Kammerdebatten und dieser Beschluß zeigen den Einfluß einer gerade erschienenen Schrift des Kirchenrats Paulus über „Die jüdische Nationalabsonderung nach Ursprung, Folgen und Besserungsmitteln" (Heidelberg 1830), die Gabriel Riesser zum Protest aufgerufen hatte. Paulus beweist einmal wieder aus der alten Geschichte Israels und seiner ursprünglich theokratischen Verfassung die auch im Exil bewahrte Nationalität der Juden, die sich schon durch ihre Messiashoffnung aus jedem christlichen Staatswesen von selber ausschlössen und immer als Fremde und Eingewanderte zu betrachten seien. Er führt die durch das praktische Verhalten der Juden längst widerlegte Unvereinbarkeit von Militärpflicht und öffentlichem Amt mit

[3] B. Rosenthal, Heimatgeschichte der badischen Juden. 1927, S. 266. Vgl. hier auch den Wortlaut der Kammerdebatten zur Emanzipation, S. 268–281.

den jüdischen Gesetzesvorschriften an, beruft sich auf den Unwillen des Volkes und die Pöbelszenen, die sich 1830 an vielen Orten wiederholt hatten, fürchtet aber zugleich den jüdischen Einfluß in den Ämtern und im Landtag, falls man ihnen das Aktivbürgerrecht zugestehe, und fordert zuletzt den Übertritt zum Christentum als „Garantie deutscher Nationalität".

Es war für Riesser nicht schwer, auf die bedenkliche Verbindung hinzuweisen, die hier geschichtliche und theologische „Beweise" mit ökonomischen und juristischen Argumenten und mit der Berufung auf judenfeindliche Exzesse eingegangen waren; er konnte aufzeigen, daß Massenübertritte ein Zeichen schlimmster Demoralisation seien und daß die Belohnung des Religionswechsels mit bürgerlichen Vorteilen vom sittlichen und religiösen Standpunkt aus fragwürdig sei. Unbeweisbar und unwiderlegbar sind Grundpositionen, letzte Entscheidungen, wie die für ein christlich-deutsches Staatswesen, das Andersgläubige nur tolerieren, aber nicht als gleichberechtigt aufnehmen kann. Gabriel Riessers Polemik hätte dem liberalen badischen Landtag gern das Bekenntnis zu den „Privilegien der dominanten Religion" abgenötigt, das nach seiner Meinung das einzig ehrliche Motiv des „Ausschließungsgeistes" war, der sich hinter Vorwänden verbarg. Aber das widersprach dem liberalen Grundsatz der Religions- und Meinungsfreiheit und der Gleichheit vor dem Gesetz.

Es war vornehmlich Rottecks Einfluß, der die liberale Mehrheit der badischen Pfarrer so in Widerspruch mit sich selbst brachte. Die Universität Freiburg hatte ihn als ihren Vertreter 1819 in die 1. Kammer gewählt; er trat damals für die Abschaffung aller noch bestehenden feudalen Institutionen ein, der Lasten und Fronden, der Reste der Leibeigenschaft. 1831 erhielt er ein Mandat für die 2. Kammer. Seinen Lehrstuhl in Freiburg verlor er ein Jahr später wegen seines politischen Radikalismus. Rotteck ging vom Vernunftrecht der französischen Revolution aus, er trat für Volkssouveränität und Gewaltenteilung ein, als erbitterter Feind der „Pfaffen“ und Verächter des „finsteren Mittelalters“ wiederholte er Voltaire und die Enzyklopädisten. Die Juden waren für ihn ein Relikt dieser abergläubischen Zeiten, ihren Glauben hielt er für unsozial, ihre Forderungen für unberechtigt, solange die niederen Volksschichten noch nicht im Besitz aller staatsbürgerlichen Rechte seien, ihr traditionelles Gewerbe für volksschädigend. Unwillig über Riessers scharfe Angriffe, erklärte er die Zeit für höchst ungeeignet zur Behandlung jüdischer Angelegenheiten, weil die allgemeine Nationalfreiheit noch nicht errungen sei. Welcker äußerte damals, so oft die jüdische Frage auftauche, trübe sich der Ruhm der badischen Kammer.[4]

Die Zahl der Juden in Baden betrug 1810 etwa 12 000, das war 1,5 % der christlichen Bevölkerung. Die meisten lebten in ärmlichen Verhältnissen auf dem Lande oder in kleinen Städten, unregelmäßig verteilt, denn ihr Ortsbürgerrecht war von der Zustimmung der Gemeinderäte abhängig, vielfach abgesondert und altertümlich in ihren Gebräuchen. Da das in der Kammer zur Debatte stehende Gemeindebürgerrecht auch den Anspruch auf den „Bürgernutzen“ (Allmende), auf Vorrechte und Staatsfreiheiten des Ortes umfaßte, protestierten viele Gemeinden gegen die Erteilung dieses Rechtes an die bisher als Schutzbürger unter ihnen lebenden Juden. Was sich hier als „öffentliche Meinung“ aussprach und in der Kammer viel zitiert wurde, beruhte also auf sehr begreiflichen partikulären Privatinteressen. Bruno Bauer, der als Junghegelianer das jüdische Problem sehr viel radikaler anfaßte, hat mit seiner Kritik an den badischen Liberalen, vor allem an Rottecks widerspruchsvoller Haltung, doch wohl recht, wenn er meint, daß hier ein schlechter Kompromiß geschlossen sei zwischen den Grundsätzen von Recht, Huma-

---

[4] Rosenthal, S. 278.

nität und Staatswohl auf der einen Seite und der Rücksicht auf die Kommittenten auf der anderen.[5] Der von Steinacker geschriebene Artikel „Emanzipation der Juden“ in Rottecks und Welckers Staatslexikon, das 1834 in 1. Auflage erschien und dem deutschen Frühliberalismus seine theoretische Grundlage gab, beruft sich auf Mendelssohn und Dohm und wendet sich folgerichtig gegen die konservative Auffassung vom christlichen Staat.[6] Rotteck hatte auch Widerspruch in seinen eigenen Reihen erfahren, aber die Emanzipation wurde doch hinausgeschoben. 1846 wird sie wieder Gegenstand der Verhandlungen, doch jetzt ist die Stimmung umgeschlagen. Mit einer bedeutenden Mehrheit wird nun der Antrag angenommen, „sämtliche, die bürgerliche Gleichstellung der Juden mit den Christen bezweckenden Petitionen dem Großherzoglichen Staatsministerium mit Empfehlung zu überweisen“.[7] Das war alles, was der Landtag konnte, legislative Rechte hatte er so wenig wie die preußischen Provinzialstände.

---

[5] Bruno Bauer, Die Judenfrage. Braunschweig 1843, S. 98 f.

[6] Staatslexikon, neue Aufl., Altona 1847, IV, 309–330.

[7] Rosenthal, S. 281.

12. KAPITEL

WANDLUNGEN IM BILD DES JUDENTUMS

Probleme der Assimilation

Als der jüdische Historiker J. M. Jost, der in Berlin und Göttingen Philosophie studiert hatte und später an der jüdischen Reformbewegung tätigen Anteil nahm, im Jahre 1846 seine „Neuere Geschichte der Israeliten von 1815 bis 1845" beendete, einen Abschnitt selbst erlebter „Zeitgeschichte" also, bezeichnete er in einem Vorwort Thema und Standort. Seiner forschenden Erinnerung stellten sich diese 30 Jahre dar als der Kampf der Juden gegen die gesetzgeberische Willkür der Umwelt und „gegen die Gewalt bestehender Gewohnheiten im Innern", als ein oft verzögerter, aber doch steter Fortschritt auf dem Wege zur Freiheit und zum „Wiedereintritt in die Staatengeschichte",[1] der ihnen Jahrtausende hindurch versperrt war. Schon im friderizianischen Berlin hätten Lichtstrahlen nach langer dumpfer Nacht den Tag verkündet, der nun über Deutschland aufgegangen sei. Zwar blieben „die finsteren Mauern der Synagoge noch lange mit schwarzen Schatten bedeckt, . . . aber bereits durften überall einzelne Mitglieder heraustreten ins Freie, und sie erkannten die veränderte Welt".[2]

Das ist der Enthusiasmus einer Generation, die in ihrer Jugend noch den schweren Ghettodruck erlebt hat und die nun den politischen Fortschritt und die sich ankündigende Gleichstellung im Staate wie den Anbruch des messianischen Zeitalters begrüßt. Jost vergleicht die jüdische Situation während des voremanzipatorischen Jahrzehnts am Anfang des 19. Jahrhunderts mit der jetzigen: damals geschützte und gedrückte Fremdlinge – heute „unter Ge-

[1] Jost, S. 1.

[2] Jost, S. 7.

setz gestellte Staatsangehörige" mit Heimatrecht; damals Kriecherei, Streben nach Gunst, Eitelkeit und innere Unfreiheit – heute männliches Selbstvertrauen, Rechtsbewußtsein und offene Selbstkritik, damals Stumpfsinn, Unwissenheit und Verwahrlosung – heute Regsamkeit und Kenntnisse; damals ein Leben in feindlicher Isolierung – heute Freunde unter den Gebildeten und Freisinnigen aller Stände. Widerstand gegen das Judentum, meint der Verfasser, gebe es nur noch in der Hefe des Volkes und bei einzelnen „idealistischen Träumern" und Staatsmännern, die das kirchliche Prinzip gegen den Fortschritt verteidigten. Eine tiefgreifende Wandlung also außen und innen, ein altes Zeitalter versinkt mitsamt dem „Todesschlummer" des jüdischen Volkes, eine neue Zeit voller Kampf und Anstrengung bricht an, aber der Sieg von Recht und Freiheit ist gewiß.

Der jüdische Gelehrte gebraucht die Sprache der liberalen Aufklärung, er fühlt sich in vollem Einklang mit dem fortschrittlich gesinnten Bürgertum der 40er Jahre. Bemerkenswert ist aber das im spezifisch jüdischen Bereich wurzelnde Gefühl einer Zeitenwende, über das sich der Historiker Rechenschaft ablegt. Die im Pariser Synhedrion versammelten Rabbiner mochten ähnlich empfunden haben, aber sie ordnen ihr Erlebnis noch nicht geschichtlich ein, wie es der gebildete Hegelianer Jost tut. Es war vielen Generationen des jüdischen Exils gar nicht zum Bewußtsein gekommen, daß irgendwann etwas Neues geschehen, daß sich eine Wandlung vollzogen hatte. Ihre geschichtliche Erinnerung war lange erfüllt von der konkreten Wirklichkeit des alten Israel, und die Vergangenheit der einmaligen Offenbarung wurde für sie durch die zeitlos-gleichmäßige Beobachtung der Gesetze zu einer Art von beständiger Gegenwart.[3] Was später im Exil geschehen war, reale Vorgänge wie Verfolgungen, Austreibungen, Wanderungen, Niederlassungen in einem neuen Land, die-

[3] Vgl. Wiener, Jüdische Religion. S. 38 f.

ser monotone Ablauf ähnlich erscheinender Schicksale, das war in seiner geschichtlichen Momenthaftigkeit beinahe auswechselbar. Im jüdischen Selbstbewußtsein änderte sich dadurch kaum etwas, während sich die christliche Umwelt seit dem Mittelalter von Grund auf gewandelt hatte. Epoche machte in der jüdischen Geschichte erst die von außen kommende Emanzipation, die die deutschen Juden plötzlich aus dem Zustand mittelalterlicher und ghettomäßiger Gebundenheit in die bürgerlich-kulturelle Gemeinschaft mit dem deutschen Volk versetzte. Daß sich das äußere Erscheinungsbild des Judentums dabei wandelte, wurde auf allen Seiten wahrgenommen, allerdings verschieden ausgelegt und verschieden bewertet. Die innere Problematik der emanzipatorischen Bewegung, die zuerst aus dem Judentum hinauszuführen schien, die dann aber den ernsten Versuch machte, seinen Ideen- und Lebensgehalt zu erneuern – so hat sie Max Wiener eingehend dargestellt – wurde vielleicht von einigen nichtjüdischen Beobachtern geahnt, von den meisten Verfechtern sowohl wie Gegnern der Assimilation aber überhaupt nicht erkannt.

Die Aufhebung der meisten Erwerbsbeschränkungen, die Öffnung der Gymnasien und Universitäten, die Ausdehnung des Handels und die Entwicklung der Großindustrie hatten einen allgemeinen sozialen Aufstieg der Juden zur Folge gehabt. 1847 bestand nur noch die Hälfte der jüdischen Bevölkerung aus Kleinhändlern und Geldverleihern, eine schmale, aber weithin beachtete Schicht war zum Großhandel aufgestiegen, die Zahl der Fabrikanten und Bankiers und der in freien Berufen tätigen Anwälte, Ärzte, Künstler und Gelehrten war gewachsen. Dabei hatte das östliche Judentum – von Städten wie Königsberg und Breslau abgesehen – mehr das Gepräge kleinbürgerlichen Erwerbs behalten, während im Westen und vor allem in Berlin die jüdische Bevölkerung zum großen Teil in die wohlhabende Mittelschicht und in das Großbürgertum hineingewachsen war. Weniger Erfolg hatten die jüdischen Vereine zur Förderung von Handwerk und Ackerbau. Jahrhundertealte Gewöhnung an den Handel als den beweglichsten und offensten Beruf, aber auch die feindselige Haltung christlicher Landwirte und Handwerksmeister wirkten der beruflichen Umschichtung entgegen.[4]

Die Einbürgerung in Gesellschaft und Kultur der Umwelt, die auf Grund der Gesetzgebung möglich war, sich aber durch Besitz und Bildung erst vollzog, bedeutete für das Judentum im strengen Sinne den Bruch mit seiner bisherigen religiösen Lebensordnung und seiner geschlossenen geistigen Welt und brachte es in die Gefahr der inneren Zersetzung und Selbstauflösung. Man muß den Prozeß der Assimilation, der den Liberalen auf beiden Seiten damals als schlechthin notwendig und wünschenswert erschien, auch unter einem Aspekt ansehen, den sich – vom orthodoxen Rabbinertum abgesehen – damals eher die Feinde als die Freunde des Judentums zu eigen gemacht hatten. Die Idee der jüdischen Religion war ja von der realen jüdischen Gemeinschaft unabtrennbar, sie durchdrang als religiöses Lebensgesetz das ganze soziale Leben in Sprache, Volkssitte, Recht und Bildung. Sie verband sich also mit dem nationalen Prinzip des Judentums, das dieser Verbindung allein die Bewahrung seiner Identität in den zwei Jahrtausenden des Exils verdankt. Der nationale Gehalt aber schöpfte Sinn und Rechtfertigung nur aus der unmittelbaren Gewißheit der göttlichen Berufung. So verstand sich das Judentum selber, aber so konnte es im Zeitalter eines von Grund auf säkularen Nationalitätsbegriffs von seiner Umwelt nur mißverstanden werden. Weder mit einer Staatsnation, noch mit einer völkisch-kulturellen Gemeinschaft hatte die über die Erde zerstreute jüdische „Nation“ ohne Staat, ohne Land, ohne Macht, ohne Führer, ohne andere „politische“ Zukunft als die Messiashoffnung irgend etwas zu tun. Wer sie nicht als

[4] Ver. Landtag. IV, 1985 ff.

ein religiöses Faktum, als das Gefäß des einmaligen, auszeichnenden göttlichen Auftrags zu sehen imstande und bereit war, mußte entweder die jüdische Nationalität verneinen – und das taten mit leidenschaftlicher Überzeugung sowohl Gabriel Riesser wie die christlich-liberalen Verfechter der Emanzipation – oder er mußte eine jüdische Nation ganz anderer Art behaupten, die auf gemeinsamer Abstammung und einem fixierten Volkscharakter beruht und es auf politische Macht abgesehen hat, – das taten die Antisemiten, später sprachen sie von Rasse.
Die Krise, in die das emanzipierte Judentum im 19. Jahrhundert geriet, entstand daraus, daß die lange bewahrte Einheit des religiös-nationalen Lebensgesetzes zerbrochen war. Stück um Stück verlangte die Einordnung in Staat und Gesellschaft, verlangten die assimilationswilligen Juden selbst die Loslösung von religiösen Verpflichtungen, die als lästig und trennend empfunden wurden. Man glaubte, eine Sonderung vornehmen zu können zwischen der religiösen Daseinsordnung auf der einen Seite, die man als bloßes Zeremonialgesetz aufzugeben bereit war, und der religiösen Glaubensüberzeugung, an der man als Jude festhalten wollte. Gerade so verstand es die christliche und die aufgeklärt-deistische Umwelt, die im allgemeinen bereit war, das Judentum als bloße Konfession anzuerkennen, die es als „Nation“ aber ablehnte. So hatten es bereits die französische Nationalversammlung und Napoleon formuliert, und die Beschlüsse des Synhedrion schienen dieser Auffassung recht zu geben, jedenfalls vertieften sie das Mißverständnis auf beiden Seiten.

Die Reformbewegung

Als die fortschreitende Assimilation die innere Krise des deutschen Judentums deutlich machte, versuchte die jüdische Reformbewegung das Problem zu lösen. Sie konnte anknüpfen an die liturgische Reform, die David Friedländers rigoroser Rationalismus schon geplant hatte. Israel Jacobson führte sie in Berlin mit deutlicher Anlehnung an den protestantischen Gottesdienst ein, mit Predigten in deutscher Sprache, Orgelmusik, Chorgesang und Konfirmation. Als diese mehr ästhetische und popular-philosophische als religiöse Neuordnung der Synagoge von Friedrich Wilhelm III. verboten wurde, der eine deistische Sekte in ihr vermutete, setzten die Reformfreunde in Hamburg das Werk fort und gründeten 1818 den neuen „Tempel", in dessen gottesdienstlicher Ordnung die Gebete mit ausgesprochen nationalem oder messianischem Charakter ausgeschieden waren,[5] also alles, was die vaterländische Gesinnung der Juden zweifelhaft machen konnte. Die gebildeten und wohlhabenden jüdischen Familien schlossen sich der „Tempelbewegung" an, die auch in Leipzig, Wien und Frankfurt Eingang fand.

Der in Frankfurt 1842 gegründete Reformverein lehnte die Autorität des Talmud ab und nahm in seine programmatische Erklärung den Satz auf: „Ein Messias, der die Israeliten nach dem Lande Palästina zurückführe, wird von uns weder erwartet noch gewünscht. Wir erkennen kein Vaterland als dasjenige, dem wir durch Geburt und bürgerliches Verhältnis angehören." [6] Auch der bedeutende Theoretiker der jüdischen Reformbewegung, Samuel Holdheim, wollte die politisch-nationalen von den religiösen Elementen innerhalb des Judentums streng geschieden wissen, das längst aufgehört habe, eine Nation zu sein, und sich nach den Gesetzen der Diasporaländer richten müsse.

Die Reformtheologen der 30er und 40er Jahre, die dem heftigen Widerstand der Orthodoxie begegneten, waren schon durch eine wissenschaftlich-literarische Bewegung hindurchgegangen, die nach der Zeitschrift ihres Gründers Leopold Zunz die „Wissenschaft des Judentums" genannt

---

[5] Dubnow, IX, 88.

[6] Zit. Dubnow, IX, 99.

wurde. Im gleichen Jahre 1819, als diffamierende Hetzschriften und Pöbelunruhen das Ansehen und das Selbstbewußtsein der deutschen Juden tief verletzt hatten, hatte Zunz mit einigen Freunden den Plan gefaßt, durch Forschung und Wissenschaft die Quelle des religiösen Lebens wieder aufzudecken und das Judentum durch eine völlige Neugestaltung seiner ökonomischen, geistigen und sozialen Grundlagen in der Zivilisation der europäischen Welt heimisch zu machen.[7] Ein so ausschweifendes Programm, das Schulen und Akademien, Ackerbau- und Handwerkskommissionen umfaßte, mußte bei der praktischen Unerfahrenheit der jugendlichen Initiatoren und dem mangelnden Interesse der Öffentlichkeit bald scheitern, aber die „Wissenschaft des Judentums", die damals entstand, hatte eine große Zukunft. Sie umfaßte vor allem Philologie und Altertumskunde, aber auch Geschichte, Rechts- und Religionsphilosophie. Das wissenschaftliche Bild vom jüdischen Altertum half dem jüdischen Bewußtsein, die eigene Vergangenheit ehrfürchtig zu begreifen und sie in die allgemeine Weltgeschichte des Geistes einzuordnen, was die rabbinische Gelehrsamkeit der Talmudisten weder leisten konnte noch wollte. Eine apologetische Tendenz hatte die neue Wissenschaft insofern, als es sich auch um eine Rehabilitierung des Judentums aus der Erhellung seiner Vergangenheit handelte und um das Selbstbewußtsein, das solche Einsicht der ratlosen und in ihrem religiösen Lebensgefühl erschütterten Generation einflößen sollte. Denn die Kehrseite der Assimilation war das verlorene historische Gedächtnis und die verlorene Achtung vor der religiösen Überlieferung.

Die Reformbewegung zerfiel bald in eine fortschrittlich-liberale (Abraham Geiger und S. Holdheim), in eine gemäßigt-historische (L. Philippson) und in eine neu-orthodoxe Richtung (S. R. Hirsch), da man sich nicht einigen

[7] Philippson, I, 171 ff.

konnte über den Umfang dessen, was aufgegeben, was weiter entwickelt und was von der religionsgesetzlichen Substanz jüdischen Glaubens unverändert beibehalten werden müsse. Von der Notwendigkeit der religiösen Erneuerung des Judentums und der Durchgeistigung seiner Gebote und Gebräuche waren alle überzeugt, aber eine nur zeitgemäße und opportunistische Umgestaltung von Liturgie und Ritus lehnte die gemäßigte und die orthodoxe Richtung ab. Gemeinsam waren alle Gruppen in den Kampf um die politische und soziale Gleichberechtigung gestellt, der damals gerade in seine letzte Phase trat. Die liberalen Reformer wollten aber keinen Bruch mit der jüdischen Überlieferung, obwohl sie den Traditionalismus in Liturgie und Lebensstil verwarfen, und die Konservativen wollten keinen Verzicht auf Gleichstellung und Emanzipation, obwohl sie die Auflösung der jüdischen Gemeinschaft fürchteten. Da dieses Problem mit dem vieldeutigen Begriff der „jüdischen Nationalität" in der Polemik der Zeit verhängnisvoll verknüpft war, mußte auch die orthodoxe Richtung des Frankfurter Rabbiners S. R. Hirsch erkennen, daß das Judentum – bis zur Ankunft des Messias – keine Nation sei, sondern eine Religionsgemeinde. Das geistig-kulturelle Band, das sie außer dem Religionsgesetz miteinander verbinde, hindere sie nicht daran, sich dem Staat und seinen Ordnungen organisch einzufügen. Bis zur antisemitischen Bewegung der 80er Jahre und bis zum Zionismus konnte das Judentum also, das die Emanzipation durchaus und die Assimilation in hohem Grade bejahte, seinen Charakter nicht anders denn als religiösen Glauben deuten[8]; was sich damit nicht fassen ließ, geriet in den ungenauen und für die Umwelt suspekten Bereich des Nationellen, dessen sich sogleich die Gegner bemächtigten.

Die drei großen Rabbinerkonferenzen der Jahre 1845/46

---

[8] Vgl. Wiener, Jüdische Religion. S. 9.

befassen sich mit den Fragen der Mischehe, der Gebetssprache in der Synagoge, mit der Messiaslehre und ihrer universalistischen Umdeutung, vor allem aber mit der strengen oder großzügigen Auslegung der Sabbatgesetze. Die Beschlüsse der Reformer wurden von der orthodoxen Gruppe abgelehnt, zu einer Einigung konnte es daher nicht kommen. Im Hintergrund standen die Debatten über die Emanzipation, die damals alle Landtage beschäftigte. Die Bedeutung der künftigen Judengesetzgebung überschattet die theologischen Auseinandersetzungen, und so wird die Frage der Harmonisierung des jüdischen Lebens mit den Ansprüchen der gesellschaftlichen Ordnung der Umwelt immer wichtiger. Es ist charakteristisch für die jüdische Situation jener Jahre, daß sich in der Sabbatfrage, die geradezu ein Prüfstein für die religionsgesetzliche Verbindlichkeit des Judentums ist, alle auseinanderstrebenden Richtungen einig sind, sobald sie den Staatsdienst berührt. So bereit waren die deutschen Juden zum Eintritt in die Staatsgemeinschaft, daß die Verwaltung eines Staatsamts von der Rabbinerversammlung einhellig als „heiliger Beruf" erklärt wurde, der wie der Militärdienst vom Sabbatgesetz suspendiere. Es war auch die Frage des Staatsamts, die den Vereinigten Landtag in Berlin bei seiner 6tägigen großen Judendebatte vornehmlich beschäftigte.

13. KAPITEL

DAS PRINZIP DES „CHRISTLICHEN STAATES" UND DIE JUDEN-DEBATTE IM VEREINIGTEN LANDTAG VON 1847

Regierung und Opposition

Die preußische Regierung hatte die einheitliche Judengesetzgebung immer wieder hinausgeschoben, obwohl jetzt fast alle Provinziallandtage auf eine allgemeine Reform drängten. So gab es in Posen und Westpreußen, in Westfalen und der Provinz Sachsen immer noch eine jüdische Bevölkerung ohne Bürgerrecht. Die Zählung von 1846 hatte ergeben, daß bei einer Gesamtzahl von 214 857 Juden in Preußen 78 749, also 36,7 %, in einer Art von Schutzbürgerschaft lebten,[1] daß sie in ihrer Freizügigkeit und Berufsausübung beschränkt, vom Gemeindeleben ausgeschlossen waren und eine deklassierte Schicht bildeten, die man nun schon drei Jahrzehnte neben der emanzipierten bestehen ließ. Die Masse der rechtlosen Judenschaft befand sich immer noch in Posen, ihre Zahl betrug jetzt 81 299, das waren 37,8 % der Gesamtzahl. 1833 hatte eine „Vorläufige Verordnung" die jüdische Bevölkerung Posens in zwei Klassen eingeteilt: in die naturalisierten Juden (mit beschränktem Staatsbürgerrecht) und die nichtnaturalisierten, die aber bei längerem Aufenthalt, bei Vermögen und persönlichen Leistungen die Naturalisation erreichen konnten. Man hatte ihnen den Besuch deutscher Schulen und die Erlernung eines Handwerks erleichtert. Die jüdischen Gemeinden hatten eine gewisse Selbstverwaltung, der Militärdienst war ihnen als ein Recht zugestanden, das dann der Naturalisierung zu Hilfe kam. Als 1845 die Militärpflicht für alle Juden eingeführt wurde, stimmten die Posenschen Juden begeistert zu; wenigstens auf militäri-

[1] Silbergleit, S. 5.

schem Gebiet waren die Schranken gefallen.[2] Insgesamt dienten diese Maßnahmen der Erziehung sowohl wie der Germanisierungspolitik gegenüber der polnischen Bevölkerung, aber sie wurden von dem liberalen Oberpräsidenten Flottwell human durchgeführt. Immerhin betrug die Zahl der naturalisierten Juden in Posen 1846 etwa 20% (im Jahre 1816 gab es in den Städten Posen und Bromberg acht jüdische Staatsbürger!).[3] Die übrigen lebten unter dem Druck ärmlichster Erwerbsverhältnisse und niedriger Zivilisation, da sie in einen engen Bereich eingeschlossen waren. Es gab Kleinstädte in Posen mit mehr als 50% jüdischer Bevölkerung, die nicht freizügig war, ein Zustand, der an die russischen Ansiedlungsrayons erinnert. Die Ursache für die Zusammenballung der jüdischen Bevölkerung in den ehemals polnischen Gebieten liegt übrigens schon in den Vertreibungen des späten Mittelalters; damals hatten polnische Könige den Flüchtlingen aus Süd- und Westdeutschland Asyl gewährt. Als die Mißwirtschaft des polnischen Adels im 18. Jahrhundert und die feindselige Haltung der hörigen Bauern die Lage der polnischen Juden verschlechterte, übte das benachbarte Preußen wieder Anziehungskraft aus.

Es gab aber auch in den westlichen Provinzen groteske Überbleibsel mittelalterlichen Judenrechts, die man vergessen hatte zu beseitigen. So stellte es sich 1842 heraus, daß die frühere reichsunmittelbare Grafschaft Wittgenstein, die 1816 vom Großherzogtum Hessen an Preußen abgetreten war, eine rechtsgültige Polizeiverordnung von 1573 besaß, in der Heiden, Zigeuner und Juden für vogelfrei erklärt werden. Das preußische Ministerium des Innern hielt es in einem Schreiben vom 23. Mai 1842 für nötig anzunehmen, daß diese Bestimmung nicht mehr angewendet werden könne.[4]

---

[2] Vgl. Philippson, I, 268 ff.

[3] Silbergleit, S. 7.

[4] Silbergleit, S. 6.

Am 14. Juni 1847 wurden den beiden Kurien des Vereinigten Landtags in Berlin der schon so lange angekündigte „Gesetzentwurf die Verhältnisse der Juden betreffend" und die Gutachten der beiden Abteilungen vorgelegt.[5] Da es sich nicht um Finanzfragen handelte, berieten Herrenkurie und Dreistände-Kurie, die sich aus Vertretern der Ritterschaft, der Städte und Landgemeinden zusammensetzte, getrennt. Der Entwurf, von dem man die Vereinheitlichung und die Reform des Judenrechts erwartete, dehnte zwar das Edikt von 1812 auf alle preußischen Provinzen außer Posen aus, ging aber mit einer Reihe von Rechtsbeschränkungen, die gerade die aufstrebende jüdische Intelligenz trafen, weit hinter den Wortlaut und die Intention des Hardenbergschen Gesetzes zurück. Er enthielt auch den Lieblingsgedanken des Königs, die Bildung von „Judenschaften" innerhalb der Stadtverordnetenkollegien als besondere Korporationen, mit dem Recht der juristischen Person. Das Gutachten der ersten Abteilung der Dreistände-Kurie, das nun zur Beratung vorlag, verriet den Geist der preußischen Reformzeit, auch die streitbaren Schriften Gabriel Riessers waren den 13 Mitgliedern offenbar bekannt. Was sich also gegen Ausnahme- und Erziehungsgesetze, gegen die Klassifikation von Staatsbürgern, gegen jüdische „Korporationen" und gegen die Ausschließung von Staatsämtern sagen ließ, ist in dem Gutachten bereits zusammengefaßt; es warnt sogar davor, durch solche Maßnahmen bei den Christen ein „Gefühl von Superiorität" hervorzurufen. Der Vertreter der Regierung dagegen hebt die Vorteile und Erleichterungen hervor, die die Gesetzesvorlage der jüdischen Bevölkerung gewährt; die noch vorhandenen Rechtsbeschränkungen gründeten sich allein auf das Prinzip, daß der „Preußische Staat ein christlicher sein und bleiben wolle" und nichtchristlichen Bewohnern keine politischen Rechte und

---

[5] Ver. Landtag. IV, 1718 ff.

obrigkeitlichen Funktionen anvertrauen könne. Das Wort vom „christlichen Staat“, sagt ein Beobachter, „fiel wie ein Zunder in die Versammlung.“ [6]

Die Judendebatte vom 14. bis 19. Juni ist nicht wegen ihres Ergebnisses wichtig, da das Gesetz vom 23. Juli schon von den März-Ereignissen überholt wird, sondern weil hier das jüdische Problem in die Auseinandersetzung zwischen der liberalen Staatsauffassung und der Idee des „christlichen Staates“ gerät. Die Aussprache legt eine Art Querschnitt durch das spannungsreiche Grenzgebiet deutsch-jüdischer Beziehungen, sie spiegelt die Auffassungen der Stände und Klassen, der Stämme und Landschaften, aber es sind Vertreter der deutschen Bildungsschichten, die hier ihre Stimme abgeben. Die vox populi erscheint nur in Zitaten, in absichtsvollen allerdings.

Die Ansprüche des christlichen Staates werden in der Ständekurie von dem Minister von Thile vertreten. In der Herrenkurie hält Eichhorn als Kultusminister die große Verteidigungsrede. Zum ersten Male tritt der offiziellen Staatslehre der Regierungspartei ein selbstbewußtes Großbürgertum in offener Opposition entgegen; seine Wortführer sind die Rheinländer Camphausen, v. Beckerath, Mevissen und Hansemann. Aber auch ein großer Teil des Landadels, an seiner Spitze Georg von Vincke, bekennt sich zu den Grundsätzen des liberalen Kulturstaates, zu denen die Judenemanzipation jetzt gehört. Die Debatte wird im allgemeinen sachlich und auf hohem Niveau geführt, und so fallen die gröbsten Argumente der judenfeindlichen Literatur fast ganz weg. Wo die Schablonen alter Vorurteile auftauchen, werden sie als Zeichen von Unbildung mit Heiterkeit quittiert.

Die Versammlung ist in ihrer Mehrheit von der diskriminierenden Wirkung aller Ausnahmegesetze überzeugt, häufig äußert sie ihre Bewunderung für wissenschaftliche

[6] R. Haym, Reden und Redner des ersten Preuß. Vereinigten Landtags. Berlin 1847, S. 132.

Leistungen der Juden, für ihren wirtschaftlichen Unternehmungsgeist und schnellen sozialen Aufstieg. Der Korporationsvorschlag der Regierung wird als ein Bruch mit der Städteordnung von 1808, sogar als eine Rückkehr zum Ghetto bezeichnet, man lehnt ihn fast einstimmig ab. Das Pathos fortschrittlicher und freiheitlicher Gesinnung wird stets mit lautem Beifall begrüßt, die Regierungssprecher haben keinen leichten Stand. Außer Bismarck, der sich ironisch zur „finsteren, mittelalterlichen Richtung" und zu den Vorurteilen „des großen Haufens" bekennt, der aber die Grundsätze des Liberalismus überhaupt als billige Gemeinplätze abtun und ihre Verfechter herausfordern möchte, wagt es kaum noch jemand, sich mit der populären Judenfeindlichkeit zu identifizieren. Das frohe Zukunftsgefühl der Juden, das sich bei J. M. Jost aussprach und das jetzt die jüdischen Wochenschriften erfüllt, schien recht behalten zu haben: feindseligen Widerstand gegen die Emanzipation gebe es nur noch in den unteren Volksschichten und bei den Fürsprechern der christlich-konservativen Staatsidee, über beide werde die Entscheidung jetzt hinweggehen.

Friedrich Julius Stahl

Fr. J. Stahl hatte in seinen Berliner Vorlesungen dem Gesetzentwurf der preußischen Regierung die theoretische Grundlage gegeben. Seine während der Verhandlungen des Vereinigten Landtages geschriebene Abhandlung „Der christliche Staat und sein Verhältnis zu Deismus und Judentum" versucht noch einmal, die in der Debatte unklar gewordene Konzeption des „christlichen Staates" zu klären und die Folgerungen für die Stellung der „Nichtchristen", also auch der Juden, daraus zu ziehen. Sie erschien erst im Herbst 1847, als das durch die übereinstimmenden Voten beider Kurien modifizierte Gesetz schon erlassen war, aber sie hat auf die preußische Regierung

und auf die Konservativen noch lange eingewirkt, ihre Grundgedanken waren den Regierungsvertretern und den Führern der Opposition durchaus vertraut.
Stahl war 1802 als Sohn eines jüdischen Kaufmanns und Bankiers geboren, aber mit 17 Jahren zum Luthertum übergetreten. Seit 1840 lehrte er an der Berliner Universität Rechts- und Staatsphilosophie und wurde 1849 vom König zum lebenslänglichen Mitglied der 1. Kammer ernannt. Den Staat faßte Stahl weder als eine auf Menschenvernunft gegründete Institution, noch als gewachsenen Organismus auf, sondern als eine von Gott verordnete Anstalt, vom christlichen Lebensprinzip durchwaltet und in seinen Gesetzen und Handhabungen an göttliche Gebote und göttliche Ordnungen gebunden. Diese umfassen sowohl die Ehe und die Volkserziehung wie die Berufsordnung, die Rechtsprechung, die Eigentumsverhältnisse und die persönliche Beziehung zwischen Fürst und Volk. Wo das christliche Prinzip seine Kraft verliert, stürzen die Throne, und die Staaten versinken in Anarchie. Stahl sah die Gefahr in einer „neuen Denkart", die sich durch Pietätlosigkeit, Überhebung und durch Emanzipation von der göttlichen und staatlichen Autorität charakterisiert, die es auf „abstrakte Gleichberechtigung" und Nivellierung abgesehen hat, den Menschen aus der natürlichen Standes- und Berufsordnung herausnimmt und ihn gleichsam freisetzt. Dem destruktiv-anarchischen setzt er das christlich-ständisch-monarchische Prinzip entgegen, das den Staat in allen seinen Funktionen bestimmen muß. Er folgert daraus, daß es bürgerliche Rechte für alle, politische Rechte aber nur für die Bekenner der Staatsreligion geben dürfe; denn wer den Staat mitlenken wolle, müsse auch seine Gesinnung teilen. Von obrigkeitlichen Ämtern, von Richter- und Lehrerberufen und von legislativen Versammlungen seien also Deisten und Juden auszuschließen. Wenn man sie politisch gleichstelle, so bedeute das zwar nicht die Vernichtung des „christlichen Staates", aber doch die

Trübung seines Prinzips und die Gefährdung seines Bestandes.

Wenn Stahl hier Deismus und Judentum gleichsam mit einer Klammer zusammenfaßt, so soll das nichts anderes heißen, als daß beide den Offenbarungscharakter des Christentums leugnen und sich damit von einem Staatswesen ausschließen, das aus der Offenbarung seine Gesetze und Ordnungen herleitet. Von dem streng mosaischen Glauben spricht er mit Achtung, aber er sei so unvereinbar mit den politischen Verhältnissen eines christlichen Staates, „daß ein frommer Jude sich lieber den Druck der Ägypter wünsche, als daß Pharao sich erweiche und die Juden nun mit den Ägyptern herrschen und an den Fleischtöpfen sitzen, statt die Blicke nach dem Gelobten Lande zu wenden".[7] Dieses echte Judentum gebe es aber in Deutschland nicht mehr, die deutschen Juden nähmen längst teil an deutscher Bildung und Sitte, ihre Vaterlandsliebe und ihre Untertanentreue seien unzweifelhaft. Wenn man anderen aus der Kirche ausscheidenden Sekten die politischen Bürgerrechte ließe, so gäbe es keinen Grund, sie den Juden zu versagen.

Es ist ganz deutlich, daß es Stahl um das reine Prinzip des „christlichen Staates" geht, um die Frage, ob der Glaube oder der Unglaube in ihm herrschen solle, nicht um eine Lösung der Judenfrage. Das neue Judengesetz hält er sogar für überflüssig und seine Diskussion für gefährlich, weil die liberalen Wortführer, die für den sog. Rechtsstaat und die Trennung von Staat und Kirche einträten, die neuerwachte Feindseligkeit gegen das Christentum als Institution nur unterstützten. Keineswegs aber dürfe man den synagogalen Judenschaften Autonomie und korporative Vertretung zugestehen und damit ihre eigene Nationalität betonen; nur auf Berufe ließen sich korporative Verbindungen gründen, nicht auf Religion und Staat – was

[7] Fr. J. Stahl, Der christliche Staat und sein Verhältnis zu Deismus und Judentum. Berlin 1847, S. 43.

sich gegen den König richtet! – auch führe die Absonderung immer zum Verlust der staatsbürgerlichen Ehre. Gerade das moderne „deistische“ oder Reformjudentum, das die Lebensgemeinschaft mit den Christen selber wünsche und sich mit der „Leere und Wüste des selbstgemachten Kultus“ nicht begnügen könne, werde einmal den Weg zum Christentum finden, man dürfe ihn nicht versperren. So weit Stahl, der als überzeugter Protestant spricht und die inneren Vorgänge im Judentum und seine gegenwärtige Verfassung nicht mehr versteht. Aber weder teilt er Luthers Überzeugung von der Verstocktheit und endgültigen Verworfenheit des jüdischen Volkes, noch Friedrich Wilhelms Vorstellung von korporierten Judenschaften im farbigen Gemälde des ständisch gegliederten Volkes, die halb Romantik und halb Malice war. Völlig unklar blieb es, wie man „Deisten“ auf gesetzlichem Wege von politischen Rechten ausschließen könne, sofern es sich nicht um das kleine Häuflein erklärter Dissidenten handelte Mit der Ausschließung der Juden indes konnte man gebahnte Wege betreten.

Die große Judendebatte

Daß es Friedrich Wilhelm IV. damals darum zu tun war, die religiösen Kräfte der Erweckungsbewegung und der kirchlichen Orthodoxie im öffentlichen Leben einzusetzen und ihren Vertretern philosophische Lehrstühle und hohe Staatsämter offenzuhalten, reizte die Opposition und verschärfte die Debatte im Landtag. Es war für die Regierungsvertreter nicht einfach zu begründen, daß in der weltlichen Ordnung des Staates die Zulassung von Staatsämtern insgesamt vom christlichen Bekenntnis abhängig sei. Bei solchen, die es mit der Leitung und Beaufsichtigung kirchlicher und kultureller Angelegenheiten zu tun hatten, verstand es sich von selbst, bei dem Richteramt berief man sich auf die Eidesformel. Aber da es im paritätischen Preußen keine Staatskirche gab und das Christentum rechtlich nur in der Form bestimmter Konfessionen bestand, so gebrauchten die Verteidiger des „christlichen Staates" sehr allgemeine Wendungen, wie es auch Stahl getan hatte, der von dem „geistigen Hauch" sprach, „der über dem christlichen Staate schweben soll".

Eichhorn, der 1840 von Friedrich Wilhelm als Nachfolger Altensteins zum Kultusminister berufen war und die vom König entworfene Kirchenverfassung vergebens durchzusetzen versucht hatte, begab sich in eine sehr anfechtbare Position, als er dem „aus bloßen Begriffen erbauten Rechtsstaat" den christlichen Volksstaat entgegensetzte, der nicht nur von sittlichen Prinzipien her gedacht werden müsse, sondern sich erst in seinem geschichtlichen Werdegang und in seiner gegenwärtigen Realität darstelle.[8] So betrachtet, habe er sich unter steter Einwirkung des Christentums gebildet und sei heute in allen seinen Teilen vom Christentum durchdrungen. Da der reale Staat unzertrennlich sei von einem wirklichen Volke, könne derjenige nicht völlig in die Staatsgemeinschaft aufgenommen werden, der nicht auch zur Volksgemeinschaft gehöre. Den Zugang zur Volksgemeinschaft – die nationale Einschmelzung meint Eichhorn – verhindere aber bei den Juden nicht ihre Abstammung allein, auch nicht ihr Glaube allein, sondern das isolierende Moment jener eigentümlichen Verbindung von Nationalität, religiöser Auffassung und religionsgesetzlicher Lebensweise, das die Juden kennzeichne. Nur wo das christliche Prinzip walte, könne die Schranke aufgehoben werden, welche die Nationalität bilde, wofür er die polnischen Minderheiten als Beispiel nennt.

Das Ganze ist nicht leicht zu verstehen, zumal es in der Rede Eichhorns absichtlich in der Schwebe bleibt, ob die Taufe schon der rechte Ausweis christlicher Gesinnung sei, was nach dem verbreiteten Witzwort Heines vom „Entrée-

[8] Vgl. Eichhorns Verteidigungsrede vor der Herrenkurie am 14. Juni 1847. Ver. Landtag, IV, 2005–2012.

billet zur europäischen Kultur“ niemand mehr annehmen konnte, oder ob sie wenigstens das Bekenntnis zum deutschen Volkstum glaubwürdig mache.
Die Abgeordneten sprechen sich deutlicher aus als der vorsichtig formulierende Kultusminister, der die Regierung nicht in den Verdacht reaktionärer Unduldsamkeit bringen möchte. Die wichtigsten Gegenstände der Debatte sind die Staatsämter, die ständischen Rechte, die akademischen Lehrämter und die jüdischen Korporationen. Wie verhalten sich hier die Gegner der Emanzipation? Bei den Staatsämtern geht es vornehmlich um das Richteramt. Die Reste des Feudalismus machen viel Kopfzerbrechen: die patrimoniale Gerichtsbarkeit, die Erbrichter- und Erbschulzengüter und was es da alles an ländlicher Polizeigewalt gab. Der Stachel bestand in der theoretischen Möglichkeit eines jüdischen Richters über christliche Dorfbewohner. In Wirklichkeit ließ sich das Amt vom Grundbesitz trennen durch die Ernennung eines Dorfrichters, wofür es längst Beispiele gab. Aber den Gegnern der Emanzipation war es ja um unüberwindbare Widerstände zu tun, für die hier das christliche Landvolk mit seinen „berechtigten Vorurteilen“ herhalten muß. Auch werden die Staatsämter allgemein als obrigkeitliche Ämter bezeichnet, so daß die primitive Vorstellung entsteht, daß man künftig von Juden regiert werde, ein Schreckgespenst, das von den Liberalen mit Statistiken und Vernunftgründen vergeblich bekämpft wird. Die Abstimmung über die Zulassung der Juden zu Staatsämtern ergibt trotz der glänzenden Verteidigung durch v. Vincke, Mevissen und v. Beckerath doch nur eine knappe Mehrheit von fünf Stimmen; in der Herrenkurie werden alle Ämter mit richterlicher, polizeilicher und exekutiver Gewalt ausgenommen. Überhaupt sieht es so aus, als wenn der Abgeordnete von Landsberg-Steinfurt mit seiner Bemerkung recht hätte: je mehr jetzt öffentlich *für* die Juden sprächen, umso mehr seien bei der Abstimmung *gegen* sie.

Bei der Frage der Universitätslaufbahn, die freie Forschung und freie Lehre einbegriff, hatte der Gesetzentwurf Unterschiede zwischen den Fakultäten gemacht. Nur in den medizinischen, mathematischen und naturwissenschaftlichen Disziplinen, die man für weltanschaulich neutral hielt, wurden Juden zum akademischen Lehramt zugelassen und auch hier nur als Privatdozenten und Extraordinarien, da sich mit dem Ordinariat die Mitgliedschaft im Senat verbinde und die Möglichkeit, zum Dekan oder Rektor gewählt zu werden.[9] Das sei aber wegen der mit diesen Ämtern verbundenen richterlichen Befugnisse über die Studenten nicht zulässig – eine mühsame und unglaubwürdige Begründung. Von der juristischen und philosophischen Fakultät blieben Juden überhaupt ausgeschlossen. Diese Bestimmung war der deutlichste Rückschritt gegenüber dem Hardenbergschen Edikt und wurde als besonders ungerecht empfunden, weil eine junge jüdische Generation ihre wissenschaftliche Begabung inzwischen bewiesen hatte. Der Ausschluß vom juristischen Lehramt wurde mit der gleichzeitigen Promotion im Staatsrecht und Kirchenrecht begründet, die heute noch üblich sei. Die Philosophie müsse auf christlichem Boden stehen, die Geschichte der europäischen Völker könne von Juden nicht gelehrt werden, und die humanen Gegenstände der klassischen Philologie könnten nur mit dem Maßstab der christlichen Wahrheiten erfaßt werden. Dies alles reizte die humanistisch gebildeten Redner der Opposition zu brillantem Widerspruch, bei dem es noch um ganz andere Streitfragen ging als um die der jüdischen Professoren. Was die höheren Lehranstalten anging, so berief man sich auf den Protest der christlichen Elternschaft gegen die jüdische Erziehung ihrer Kinder, als sei mit einem Ansturm jüdischer Lehrer zu rechnen. Eine Rede des pommerschen Abgeordneten v. Thadden, querköpfig, witzig und von unerschütterlicher

[9] Ver. Landtag, IV, 2076.

Überzeugung, erregte heitere Ungeduld.[10] Er meinte nämlich, es gebe auch eine Mathematik in jüdischem Geiste, was schon das Hexeneinmaleins im Faust bewiesen habe mitsamt dem Kommentar des Katers: „Und laß mich gewinnen!“ Die bisherige Diskussion habe ihn so recht von der notwendigen Emanzipierung der Christen von den Juden überzeugt. Der fromme Mann will keine Unterdrückung, sondern Judenmission, zweifelt aber, ob die Versammlung vor ihm noch den rechten Glaubenseifer habe, um sich der Bekehrung zu widmen. Und so werden zugleich die „Deisten“ angesprochen, die Gleichgültigen, die den Staat auf bloße Humanität und Toleranz gründen wollen. Unvereinbare Gegensätze tun sich hier auf. Die skurrile Rede des pommerschen Pietisten ist übrigens eines der wenigen Zeugnisse, in denen der Gedanke des christlichen Staates im Zusammenhang mit dem Judenproblem ganz ernst, ohne Nebengedanken, mit biederer Wahrhaftigkeit verfochten wird.

Im allgemeinen litt die Debatte des Vereinigten Landtags unter einer rechtlichen Unklarheit. Da das Gesetz die Juden nur als eine religiöse Gemeinschaft ansehen durfte, weil sich eine andere Grenze zwischen Deutschen und Juden ohne Willkür nicht feststellen ließ, mußten sich die Verteidiger des bestehenden Rechts auf die Lehre vom christlichen Staat stützen. Treitschke meinte später in seiner Deutschen Geschichte, es habe sich damals im Grunde um eine rein politische Frage gehandelt.[11] Regierung und Konservative seien leider in den Verdacht der religiösen Unduldsamkeit gekommen, während sie doch mit Recht hätten annehmen können, daß ein Jude sich durch die Taufe zum Deutschtum bekannte. Wenn Treitschkes nüchterner Realismus hier recht hätte, wäre die Regierungspolitik zynisch gewesen. Das war sie nicht, aber sie war zweideutig. Das wirkte sich auf die Debatte in der

[10] Ver. Landtag, IV, 1879 f.

[11] H. v. Treitschke, Deutsche Geschichte im 19. Jahrhundert. V, 632 ff.

Weise aus, daß das christliche Prinzip von den meisten Gegnern der Emanzipation geschickt manipuliert oder einfach vorgeschützt wurde.
Die Abstimmung über die akademischen Lehrämter ergab ein Stimmenverhältnis von 222:181 für die Zulassung von Juden, die Schulämter wurden mit 180:236 Stimmen abgelehnt. Die Herrenkurie verhielt sich mißtrauischer gegenüber der Lehrfreiheit, obwohl es auch unter dem hohen Adel beredte Fürsprecher der Trennung von Staat und Kirche gab. Für die Zulassung der Juden zu den ständischen Rechten, also zur vollen Aktivbürgerschaft, stimmten 219 gegen 220, während die Herrenkurie sie rundweg ablehnte. Die Frage der Zivilehe für Juden, die die rechtliche Anerkennung der Mischehen enthielt, wurde mit überwiegender Mehrheit bejaht. Für die rechtliche Gleichstellung der Judenschaft in Posen entschied sich nur die 2. Kurie, die Herrenkurie lehnte sie ab.
Die Abstimmungsergebnisse kennzeichnen lediglich Urteil und Stimmung in der Versammlung der preußischen Stände, die keine legislativen Rechte hatten; schon für Petitionen und Beschwerden an den König war nach den Statuten eine Zweidrittel-Mehrheit beider Kurien erforderlich. Sie geben zugleich ein Bild von dem Einfluß *und* von der Wirkungslosigkeit der liberalen Opposition, deren Redner die Debatte beherrschten. Manche Reden sind berühmt geworden, sie werden in der liberalen Presse und in jüdischen Wochenschriften noch lange zitiert, denn die Protokolle des Vereinigten Landtags wurden im Wortlaut veröffentlicht.
Man kann die Argumente der Opposition, die glänzend vorgetragen und im Verlauf der Debatte unermüdlich wiederholt werden, kurz zusammenfassen. Die Emanzipation der Juden gehörte seit der Französischen Revolution und seit der preußischen Reformzeit zu den Grundlagen des liberalen Rechtsstaates. Wer sie verteidigte, berief sich auf den Grundsatz: gleiche Pflichten – gleiche Rechte, und

so hätte das Judengesetz eigentlich nur aus einem einzigen Paragraphen bestehen dürfen. Da die Gesetzesvorlage zwar von diesem Grundsatz ausging, ihn aber durch Ausnahmen, Einschränkungen und Sonderbestimmungen wieder umwarf, konnten die Liberalen nur auf Inkonsequenzen, auf Übertreibungen, auf absichtliche Mißverständnisse und auf Widersprüche hinweisen, die insgesamt zu einer Ausnahmegesetzgebung führten und der nationalen Einheit im Wege standen. Trotz der allgemeinen Militärpflicht blieben Juden vom Offizierskorps ausgeschlossen, trotz gleicher wissenschaftlicher Vorbildung und erwiesener Qualifikation von vielen akademischen Berufen. Sowohl Mevissen wie der ostpreußische Adlige von Saucken-Tarputschen verteidigen einen Rechtsstandpunkt, den wir heute „Gleichheit der Chancen" nennen würden, denn es ging ja nicht darum, daß alle Juden Minister würden – wie die Debatte um die obrigkeitlichen Ämter manchmal vermuten ließ – sondern daß der einzelne qualifizierte Jude dasselbe Recht auf Karriere habe wie „jeder Berliner Eckensteher". Zur Ausübung ständischer Rechte gehöre die Wahl, also ein ungewöhnliches Vertrauen, das nur der Würdige sich erwerben könne. Vincke verteidigte mit ironischer Schärfe die Lehrfreiheit der Universitäten gegen „bestimmte kirchliche Theorien" und einen konfessionellen Geist, der ins 16. Jahrhundert gehöre.[12] Die Kirche stehe zu hoch, als daß der Staat ihr Dienste leisten müsse, Staat und Kirche seien getrennte Sphären. Das war deutlich gegen Stahl und den höfischen Pietismus gerichtet. Um die jüdischen Korporationen entbrannte in beiden Kurien der heftigste Streit. Nur Eichhorn verteidigte sie bis zuletzt mit unsicheren und zweideutigen Argumenten als eine organische Fortbildung längst bestehender synagogaler Judenschaften, als vorteilhaft für die Juden, ja als ein besonderes Privileg, da sie, korporativ zusammengefaßt, mit

[12] Ver. Landtag, IV, 1883.

der sicheren Vertretung in den Stadtgemeinden rechnen könnten. Aber auch die Herrenkurie reagierte empfindlich auf den Geist der Aussonderung und lehnte, wie es auch Bismarck getan hatte, den Korporationsgedanken rundweg ab. Die Kontroverse spitzte sich in einer für das jüdische Problem charakteristischen Weise zu, als der schlesische Fürst zu Lynar, der immer für volle Gleichberechtigung eingetreten war, offen zugestand, daß man das Judentum mit den „Waffen der Liebe“ am ehesten beseitigen könne. Daß die Regierung, wie alle Gegner der Emanzipation, es aus Abneigung aussondern und erhalten wollte, gehört zu den eigentümlichen Paradoxien, die das christlich-jüdische Verhältnis von Dohm und Humboldt bis zum Ende der Emanzipationsepoche beherrschen. Als später die zionistische Bewegung, die zuerst eine verzweifelte, dann eine begeisterte Antwort auf den Antisemitismus des ausgehenden 19. Jahrhunderts war, das jüdische Volkstum bejahte und den Judenstaat forderte, schien sie den Feinden des Judentums Recht zu geben, die seit langem mit der Behauptung einer unzerstörbaren jüdischen Nationalität die Aussonderung begründet und gerechtfertigt hatten. So verworren ist die Situation, die sich aus Haß und Abwehr des Hasses, aus Annäherung und Entfremdung, aus Isolierung und Selbstbesinnung auf die Dauer ergeben hat.
Damals waren die deutschen Juden in ihrer großen Mehrheit bereit, im deutschen Volke aufzugehen und zugleich ihrer Glaubensüberzeugung treu zu bleiben, wobei sie sich auf das Menschenrecht des freien Religionsbekenntnisses berufen konnten.

Das Ergebnis

Das Gesetz vom 23. Juni 1847 war ein Kompromiß. Die Regierung hatte nur die Änderungen am Entwurf vorgenommen, die von beiden Kurien übereinstimmend be-

schlossen waren: die jüdischen Korporationen fielen also weg, die Zivilehe wurde zugestanden. Von den Staatsämtern blieben solche ausgenommen, die mit gerichtlichen, polizeilichen und Verwaltungsfunktionen verbunden waren. Die Ausnahmegesetze für Posen waren weiterhin gültig, die ständischen Rechte blieben den Juden verwehrt, in der medizinisch-naturwissenschaftlichen Fakultät konnten sie es bis zur ordentlichen Professur bringen, aber nur in dieser! Die gerade Linie des Grundsatzes „Gleiche Rechte – gleiche Pflichten", den das Gesetz vorweg verkündete, hatte also einige Kurven und Knicke erhalten.
Gabriel Riesser, der die im Wortlaut publizierten Verhandlungen gespannt verfolgt hatte, nannte sie in einem Brief vom 6. August 1847 einen „großen moralischen Sieg".[13] Die Majorität der Ständekurie, meint er, habe dem in sie gesetzten Vertrauen entsprochen und, wenn auch mit schwacher Stimmenmehrheit, in allen wichtigen Punkten Beschlüsse im Sinne der Rechtsgleichheit gefaßt. Politisch sei freilich wenig gewonnen, und das eben publizierte Gesetz sei, wenn auch besser als der Entwurf, doch eher ein Ausgangspunkt als ein Ende des Kampfes.
Als nach der Märzrevolution der Vereinigte Landtag eilig wieder einberufen wurde, hatte sich die Welt verändert. Am Eröffnungstage, am 2. April 1848, forderte v. Beckerath die Ständeversammlung auf, die Ergebnisse der Revolution freudig anzunehmen und sich als Brücke zwischen der alten und der neuen Zeit anzusehen.[14] Diesmal legte die Regierung außer einem Wahlgesetz, das die künftige preußische Nationalversammlung begründen und damit einen Rechtsboden für die revolutionären Errungenschaften legen sollte, selber eine Reihe von konstitutionellen Grundrechten vor, denen dieselben Vertreter der Stände nun widerstandslos zustimmen. Sie enthalten die

[13] Riesser, I, 404.

[14] V. Valentin, Geschichte der deutschen Revolution von 1848/49. Berlin 1930/31. I, 536.

Erfüllung der sog. Märzforderungen, u. a. der Pressefreiheit, Versammlungsfreiheit, der Gleichberechtigung der Konfessionen. Ein Paragraph lautet: „Die Ausübung staatsbürgerlicher Rechte ist fortan von dem religiösen Glaubensbekenntnis unabhängig." Die bald darauf gewählte Preußische Nationalversammlung nahm den Grundsatz der Rechtsgleichheit in die Verfassung auf, Bekenner der israelitischen Religion wurden gar nicht mehr erwähnt. So einfach war auf einmal die politisch-rechtliche Lösung eines Problems, das jahrzehntelang die Ministerien und die Landtage beschäftigt hatte.

14. KAPITEL

DIE ZWEITE PHASE DER EMANZIPATION

Die Paulskirche

Gabriel Riesser war seit langem überzeugt, daß in der politischen Einheit und politischen Freiheit Deutschlands die volle Emanzipation der Juden enthalten sein werde. Das leuchtet unmittelbar ein, wenn man sie als einen Bestandteil der freiheitlichen Grundrechte betrachtet, deren Sicherheit nur die geeinte Nation gewährleisten konnte. Die Erfahrung hatte gelehrt, daß die Kleinstaaterei eine Ursache der veralteten und schikanösen Judengesetzgebung war und daß sie jede Reformbewegung zum Stocken brachte. Die Märzrevolution gab Riesser zuerst einmal recht.

Er war vom Siebener-Ausschuß bereits als einer der Männer bezeichnet worden, die sich das Vertrauen des deutschen Volkes erworben hatten, und wurde in das Vorparlament berufen, das die Wahlen für die Nationalversammlung vorbereitete. Als Abgeordneter des Herzogtums Lauenburg, das bis dahin eine fast mittelalterliche Judenordnung gehabt hatte, zog der jüdische Politiker in die Paulskirche ein, in der außer ihm noch drei jüdische Abgeordnete saßen, wurde bald ein überaus tätiges Mitglied des Verfassungsausschusses und im Herbst 1848 der zweite Vizepräsident der deutschen Nationalversammlung. Er hielt sich zuerst zur linken Gruppe des liberalen Zentrums, wandte sich nach dem Septemberaufstand aus Sorge vor der drohenden Anarchie, die er als Jude besonders fürchtete, den Rechtsliberalen zu und bekannte sich in der Frage des Staatsoberhauptes zum preußischen Erbkaisertum.[1] Am 21. März 1849 faßte er in der großen Schlußrede die parlamentarische Gedankenarbeit der Paulskirche noch

[1] Vgl. Fr. Friedlaender, Das Leben Gabriel Riessers. Berlin 1926, S. 114 ff.

einmal zusammen, um Welckers Antrag auf Annahme der Verfassung und Übertragung der Kaiserwürde an Friedrich Wilhelm IV. zu unterstützen. Die „Kaiserrede" war nach dem Urteil der Zeitgenossen eine politisch-rhetorische Leistung, die parlamentarische Form und staatsmännische Haltung mit hohem Sachverstand und lauterer Gesinnung verband, von Grund auf wahrhaftig, ohne Illusion und ohne Schmeichelei, aber voll von hinreißendem Vertrauen auf die Überzeugungskraft politischer Vernunft. Riesser war dann Mitglied der Kaiserdeputation, die Eduard Simson leitete, und war bei der Antwortrede Friedrich Wilhelms IV. zugegen, die in verhüllter Form zu erkennen gab, daß er sich weigerte, die Kaiserkrone anzunehmen und die Verfassung anzuerkennen. Eine gewaltsame Lösung der Verfassungsfrage, für die Gottfried Kinkel und Carl Schurz sich einsetzten, lehnte er ab; den badischen Aufstand verurteilte er ebenso wie die militärischen Übergriffe Preußens. Daß Riesser „grunddeutsch empfand", hat ihm später Treitschke bezeugt, der auch das Wort seiner Freunde wiederholt, in ihm sei im wahrsten Sinne des Wortes „das Recht Gemüt geworden".[2]

Ein einziges Mal tauchte die jüdische Frage noch in den Debatten der Paulskirche auf, als am 28. August bei der Beratung der Grundrechte der Stuttgarter Abgeordnete Moritz Mohl, dem Heinrich Laube viel Eifer, einen harten Schwabenkopf und wenig politische Klugheit zuspricht, einen Zusatzantrag zu § 13 des Entwurfs einbrachte. Der § 13 hatte denselben Wortlaut wie der später in die Verfassung aufgenommene § 146 des Artikels V: „Durch das religiöse Bekenntnis wird der Genuß der bürgerlichen und staatsbürgerlichen Rechte weder bedingt noch beschränkt. Den staatsbürgerlichen Pflichten darf dasselbe keinen Abbruch tun." Mohl beantragte folgenden Zusatz: „Die eigentümlichen Verhältnisse des israelitischen

---

[2] Treitschke, Dt. Geschichte. V, 632.

Volksstammes sind Gegenstand besonderer Gesetzgebung und können vom Reiche geordnet werden. Den israelitischen Angehörigen Deutschlands werden die aktiven und passiven Wahlrechte gewährleistet."[3] Das war die offene Tür für einen künftigen gesetzlichen Sonderstatus, der die Juden sozial deklassiert hätte. Das Wahlrecht schien bei ihrer geringen Zahl und ihrem geringen Ansehen politisch ungefährlich, man konnte, wie es auch in den süddeutschen Staaten geschah, großzügiger damit umgehen.

Bei der Begründung des Antrags beruft sich Mohl, der als Liberaler zur gemäßigten Linken gehörte und die Märzbewegung freudig bejaht hatte, keineswegs auf den „christlichen Staat", sondern auf die Fremdstämmigkeit der Juden und auf ihre allgemeine Schädlichkeit, der mit dem Strafgesetz nicht beizukommen sei. Es sind die alten Grundgefühle einer irrationalen Abneigung, die sich mit der nationalen Gemeinschaftsmystik verbinden. Und so schließt Mohl, von der Haltlosigkeit seiner umständlich vorgebrachten Beweise selbst in den Winkel getrieben, wo man sich nur am tapferen Dennoch wiederaufrichten kann: „Immer und ewig wird die israelitische Bevölkerung wie ein Tropfen Öl auf dem Wasser der deutschen Nationalität schwimmen." Das war ein schlechter Vergleich, indes war die Versammlung an wuchernde Redeblüten gewöhnt. Den Vortrag hatte sie mit vielen Zeichen des Mißfallens begleitet, Mohl hatte das ganz richtige Gefühl, als er seine Überzeugung unpopulär nannte, daß er gegen den Strom schwamm und sich am Geist der Paulskirche versündigte. In der liberalen Presse hieß es damals, daß sich mit ihm eine Stimme aus dem Grabe der Vergangenheit erhoben habe.

Mohls Antrag gab Riesser die Gelegenheit zu seiner ersten größeren Rede vor der Nationalversammlung. Es war eine völlig neue Situation, daß ein Jude selber die Anschuldi-

---

[3] Stenograph. Bericht über die Verhandlungen der deutschen konstituierenden Nationalversammlung zu Frankfurt a. M. III, 1750.

gungen vor dem höchsten politischen Forum des deutschen Volkes zurückweisen konnte. Was Riesser am meisten treffen mußte, war der Vorwurf der Fremdstämmigkeit, ein Makel, von dem er wußte, daß er durch den Religionswechsel ausgetilgt werden konnte und den man der polnischen Minderheit nicht anhängte, die nicht einmal deutsch sprach und doch Bürgerrechte besaß. Was enthielt also der doppelzüngige Vorwurf? Wie konnte man ihm begegnen? Wo war der Ort, wo die deutsche Nationalität ehrlich erworben werden konnte? „Was haben diejenigen", so ruft er aus und weiß sich einig mit der überwältigenden Mehrheit der deutschen Juden, „welche dieses Traumgebilde der (jüdischen) Nationalität seit vielen Jahren von sich wiesen, denn für ein Mittel, zum deutschen Volkstum überzugehen als das, daß sie zum Christentum übergehen? Auf diesem Wege gelangen Sie glücklich dazu, Volkstum und Religion mit einem Schlage zur Lüge zu machen." Es ist die verzweifelte Abwehr des deutschen Irrationalismus, den Riesser mit Vernunftgründen zu bekämpfen hofft. Er schließt seine Rede mit der Warnung: „Glauben Sie nicht, daß sich Ausnahmegesetze machen lassen, ohne daß das ganze System der Freiheit einen verderblichen Riß erhalten würde."

Der Eindruck seiner Rede war stark, nicht nur in der Paulskirche, die Mohls Antrag fast einstimmig verwarf, sondern in der gesamten deutschen und österreichischen Judenschaft, die in ihm ihren Sprecher und Anwalt sah und die Annahme der Grundrechte mit ungeheurem Jubel begrüßte. In Art. V wurden auch die Vorrechte einzelner Religionsgesellschaften abgeschafft, so verschwand der „christliche Staat" und jede Form von Staatskirchentum zugunsten des weltlichen Staates, der allen Bekenntnissen unparteiisch gegenüberstand (§ 147). Die Religionsverschiedenheit war kein bürgerliches Ehehindernis mehr (§ 150), und mit der neuen Eidesformel „So wahr mir Gott helfe!" war jede Möglichkeit geschwunden, den schmachvollen Eid more judaico wieder einzuführen, der jahrhundertelang der rechtlichen Diffamierung gedient hatte (§ 149).

Volkstümliche Wirkungen

In der in Leipzig erscheinenden Wochenzeitung „Der Orient“, die Julius Fürst herausgab, läßt sich die Wirkung der umstürzenden Ereignisse des Jahres 1848 am besten verfolgen. Eine Woge nationaler Begeisterung für das „Reich“ erfaßt die deutschen Juden. Bei den polnischen Unruhen richtete die Krakauer israelitische Gemeinde einen Aufruf an die Glaubensgenossen in Posen, sie sollten Polen als ihr früheres und toleranteres Vaterland lieben und verteidigen. Aber er wird mit Entrüstung zurückgewiesen. Die Posener Juden antworten: „Erzogen von deutscher Kultur und Gesittung, in seiner Sprache einzig und allein redend und seinen Geist in uns aufnehmend, haben wir stets nur mit Deutschland gefühlt, bei seinen Leiden getrauert, bei seinen Freuden gejubelt, wie auch Deutschland uns als Stiefkinder mißhandelt haben mag. Das Bewußtsein einer nationalen Angehörigkeit ist so göttlich-rätselhaft wie das Gewissen, die Vaterlandsliebe ist ebenso uneigennützig als undankbar, und weder die Glaubensgenossenschaft noch der Kosmopolitismus vermögen sie in der großen Mehrheit zu unterdrücken. Wenn Ihr Euch in Kultur und Sitte Polens hineingelebt und für die Erhebung dieses tiefgeknechteten Polens eine heilige Begeisterung Euch durchzuckt, so werdet Ihr unsere Liebe zum deutschen Vaterlande zu würdigen verstehen. Nur wer Vaterlandsliebe hat, kann Vaterlandsliebe begreifen.“[4] Das war sicher echt, obwohl es weder ganz uneigennützig, noch undankbar war, denn die bisher deklassierte Posener Judenschaft hoffte zuversichtlich, daß der Verfassungsentwurf mit dem Grundrecht der staatsbürgerlichen Gleichheit von der preußischen Nationalversammlung angenom-

[4] Orient, 3. Juni 1848, S. 181.

men würde. Sie steht auch bei dem Polenaufstand auf der Seite der preußischen Regierung, während die galizischen Juden bei ihrer elenden und gedrückten Lage in der österreichischen Monarchie von den Polen Freiheitsrechte erwarten und sich auf die polnische Seite schlagen.

Es gibt aber eine häßliche Begleitmusik zu dem frohen Jubel über den Fortschritt des Jahres 1848, das sind die vielen Berichte über Regungen des Judenhasses, über Bauernunruhen und Pöbelaufstände in Baden und Hessen, in Hamburg, Breslau und Gleiwitz, über Ghettoplünderungen und schwere Exzesse in Prag, in Preßburg und Budapest. In der vom Zerfall bedrohten Donaumonarchie geraten die Juden nämlich zwischen die nationalen Leidenschaften von Deutschen, Tschechen, Magyaren und Slawen, und da sich auf dem Lande Bauernrevolten gegen den Adel, in den Städten kleinbürgerliche Aufstände gegen die Besitzenden mit einem Judenhaß national-religiöser Prägung verbinden, so nehmen die Ausschreitungen in Böhmen und Ungarn mittelalterliche Formen an mit zeitweiliger Vertreibung der Ghetto-Insassen und erneuter Absperrung der Judenviertel. Der Berichterstatter aus Prag meldet, es seien „Spuren des knutigen Ostens“, die die schöne unglückliche Stadt befleckten, denn niemand könne Politik mit Glaubenssachen so zusammenwerfen, den deutsche Bildung erfülle.[5] Das war auch die öffentliche Meinung in Deutschland: bei einer allgemeinen Gärung und Umwälzung der politisch-sozialen Verhältnisse müsse der trübe Bodensatz zeitweilig an der Oberfläche erscheinen, er werde dann aber endgültig versinken.

Gabriel Riesser war von dem Scheitern der deutschen Einheitsbewegung tief betroffen, gab aber die Hoffnung nicht auf, daß die deutsche Nationalpolitik auf preußischer Grundlage weitergeführt werden könne, und stimmte wie seine Freunde von der erbkaiserlichen Partei für das Gothaer Programm, allerdings mit schmerzlicher Resignation.

[5] Orient, 23. September 1848, S. 307.

1859 trat er dem Deutschen Nationalverein bei. Als er 1860 von seiner Vaterstadt Hamburg zum Mitglied des Obergerichts berufen wurde und damit der erste Richter jüdischen Glaubens in Deutschland geworden war, erfreute ihn zwar der persönliche Erfolg, aber wichtiger war ihm das Symbolische dieser Amtserhebung, er nannte es den Sieg der Gewissensfreiheit. Die volle bürgerliche Ehrenstellung der deutschen Juden schien erreicht, wenn eine Stadt, die ihnen noch vor kurzem das Bürgerrecht versagt hatte, ihm jetzt das höchste Richteramt übertrug, allerdings nur, wenn man einen grundsätzlichen Entschluß darin sah und nicht allein die Anerkennung seiner ungewöhnlichen Persönlichkeit und seiner politischen Leistung. Er starb schon 3 Jahre später und hat die Reichsgründung, die er ersehnte, und die neue Welle des Antisemitismus, den er für besiegt hielt, nicht mehr erlebt.
Die Grundrechte waren am 21. Dezember 1848 als Gesetz verkündet worden und fanden Eingang in die Verfassung oder in die Gesetzgebung der meisten deutschen Bundesstaaten. Mit dem § 16 (im Entwurf § 13) des Grundrechte-Katalogs, der die Unabhängigkeit der staatsbürgerlichen Rechte vom religiösen Bekenntnis ausspricht, war also die Emanzipation der Juden in den meisten deutschen Staaten gesetzlich festgelegt. Das war ein Erfolg, den die Reaktion der 50er Jahre nicht ganz hat austilgen können. Der Grundsatz war einmal ausgesprochen, er wurde dann wieder eingeschränkt und durchlöchert, aber auch in den revidierten Verfassungen sind unlöschbare Spuren der Rechtsordnung erhalten geblieben, die die deutsche Nationalversammlung aufgestellt hatte. Das Jahr 1848 lebt als ein glückliches Jahr in der Erinnerung der deutschen Juden.

Grundrecht und Verwaltungspraxis in Preußen

Wenn man die rückläufige Bewegung der 50er Jahre überblickt, drängt sich die Frage auf, ob die knappen Mehrheiten bei der Abstimmung über die Judenparagraphen im Vereinigten Landtag nicht doch ein richtigeres Bild vom deutsch-jüdischen Verhältnis gegeben haben als die fast einstimmige Annahme des § 13 in der Paulskirche. Dieser Paragraph umfaßte zwar das jüdische Problem, betraf aber als Grundrecht des deutschen Volkes noch andere, damals wichtigere Bereiche, an denen die Versammlung leidenschaftlichen Anteil nahm, wie das Verhältnis von Staat und Kirche.

Aus den Verfassungsrevisionen und der Verwaltungspraxis der Reaktionsjahre geht mit Sicherheit hervor, daß Überzeugungen, Ideale, Vorurteile und unverrückbare Standpunkte der alten Zeit noch vorhanden waren und sich wieder mächtig zeigten. In Preußen bestand zeitweilig die Gefahr, daß der konstitutionelle Gedanke durch die patrimoniale Staatslehre Fr. J. Stahls wieder verdrängt werden könne. Im Habsburgerreich setzten sich nach dem Tode Schwarzenbergs die klerikalen und reaktionären Tendenzen durch. Als der wiedereingesetzte Bundestag im August 1851 die Grundrechte für null und nichtig erklärt hatte, wurden in den kleinen deutschen Fürstenstaaten Kammern und Wahlgesetze vielfach aufgehoben und Reformgesetze der Revolutionszeit außer Kraft gesetzt.[6] Man konnte sich bei der Wiederherstellung der vormärzlichen Einrichtungen auf Beschlüsse des Bundestags berufen, aber es war auch ganz im Sinne der patriarchalischen Staatsauffassung der Landesfürsten, daß bloße Maßnahmen, halb erzwungene zumal, auch wieder rückgängig gemacht werden konnten. So hatte eine Proklamation des bayrischen Königs vom 6. März 1848 lediglich die „Verbesserung" der bürgerlichen Verhältnisse der Israeliten in Aussicht gestellt; das war noch die Sprache des aufgeklärten Despoten, der wohlwollend Erleichterungen gewährt, wo Rechte gefordert werden.

[6] R. Stadelmann, Soziale und politische Geschichte der Revolution von 1848. München 1948, S. 152 f.

In Preußen dagegen war die auf Grund der Märzereignisse erlassene Verordnung sowohl in die oktroyierte Verfassung vom 5. Dezember 1848 wie in die revidierte Verfassung vom 31. Januar 1850 aufgenommen worden. Sie lautet jetzt: „Art. 4. Alle Preußen sind vor dem Gesetze gleich. Standesvorrechte finden nicht statt. Die öffentlichen Ämter sind unter Einhaltung der von den Gesetzen festgestellten Bedingungen für alle dazu Befähigten gleich zugänglich. Art. 12. Der Genuß der bürgerlichen und staatsbürgerlichen Rechte ist unabhängig von dem religiösen Bekenntnisse." Was hier klar und eindeutig ausgesprochen ist, erhält aber durch eine Zusatzbestimmung wieder verschwimmende Konturen. Auf den Antrag Stahls, der Mitglied des Herrenhauses war, und anderer Abgeordneter der 2. Kammer wurde der Art. 14 hinzugefügt: „Die christliche Religion wird bei denjenigen Einrichtungen des Staates, welche mit der Religionsübung im Zusammenhang stehen, unbeschadet der im Art. 12 gewährleisteten Religionsfreiheit zum Grunde gelegt." Stahl mußte bei seiner Begründung ausdrücklich erläutern, daß nicht bürgerliche Einrichtungen schlechthin gemeint seien, denn auch solche Anträge waren eingegangen. Aber auch in dieser Fassung ließ der Artikel eine Auslegung in sehr beschränkendem Sinne zu, wenn man von den „Forderungen des christlichen Staates" ausging, und das geschah in der Verwaltungspraxis der 50er Jahre.[7]

1856 wurde von dem konservativen Abgeordneten und Redakteur der „Kreuzzeitung" H. Wagener sogar die Streichung des Art. 12 beantragt, weil er gegen die christliche Monarchie verstoße und den religionslosen Staat begründe. Das erregte den heftigen Widerstand der Liberalen, da es sich ja um das Grundrecht der Religionsfreiheit handelte. Die jüdischen Gemeinden richteten zahlreiche Petitionen an die Kammer. Da auch die öffentliche Mei-

---

[7] L. Auerbach, Das Judentum und seine Bekenner in Preußen und in den anderen deutschen Bundesstaaten. Berlin 1890, S. 254 ff.

nung sich gegen die Verletzung der Fundamente des Rechtsstaats wandte, verwarfen sogar die Konservativen den Antrag, der nur 30 Stimmen der äußersten Rechten für sich hatte.[8] Bemerkenswert an diesem Vorgang ist aber die Erklärung des Innenministers, die dahin lautet, daß die Regierung sowieso keine „den christlichen Charakter des Staates verletzende Anwendung des Art. 12" dulden werde, also keine Auslegung, welche „die Zulassung von Nichtchristen und anderen irreligiösen Sekten zu richterlichen, obrigkeitlichen oder solchen Ämtern, welche mit der christlichen Endbestimmung des Staates in wesentlicher Beziehung stehen",[9] möglich macht.

Mit dieser offiziellen Interpretation war der Art. 12 unschädlich gemacht, er konnte also bestehen bleiben. Um ganz deutlich zu sein, fügt die Erklärung hinzu, daß die Regierung hinsichtlich der Juden die im Gesetz vom 23. Juli 1847 getroffenen Spezialbestimmungen noch jetzt als geltend ansehe. Das Justizministerium hatte schon 1851 die Bekenner jüdischer Religion von allen Ämtern ausgeschlossen, die sie in die Lage brächten, christliche Eide abzulegen. Zu dem Richteramt kommt das Schulzenamt und die neuerdings wieder mit Rittergütern verbundene Polizeigewalt hinzu. Wegen der Staats- und Lehrämter beruft man sich abwechselnd auf das Gesetz von 1847 und auf Art. 4 und 12 der Verfassungsurkunde. Es kam nun auf die administrative Praxis an. Im allgemeinen wurde sie während der 50er Jahre so gehandhabt, daß Juden von Staatsämtern konsequent ausgeschlossen blieben, erst mit dem Beginn der „Neuen Ära" lockert sich das. Ein grundsätzlicher Wandel tritt erst nach der Gründung des Norddeutschen Bundes und bei der Bildung liberaler Ministerien ein.

Ist es wirklich, so fragt man sich, die Sorge um den christlichen Charakter des Staates, die den zähen und klein-

[8] Philippson, I, 337 f.
[9] Auerbach, S. 256.

lichen Protest gegen die soziale Gleichstellung der jüdischen Staatsbürger jahrzehntelang am Leben erhält, die die rechtlichen Garantien ständig paralysiert? Das ist schwer zu sagen. In jeder individuellen Entscheidung eines Ministerialbeamten wird das Verhältnis von christlicher Verantwortung, obrigkeitlicher Gesinnung und tief eingeprägter sozialer Abneigung gegen die Juden ein anderes gewesen sein. Da aber der Akt der Taufe immer noch den Zugang in die Gesellschaft und in die Staatsämter öffnete, wirkt eine uralte religiöse Diskrimination in der sozialen fort. In dem Ausschluß vom Richteramt, der mit dem christlichen Eid so mangelhaft begründet wird, in der spukhaften Angst vor jüdischer Polizeigewalt auf dem Lande – die sich kein Jude wünschen konnte! – spricht sich mehr aus als ein später Versuch, noch irgendwo Schranken aufzurichten, die die soziale Deklassierung nicht in Vergessenheit geraten lassen. Wenn man immer wieder behauptet, daß Christen keinen jüdischen Richter über sich ertragen könnten, so lebt hier die alte kanonische und von Luther wiederaufgenommene Lehre nach, daß die Juden von Ursprung her den Christen untertan seien und daß man ihnen keine Gewalt über die Christen geben dürfte.[10] Das Bundesgesetz des Norddeutschen Bundes vom 3. Juli 1869 bedeutet für Preußen und die norddeutschen Staaten den Abschluß der emanzipatorischen Entwicklung. Es hat den Wortlaut: „Alle noch bestehenden, aus der Verschiedenheit des religiösen Bekenntnisses hergeleiteten Beschränkungen der bürgerlichen und staatsbürgerlichen Rechte werden hierdurch aufgehoben. Insbesondere soll die Befähigung zur Teilnahme an der Gemeinde- und Landesvertretung und zur Bekleidung öffentlicher Ämter vom religiösen Bekenntnis unabhängig sein." Damit hat das Grundgesetz des Frankfurter Parlamentes seine Bestätigung gefunden, wie bereits in Art. 4 und 12 der Preu-

[10] Vgl. E. Kahler, Ursprung und Wandlung des Judenhasses. Die Verantwortung des Geistes. Ges. Aufsätze. Frankfurt 1952, S. 77.

ßischen Verfassung, aber jetzt gesichert durch die Zustimmung des Bundesrates. Da der Art. 14 vom Bundesgesetz aber unberührt blieb, kam es auch in der Folgezeit bei der Besetzung von Staatsstellen auf die Verwaltungspraxis an. Im Anfang der 70er Jahre war sie ausgesprochen liberal.

Die süddeutschen Staaten und Österreich

Die Entwicklung in den süddeutschen Staaten war anders gelaufen, da hier nicht die Ideologie des christlichen Staates, sondern der kleinbürgerliche Erwerbssinn und die Abneigung der ländlichen Bevölkerung gegen den jüdischen Hausier- und Geldhandel der Emanzipation im Wege standen. Die politischen Rechte, das aktive und passive Wahlrecht also, waren in Baden schon früher, in Württemberg und Bayern im Gefolge der Revolution den Juden gewährt worden. Aber sonst blieb es bei den bürgerlichen Beschränkungen und in Baden bei der Anomalie des von der Genehmigung der Magistrate abhängigen Ortsbürgerrechts, was dazu führte, daß dem Baron Rothschild noch 1861 in Baden-Baden die Aufnahme in die dortige Bürgerschaft verweigert wurde. Württemberg führte nach der Aufhebung der Grundrechte durch den Bundestag die alten Erwerbs- und Aufenthaltsbeschränkungen wieder ein; es verhielt sich geradeso, wie es der Antrag Mohls in der Paulskirche verlangt hatte. Bayern blieb hartnäckig bei dem Matrikelzwang von 1813 und brachte seine altertümliche Judenverfassung heil durch das stürmische Jahr 1848. Immer noch wurden dort jüdische Familien wie eine Ware numeriert, und Bewerber um Wohnrecht und Gewerbekonzession mußten Jahre warten, bis eine Matrikelstelle durch Tod oder Auswanderung frei wurde.[11] Als sich die Hoffnungen auf die Revolution als vergeblich erwiesen hatten, ergoß sich eine neue Welle von Auswanderern nach

[11] A. Eckstein, Der Kampf der Juden um ihre Emanzipation in Bayern. Fürth 1905, S. 101–127.

Amerika. Erst im Jahre 1861 wurde durch Kammerbeschluß unter Zustimmung der Krone das Ausnahmegesetz von 1813 aufgehoben, das als entwürdigender Druck solange auf den bayrischen Juden gelastet hatte. Im selben Jahre erfolgte die Gleichstellung der Juden in Württemberg, 1862 in Baden, 1868 in Sachsen und Mecklenburg, aber hier erst auf Druck des Norddeutschen Bundes. Nach der Reichsgründung erhielt das Bundesgesetz vom 3. Juli 1869 Gültigkeit für alle Bundesstaaten des Deutschen Reiches. Der rechtliche Ausnahmestatus der Juden in Deutschland war damit beendet.

Auch in Österreich dauerte es 2 Jahrzehnte, bis das Grundrecht der Paulskirche sich durchsetzen konnte, das die oktroyierte Verfassung vom 4. März 1849 schon einmal aufgenommen hatte. In den 50er Jahren war die Emanzipation durch die Beschränkung der Freizügigkeit, des Grunderwerbs und der Berufswahl allmählich wieder aufgehoben worden, eine Entwicklung, die auch mit dem Erstarken des Klerikalismus zusammenhing. Die Massen der jüdischen Bevölkerung lebten in Galizien, Böhmen und Ungarn, während Tirol, Steiermark und Kärnten von jeher keine Juden aufnahmen. Als nach der Niederlage von 1859 die Ausnahmegesetze wieder abgebaut wurden und die Bewohner der „Judenstädte" in den Kleinstädten Galiziens und Böhmens freizügig wurden, stieg die Zahl der Juden in Wien sprunghaft an. Von 1869 bis 1880 verdoppelte sie sich fast, sie wuchs von 40 000 auf 73 000. Bei der noch im Ghetto aufgewachsenen jungen Generation war der Drang zu wissenschaftlichen Studien und zum sozialen Aufstieg besonders heftig, im Verhältnis zur Bevölkerungszahl wuchs die Zahl jüdischer Schüler und Studenten auf Gymnasien und Universitäten bald auf das Vierfache an.[12]

Das Staatsgrundgesetz von 1867, das die konstitutionelle

[12] Philippson, I, 307 ff.

Frage löste und die Doppelmonarchie Österreich-Ungarn begründete, erteilte allen Landesbewohnern ohne Unterschied der Nationalität und des Glaubensbekenntnisses das Vollbürgerrecht. Da bis dahin die ghettohafte Einschließung der Juden in den österreichischen Kronländern ihre religiös-nationale Eigenart und ihren niedrigen Lebensstandard erhalten hat, sind die Probleme der Assimilation in Österreich schärfer, aber auch die kulturellen und sozialen Gegensätze innerhalb der österreichischen Judenheit. Es kommt hinzu, daß sie überall zwischen die nationalen Spannungen des Vielvölkerstaates geraten, ohne selber eine Nation zu werden, und daß ihre Zahl im Verhältnis dreimal so stark ist wie die der deutschen Juden, nämlich 4½ % der Gesamtbevölkerung. So hat auch später der Antisemitismus in Österreich ein besonderes Gepräge.

Rückblick und Vorblick

Die legislative Entwicklung der jüdischen Frage in Deutschland, die so häufig unterbrochen und rückgängig gemacht wurde, hat mit der Reichsgründung ihren Abschluß erreicht; bis zum Jahre 1933 gibt es keine Ausnahmegesetze mehr. S. Dubnow meint in seiner „Weltgeschichte des jüdischen Volkes", es habe nach 1870 eine Zeitlang den Anschein gehabt, als ob das Gespenst der Judenfrage endgültig verscheucht sei. Aber das erwies sich als trügerisch. Schon 20 Jahre später kommt Leopold Auerbach zu dem Schluß, daß der von G. Riesser und den Liberalen eingeschlagene Weg verfehlt gewesen sei, da er nur die Emanzipation der Juden, aber nicht des Judentums zum Ziel gehabt habe, das als Religionssystem immer noch die offizielle Anerkennung und Würdigung entbehre.[13] In einem rein weltlichen Staat sei der liberale individualisierende Standpunkt berechtigt, aber das sei Preußen nie gewesen, es habe eine umfassende kirchen-

[13] Auerbach, S. 273 f.

rechtliche Gesetzgebung, und es gewähre den christlichen Kirchen Einfluß und staatlichen Schutz. Das Judentum, das sich gegen staatliche Einmischung selber verwahrt habe, sehe sich nun den judenfeindlichen Agitationen und der Diffamierung seines Kultus schutzlos preisgegeben. – Was hieraus spricht, ist die böse Erfahrung der 80er Jahre.

Ein bayrischer Rabbiner fragt 1905, was denn eigentlich erreicht sei mit dem Gleichheitsartikel der Reichsgesetzgebung. Wohl die privatbürgerliche Gleichberechtigung, die staatsbürgerliche gebe es nur auf dem Papier, die gesellschaftliche Anerkennung fehle überhaupt. Die paritätische Stellung des Judentums im Verhältnis zu Staat und Gesellschaft sei immer noch das ferne Hochziel aller weiteren Bemühungen.[14] Wir wissen, daß es nie erreicht worden ist.

Bildet das Jahr 1869 also wirklich einen Einschnitt in der deutsch-jüdischen Geschichte oder nicht? Ist das Rechtsfaktum der Emanzipation bisher überschätzt worden? Die neueren Untersuchungen über die Ursprünge des Antisemitismus und seine sozialpsychische Struktur kommen alle zu dem Ergebnis, daß sich nach der Reichsgründung die Spannungen nur verlagert haben, nämlich von der politisch-rechtlichen auf die gesellschaftliche Ebene.[15] Die Tendenzen zur sozialen Ausschließung oder gesellschaftlichen Diskriminierung sind nach der rechtlichen Emanzipation aufs neue und mit unvermuteter Heftigkeit wirksam geworden, wofür die Antisemitenparteien und die Stöcker-Bewegung ein Beweis sind.

Hier taucht die Frage auf, ob die umständliche Darstellung der emanzipatorischen Entwicklung, das Hin und Her von Zugeständnis und Verweigerung, von Prinzip und Ausnahme mitsamt der jeweils zeitlich bedingten Motivierung nicht eigentlich überflüssig war, einem rein anti-

---

[14] Vgl. Eckstein, a.a.O.

[15] Vgl. Eva Reichmann, Die Flucht in den Haß. Frankfurt a. M. o. J. und Paul W. Massing, Vorgeschichte des politischen Antisemitismus. Frankfurt a. M. 1959.

quarischen Interesse entsprang, das eine komplizierte und in ihrem Ergebnis dann doch unwirksame Rechtsentwicklung unnötig ernst genommen hat. Seit man die Ursachen der Katastrophe gerade in dem Zeitabschnitt *nach* der rechtlichen Gleichstellung der Juden entdeckt hat, ist man ja geneigt, die rechtliche Tatsache der Emanzipation zu unterschätzen, wie man sie früher überschätzt hat.[16]

Nun ist es in Wirklichkeit so: in der jahrzehntelangen Auseinandersetzung um den Abbau des rechtlichen Sonderstatus und um die Eingliederung der jüdischen Bevölkerung in Staat und Gesellschaft sind stets alle Kräfte am Werk, die widerstrebenden und die fördernden, alle gehen sie auf religiöse oder allgemein weltanschauliche, auf wirtschaftliche, soziale und national-völkische Motive zurück. Gesetzgebung und Gesetzespraxis spiegeln die Spannungen des deutsch-jüdischen Verhältnisses, immer ist das ganze Gewebe da, nur werden nicht gleichzeitig alle Fäden sichtbar. Den kleinbürgerlich-zünftlerischen Widerstand gegen das freie Wirtschaftsgebaren jüdischer Händler gab es schon im 17. Jahrhundert, er äußert sich damals in den Beschwerden der Kaufmannsgilden, später in den Protesten gegen das jüdische Warenhaus und die Börsenspekulation. Der völkische Antisemitismus der Alldeutschen ist bei Rühs und Fries und im Teutonismus der Befreiungskriege und der studentischen Verbindungen schon vorgebildet, die Feindschaft der Konservativen gegen Bismarcks „liberalen Judenstaat“ bei v. d. Marwitz und den junkerlichen Gegnern der Stein-Hardenbergschen Reform. In Stöckers christlichem Sozialismus lebt das orthodoxe Luthertum des 17. Jahrhunderts und seine Judenfeindschaft fort. Was den Aufklärer Chr. W. Dohm und die Liberalen der Paulskirche mit den Freisinnigen des Reichstags und mit Th. Mommsen verbindet, liegt auf der Hand: alle sehen sie in der Emanzipation, von der sie die völlige Verschmelzung des Judentums mit der deutschen Nation

[16] E. Reichmann, S. 17.

erhoffen, seine Absorption also, die Lösung der Judenfrage. Wie damals die katholische Staatsidee der Spätromantik mit den preußischen Konservativen ein Bündnis einging, so finden sich während des Kulturkampfes Zentrum und äußerste Rechte in der gemeinsamen Gegnerschaft gegen den Liberalismus zusammen. Die konservative Kreuzzeitung und die ultramontane Germania veröffentlichen in den 70er Jahren gleichzeitig Artikel gegen die jüdische Gefahr, in der sie den potenzierten liberalen Gegner erkennen. In der Hep-Hep-Bewegung von 1819 und in der antisemitischen Reaktion auf die Wirtschaftskrise nach der Gründerzeit hat die soziologische Analyse ähnliche Grundzüge entdeckt. Die Spannungen, das Ärgernis, den Widerstand gibt es also immer auf allen Ebenen, auch im säkularisierten Staat und in einer weitgehend religiös indifferenten Gesellschaft haben die Juden nicht aufgehört, ein religiöses Ärgernis zu sein, obwohl sich wirtschaftliche Motive hier vordrängen. Die allgemeinste Form der Gruppenvorteile und des Gruppenhasses ist überdies in allen Zeiten gleich wirksam.

Es sieht so aus, als müsse man die Frage nach der Bedeutung der Emanzipation für das deutsch-jüdische Verhältnis nunmehr verneinen, da die alten Spannungen ja weiterleben und die nichtjüdische Umwelt als Gesellschaft die Gleichberechtigung zurücknimmt, die sie als politischer Körper, als Staat, gewährt hat. Aber das ist ein falscher Schluß. Die Zeitgenossen kamen in ihrer Enttäuschung dahin, und der moderne Betrachter hat die Katastrophe der Hitlerzeit vor Augen, wenn er die Bedeutung des Rechtsaktes der Emanzipation leugnet.

Niemals vorher in ihrer langen Exilsgeschichte waren die Juden förmlich und ohne Vorbehalt in die Rechtsgemeinschaft der Völker und Nationen aufgenommen worden. Jahrhundertelang hatte die völlige Rechtlosigkeit und zuletzt der rechtliche Ausnahmestatus ihnen den Stempel der Fremdheit aufgedrückt, des Außenseitertums, der argwöhnisch betrachteten minderberechtigten Gruppe. Solange noch irgendwelche Ausnahmegesetze bestanden, sei es der Matrikelzwang oder die Ausschließung von der Gemeindevertretung oder die Verweigerung eines akademischen Lehramts, war die Entwürdigung ein legaler Akt. Die Gewöhnung an diese Form von Legalität mußte auf die Dauer, wie W. von Humboldt warnend gesagt hatte, die Moralität der ganzen Nation gefährden.

Nach der rechtlichen Gleichstellung waren zwar Zurücksetzungen in der Beamtenlaufbahn möglich, aber die gab es für Protestanten in katholischen Ländern, für Katholiken in Preußen und für Dissidenten auch. In kleinen Städten kamen gelegentlich Boykottbewegungen vor, die mit wirtschaftlicher Schädigung verbunden waren. Aber das bedeutete wenig gegenüber den unbegrenzten Möglichkeiten wirtschaftlichen Aufstiegs, der allgemeinen Sicherheit, dem Erwerb von Bildung, Ansehen und einer bürgerlichen Lebensform, die sich von der der Umwelt kaum noch unterschied. Die Petitionen der antisemitischen Vereine und gelegentliche Anträge im Reichstag auf Änderung des Gesetzes, das die Gleichberechtigung der Bekenntnisse aussprach, sind auch in den unruhigen 80er Jahren immer erfolglos geblieben. Daß Ausnahmegesetze solcher Art die Fundamente des Rechtsstaats erschüttern würden, war der überwiegenden Mehrheit des Reichstages stets bewußt. Allerdings konnten sich die wildesten Pamphlete antisemitischer Sektenführer und krankhafter Phantasten ungestraft im Volk verbreiten. Die zahlreichen Beleidigungsprozesse, die von jüdischen Organisationen zum Schutz ihrer bürgerlichen Ehre angestrengt wurden, fanden nicht immer ein unbefangenes Richterkollegium. Aber schließlich hat die zuchtlose Agitation der Marr, Ahlwardt und Böckel keinen deutschen Staatsbürger jüdischen Glaubens ernsthaft in Gefahr gebracht, sie bewegte sich auf einer Ebene, oberhalb derer er im Schutz der Gesetze seine Leistungen und seinen Wirkungskreis anerkannt und seinen

Besitz gesichert sah. Daß es auf den Staat und die Gesetzgebung ankam, war also eine richtige Erkenntnis der Vorkämpfer der Emanzipation.
Eins hatten sie nicht voraussehen können: daß eine verbrecherische Staatsgewalt möglich sei, die das Recht überhaupt außer Kraft setzte und die ideologische Rechtfertigung des Judenhasses einer Literatur entnahm, die dem Mob und den Halbverrückten als Speise gedient hatte. In der Judengesetzgebung des Hitlerregimes spult sich der geschichtliche Faden mit großer Schnelligkeit gleichsam rückwärts ab: es beginnt mit einem vergleichsweise harmlosen wirtschaftlichen Boykott, der weitverbreiteten Unlustgefühlen zu entsprechen schien – nur war er staatlich angeordnet, was Schrecken hätte hervorrufen müssen! Es folgt: die Ausschließung von Staatsämtern, Berufsverbote, die Aufhebung des Staatsbürgerrechts, der staatlich organisierte Pogrom der Synagogenbrände, der Judenstern, das Ghetto, die Austreibung in Form der Deportation. Aber hier hört jede geschichtliche Analogie auf, weil hinter der Deportation die Vernichtung stand. Sofern sie von Anfang an im Kalkül war, verbietet sich jeder Vergleich mit früheren Phasen der Judenverfolgung. Man muß sich überhaupt hüten, in der Geschichte des deutsch-jüdischen Zusammenlebens eine Art von vorbereitender Entwicklung erkennen zu wollen, die in dem ungeheuren und inkommensurablen Ereignis eine Art Schlußstein gefunden habe. Was sich allerdings ständig bereit hielt, so daß sich der teuflische Plan realisieren konnte, waren Haßgefühle, Denkschablonen, war die feindselige Gleichgültigkeit und die Gewöhnung an Unrecht. Mit erstaunlicher Sicherheit ergreift das Hitlerregime nacheinander Maßnahmen, die genau dem System der Ausnahmegesetze entsprechen, das die jüdische Bevölkerung früher einschnürte und entwürdigte, bis zur kollektiven Haftung, zum Dienstbotengesetz, zu Sperrstunden, Einkaufszeiten und dem Verbot des Betretens der öffentlichen Gärten.

15. KAPITEL

DER ANTISEMITISMUS IM NEUEN REICH

Der Ursprung der „Berliner Bewegung“

Am 3. Januar 1878 fand in einem Arbeiterviertel des Berliner Nordens die später als „Eiskeller-Versammlung“ bekannt gewordene Veranstaltung statt, auf der die Gründung einer „Christlich-Sozialen Arbeiterpartei“ erfolgen sollte. Auf den Plakaten war ein Schneidergeselle namens Grüneberg als einziger Referent genannt. Einige Führer der Sozialdemokratischen Partei übernahmen die Leitung der politischen Versammlung, die in der überwiegenden Mehrheit aus Arbeitern bestand. Der Vortrag Grünebergs erregte Spott und Heiterkeit, es zeigte sich aber bald, daß er als „bekehrter Sozialist“ nur eine vorgeschobene Figur war; denn der eigentliche Redner des Abends war der Hofprediger Stoecker. Missionarischer Eifer, politische Leidenschaft und die feste Überzeugung, er müsse den Abgrund ausfüllen, der sich zwischen Staat und Kirche auf der einen und den Arbeitern auf der anderen Seite aufgetan hatte, brachten ihn zu dem Entschluß, der „Organisation des sozialen Umsturzes“, wie er die revolutionäre Sozialdemokratie bezeichnete, eine „Organisation der sozialen Hilfe“ entgegenzustellen. Er wollte eine christliche Arbeiterpartei mit sozialreformerischem Programm gründen. Aber die Versammlung, die er später eine der größten Stunden seines Lebens nannte, endete mit einem politischen Mißerfolg, obwohl man ihn, der Parteidisziplin folgend, hatte zuende sprechen lassen. Nach einer wilden Anklagerede des Abgeordneten Most gegen kirchliche Reaktion und pfäffische Heuchelei faßte man eine fast einstimmige Resolution, in der es unter anderem hieß, daß wirtschaftliche Reformen ohne den gleichzeitigen und unbeschränkten Besitz der politischen Freiheit wertlos seien und daß bei der Erfüllung des christlich-sozialen Programms für die Arbeiter alles beim alten bleiben werde.[1] Die Veranstaltung schloß mit der Arbeiter-Marseillaise. Aber die christlich-soziale Arbeiterpartei wurde kurz darauf doch gegründet, nachdem 50 Arbeiter ihren Beitritt erklärt hatten. Der Verbindungsmann Grüneberg, der sich als ein „Erweckter" den kirchlichen Kreisen angeschlossen hatte, erwies sich bald als eine kriminelle Existenz und arge Belastung der jungen Partei. Nachdem er ausgestoßen war und später aus einer Besserungsanstalt wieder entlassen, verkaufte er seine „Enthüllungen" aus der Stoecker-Zeit. Das Parteiprogramm vereinigte die Forderungen der Kathedersozialisten nach Staatshilfe und Arbeiterschutz mit dem Vorschlag obligatorischer Fachgenossenschaften zum Schutz des Handwerkerstandes und Kleingewerbes, den schon die katholische Soziallehre Kettelers enthalten hatte. Es fügte noch die sozialdemokratischen Forderungen nach dem Normalarbeitstag und der progressiven Einkommensteuer hinzu.[2] Es war also praktisch und nicht ideologisch und nahm, wie Stoecker selbst zugab, das Gute, woher es auch stammen mochte. Unter der Überschrift „Selbsthilfe" erwartete es allerdings von den Arbeitnehmern nur die „freudige Unterstützung der fachgenossenschaftlichen Organisationen, die Hochachtung der Berufsehre und Pflege des Familienlebens in christlichem Geist" – was soviel hieß wie Verzicht auf Selbsthilfe. In den „allgemeinen Grundsätzen" des Programms wurde die gegenwärtige Sozialdemokratie als „unpraktisch, unchristlich und unpatriotisch" verworfen und der christliche Glaube und die Liebe zu König und Vaterland als das Fundament der neuen Partei bezeichnet, die den sozialen Frieden auf ihre Fahne geschrieben hatte. Ihre künftige Entwicklung kündigt sich nur in zwei Forderungen an:

---

[1] Ed. Bernstein, Geschichte der Berliner Arbeiterbewegung. I. Bd., Berlin 1907, S. 349 f.

[2] W. Mommsen, Deutsche Parteiprogramme. München 1960, S. 71 ff.

nach Wiederherstellung der Wuchergesetze und nach einer Börsensteuer, die hier aber noch als Teile einer allgemeinen Wirtschaftsreform gelten konnten.
Die Reichstagswahlen vom 31. Juli 1878 brachten der christlich-sozialen Arbeiterpartei eine völlige Niederlage, nämlich in Berlin nur 1400 Stimmen gegenüber 56 000 der Sozialdemokraten und 86 000 der Fortschrittspartei. Das Auftreten des Hofpredigers in den Massenversammlungen der Berliner Arbeiterquartiere war außergewöhnlich und imposant, Stoecker war ein glänzender Redner und Agitator, aus dem der Kampfeszorn der biblischen Gottesstreiter zu sprechen schien, wenn er die Bekehrung der Großstadt Ninive durch den Propheten Jonas schilderte.[3] Auch an Luther fühlten sich seine Freunde erinnert. Aber er kam als Abgesandter der bestehenden Ordnung, der Monarchie und des staatlich sanktionierten Christentums, er empfand von Grund auf konservativ und meinte, der „Partei der Verführung" die „Partei der Rettung" entgegenstellen[4] und die Arbeiterschaft der Kirche und dem Königtum zu Füßen legen zu können. Das machte sein soziales Programm und seinen ehrlichen Willen zur Versöhnung unglaubwürdig. Es gelang Stoecker nicht, die schon festgefügte sozialdemokratische Partei zu spalten; durch das Sozialistengesetz vom 18. 10. 1878 wurde sie zwar äußerlich lahmgelegt, aber innerlich gefestigt und geeinigt.
Im folgenden Jahr machte Stoeckers politische Agitation für eine kirchlich bestimmte Sozialreform eine deutliche Wendung, sie richtete sich nun gegen die liberale Fortschrittspartei und das „moderne Judentum". Es ist schwer zu sagen, ob hier die spöttischen Kommentare der fortschrittlichen Presse zu dem politischen Mißerfolg, ob die empfindliche Reaktion des Berliner Judentums auf juden-

[3] Walter Frank, Hofprediger Adolf Stoecker und die christlich-soziale Bewegung. Berlin 1928, S. 64.

[4] D. von Oertzen, Adolf Stoecker. Berlin 1910, I, 153.

feindliche Äußerungen in den Parteiversammlungen den Hofprediger so aufs äußerste gereizt haben *oder* ob er mit der Begabung des Massenführers die Wirkung der neuen Parolen voraussah und sie planvoll gebrauchte, da es Anzeichen genug gab, daß sie ihre Anhänger finden würden, *oder* ob diese Parolen einer geheimen und vorgefaßten Abneigung gegen alles Jüdische durchaus entsprachen. Es kam wohl alles zusammen.

Stoeckers erste Rede zur jüdischen Frage vom 19. September 1879 war ein gewaltiger Erfolg. Von jetzt an umrauschte ihn der Beifall der Massenversammlungen, aber es saßen nun die Angehörigen des kleinen Mittelstandes darin, Handwerker, Kleinkaufleute, Angestellte. Eine Flut von Broschüren erregte die öffentliche Meinung. Auch in der konservativen Aristokratie, in Hofkreisen, im Offizierskorps und in der Beamtenschaft gewann er viele Anhänger, die Mehrzahl der Studenten schien sich auf seine Seite zu stellen. Die „Berliner Bewegung" war entfesselt, von 1879–1885 hielt sie die Reichshauptstadt in Atem. In ihr vereinigten sich, so weit sie mit politischen Programmen an die Öffentlichkeit trat, sozialreformerische und staatssozialistische Forderungen mit reaktionär-konservativen und kirchlich-orthodoxen Bestrebungen, aber der Antisemitismus verband in dieser Zeitspanne die Geister verschiedener Herkunft und gab der sogenannten „Bewegung" das eigentliche Gepräge. Stoecker war nach seinem Erfolg überzeugt, daß das Feuer schon lange tief im Krater geglüht habe und nur des Anstoßes bedurfte, um hervorzubrechen.[5] In seiner Erinnerung waren es die großen und unvergeßlichen Tage, da „das deutsche Volk aus seinem Schlummer erwachte" und sich mit Naturgewalt die Überzeugung Bahn brach, „daß die Hauptstadt des Deutschen Reiches nicht in jüdischen Händen bleiben dürfe".[6] Die „Christlich-Soziale Arbeiterpartei" strich

[5] Frank, S. 97.

[6] A. Stoecker, Christlich-Sozial. Berlin 1890², p. LIV.

1881 das Wort „Arbeiter“ aus ihrem Namen, sie war zu einer konservativen Mittelstandspartei geworden, die die Bekämpfung des Judentums ausdrücklich in ihr Programm aufnahm.

Die Wirtschaftskrise

Die Ursachen des sozialgeschichtlichen Phänomens, das bei der Parteigründung Stoeckers so deutlich ans Licht trat, lagen schon einige Jahre zurück. Man muß sie vor allem in der wirtschaftlichen Depression suchen, die seit 1873 die Gründerjahre ablöste, dann in der neuen Phase der Industrialisierung, die in Deutschland spät und jäh einsetzte. Aber auch der Kulturkampf, die Krise des Liberalismus und die neue Gruppierung der Parteien haben auf die antisemitische Bewegung verschärfend eingewirkt. Die jüdische Frage, die in der Reichsverfassung gelöst zu sein schien, wird seit 1875 in der politischen Praxis wieder aufgenommen; sie wird in der Presse, in Volksversammlungen und bald darauf in den Parlamenten diskutiert, wobei der Rechtsstatus der deutsch-jüdischen Staatsbürger erneut in Frage gestellt wird. Die soziologischen und wirtschaftlich-politischen Hintergründe der Judenfeindschaft sind für diese Jahrzehnte so gründlich erforscht, daß sich ihre Ergebnisse zusammenfassen lassen.[7] Aber die psychologische Frage nach dem Verhalten des gebildeten deutschen Bürgertums, nach seiner verhängnisvollen Entscheidung sowohl wie nach seiner Indolenz, nach seinen geistigen Führern, seinem guten Gewissen, seiner Fühllosigkeit und Begriffsverwirrung ist noch unvollständig beantwortet; vielleicht kann man sie an einigen Punkten genauer formulieren und weiter vorantreiben. Es hat auch damals an erschrockenen und warnenden Stimmen nicht gefehlt.

[7] Vgl. K. Wawrzinek, Die Entstehung der deutschen Antisemitenparteien. Berlin 1927. P. W. Massing, Vorgeschichte des politischen Antisemitismus. E. Reichmann, Flucht in den Haß. Außerdem Philippson und Dubnow, a.a.O.

Der Antisemitismus der 80er Jahre war eine gesamteuropäische Erscheinung, er taucht fast gleichzeitig in Deutschland, Frankreich und Österreich auf, überall veranlaßt durch den krisenhaften Zustand der Wirtschaft und durch Finanzskandale und verstärkt durch die reaktionären und klerikalen Tendenzen, die in Frankreich der Enttäuschung über die Niederlage und dem Mißvergnügen an der Dritten Republik entstammten. Die Zunahme und Verschärfung des Antisemitismus, die sich in Deutschland und Österreich seit 1873 beobachten läßt, entspricht genau dem Sturz der Aktienkurse nach dem Ausbruch des Börsenskandals. Als die wirtschaftliche Depression 1879/80 ihren tiefsten Punkt erreicht hat, flammt überall die judenfeindliche Agitation mächtig auf; sie flaut erst in den 90er Jahren wieder ab, als die lang anhaltende Krise endgültig überwunden ist. Man kennt den Zusammenhang von politischer Enttäuschung, Katastrophenangst, wirtschaftlicher Misere, allgemeinem sozialen Unbehagen und antisemitischen Affekten, in denen sich das alles entlädt, aus den Jahren nach dem 1. Weltkrieg mit Inflation und Arbeitslosigkeit. Das psychologische Gesetz ist offenbar das gleiche, nämlich die ablenkende und erleichternde Beschuldigung eines totalen Gegners; die ökonomische und politische Struktur des jungen Bismarckreiches aber war eine andere als die der Weimarer Republik. Vom verletzten Nationalgefühl konnte keine Rede sein, da sich in dem siegreichen Krieg und der Reichsgründung die kühnsten Hoffnungen erfüllt hatten. Um so schwerer trafen der Bankenkrach, der Verlust der schnell erworbenen Vermögen, die Absatzkrise und die Lohnsenkungen das hochgestimmte Bürgertum der spekulationsfreudigen Gründerzeit. Empfindlich getroffen wurde auch die Arbeiterschaft, die sich in diesen Jahren in der sozialdemokratischen Partei zusammenschloß und ihre politischen Führer fand. Die breiten Schichten des Kleinbürgertums aber, die Handwerker und Krämer, die sich schon seit der Einführung der

Gewerbefreiheit (1869) dem Konkurrenzkampf nicht mehr gewachsen fühlten und sich von der Industrialisierung bedroht sahen, waren politisch nicht organisiert, ohne Klassenbewußtsein und jetzt von der Furcht ergriffen, ins Proletariat abzusinken. Wer für sie eintrat, mußte eine Schutzgesetzgebung fordern, den Innungszwang also, das Verbot des Hausierhandels und – wenn es möglich gewesen wäre! – der Warenhäuser und der kapitalistischen Produktion überhaupt. Diese Schichten, zu denen auch die kleinen Beamten und Angestellten gehören, rufen damals nach sozialen und wirtschaftlichen Reformparteien. Das erste Programm für eine solche Partei enthielt eine Broschüre von C. Wilmanns, die den bezeichnenden Titel hatte „Die goldene Internationale" (1876). Gemeint war die jüdische Hochfinanz, und die Aufgabe der sozialen Reformpartei, die dem „schwindenden Mittel- und namentlich dem Bauernstand" neue Lebenskraft geben sollte, wurde als „Emanzipation der redlichen Erwerbsarbeit von der Herrschaft der privilegierten Geldmacht" bezeichnet.[8]

In Nord- und Mitteldeutschland hatte sich das ungehemmte Manchestertum der Gründerzeit am stärksten verbreitet, die Reichshauptstadt war das Zentrum der schwindelhaften Unternehmungen, der Bodenspekulation und der allgemeinen wirtschaftlichen Korruption, an der fast alle Schichten der Bevölkerung beteiligt waren, auch Mitglieder des hohen Adels und konservative Geheimräte, wie der Nationalliberale Eduard Lasker im Preußischen Abgeordnetenhaus nachweisen konnte. Er hat auch den jüdischen „Eisenbahnkönig" Strousberg der schwindelhaften Spekulation bezichtigt.[9] Daß jüdische Bankiers, Unternehmer und Händler, von jeher höchst bewegliche Träger einer antitraditionellen Wirtschaftsweise, jetzt an den „Gründungen", gesunden und rein spekulativen, mit un-

---

[8] Wawrzinek, S. 17.

[9] Sartorius von Waltershausen, Deutsche Wirtschaftsgeschichte 1815–1914. Jena 1923², S. 277.

verhältnismäßig hoher Zahl beteiligt waren, ist verständlich angesichts der immer noch vorhandenen Disproportion der jüdischen Berufsschichtung, deren Ursachen weit in die Vergangenheit zurückreichen.

Die Publizistik

Die weiteste Verbreitung und die kräftigste Wirkung erzielte 1874/75 eine Artikelserie in der „Gartenlaube" über den „Börsen- und Gründungsschwindel in Berlin", in der sich der politische Journalist Otto Glagau zum Stimmführer des kleinen Mittelstandes machte. Er brandmarkte die Schäden des manchesterlichen Wirtschaftsgebarens, die vor aller Augen lagen, machte aber auch sensationelle Enthüllungen, die sogar Gegenstand parlamentarischer Verhandlungen wurden, sprach die Geschädigten an und zeigte den wirtschaftlich Zurückgebliebenen, den vorkapitalistischen Klassen der Handwerker, Kleinhändler und Bauern, den Feind, der ihre Existenz bedrohte. Das war der Liberalismus, der durch seine Wirtschaftsgesetzgebung das Finanzkapital und den Großbetrieb begünstigte, es war die geheimnisvolle Macht der Börse und der Hochfinanz, deren komplizierte Transaktionen nicht nur volkswirtschaftlich unproduktiv, sondern als Spekulation mit den Arbeitsprodukten des Volkes auch ausbeuterisch seien. Statt nun den Kapitalismus schlechthin wie das Privateigentum anzugreifen, was den konservativen Politiker in das sozialistische Lager geführt hätte, identifizierte Glagau das Manchestertum und die Börse mit den Juden und vereinfachte seine Polemik später mit der Behauptung, daß die soziale Frage die Judenfrage sei, alles andere sei Schwindel. Hellmuth von Gerlach, der später zum Friedrich-Naumann-Kreis gehörte und auf seine sozial-konservative Jugendbegeisterung und antisemitische Überzeugung sehr kritisch zurücksah, hat bei dieser stupenden Gleichsetzung, wie er berichtet, zuerst den Protest seines sozialen Gewissens erfahren.[10] Er war übrigens Antisemit auf Grund seiner adligen Herkunft, seiner konservativ-junkerlichen Erziehung und seiner Zugehörigkeit zum „Verein deutscher Studenten", deren „beide Götter" der Hofprediger Stoecker und Professor von Treitschke gewesen seien.

Auch die Broschüre des Wilhelm Marr, der der antisemitischen Bewegung die Argumente einer zynischen, pseudowissenschaftlichen Objektivität gab, indem er religiöse Vorurteile als lächerlich beiseite schob und das „weltgeschichtliche Faktum" des „Rassenkampfes" hervorhob, erschien schon 1873 und erreichte bis 1879 eine Reihe von Neuauflagen. Der Titel lautet bezeichnenderweise: „Der Sieg des Judentums über das Germanentum – Vom nichtkonfessionellen Standpunkt aus betrachtet. Vae victis!" Eine kranke Mischung von Neid, Haß und Bewunderung für die skrupellose, welterobernde semitische Rasse, ein hohles pathetisches Mitleid für das am Boden liegende Germanentum, das sein Schicksal verdient, wenn es die warnende Stimme überhört, eine Geschichtsklitterung, die alles aus einem Prinzip ableitet, eine dumpfe Prophetie tragischen Untergangs – das ist so ungeheuerlich in seinem Anspruch, seiner Dummheit und Arroganz, daß man es übergehen könnte, wenn es nicht zugleich wohlberechnet, von böser Klugheit und schlimmer Wirkung gewesen wäre. Auch die Katastrophe, den Ausbruch der Volkswut, sieht Marr voraus – weil er sie wünscht und evoziert. Der Aussaat seiner Gedanken begegnet man später häufig, obwohl sich diese Art von Literatur in kirchlichen und gebildeten Kreisen schlecht zitieren ließ. Er hat auch das Wort Antisemitismus in Umlauf gesetzt, die Sache war schon länger da, nämlich die auf fixierte Stammes- oder Nationaleigenschaften begründete, sozusagen naturgegebene und berechtigte Abneigung, bei der das religiöse Problem mit auf-

---

[10] H. v. Gerlach, Vom deutschen Antisemitismus. Patria, Jahrbuch der „Hilfe", 1904, S. 145. Vgl. auch Massing, S. 9 f.; S. 248.

klärerischem Hochmut als erledigt bezeichnet und ein „totaler" Gegensatz konstruiert wird. Marr gründete 1879 in Berlin die „Antisemiten-Liga", die bald darauf den Namen „Deutscher Reformverein" annahm, aber ihr Programm beibehielt. Wegen des jüdischen Börsen- und Pressemonopols, so behauptete Marr, lebe das deutsche Volk unter einer Fremdherrschaft, und das von den Liberalen angeblich regierte Bismarck-Reich nannte er „Neu-Palästina".

Constantin Frantz

Man muß in diesem Zusammenhang auch den eigenwilligen Staatsdenker und Gegner der Bismarckschen Politik, Constantin Frantz, charakterisieren, so wenig er mit den eben genannten Journalisten und Pamphletisten zu tun hat. Im Jahre 1872 erschien seine Schrift „Die Religion des Nationalliberalismus", 1874 „Der Nationalliberalismus und die Judenherrschaft". Diese Gedanken gehen damals um, sie kommen aus jeweils anderen Quellen und sie verbinden sich mit den verschiedensten politischen Konzeptionen. Der niederdeutsche Pfarrerssohn C. Frantz war von Eichhorn als Referent ins preußische Kultusministerium geholt worden. Er setzte seine Hoffnungen zuerst auf die christlich-germanische Staatsidee, wie sie der Kreis um Friedrich Wilhelm IV. vertrat. Der „positiven Philosophie" Schellings und dem späten Friedrich Schlegel verdankt er sein universalistisches Weltbild. Im Revolutionsjahr 1848 verlor er mit Eichhorn zusammen seine Stellung, studierte auf ausgedehnten Reisen das wiederhergestellte Habsburgerreich und die osteuropäische Staatenwelt, wurde mit Metternich und Schwarzenberg bekannt, hielt sich 1852 in Frankreich auf und begrüßte den Staatsstreich Louis Napoléons – zum Entsetzen seiner konservativen Freunde – nur, weil er der liberalen Doktrin und der Parlamentsherrschaft ein Ende setzte. Bei seinem ausgeprägten Sinn für die Tradition, das organische Werden, den gestuften und gegliederten Aufbau der Gesellschaft vertrat der leidenschaftliche Publizist gegenüber dem zentralistischen Nationalstaat das Prinzip eines universalen Föderalismus. Er entwarf das Projekt eines bündischen Staatswesens, das sowohl als Fortsetzung der mittelalterlichen Reichstradition wie als mitteleuropäischer Staatenbund und Keimzelle einer europäischen Föderation aufgefaßt werden konnte, also konservativ und zugleich zukunftsweisend war. Das Bismarckreich bezeichnete C. Frantz als eine provisorische Institution, da es als geschlossener Nationalstaat im allerseits offenen Mitteleuropa falsch entworfen und als zentralistischer Einheitsstaat mit Repräsentativverfassung eine mechanische Konstruktion sei, die der natürlichen regionalen wie gesellschaftlichen Gliederung nicht gerecht werde. Die bürgerliche Gesellschaft gliedere sich nach Ständen und Berufsarten, nicht nach Parteien, daher stelle sich das Volk in einer korporativen Vertretung am natürlichsten dar, nicht in einer kopfzahlmäßigen, die der atomisierten Masse und dem abstrakten Gleichheitsprinzip entspreche. Der Staat sei keine Zusammenfassung von Individuen und kein Ergebnis eines rationalen Staatsvertrags, sondern ein organisches Gebilde, das sich aus natürlichen Sozialgliedern (Familie, Gemeinde, Berufsgenossenschaft) aufbaue.[11]

Hier werden Gedanken romantischer Provenienz weitergeführt und mit Soziallehren des politischen Katholizismus verbunden. Mit den Führern der Zentrumspartei, mit Reichensperger und Mallinckrodt, knüpften sich auch freundschaftliche Beziehungen an, im Kulturkampf stand der protestantische Politiker auf ihrer Seite. Seine scharfe Kritik am liberalistisch-kapitalistischen Wirtschaftssystem, das die eigentlich produzierenden Klassen der Bauern und

---

11 Vgl. hierzu: C. Frantz, Der Föderalismus als universale Idee. Eingeleitet und hrsg. Ilse Hartmann, Berlin 1948, ferner die Artikel „Föderalismus" und „Konstantin Frantz" in Herders Staatslexikon.

Handwerker vernachlässige und das „unproduktive" Finanzkapital begünstige, ist zwar wirtschaftlich rückständig, entspricht aber der allgemeinen Enttäuschung in den Jahren der großen Depression.

Die Gedanken des Föderalisten C. Frantz verbinden sich nicht zu einem klaren politischen System; sowohl die Konservativen wie der politische Katholizismus, die christlichen Sozialreformer wie die Ideologen des Nationalsozialismus (Moeller van den Bruck, G. Feder) konnten sich später auf ihn berufen.[12] Was er bekämpfte, war deutlich: den Liberalismus des Bismarckreiches, den nationalstaatlichen Egoismus, die kapitalistische Wirtschaft, das parlamentarische System, die Omnipotenz des Staates verkörpert im Preußentum, den Verfassungsstaat als Produkt von Aufklärung und französischer Revolution, die Sozialdemokratie – und das Judentum, das in seiner Vorstellung mit allen im Bunde, der Nutznießer von allem war, korporativ nicht einzugliedern, aber zersetzend allem beigemischt und im Begriffe, den Staat Bismarcks zu einem „Deutschen Reich jüdischer Nation" zu machen.

Was sich hier – in grotesker Übertreibung – politisch gibt, wurzelt im Religiösen. Schon 1844 hatte C. Frantz eine Schrift „Ahasverus oder die Judenfrage" veröffentlicht. Das Bild des verstockten Gottesvolkes, das sich mit dem Hochmut seines Erwählungsglaubens selber von allen anderen Völkern ausgeschlossen hat und auf seiner Wanderschaft das Zeichen des Gottesgerichtes trägt, ist von der Erziehung im lutherischen Pfarrhause geprägt. In eine schlummernde Abneigung, aus Grauen und Verachtung gemischt, bläst nun der Wind politischer Leidenschaft, als die Verachteten auf der Seite des Gegners stehen, aller Gegner! Daß die Emanzipation das Ghetto öffnete, war das unheilvolle Ergebnis rationalistischer Theorien. Auf der Verfassung des „sogenannten Rechtsstaates" bestehen sie nun,

[12] Vgl. die Einleitung von Eugen Stamm zu der Auswahl aus C. Frantz: „Das größere Deutschland". 1935.

wie Shylock auf seinem Schein bestand, einer Verfassung, die so gut für Türken und Heiden wie für ein christliches Volk gelten könnte.[13] Ihr Ziel ist die Entchristlichung Europas und die Zerstörung von Staat und Kirche, zuletzt die jüdische Weltherrschaft. Dazu benutzen sie Börse, Presse, Parlamente, überhaupt alle Institutionen, die sich einnisten, wo „der Organismus des christlichen Lebens Risse und Sprünge hat". Sie überlebten in Frankreich den Bürgerkönig, die Republik, das Empire. In Deutschland hindert sie die Verfassung seit 1869 nicht daran, Reichskanzler und Kaiser zu werden (!), sie herrschen als Kapitalisten und bekämpfen als Sozialisten die bestehende Gesellschaft. Als religiöse Gemeinschaft gleichen sie einer lebenden Mumie, als emanzipierte und assimilierte Gruppe verbünden sie sich mit dem liberalen Indifferentismus und schüren den Kulturkampf. Man sollte statt der christlichen Kanzeln ihre Synagogen überwachen, aber leider könnten nur gelehrte Orientalisten das verborgene Gift in den hebräischen Gebeten entdecken...

Das mag genügen. Der Verfasser verweist hier selber auf seine Quelle, nämlich das Buch des Prager Theologieprofessors August Rohling, „Der Talmudjude", das sich als gelehrte Forschung gab, aber bald von Franz Delitzsch, dem Kenner rabbinischen Schrifttums, als unwissend und gehässig, zum Teil als plumpe Erfindung entlarvt wurde. Sogar auf Eisenmengers altes Kompendium des Judenhasses beruft er sich, indem er den kritischen Sinn ausschaltet, der ihm sonst zu Gebote stand.

Man fragt sich noch, was nun mit den Juden geschehen solle. Die Antwort lautet: wer sich selber ausschließt, den muß die christliche Gesellschaft auch ausschließen, Fremdenrecht also, völlige Trennung, Rückkehr ins Ghetto, da Christen keine Gewalt anwenden dürfen. Eine weite Ver-

---

[13] C. Frantz, Der Nationalliberalismus und die Judenherrschaft. Blätter für deutsche Politik und deutsches Recht. Gesammelte Aufsätze aus den Jahren 1873–75. München 1880, S. 7.

breitung fanden die Schriften von C. Frantz damals nicht. Originalität und Tiefsinn seiner föderalistischen Konzeption, die sowohl die Staatenwelt wie den Aufbau der Gesellschaft umfaßte, wurden erst später entdeckt. Den Zeitgenossen galt er als nörgelnder Einzelgänger, der sich keiner politischen Gruppe zuordnen ließ außer der der Bismarckgegner, die aus sehr verschiedenen Lagern kamen. Persönliche Verbitterung führte ihm die Feder, seit er den Staatsdienst verlassen hatte und nur noch als Publizist tätig war.

Im Jahre 1875 griffen zwei führende Zeitungen die Judenfrage auf, die konservative „Kreuzzeitung" und das Zentralorgan der Zentrumspartei, die „Germania".[14] Der gemeinsame Gegner war die nationalliberale Fraktion, die im Reichstag seit 1874 die absolute Mehrheit hatte und deren prominente Vertreter Eduard Lasker und Ludwig Bamberger man für die liberalen Wirtschaftsgesetze verantwortlich machte. Die Kreuzzeitung begann den Angriff mit der Artikelreihe „Die Ära Delbrück-Camphausen-Bleichröder und die neudeutsche Wirtschaftspolitik". Gemeint war Bismarck, der sich durch liberale Minister, jüdische Parlamentarier und einen jüdischen Finanzier beherrschen lasse. Hier sprachen die Altkonservativen, die der Emanzipation niemals zugestimmt hatten und die dem Kanzler sein Zusammengehen mit den Nationalliberalen heftig verdachten. Daß sie das judenfeindliche Motiv aufnahmen, war sowohl Ausdruck erbitterter Kampfesstimmung, der jedes Mittel recht ist, als auch überlegte politische Strategie. Die „Deutsche Reichsglocke", das Organ der „Antikanzler-Liga", hat den Ton später noch verschärft. Sie wurde, wie Bismarck bitter vermerkt, vom königlichen Hausministerium in 13 Exemplaren abonniert und am Hofe eifrig gelesen.[15] Der Antisemitismus war die pikante Beigabe, die besonders kränkende Einkleidung

[14] Vgl. Wawrzinek, S. 9 ff. und Massing, S. 13 ff.

[15] Gedanken und Erinnerungen, II, 25. Kap.

des Angriffs auf seine Politik, Bismarck erwähnt ihn nicht einmal.
Die „Germania" nahm bald darauf das Thema der „Ära-Artikel" auf, brachte aber den Kulturkampf hinein. Liberale Zeitungen, in der auch jüdische Redakteure tätig waren, hatten führende Zentrumspolitiker als „Reichsfeinde" angegriffen und sich hinter die „Mai-Gesetze" gestellt. Politisch war das eine offene Gegnerschaft und der Gegenschlag berechtigt. Er wird aber mit Argumenten geführt, die aus der antisemitischen Broschürenliteratur bekannt waren, sie gipfeln in der Behauptung, daß der Kulturkampf zum größten Teil eine Folge der Judenwirtschaft sei und daß er als eine Art Rachefeldzug gegen Rom geführt werde, das vor 1800 Jahren den jüdischen Staat vernichtet habe. Mit dem wirtschaftlichen Boykott müsse die „Emanzipation der Christen von den Juden" beginnen, auch vom „Protest der germanischen Rasse gegen das Eindringen eines fremden Stammes" ist schon die Rede.[16] Die Artikel erregten Aufsehen und Befremden, es gab auch Gegenstimmen in der katholischen Presse, die Agitation sei mit der christlichen Toleranz unvereinbar. Daß die Führung der Zentrumspartei sich nicht prinzipiell zur Judenfeindschaft bekannte, wird hier schon deutlich. Windthorst hat später den Antisemitismus energisch verurteilt, andere Zentrumsabgeordnete waren aber geneigt, Stoecker in seinem Kampf zu unterstützen.

---

16 Wawrzinek, S. 13 f.

16. KAPITEL

ADOLF STOECKER

Persönlichkeit und Werdegang

Die Persönlichkeit Stoeckers ist heute noch umstritten. Zu seinen Lebzeiten umgaben ihn Bewunderung und treue Gefolgschaft, aber es verfolgten ihn auch der Haß der von ihm Angegriffenen und das Mißtrauen in Kreisen, um die er warb. Die persönliche Verunglimpfung hängte sich so zäh an seine Fersen, daß er den Freunden als Märtyrer seines Glaubensmutes erschien. Fr. von Bodelschwingh bedauert in einer liebevollen Verteidigung des Freundes, daß die Feinde ihm schärfere Waffen aufgedrängt hätten, als sie sich zu seinem Amt schickten, aber ein Feind der Juden sei er nie gewesen. „Ich möchte behaupten", so fährt er in dem Brief an den Kronprinzen Friedrich fort, „daß die Juden wenig so echte Freunde haben als ihn. *Der* ist mein Freund, der mir die Wahrheit offen und klar ins Gesicht sagt, der mich mit Mut und Ernst und, wenn es sein muß, mit heiligem Zorn verhindert, auf bösen Wegen vorwärts zu gehen oder anderen Unrecht zu tun. Stoecker hat nie die Religion der Juden angegriffen, sondern im Gegenteil nur die *religionslosen* Juden, die den Glauben der Väter weggeworfen haben und mit den abtrünnigen Christen eins sind im Haß gegen das Kreuz, Thron und Altar." Johannes der Täufer, Paulus, ja Christus selbst hätten schärfere Worte gegen ihr eigenes Volk gebraucht als Stoecker. Er wolle Versöhnung und Frieden der Gesellschaft, nicht Klassenhaß. Aber gegen die Mächte der Selbstsucht, des atheistischen Materialismus und Mammonismus seien scharfe Waffen nicht zu entbehren.[1]

Vom Kronprinzen wußte man damals, daß er und seine Gemahlin der Stoecker-Bewegung abgeneigt waren und

[1] An den Kronprinzen, 22. August 1885, Frank, Anlagen, S. 404 f.

daß er den Antisemitismus die „Schmach des Jahrhunderts“ genannt hatte. Die Auffassung Bodelschwinghs teilten protestantisch-kirchliche Kreise noch lange Zeit. Der Freund und spätere Biograph Stoeckers Dietrich von Oertzen meint, so wenig Luther die Reformation unterlassen durfte, weil die christliche Freiheit von den Schwarmgeistern und Bauern falsch verstanden wurde, so wenig habe Stoecker seinen Kampf aufgeben dürfen, weil andere Gruppen „die Judenbekämpfung ohne sittlichen Ernst“ getrieben hätten. Allerdings müsse man zugeben, „daß die Rassen- und Radau-Antisemiten schwerlich jemals zur Welt gekommen wären, wenn nicht Stoecker zuvor mit seinem Kampf gegen das Judentum in Berlin eingesetzt hätte. Aber abusus non tollit usum.“[2] In der populären und in zahlreichen Auflagen verbreiteten Darstellung von Max Braun heißt es: Stoecker antisemitische Gesinnung vorzuwerfen bedeute soviel wie an seinem christlichen Glauben zweifeln. Er habe auch in seinen sozialpolitischen Reden den theologischen Ausgangspunkt niemals aufgegeben, daß die Juden das Volk mit dem göttlichen Auftrag seien. Er habe mit seiner maßvollen Kritik einen Quell erbohrt, aus dem sich Ströme von Haß und Verhetzung über sein Leben ausgegossen hätten.[3] Das ist gewiß richtig, nur verschweigt die idealisierende Darstellung, daß Stoecker bösen Mächten zum Ausbruch verhalf, die von da an als unheimliche Triebkraft in der deutschen Politik und Gesellschaft wirksam blieben. Die neuere soziologische Forschung lädt ihm die volle Verantwortung dafür auf, daß er den Antisemitismus zwar nicht erfunden, ihn aber als politische Macht in den Massen zur Wirkung gebracht habe. Stoeckers Bild ist widerspruchsvoll; unbestritten ist aber sein Einfluß auf das evangelische Pfarrhaus und auf mehrere Generationen des protestantischen Bürgertums, wie es Treitschkes Einfluß auf die aka-

---

[2] v. Oertzen, S. 212.

[3] Max Braun, Adolf Stoecker. Berlin 1912[8], 32.–35. Tausend 1929, S. 106 ff.

demisch Gebildeten ist. Er selber rühmte sich noch 1893 unbefangen, er habe „die Judenfrage aus dem literarischen Gebiet in die Volksversammlungen und damit in die politische Praxis eingeführt.“[4] Die Verschränkung der Motive bedarf bei ihm einer genaueren Analyse; Herkunft und Bildungsweg, Erfahrung und Wirkungsfeld sind dabei von Bedeutung.

Im Jahre 1835 geboren, ist er, wie Friedrich Naumann von ihm sagt, stets ein geistiges Kind der 50er Jahre geblieben. Das Revolutionsjahr 1848 lebte in seiner Erinnerung als Störung der Schulordnung und häßlicher Bürgertumult auf den Straßen, ein Urteil, das er wohl nie korrigiert hat.[5] Er teilte später die Menschen in die 48er ein, die liberalen Theoretiker, und in die 70er, die Wirklichkeitsmenschen, wozu er sich selbst rechnete. Als Sohn eines Wachtmeisters, der auf Grund der Zivilversorgung später Gefängnisinspektor in Halberstadt wurde, verlebte er seine Kindheit unter Soldaten, Handwerkern, kleinen Leuten und „wußte genau, wo den Arbeitsmann der Schuh drückt“. Er fand als Gymnasiast Zugang zu den angesehenen Bürgerhäusern und wurde von der pietistischen Bewegung, die er dort antraf, auf seinen späteren Beruf gelenkt. Das Theologiestudium in Halle stärkt seine Überzeugung vom Wert einer festen Glaubensdisziplin, das studentische Corps- und Mensurwesen, so berichtet er selber, habe ihn gelehrt, „tapfer und treu für Fahne und Farbe einzustehen“. Von entschiedener Bedeutung waren für den jungen Kandidaten die Hauslehrerjahre in einer baltischen Adelsfamilie von streng christlichem Geist, die dem Zarenhaus eng verbunden war. Das patriarchalische Wesen, so meint er später, habe trotz der rückständigen ökonomischen Verhältnisse alle glücklich gemacht, den landbesitzenden Adel und das besitzlose lettische Bauernvolk. Das erlebte soziale Ideal hat ihn später für die Ge-

---

[4] Landtagsrede vom 24. Januar 1893, Frank, S. 98.

[5] Vgl Stoeckers selbstbiographische Aufzeichnungen bei v. Oertzen, I, 18 f.

dankenwelt des christlichen Konservativismus in besonderer Weise empfänglich gemacht.
Die ersten Pfarrstellen in ländlichen und halbindustrialisierten Gemeinden bringen Stoecker mit der sozialen Not und sittlichen Verwahrlosung der Bevölkerung zusammen. Charakteristisch für ihn, daß er Seelsorge nicht als Trost und Mahnung, sondern als energischen Kampf gegen Gleichgültigkeit und schlechten Lebenswandel auffaßt, auch als Einführung einer strengen Kirchenzucht, die die evangelischen Väter katholisch erzogener Kinder mit „Exkommunikation" bedroht, was einen institutionellen Kirchenbegriff voraussetzt, der dem Luthertum fremd ist.[6] Das endete mit einem offenen Konflikt, und Stoecker wurde als Divisionspfarrer 1871 nach Metz berufen, wo er sich sogleich mit den Aufgaben der „Inneren Mission" befaßte. Die kleine protestantische Gemeinde von Militärs und Zuwanderern in der katholischen und französischen Umwelt mußte sich als eine Art von „deutschem Vorposten im Westen" zugleich national und kirchlich behaupten, eine Aufgabe, die Stoeckers patriotischer Begeisterung, seiner Siebziger-Gesinnung, sehr entsprach. Es waren, wie er selber meint, auch seine Weihereden an den Denkmälern der Schlachtfelder, die den Kaiser auf ihn aufmerksam machten; er erhielt 1874 den Ruf für die 4. Hofpredigerstelle in Berlin.[7]
Es ist das Berlin der großen Ernüchterung nach den Gründerjahren, des sozialen Massenelends, des kirchlichen Notstands, des Mammongeistes, der Ungläubigkeit, der Fortschrittspresse, der sozialdemokratischen Propaganda – so erlebt es Stoecker, der sich die neue Reichshauptstadt anders vorgestellt hat. Im Jahre 1875 wurden von 100 Ehen nur 18 bis 19 kirchlich getraut, von 100 Kindern nur 52 getauft; Stoecker sah darin die bösen Folgen der von den

---

[6] S. A. Kaehler, Adolf Stoecker. Studien zur deutschen Geschichte des 19. und 20. Jahrhunderts. Göttingen 1961, S. 188 f.

[7] v. Oertzen, I, 94.

Liberalen durchgesetzten Zivilstandsgesetzgebung. Die protestantische Kirche hatte ihre soziale Aufgabe noch nicht begriffen, deshalb faßte er eine Art Massenbekehrung, eine Volksseelsorge großen Stils, ins Auge, und sprang selber, wie er sagt, „in den Abgrund hinein, der vor dem deutschen Leben klaffte". Das ist sein unvergängliches Verdienst für die evangelisch-soziale Bewegung. 1877 übernahm er die Leitung der neugegründeten Berliner Stadtmission und stellte sich damit in die Nachfolge Wicherns.

Die Agitation

Aber er verstand seine Aufgabe sogleich als eine kirchenpolitische und als eine politische, beides hing eng zusammen. Eine Staatskirche nämlich, die nicht mehr allein vom lutherischen Landesherrn abhing, sondern auch von den wechselnden Mehrheiten eines Parlaments, die mit einem liberalen Kultusministerium rechnen mußte, konnte weder das soziale, noch das missionarische Programm ausführen. Das waren die Erfahrungen des Kulturkampfs. Stoecker wollte also eine freie Volkskirche, die dem Staat seine sozialen Aufgaben zuweisen konnte. Daß Bismarck in dieser Tendenz die Gefahr eines „evangelischen Zentrums" heraufsteigen sah, war einer der Gründe, warum er dem Hofprediger persönlich wenig geneigt war.
Politisch war Stoecker davon überzeugt, daß der Sozialismus die Bewegung des Jahrhunderts war. Das hatten weder die Liberalen verstanden, deren Weltanschauung die soziale Aufgabe nicht ernst nahm und deren Wirtschaftssystem die soziale Not verschuldet hatte, noch die Konservativen, die sie auf eine patriarchalische Weise lösen wollten und die Probleme einer modernen Großstadt nicht sahen. Die Sozialdemokratie war revolutionär und kirchenfeindlich. Es ging nun darum, ob die soziale Weltanschauung der Zukunft christlich oder unchristlich sein

werde, königstreu und patriotisch oder umstürzlerisch und vaterlandslos. Stoecker wollte, wie Maximilian Harden in einer gerechten und warmherzigen Charakteristik sagt, die Besitzenden aus ihrem trägen Schlummer reißen und die gewalttätige Stimmung der Armen mildern.[8] Das war der Kern des christlich-sozialen Gedankens, der keineswegs neu war, die katholische Soziallehre hatte ihn längst entwickelt. Stoecker fühlte sich auch selber als der „Herold bereits fertiger Wahrheiten", die dann aber bei seinem sensationellen Auftreten als Hofprediger in den Sälen der Arbeiterviertel und seiner unerhörten Aktivität als *seine* Gedanken in die Welt gingen. Sein soziales Programm stand auf dem unerschütterlichen Boden seiner orthodox-protestantischen und streng konservativen Gesinnung. Er ist kein Vorläufer der „Arbeiterpriester"; als er später zwischen der Agitation und dem Hofpredigeramt wählen muß, entscheidet er sich für das letztere. Seine Auffassung vom „christlichen Staat" und der „Solidarität aller konservativen Interessen" entspricht der von Fr. J. Stahl und dem Kreis um Friedrich Wilhelm IV.

So lange Stoecker an der Gründung einer „Arbeiterpartei" festhielt, betonten seine Wahlflugblätter nur den christlichen und sozialen Charakter der neuen Partei. Erst vom Herbst 1879 an hält er eine Reihe von Vorträgen, die ausschließlich der Judenfrage gewidmet sind. Was hier von den Juden gesagt wird, ist nicht neu. Die theologische Rechtfertigung des Urteils geht auf die späten Schriften Luthers zurück, sie findet sich auch bei Konstantin Frantz und den Christlich-Konservativen. Die politischen, sozialen und nationalen Argumente sind aus den antisemitischen Schriften der 70er Jahre sattsam bekannt, auf O. Glagau und W. Marr beruft sich Stoecker sogar namentlich. Aber die Persönlichkeit des Hofpredigers selbst ist nicht unwichtig, sie hängt mit dem Geheimnis seiner Wirkung zusammen. War er überzeugt von seinen antijüdi-

[8] M. Harden, Köpfe, Berlin 1910⁴, I, 185.

schen Parolen oder nur ein überlegener Taktiker und Demagoge? Erprobte er nur die Wirkung und erkannte die psychologischen Folgen nicht, die Losbindung von Affekten, die Evokation von Neid, Haß und Superioritätsgefühlen, die Perversion des moralischen Anspruchs in den immoralischen Vernichtungswillen? Glaubte er wirklich, als Christ einen sittlichen Auftrag zu erfüllen, wenn er zum Kampf gegen das Judentum aufrief? Er glaubte es wirklich. Als im Jahre 1881 in Rußland die Pogrome wüteten, sagte Stoecker in einem Vortrag, sein Gewissen sei rein, wegen der antijüdischen Bewegung habe er „noch nie das geringste Zittern in seinem Herzen gefühlt“.[9]
Und wofür wurde dieser Kampf geführt? Die zahlreichen Reden variieren unermüdlich denselben Gedanken: für die „Erneuerung unseres Volkslebens aus christlichem Geiste“, für das „Wohl des Vaterlandes“, für „das Heil der teuren Kirche“, für den „Schutz der deutschen Brüder vor Wucher und Ausbeutung, der heiligen Religion vor Hohn und Spott“. Auch das glaubte er wirklich, daß er „den Kampf nur geistig ausfechten wolle“, und fährt in seiner Rede unmittelbar fort: „Wir müssen den Gifttropfen der Juden aus unserem Blut loswerden“, worauf eine Stimme im Publikum ruft: „Das walte Gott! Bravo!“[10] Da Stoecker in der von ihm selbst besorgten Ausgabe seiner Reden die zahlreichen Zwischenrufe aufgenommen hat, gewinnt man den Eindruck der öffentlichen Zustimmung unmittelbar.
Die erste seiner Judenreden klang maßvoll, sie war auf den Ton ernster Sorge und strenger Mahnung gestimmt: wir hassen niemand, auch die Juden nicht, wir achten sie als unsere Mitbürger, lieben sie als das Volk der Propheten und Apostel, aber wir kennzeichnen die Gefahr, wenn „jüdischer Mammongeist unser Volk verdirbt“.[11] Sie gip-

---

[9] Christlich-Sozial, S. 401.

[10] Die Berliner Juden und das öffentliche Leben. Rede vor einer Bürgerversammlung in der Bockbrauerei vom 2. Juli 1883. Christlich-Sozial, S. 432.

[11] Christlich-Sozial, S. 360.

feln in 3 Forderungen: die Juden möchten sich bescheidener verhalten, toleranter gegen die Christen sein und an der produktiven Arbeit des Volkes teilnehmen, also soziale Gleichheit walten lassen. Stoecker kannte die Ursachen der einseitigen jüdischen Berufsschichtung, und er war mit national-ökonomischen Grundgesetzen vertraut genug, um zu wissen, daß ein „Stadtvolk", wie es die Juden im höchsten Maße waren, nicht zum Ackerbau zurückkehrt, schon gar nicht im Zeitalter der Industrialisierung und allgemeinen Verstädterung. Der besseren Einsicht stand das überlieferte Vorurteil im Wege. Verblüffend war aber die Anwendung der aufklärerischen Begriffe „Toleranz" und „Gleichheit" *gegen* die Juden, die man bis jetzt *für* ihre Emanzipation geltend gemacht hatte.

Da die liberale wie die jüdische Presse in Berlin ihn scharf angriff, befestigte sich in Stoecker die Überzeugung, daß eine „Christentumshetze", eine „Pastorenverfolgung" ausgebrochen sei. Die Gefahr der „Verjudung des deutschen Geistes" erscheint ihm nun riesengroß. Wenn die Zahl jüdischer Gymnasiasten und Studenten weiter zunehme – sie war bei dem sozialen Aufstiegswillen und dem lange gestauten Bildungshunger des deutschen Judentums unverhältnismäßig hoch – so werde Israel den Deutschen über den Kopf wachsen. „Denn man täusche sich nicht; auf diesem Boden steht Race gegen Race und führt, nicht im Sinne des Hasses, aber im Sinne des Wettbewerbs einen Racestreit."[12]

Damit ist das gefährliche Wort, durch die Einschränkung keineswegs entschärft, in die Agitation des Hofpredigers aufgenommen. Er hat zugleich immer wieder betont, daß er die Judenfrage nur als eine „soziale und sittliche Frage" ansehe, daß er an der Judenmission festhalte und den Rassenantisemitismus ablehne. Er schien es selbst zu glauben, und seine Freunde hielten sich daran, – sie tun es

---

[12] Christlich-Sozial, S. 381.

heute noch. Als Stoecker im November 1880 im Abgeordnetenhaus wegen seiner widerspruchsvollen und unklaren Haltung angegriffen wurde, rechtfertigte er sich in einem Schlußwort: „Zwei von den Herren von drüben haben mir einen Widerspruch vorhalten wollen, daß ich in einer Rede gesagt hätte, dann steht ‚Race gegen Race'. Meine Herren, es ist mir unbegreiflich, wie man diesen Fehler hat machen können. Ich habe gesagt, ‚Race steht gegen Race' unter einer Bedingung, die vorangeht, ‚wenn diese Minderheit einer fremden Race nach der maßgebenden Macht strebt'. Fünf Zeilen dahinter sage ich ausdrücklich ‚ich bekämpfe nicht die semitische Race, sondern ihren Frevel am deutschen Leben'".[13]
Das war nicht leicht zu verstehen. Wen also bekämpft er? Man stößt immer wieder ins Leere. Die jüdischen Kapitalisten und Artikelschreiber, die ja als einzelne entartete Juden gelten könnten und für die man nicht die Gesamtheit verantwortlich machen dürfe? Nein, lautet die Antwort, überhaupt nicht einzelne Individuen, denn es gebe ja auch redliche und achtbare „Ausnahmen", sondern „der Begriff modernes Judentum bedeute eben die Summe der hervorstechenden Züge, nicht die Vorzüge einzelner Persönlichkeiten". Und zum Beweis eine Parallele – nur mit vertauschten Vorzeichen: man dürfe ja auch vom Germanentum und Christentum reden, obwohl es (böse!) Ausnahmen gebe, die keine Spur davon trügen! Daß Stoecker mit dieser Summe von Eigenschaften, mit einem abstrakten Begriff also, das Judentum als ein Kollektiv perhorresziert, gibt seiner Polemik das Schillernde, seinen Begriffen die Dehnbarkeit; es ist der gleitende Übergang zum Rassenantisemitismus, den er in der Tat vorbereitet hat.
Als die „Berliner Bewegung" auf ihrem Höhepunkt war, erregte sich die öffentliche Meinung in Westeuropa über

---

[13] Stenographische Berichte. Haus der Abgeordneten. Berlin 1881, I, 298.

die russischen Pogrome und den Ritualmord-Prozeß von Tisza-Ezlar in Ungarn. Nach der Ermordung Alexanders II. breitete sich vor allem im Süden Rußlands eine Pogromstimmung aus, die von der russischen Regierung, der Presse und den örtlichen Behörden insgeheim unterstützt wurde. In der Osterwoche begann die Welle blutiger Verfolgungen. Eine Artikelserie der Times, die die Ereignisse und ihre Ursachen schonungslos aufdeckte, machte starken Eindruck und führte zu Protestkundgebungen in London. An einer Versammlung im Mansion-House nahmen die hohe Geistlichkeit, Gelehrte, Aristokraten und Mitglieder des Parlaments teil. Der Prozeß von Tisza-Ezlar hielt Ungarn zwei Jahre lang in Aufruhr, Judenverfolgungen in den ungarischen Städten begleiteten ihn, er kompromittierte aufs äußerste die Haltung der Orts- und Polizeibehörden, die mit Kinderverhören und erpreßten Geständnissen gearbeitet hatten, und das unsaubere und parteiische Verfahren hoher Gerichtshöfe; er endete mit der Freisprechung aller des Ritualmords fälschlich angeklagten Juden.[14]

Die antisemitische Bewegung in Ungarn verdankte ihre Theorie den deutschen Antisemiten, in der Praxis hielt sie sich an das russische Vorbild. Das war eine Warnung. Stoeckers Agitation für solche Ereignisse verantwortlich zu machen, wie seine erbitterten Feinde es taten, war lächerlich, aber eine klare Stellungnahme zu den Ereignissen konnte man von ihm erwarten. Er warf selber das Wort Tisza-Ezlar in die tobende Wahlversammlung der Berliner Bockbrauerei, aber nur, um zu erklären, daß man das Ende des Prozesses abwarten müsse, da alle Juden lügenhafte Aussagen machten. Hielt er bei seiner Kenntnis der jüdischen Religionsgesetze den Ritualmord für möglich, wollte er, daß die Versammlung ihn für möglich hielt? Von der Beantwortung der Frage hängt viel ab, aber sie

---

[14] Dubnow, X, 102 ff.

bleibt offen. Zu den Mordszenen in Rußland sagt er: „Wir sind nicht schuld, die Nationen sind nicht schuld, wenn sie sich gegen die Juden erheben, sondern die Juden sind schuld, wenn sie die Nationen bis aufs Blut reizen.“[15] Den Engländern wirft er falsche Humanität und moralische Heuchelei vor. Als er im November 1883 anläßlich der großen Lutherfeier vom Deutschen Komitee in London eingeladen wurde, verbot ihm der Lord-Mayor im letzten Augenblick die Benutzung des Mansion-House für seine Festrede. Seine übrigen Vorträge in London endeten bei der Anwesenheit vieler deutscher Sozialisten tumultuarisch und zogen ihm wegen des peinlichen Aufsehens die Ungnade des Kaisers zu. Stoecker sah in dem Londoner Desastre nur die Auswirkung einer internationalen Judenverschwörung.
Aber der Erfolg der Berliner Versammlungen war beispiellos. Die Feinde reizten ihn, die Zustimmung beflügelte ihn. Der Kampf gegen das Judentum erschien ihm nun als Ausbruch der nationalen Volksleidenschaft, als edler Aufschwung der Gemüter. „Diese Bewegung geht tief. Es ist eine Torheit zu meinen, daß der Wille einzelner sie hätte hervorbringen können ... Seitdem sind die deutschen Herzen von der Ostsee bis zu den Alpen und von der russischen bis zur französischen Grenze davon erfüllt ... Diese Frage schweigt nicht, bis sie erledigt ist. Wir haben wirklich nicht daran gedacht, einmal ein großes Feuer zu machen und dann zu löschen, einen Sturmlauf auf unsere jüdischen Mitbürger zu unternehmen und uns dann zurückzuziehen; wir müßten leichtsinnig sein, wenn wir so dächten. Wir wollen vielmehr die Schäden, welche aufgebrochen sind, zum Glück für unser deutsches Volk offen halten, bis sie geheilt sind, wir wollen die Judenfrage auf der Tagesordnung halten ganz ruhig, besonnen und maßvoll, aber mit der unbeugsamen Energie, welche jeder christliche

[15] Christlich-Sozial, S. 431.

Deutsche in seinem Innersten trägt, bis wir mit Gottes Hilfe unser Ziel erreicht haben."[16]
Die Reden enden mit einem Lebehoch auf die „Bewegung für alles das, was gut, deutsch, groß, edel, christlich ist in Berlin!" oder „mit Gott für König und Vaterland!" oder „Deutschland, Christenvolk, ermanne dich, wach auf!" Da mischen sich Töne aus den Befreiungskriegen mit solchen einer national-christlichen Erweckungsbewegung und mit dem wilhelminischen Denkmalsstil. Stoecker schrieb damals in einem begeisterten Bericht an seine Frau, „nicht bloß Salven, sondern Kanonaden des Beifalls" seien seine Belohnung gewesen. Kritische Zuhörer fühlten sich an die Rede Marc Antons erinnert, die der Schauspieler Barnay gerade so glänzend zur Wirkung gebracht hatte.[17]
„Wer hat – so frage ich in diese Versammlung hinein – wer hat in Berlin gehetzt? (Ruf: Die Juden!) Meine Herren, wer hat Jahrzehnte gehetzt? (Ruf: Die Juden!) Wer hat im Kulturkampf gehetzt? Wer hat gegen die Pastoralkonferenzen gehetzt? Gegen die Kirche? Gegen das Christentum? Gegen jeden einzelnen Menschen, der es wagte, Deutschland wieder als christlich zu reklamieren? (Ruf: Die Juden!)."[18] „Die antijüdische Bewegung", heißt es in derselben Rede, „rollt um die ganze Erde; sie ist von Deutschland nach Rußland gegangen, von Rußland nach Rumänien und Ungarn, von da in die Schweiz, von der Schweiz ist sie nach Algier gegangen . . . nur diejenigen Menschen, welche von der Kraft des Volksbewußtseins eine Ahnung haben, können glauben, daß diese Tragödie des Kampfes mit dem Judentum ausgespielt hat. Ich glaube, sie ist kaum am Anfang des ersten Aktes. (Sehr gut!)" „Es ist unser gutes Recht", so fährt Stoecker fort, „wenn wir den Juden den Kampf anbieten bis zum völligen Siege (Bravo!) und nicht eher ruhen, als bis sie hier in Berlin

---

[16] Christlich-Sozial, S. 390 f.

[17] Frank, S. 105.

[18] Christlich-Sozial, S. 430.

von dem hohen Postament, auf das sie sich gestellt haben, heruntergestürzt sind in den Staub, wohin sie gehören. (Lebhafter Beifall)".

Es ist aber nicht die offenkundige Demagogie, an der schon Stoeckers Freunde Anstoß nahmen, sondern es ist die Frage nach dem Ziel seiner „Bewegung", die uns heute beschäftigt. Stoecker war ehrlich überzeugt, daß er nur das „Ventil für die Volkserbitterung" geschaffen habe, ein Ventil verhindere die Explosion, daher verlaufe in Deutschland die Auseinandersetzung friedlich und tobe sich in Rußland in Exzessen aus.[19] Das war eine schlechte Sozialpsychologie, sie machte es den Gegnern leicht, ihm nachzuweisen, daß der öffentlich herausgestellte „Sündenbock" die Gefühle von Unzufriedenheit, Haß und Neid erst hervorrufe und mobilisiere. Aber was *war* das Ziel, das mit der „Offenhaltung der Wunde", wie er es nennt, erreicht werden sollte?

Was will eigentlich Herr Stoecker? fragte Virchow bei der November-Debatte 1880 im Abgeordnetenhaus. Am Schluß seiner Reden komme er immer zu einem ganz schwächlichen Resultat, aber *vor* dem Schluß müsse man glauben, „er werde wirklich die Vernichtung der Juden fordern".[20] Das „schwächliche Resultat" bestand darin, daß Stoecker die Emanzipation zwar ungeschehen wünschte, aber nicht ihre Aufhebung verlangte, sondern nur die Ausschließung jüdischer Staatsbürger von dem Lehr- und Richteramt und von den höheren Staatsstellen, eine neue Kapitalsgesetzgebung und eine Berufsstatistik nach Konfessionen, vor allem die „Kräftigung des christlich-germanischen Geistes". Der erste Punkt sei durch eine richtig verstandene Verwaltungspraxis zu erledigen. Das bedeutete zwar eine bedenkliche Durchlöcherung des Rechtsstaatsprinzips, war aber nicht gerade neu. Zu der „Welt-

---

[19] Christlich-Sozial, S. 421.

[20] Stenogr. Berichte, S. 295.

gefahr", dem „Judenjoch" und allen an die Wand gemalten Riesenteufeln seiner Agitation standen die gemäßigten Forderungen Stoeckers in einem Mißverhältnis. Virchow hatte sehr recht mit der Vermutung, „daß andere Leute aus seinen Vordersätzen kräftigere Schlüsse ziehen könnten als er selber".
War es Vorsicht oder Taktik oder eine tiefe Unentschiedenheit seines Wesens, die auch in der Haltung zu den radikalen Antisemiten deutlich wird? Oder glaubte er an die Möglichkeit, daß sich die Bewegung des Hasses und der Teufelsbekämpfung hinaufläutern lasse zu einer christlichen Neugeburt des deutschen Volkes, die er mit unerbittlichem Ernst forderte? Stoecker hat sich diesen Fragen des öfteren stellen müssen.

Die Antisemiten-Petition in der Landtagsdebatte vom 20. bis 22. Nov. 1880

Unter den Anhängern der „Berliner Bewegung" gab es sehr bald Gruppen, denen das christlich-soziale Programm nicht genügte und die auf die Gründung selbständiger Antisemiten-Parteien drängten. Stoeckers Reden hatten eine Flut von Streitschriften hervorgerufen, er hatte triumphierend Treitschke als Bundesgenossen begrüßen können, obwohl der nationalliberale Historiker mit den Christlich-Sozialen nichts zu tun haben wollte. Aber in der antijüdischen Bewegung sah er eine nationale Aufgabe, und sein Wort „Die Juden sind unser Unglück!" hatte mehr Gewicht und eine größere Wirkung als eine ganze Broschürenliteratur. Moritz Busch, der publizistische Mitarbeiter Bismarcks, hatte im „Grenzboten" 1880 eine radikale Antisemitenpartei gefordert, in der sich „Liberale, Konservative, Orthodoxe und Rationalisten, Ultramontane und Protestanten der Anti-Rom-Bewegung" zusammenfinden könnten, um auf den Ausschluß der „semitischen Eindringlinge" und die Rücknahme der Emanzipa-

tion zu drängen.[21] Wilhelm Marrs „Antisemiten-Liga" leistete die agitatorische Vorarbeit.
Im August 1880 setzten der Gymnasiallehrer Bernhard Förster, der Schwager Nietzsches, der später eine Antisemiten-Kolonie in Paraguay zu gründen versuchte, und der Premierleutnant Liebermann von Sonnenberg eine Petition an den Reichskanzler in Umlauf, die an Bürgermeister, Landräte, Superintendenten, an Richter, Ärzte und Steuereinnehmer verschickt wurde und bis zum April 1881, als man sie Bismarck überreichte, etwa 250 000 Unterschriften erhielt. Der Inhalt deckte sich ungefähr mit Stoeckers „Forderungen": die Juden seien von verantwortungsvollen Staatsämtern auszuschließen, sie sollten Lehrämter nur in Ausnahmefällen erhalten, nicht als Einzelrichter fungieren, und es sei eine konfessionelle Berufsstatistik, d. h. ein separater Zensus für die jüdische Bevölkerung einzuführen. Die Petition fügte noch die Beschränkung der Einwanderung hinzu. In dem begleitenden Text war aber die „jüdische Gefahr" in einer Weise gekennzeichnet, daß man wohl verstand, die Urheber hätten es auf die Aufhebung der Emanzipation abgesehen. Es war da von „jüdischen Rasseeigentümlichkeiten" die Rede, die den Wohlstand, die Kultur und Religion des deutschen Volkes ernsthaft bedrohten und die nur durch reelle Machtmittel bekämpft werden könnten.[22] Förster und Liebermann von Sonnenberg hatten sich in den Berliner Massenversammlungen für den völkischen oder rassischen Antisemitismus bereits öffentlich eingesetzt.[23]
Als der Text der Petition in den Zeitungen bekannt wurde, protestierten eine Reihe von Gelehrten, zu denen Mommsen, Droysen, Gneist und Virchow gehörten, ferner Parlamentarier und Stadtverordnete in einer Deklaration gegen den Versuch, den Rassenhaß zu schüren und die Ein-

---

[21] Wawrzinek, S. 31.
[22] Text bei Schulthess, Europäischer Geschichtskalender, 1880.
[23] Vgl. Massing, Kap. VI, Die völkische Bewegung.

heit der Nation zu gefährden; 76 Namen standen unter dieser Notabeln-Erklärung.

Während die Unterschriftenagitation noch im Gange war, brachte die Fortschrittspartei im Abgeordnetenhaus eine Interpellation ein, mit der sie die Regierung zu einer deutlichen Stellungnahme zwingen wollte. Sie war der Anlaß für eine zweitägige Debatte, bei der sich die Parteien zu der „Berliner Bewegung" äußerten und Stoecker wohl unerwartet in die Situation geriet, sich für oder gegen seine radikalen Anhänger entscheiden zu müssen. Die Reden geben einen Querschnitt durch die Auffassungen des jüdischen Problems 10 Jahre nach der Emanzipation. Die Interpellanten beriefen sich darauf, daß die Petition auf eine Beseitigung der verfassungsmäßigen Gleichberechtigung abziele und daß die hinter ihr stehende Agitation mit der Bekämpfung der Juden als Rasse „die aufreizendste, die tiefgreifendste, die perfideste Wendung" genommen habe. Sie erinnerten an den Berliner Kongreß, der 2 Jahre zuvor den Balkanstaaten für ihre Aufnahme in die europäische Völkergemeinschaft die Bedingung auferlegt hatte, daß die Juden in Rumänien, Bulgarien und Serbien das volle Bürgerrecht erhielten. Bismarck und der französische Bevollmächtigte hatten diese Klausel gegen Gortschakoff verteidigt.

Die Regierungserklärung, die Graf zu Stolberg-Wernigerode vorlas, war knapp und sachlich: die erwähnte Petition sei noch nicht eingegangen, die bestehende Gesetzgebung enthalte die Gleichberechtigung der religiösen Bekenntnisse in staatsbürgerlicher Beziehung, und das Staatsministerium beabsichtige nicht, „eine Änderung des Rechtszustandes eintreten zu lassen".[24] Das fand den Beifall des ganzen Hauses. Es war die Garantie der Rechtssicherheit, aber es war doch weniger, als die Interpellanten angesichts der aufgewühlten Stimmung im Volke gewünscht hatten.

[24] Stenogr. Berichte, S. 231 f.

Die Debatte zeigte alsbald, daß die Mehrheit des Abgeordnetenhauses die Petition der Antisemiten keineswegs verurteilte, obwohl alle Redner versicherten, auf dem Boden der Verfassung zu stehen. Ein so seltsamer Widerspruch erklärt sich aus der Vielzahl von Motiven, die da durcheinanderlaufen; alte politische Fronten brechen wieder auf, und die jüdische Frage hängt sich an wirtschafts- und sozialreformerische Programme, an antiliberale Stimmungen und an die Theorie des christlichen Staates.

Der konservative Abgeordnete von Heydebrand beruft sich auf den Einspruch, den seine Partei von jeher gegen die volle Emanzipation erhoben habe. Wenn sich die Juden ihrer Rechte nicht mit mehr Takt und Mäßigung bedienen wollten, so werde keine Macht der Welt eine Bewegung eindämmen können, „die nach ihrer innersten Überzeugung den Grundsatz verteidigt und hochhält, daß wir ein christliches Volk sind und bleiben wollen".[25] Da die „Berliner Bewegung" politisch für die konservative Partei agitierte, mit der sich die Christlich-Sozialen bald darauf im „Conservativen Central-Comité" (C. C. C.) verbanden, war das parteitaktisch verständlich. Den Widerspruch zwischen Rassenideologie und christlicher Staatsgesinnung übersah man.

Das Zentrum kam von der Kulturkampf-Situation nicht los. Reichensperger erklärte sich zwar gegen alle Ausnahmegesetze, auch gegen die Praxis des Verwaltungsweges, unter der die Katholiken selber gelitten hatten, behauptete aber, die antijüdische Bewegung vertrete berechtigte nationale und soziale Interessen. Da sich die Juden im Kulturkampf auf die Seite der Feinde des Christentums gestellt hätten, sei eine Abrechnung notwendig und die Erbitterung des Volkes berechtigt. Es war nur der klugen und gerechten Haltung Windthorsts zu verdanken, daß die Zentrumsfraktion in ihrer Sympathie für Stoeckers Agitation und ihrer Feindschaft gegen den Fortschritt damals

[25] Stenogr. Berichte, S. 240.

nicht in den antisemitischen Strudel hineinglitt. Auch Windthorst warf den Liberalen ihre Inkonsequenz vor, da sie die Mai-Gesetze verteidigt und die Katholikenverfolgung zugelassen hätten. Aber gegen die Judenhetze der „Berliner Bewegung“ wendet er sich mit aller Energie. „Nur den Teil, der mit den ungläubigen Christen in Gemeinschaft das Christentum bekämpft, nur diesen Teil muß ich, nicht weil sie Juden sind, sondern weil sie mit den ungläubigen Christen gemeinsam das Verkehrte tun, bekämpfen.“[26] Das war die entscheidende Ablehnung der kollektiven Verantwortung des Judentums, die die christliche Ideologie des protestantischen Konservatismus so eifrig verfocht und die viele Zentrumsabgeordnete unkritisch übernommen hatten.

Freikonservative, Nationalliberale und Sozialdemokraten vermieden eine Stellungnahme. Für den Fortschritt sprachen Virchow, Eugen Richter und Heinrich Rickert, der zum Freundeskreis Mommsens gehörte. Sie wandten sich gegen die Doppelzüngigkeit der Antisemiten-Petition und ihrer Verteidiger, die das Recht nicht aufheben, es aber unter Drohungen und Bedingungen verkürzen wollten. Die praktische Konsequenz der Petition sei das Ausnahmegesetz, das aber wage niemand zu verteidigen. Am deutlichsten wurde die Verworrenheit der Situation, als Rickert die Juden deutsche Staatsbürger nannte und ihn Zurufe unterbrachen: „Juden sind keine Deutschen!“ „Was sind sie denn? (Ruf: Juden!)“[27] Daß dieser Standpunkt schon den Geist der Verfassung verletzte, war keineswegs die Überzeugung des ganzen Hauses.

Stoecker war ein Jahr vorher als Abgeordneter des Wahlkreises Minden-Ravensberg, wo Christlich-Konservative die Mehrheit hatten, in den Preußischen Landtag gewählt worden. Bei den Reichstagswahlen von 1881 erhielt er ein zweites Mandat in dem von der pietistischen Gemein-

[26] Stenogr. Berichte, S. 250.

[27] Stenogr. Berichte, S. 280.

schaftsbewegung stark geprägten Wahlkreis Siegen. Seine Wähler sahen in ihm den aktiven Kirchenmann, der die kirchliche Einflußsphäre weit in das öffentliche Leben hinein auszubreiten versprach, nicht den Urheber der „Berliner Bewegung" und antijüdischen Agitator. Aber daß er das auch war, beunruhigte sie nicht.
Bei der Debatte über die Antisemiten-Petition sah Stoekker sich in die Verteidigung gedrängt. Um zu beweisen, daß die Judenfrage für ihn nur eine „sozial-ethische Frage von großer nationaler Bedeutung" sei, zitierte er wie immer die Angriffe des jüdisch geleiteten „Börsenkurier", Briefstellen, persönliche Beleidigungen, auch den „gebildeten Juden", der ihm zustimmte und der hier die Rolle des „bekehrten Sozialisten" in den Arbeiterversammlungen übernahm. Die Rede war schlechte Demagogie. Als er die Petition erwähnte, unterbrach ihn ein Zwischenruf: „Haben Sie unterschrieben?" „Nein."[28] Aber dann wurde ihm seine Unterschrift in einem Zeitungsblatt vorgehalten. Stoeckers Rechtfertigung war lang und umständlich, sie überzeugte nicht. Er habe die Petition begrüßt, weil sie ein Wehr sei, das die wilden Wasser des Flusses aufhalte, er habe sie aber nicht „erlassen", sondern nur beratend mitgewirkt, sie zuerst auf den Rat seiner Freunde nicht unterschrieben, später doch, aber erst als der Sturm schon losgebrochen sei, wozu mehr Mut gehört habe. Er kam später in einem Vortrag vor seinen Parteifreunden noch darauf zurück, denn der Zwischenfall hatte peinliches Aufsehen erregt.[29] Was konnte den selbstsicheren Mann in solche Verwirrung bringen?
Es liegt nahe, anzunehmen, daß er längst nicht mehr frei war in seinen Entscheidungen; die radikale Bewegung der Marr, Förster, Liebermann von Sonnenberg, des fanatischen Hetzers Henrici hatte sich ihm angehängt. Auch aus wahltaktischen Gründen konnte er die Agitation nicht

[28] Stenogr. Berichte, S. 271.
[29] Christlich-Sozial, S. 406 f.

entbehren, die für die konservative Partei die Massen zu mobilisieren wußte. So hat man es oft bedauernd erklärt und zugegeben, daß der Hofprediger in seinem politischen Kampf auch unsaubere Hände gedrückt habe und zeitweilig ein pfiffiger Taktiker gewesen sei.[30] Er selber hat in seinem Vortrag „Das Aufwachen der deutschen Jugend", den er ein halbes Jahr später vor der christlich-sozialen Partei hielt, eine andere Antwort gegeben, die gewiß ernst zu nehmen ist: „Ich gebe auf eine bloße antijüdische Bewegung gar nichts, wenn sie nicht durchdrungen ist von einer herzlichen Liebe zum Evangelium in unserem deutschen Volke ... Damit will ich zwischen uns und den anderen Führern der antijüdischen Bewegung keine Zwietracht säen, sondern ich will es nur hier aussprechen, daß auch die verwandten Bestrebungen dieser Art von dem Gefühl durchdrungen werden müssen: Deutschland muß wieder christlich sein. Und es ist meine persönliche Gewißheit, daß die ganzen Ströme dieser antijüdischen Bewegung zuletzt zusammenfließen werden in ein breites, tiefes Bett und uns hineintragen in den Ozean christlicher Weltanschauung und deutscher Gesinnung."[31]
Das glaubte er wirklich, und die Überzeugungskraft seiner Persönlichkeit beruhte darauf, daß er es glaubte, so grotesk es uns heute erscheint. Hier wurzelt aber auch der unermeßliche Schaden, den seine Lehre vom „deutsch-christlichen Genius" und dem teuflischen Gegenbild des kosmopolitisch-jüdischen Mammongeistes im protestantischen Bürgertum angerichtet hat. Stoecker war von dem Gedanken einer grandiosen Volksmission geleitet, einer christlich-sozialen Erweckungsbewegung, die sich an die Reformation und an den „heiligen Patriotismus" der Befreiungskriege würdig anschließen sollte. Er verband Luther, Wartburgfest, Burschenschaft und die Reichsschöpfung von 1870 als göttlichen Gnadenakt mühelos zu einer

[30] M. Harden, Köpfe, I, 189.
[31] Christlich-Sozial, S. 105.

einzigen Reihe von Manifestationen des christlich-germanischen Geistes. Das Judentum mißverstand er theologisch, da er es wie der späte Luther im toten Winkel sah, nur noch als Exempel des göttlichen Zorns, als „eine verknöcherte, abgestorbene Religionsform". „Als die Juden Christum kreuzigten", heißt es in einer Rede, „kreuzigten sie sich selbst, ihre Offenbarung wie ihre Geschichte."[32] Er mißverstand es auch national, da er ihm die ewige Fremdstämmigkeit zuschrieb und die nationale Eingliederung und kulturelle Assimilation leugnete, die sich vor seinen Augen vollzog. Von dem Judentum als sozialer Erscheinung sah Stoecker nur die Auswüchse der kapitalistischen Wirtschaftsform, an denen die Nichtjuden ebenfalls beteiligt waren, und die Mißstände, die sich aus der traditionellen Berufsschichtung ergaben und die in einer Übergangszeit stärker sichtbar wurden. Obwohl er sich später seiner fanatischen Anhänger erwehren mußte, die sich auch von ihm längst getrennt hatten, empfand er niemals den radikalen Gegensatz von christlicher Verkündigung und Judenhaß. Er selber glaubte sich von Haß frei und predigte nur die gesellschaftliche Ausschließung einer Menschengruppe, deren Wesen ihm fremd geblieben war und deren Schicksal ihn nicht bewegte. Wenn heute die protestantische Theologie, die sich um das historische Verständnis Stoeckers bemüht, dann doch zu dem Ergebnis kommt, daß bei ihm an die Stelle des Evangeliums die „christliche Ideologie" getreten sei, die den Antisemitismus notwendig heraufbeschwöre, so ist ein härteres Urteil eigentlich nicht denkbar.[33]

Von den Zeitgenossen Stoeckers haben nur wenige die Gefahr erkannt, die in der Verbindung von Volksmission, nationaler Erweckung und Judenbekämpfung lag. Die

---

[32] Christlich-Sozial, S. 420.

[33] Vgl. W. Holsten, Adolf Stoecker als Symptom seiner Zeit. Antisemitismus in der evangelischen Kirche des 19. Jahrhunderts? In: „Christen und Juden", Göttingen 1961, S. 200.

übrigen Antisemitenführer wurden von ihren fanatischen Sekten ganz ernst genommen, ihre Parolen waren so unsinnig, ihre Forderungen so unrealistisch, daß sie sich selbst richteten. Wie weit sie allerdings das dumpfe Gefühl breiterer Schichten bestätigten oder reizten und lenkten, das entzieht sich der kontrollierenden Wahrnehmung. Daß die Verfassung den Juden ja doch endgültig Schutz gewähre, war die Mauer der Überzeugung, hinter die sich das beunruhigte Gefühl der Gebildeten zurückziehen konnte.

Als Hermann Bahr 1894 in einer internationalen Befragung eine Reihe europäischer Gelehrter, Politiker und Journalisten über den Antisemitismus zu Worte kommen ließ, erhielt er durchweg die Antwort, er sei eine Erkrankung des Urteils, eine geistige Pest, die wie jede Epidemie ihren Verlauf nehme und ihr natürliches Ende finden werde.[34] In seiner Entgegnung auf Treitschkes Angriff in den Preußischen Jahrbüchern, von dem noch die Rede sein wird, hatte Theodor Mommsen 1881 allerdings schon warnend von dem „selbstmörderischen Treiben des Nationalgefühls“ gesprochen, da die Antisemiten mit ihrer Petition „auf eine heimlich und tückisch-verdeckte Weise“ den Bürgerkrieg predigten. Gottfried Keller schrieb im selben Jahre an Moritz Lazarus, den Begründer der Völkerpsychologie, er habe ihn an „die dünne Kulturdecke“ erinnert, „welche uns von den wühlenden und heulenden Tieren des Abgrunds noch notdürftig zu trennen scheint und die bei jeder gelegentlichen Erschütterung einbrechen kann“.[35] Es war das Jahr der russischen Pogrome und der antisemitischen Massenagitation in Berlin.

Es gab auch jüdische Antworten auf den unbegreiflichen Ausbruch des Hasses in einer Zeit, da sich die friedliche Symbiose zwischen Deutschen und Juden anzubahnen schien. Der Dichter Berthold Auerbach schrieb 1880 an

[34] H. Bahr, Der Antisemitismus. Ein internationales Interview. Berlin 1894

[35] G. Keller an M. Lazarus, 20. Dezember 1881.

seinen Vetter, den Frankfurter Religionslehrer Jakob Auerbach: „Vergebens gelebt und gearbeitet! Das ist der zermalmende Eindruck, den ich von dieser zweitägigen Debatte im Abgeordnetenhaus habe ... Wie hatte ich mich gefreut, daß nun die Volksbücher fertig sind ... Und nun? Was ist das gegenüber der großen Seelenverwüstung? Ich tröste mich freilich damit, daß nach Monaten das wieder zugeheilt sein wird. Aber das Bewußtsein, was noch in deutschen Menschen gehegt wird und was unversehens explodieren kann, das ist untilgbar.“[36]

Unmittelbar nach der ersten Judenrede Stoeckers und Treitschkes Artikel „Ein Wort über unser Judentum“ vom November 1879 gab Moritz Lazarus in seinem Vortrag: „Was heißt national?“ die würdige Antwort des deutschen Gelehrten, der sich nun wieder als Jude fühlt. Wie Hermann Cohen, der in Marburg den Neukantianismus vertrat, fühlte er sich zu einem Bekenntnis herausgefordert: „Im Grunde genommen sollten wir schweigen“, heißt es da, „denn die Judenfrage ist eine deutsche Frage ... Überall und immer ist die Frage der Humanität und der Gerechtigkeit wichtiger für den, der sie zu gewähren, als für den, der sie zu empfangen hat. Aber wir sind Deutsche, als Deutsche müssen wir reden ... Und nicht allein die Sprache macht uns zu Deutschen. Das Land, das wir bewohnen, der Staat, dem wir dienen, das Gesetz, dem wir gehorchen, die Wissenschaft, die uns belehrt, die Bildung, die uns erleuchtet, die Kunst, die uns erhebt, sie sind alle deutsch. Muttersprache und Vaterland sind deutsch, beide Erzeuger unseres Innern; hier standen unsere Wiegen, hier sind die Gräber derer, von denen wir stammen, in vielen Geschlechtern; unser *Anfang* also und unser *Ende* des Lebens ist hier. Nur unsere Abstammung ist keine deutsche, wir sind keine Germanen; wir sind Juden.“ Daß die Nation sich nun auf die Abstammung, auf den fragwürdigen Be-

[36] An Jakob Auerbach, 23. November 1880. Kobler, Juden und Judentum. S. 271.

griff einer germanischen Rasse gründen sollte, das war die schlimme Wendung in der Geschichte des deutschen Judentums. Sie hatte sich in der völkischen Idee der romantischen Staatsphilosophie seit langem vorbereitet, die verlor dann ihre geistige Substanz und wurde rein biologisch verstanden. Auch die kollektive Verantwortlichkeit hatte man dem jüdischen Volk seit frühchristlichen Zeiten auferlegt, damals war sie eine Art von Reflex seines religiösen Gesetzes und seiner besonderen sozialen Struktur. Nun erscheint sie in einer veränderten Welt als ein archaisches Element, widervernünftig und antihuman.

„Wann endlich wird die barbarische Logik aus den Köpfen verschwinden, an die Stelle des Einzelnen oder des Besonderen in der Erfahrung, das Allgemeine im Urteil zu setzen?“ heißt es in dem Vortrag von Lazarus. „Was in aller Welt nützt denn die Logik, wo ist der Adel der Wissenschaft, wo die Würde des Gedankens, wenn man da, wo es sich um Wohl und Wehe, um Ehre und Ruf von Tausenden und Abertausenden handelt, ... anstatt *den* oder *einige* Juden ohne weiteres *die Juden* setzt? Hätte es eine Erziehungskunst gegeben, die Menschen vor diesem einen logischen Fehler zu bewahren, Ströme von Tränen und Blut wären nicht vergossen worden. Aber freilich, dieser logische Fehler ist nicht ein Fehler des Kopfes, sondern des Herzens.“ Freilich lasse man Ausnahmen unter den Juden zu, die, wie Treitschke gesagt hatte, sogar seine Freunde seien. „Ich aber für meine Person erkläre hiermit ausdrücklich: ich stehe lieber zu den letzten und niedrigsten, zu den schlichtesten und einfachsten, wenn sie redliche Männer sind; ich stehe zu denen, welche ungekannt angeklagt und ungeprüft verurteilt werden, viel lieber als zu der Schar der als „Ausnahmen“ Begnadigten ... Gibt es etwas Härteres und Liebloseres, als jemandem zu sagen: „Du bist mein Unglück!“[37]

---

[37] M. Lazarus, Was heißt national? Neudruck, hrsg. J. Lewy, Berlin 1925, S. 29 f.; S. 45 f.

Als in den 90er Jahren der Dreyfus-Prozeß abrollte, hielt sich Theodor Herzl als Beobachter und Korrespondent seiner Wiener Zeitung in Paris auf. Damals schrieb er in wenigen Wochen den „Judenstaat“, das leidschaftliche Bekenntnis zur eigenen jüdischen Nation und die Forderung einer Heimstätte für das jüdische Volk. Herzl war durch die antisemitische Bewegung in Europa zu einer anderen Überzeugung gekommen als die nationalgesinnten und assimilierten deutschen Juden und ihre liberalen Verteidiger, nämlich daß die Einbürgerung in den Staaten Europas endgültig gescheitert sei und daß sich die antijüdische Welle mit schicksalhafter Notwendigkeit über den Erdkreis ausbreiten werde. Ein nationaler Judenstaat, das war die neue Antwort auf die Verfolgung und Ausschließung des fast 2000jährigen Lebens in der Diaspora; sie kam der immer noch lebendigen messianischen Hoffnung des Ostjudentums als der erlösende Gedanke entgegen. Mit der zionistischen Bewegung beginnt aber auch für die Geschichte der deutschen Juden ein neuer Abschnitt.

17. KAPITEL

DIE KONTROVERSE ZWISCHEN TREITSCHKE UND MOMMSEN

Der Schriftenwechsel

Auch der Streit zwischen den beiden angesehensten Historikern der Berliner Universität wurde durch Stoeckers Agitation in Berlin veranlaßt. Treitschke veröffentlichte am 15. November 1879 in den Preußischen Jahrbüchern zuerst nur die kurze Erklärung „Ein Wort über unser Judentum". Da ihm von vielen Seiten widersprochen wurde, mußte er sich noch ausführlicher äußern. Für die studentische Jugend und weite Kreise des gebildeten Bürgertums wurde es die folgenreichste Stellungnahme zum jüdischen Problem im ausgehenden 19. Jahrhundert. Man hat neuerdings die Frage aufgeworfen, ob Treitschke Antisemit gewesen sei. Die Tatsache, daß er von den erklärten Antisemiten seiner Zeit als einer der ihren betrachtet wurde und daß der Nationalismus seinen Satz „Die Juden sind unser Unglück" zur Kampfparole gemacht hat, beweise das noch keineswegs. Den Rassenantisemitismus habe er immer abgelehnt.[1] Aber die Frage ist falsch gestellt, Treitschke hat weder die Antisemiten-Petition unterschrieben, noch die Studenten zu einem ähnlichen Antrag ermuntert, wie Mommsen fälschlich annahm, er hat auch die antisemitische Parteibildung nicht begünstigt. Er verurteilte das Geschrei der Gasse, den Schmutz und die Roheit der judenfeindlichen Pamphlete; für Stoecker empfand er keine Sympathie, er glaubte indes, gerade als „Nicht-Konservativer" und „Nicht-Klerikaler"

---

[1] Sigurd Graf v. Pfeil, H. v. Treitschke und das Judentum. Die Welt als Geschichte, 1961, Heft 1. Der Verfasser kommt sogar zu dem Ergebnis, daß Treitschkes Stellungnahme eher ein Hemmschuh als ein Wegbereiter des Antisemitismus gewesen sei. Er beachtet aber die literarischen Quellen nicht, die das Gegenteil beweisen.

ein klärendes und entscheidendes Wort zur Judenfrage sagen zu müssen. Dabei ergriff er Partei.
Treitschke bezeichnete die gerade entfesselte „Berliner Bewegung" als „eine brutale und gehässige, aber natürliche Reaktion des germanischen Volksgefühls gegen ein fremdes Element", als den „Ausbruch eines tiefen, lang verhaltenen Zornes", der nicht hohl und grundlos kein könne. „Über unsere Ostgrenze", heißt es da, „dringt Jahr für Jahr eine Schar strebsamer hosenverkaufender Jünglinge herein, deren Kinder und Kindeskinder dereinst Deutschlands Börsen und Zeitungen beherrschen sollen." Solche Sätze haften im Gedächtnis, sie werden auch immer wieder zitiert. Treitschke befürwortet keine Zurücknahme der Emanzipation, die eine offenbare Rechtsverletzung wäre, beansprucht aber die Dankbarkeit der Juden für die bürgerliche Gleichstellung, über die der Staat nach freiem Ermessen entschieden habe und die nicht das natürliche Recht aller sei. Der noch unfertigen deutschen Nation fehle der instinktive Stolz, die durchgebildete Eigenart, sie sei wehrlos gegen fremdes Wesen. Von den Juden müsse man verlangen, daß sie bedingungslos Deutsche würden oder auswanderten, nur in dieser Erwartung sei ihnen die Emanzipation zugestanden worden. Daß sie aber wirklich Deutsche werden können, wird alsbald infrage gestellt, eine Kluft werde immer bleiben, heißt es da. Schon die antiken Schriftsteller – Plinius, Tacitus, Juvenal – seien sich einig gewesen im Judenhaß wie später die germanischen und romanischen Völker des Mittelalters. Und nun die Frage, mit der er dem schwankenden Gefühl der meisten eine Richtung gab: „Warum haben so viele edle, hochbegabte Nationen die gemeinen, ja die diabolischen Kräfte, die in den Tiefen ihrer Seele schlummerten, gerade an dem jüdischen Volke und nur an ihm ausgelassen?" Treitschke berührt nun den Punkt, der seinem nationalstaatlichen Denken fremd und unheimlich war: weil das Judentum der Diaspora ein Volk ohne Staat, ohne Geschichte, ohne

eigene Sprache sei, zerstreut in der Welt lebe, ohne sich selbst aufzugeben, weil es in einem unlösbaren Widerspruch mit sich selbst existiere, Nutznießer der Gastländer und doch streng abgesonderte Nation habe sein wollen. Da er den religiösen Kern des jüdischen Problems nicht sieht – so wenig übrigens wie Mommsen, der die religiöse Frage als eine, die im Kämmerlein von jedem einzelnen entschieden werden müsse, ebenfalls ausklammert – bleibt für ihn nur die Antwort: es muß an ihrem prästabilierten Volkscharakter liegen, wenn sie stets den Haß der Völker hervorgerufen haben. Sie sind also auch Schuld an unserer Schuld, auch an der Brutalität des „berechtigten" Volksgefühls, das heute wieder gegen sie aufsteht.

Das war nicht neu, kein Argument ist neu in der judenfeindlichen Literatur, nur daß Treitschke es aussprach, ist wichtig, und daß er damit genau den zwiespältigen Zustand traf, in dem sich das Urteil der noch unsicheren Öffentlichkeit bei dieser Frage befand.

Theodor Mommsen antwortete in einer eigenen Flugschrift: „Auch ein Wort über unser Judentum".[2] Er ging dabei ebenso wie Treitschke von dem noch unfertigen Zustand der deutschen Nation aus, die äußerlich geeint, aber innerlich zerrissen sei. Mit dem Judenkrieg aber betrete sie eine gefährliche Bahn. Die Juden seien Deutsche, wie es die Nachkommen der französischen Hugenotten in Berlin ja auch seien. Ob man den bedenklichen Begriff einer race prussienne aufnehmen oder die deutsche Nation nach der Germania des Tacitus durchkorrigieren wolle? Wenn man ihnen besondere Fehler nachweise, so müsse eine prävenierende Gesetzgebung den schädlichen Wirkungen dieser Fehler nach Möglichkeit steuern. Es sei aber unmöglich, „nach dem supponierten Quantum von Erbsünde die Stellung des deutschen Bürgers zu regeln". Mit der Generalisierung jüdischen Wesens werde eine neue Kluft in der

[2] Th. Mommsen, Reden und Aufsätze. Berlin 1905, S. 410–427.

deutschen Nation aufgerissen, während es im Gegenteil eine Aufgabe des Judentums sei, bei dem Ausgleichungsprozeß der deutschen Stämme mitzuwirken. So ist der fast immer falsch zitierte und falsch verstandene Satz Mommsens gemeint, daß die Juden „wie einst im römischen Staat ein Element der nationalen Decomposition so in Deutschland ein Element der Decomposition der Stämme seien". Das Abschleifen der Stammeseigentümlichkeiten sei bei der Bildung der Nation notwendig, wenn auch schmerzhaft, es vollziehe sich zuerst in den großen Städten.[3] Allerdings müsse den Juden, die zum Ausgleich partikularistischer und zentrifugaler Tendenzen besonders befähigt seien, zugemutet werden, ihre Sonderart abzulegen und sich nicht aus anderen Gründen als denen der religiösen Überzeugung zusammenzuschließen.
Mommsens eigentlicher Vorwurf richtete sich aber gegen Treitschkes subjektives, von deutlicher Antipathie bestimmtes Urteil über das Judentum, gegen den Mangel an Takt und Verantwortungsgefühl. Da Treitschke den Ausbruch roher Volksinstinkte motiviert, hat er ihn mit seiner Autorität zugleich legitimiert; was er sagt, ist „anständig gemacht".[4] „Der Kappzaum der Scham war dieser ‚tiefen und starken Bewegung' abgenommen; und jetzt schlagen die Wogen und spritzt der Schaum." Treitschkes Stellungnahme ist zweideutig: wenn die Emanzipation nicht aufgehoben werden darf, die Juden sich ihrer aber erst würdig erweisen sollen, so müssen sie sich als Mitbürger zwei-

---

[3] In der Römischen Geschichte (Bd. II, S. 550) sagt Mommsen, Cäsar habe die Juden in Alexandria und Rom durch besondere Begünstigungen und Vorrechte gefördert. Sie waren „wie geschaffen für einen Staat, welcher auf den Trümmern von hundert lebendigen Politien erbaut und mit einer gewissermaßen abstrakten und von vorneherein verschliffenen Nationalität ausgestattet werden sollte. Auch in der alten Welt war das Judentum ein wirksames Ferment des Kosmopolitismus und der nationalen Decomposition und insofern ein vorzugsweise berechtigtes Mitglied in dem Cäsarischen Staate, dessen Politie doch eigentlich nichts als Weltbürgertum, dessen Volkstümlichkeit im Grunde nichts als Humanität war."

[4] Vgl. hierzu Alfred Heuss, Theodor Mommsen und das 19. Jahrhundert. Kiel 1956, S. 200–203.

ter Klasse empfinden, „als besserungswürdige Strafkompanie". Nun stürzt sich der Pöbel aller Klassen auf das wehrlose Wild, „und die Besseren sind z. T. im Innern unsicher und schwankend".

Soweit Mommsens Replik, deren Schärfe und Bitterkeit und deren tiefe Besorgnis Treitschke nie verstanden hat. Die Freundschaft der beiden zerbrach daran für immer. Treitschke glaubte sich in der Grundauffassung vom Judentum, dessen volle Assimilation er ja auch wünschte, mit Mommsen völlig einig und entnahm der Zurechtweisung nur, daß sein Angriff zu dieser Zeit „inopportun" gewesen sei. An seinen jüdischen Freund Robert Oppenheim schrieb er damals, er habe bei seinem Artikel an ihn gedacht und gemeint, ihm das in aller Freundschaft ins Gesicht sagen zu können. Daß man ihn als Verteidiger der Unduldsamkeit und des Rassenhasses verschreien würde, habe er für unmöglich gehalten.[5]

Für Mommsen war Treitschkes Äußerung zur Judenfrage auch ein Beweis, wie sehr sich der nationale Liberalismus im Bismarckreich von den Idealen des Rechtsstaates und der Bürgerverantwortung abgekehrt hatte. Er sah den antihumanen und antiliberalen Affekt in der antisemitischen Strömung. So bezeichnet diese Kontroverse genau den Punkt, wo die politischen Wege der beiden auseinandergingen; sie weist auch auf die Krise des deutschen Liberalismus hin. Mommsen schloß sich den Sezessionisten an, während Treitschke der Bismarckschen Reichsschöpfung und der Hohenzollern-Monarchie mit unbedingter Loyalität, mit Dankbarkeit und Bewunderung ergeben war. Auch damit prägte er die politische Überzeugung der akademischen Jugend. Karl Lamprecht nannte ihn in seinem Nachruf den „getreuen Eckart seiner Nation", er sei zuletzt ein „Stück der nationalen Tradition selber" geworden. So sehr verkörpert der Verkünder und Verteidiger

---

[5] H. v. Treitschkes Briefe. Leipzig 1917, III, 516 f.

des Reiches dieses Reich selber, als es sich in den Augen der meisten auf der Höhe seines Ruhmes befand. In diese „nationale Tradition" war der Volksgeistbegriff Herders und der politischen Romantik aufs neue eingeschmolzen, er verband sich aber nun mit dem militanten Nationalismus und dem machtpolitischen Realismus der Reichsgründungszeit. Dagegen waren in Mommsens Vorstellung vom Nationalstaat der Geist Humboldts und der ethische Liberalismus der 48er Bewegung lebendig geblieben. Obwohl auch für ihn der Nationalstaat die größte Leistung der Geschichte und eine hohe sittliche Potenz war, konnte er niemals die Autonomie sittlichen Handelns aufheben. An der Beurteilung des jüdischen Problems wurde die Kluft erst deutlich, die sich seit der Reichsgründung zwischen den beiden Verfechtern der nationalen Einheit aufgetan hatte. Es trennte sie nicht eine bloße Frage der Opportunität, wie Treitschke annahm, sondern eine Entscheidung des Rechtsgefühls und der liberalen Staatsgesinnung.

Wirkungen

Wie die Dinge nun einmal lagen, wurden beide mißverstanden. Mommsens Satz von den Juden als Element der nationalen Decomposition (der Stämme!) wird als Beweis für die zersetzende und zerstörende Tendenz einer internationalen Verschwörergruppe zitiert. So erscheint das Wort in dem gehässigen Pamphlet „Judenflinten", das der antisemitische „Rektor der Deutschen" Hermann Ahlwardt bald danach herausgab, so taucht es als „Ferment der Decomposition" in Hitlers „Mein Kampf" auf, ohne daß der Zusammenhang deutlich würde. Der begabte Publizist Hellmuth v. Gerlach, der in seiner Jugend zu den Anhängern Stoeckers, später zum Naumann-Kreis gehörte, berichtet in seinen Jugenderinnerungen, daß das immer tendenziös zitierte Wort des großen liberalen Historikers im „Verband Deutscher Studenten" den tiefsten

Eindruck gemacht habe. Dem V.D.St. war der schlesische Junker beigetreten, weil er der einzige rechtsstehende Studentenverband war, der sich mit Politik abgab. Das tat sonst nur noch die „Freie wissenschaftliche Vereinigung", die linksliberal orientiert war und für ihn nicht in Frage kam. Im V.D.St. habe er die „hohe Schule des Antisemitismus" durchgemacht, hier erklärte man das Judentum für undeutsch, unpatriotisch und unsozial. Der Autorität Stoeckers und Treitschkes sei man blindlings gefolgt, ohne mit den Juden jemals selber Bekanntschaft gemacht zu haben, es sei denn mit den „Bündel- und Felljuden" in den ostelbischen Dörfern. Gerlach schildert auch die Faszination, die von Stoecker und von dem christlichsozialen Gedanken auf die junge Generation ausging, der es mit sozialen Reformen ernst war. Keineswegs habe die gegen Bismarck gerichtete politische Intrige des „Scheiterhaufenbriefs" ihn an seinem Helden irre gemacht, da er ja nicht zu den Freunden Bismarcks gehörte. Zweifel kamen ihm erst, als Stoecker nicht bereit war, sich für den Notstand der Landarbeiter einzusetzen, da er die Gunst des ostelbischen Adels nicht verlieren wollte, während er für die Mantelnäherinnen in Berlin eintrat, da sie alle von jüdischen Konfektionären abhängig seien. Aber die Erkenntnis, daß Antisemitenführer wie Henrici, Liebermann v. Sonnenberg und B. Foerster das soziale Programm nur taktisch benutzten, um die Stimmen des Kleinbürgertums zu fangen, brachte den jungen Staatssozialisten erst endgültig vom Antisemitismus ab.[6]

So ineinander verschränkt waren damals nationale Gesinnung, sozialer Reformwille und Judenfeindschaft, daß die letztere von selber mit ins Spiel kam, wenn man sich zur nationalen und sozialen Haltung bekannte. Das gilt auch noch für die „jungen" Sozialreformer um Friedrich Naumann und Adolf v. Harnack, die sich erst 1893 von

---

[6] H. v. Gerlach, Erinnerungen eines Junkers, Berlin o. J., S. 107–119. Von demselben Verfasser: Von Rechts nach Links. Zürich 1937, S. 102 ff.

Stoecker trennten, als sie unter die Thesen des Evangelisch-Sozialen Kongresses den Satz aufnahmen: der Kern der sozialen Frage sei nicht die Judenfrage, wenn auch die Erziehung und Leitung des Volkes christlich und deutsch sein müsse.[7] Dies ausdrücklich zu formulieren, war also notwendig geworden.

Auf den späteren Vorsitzenden des Alldeutschen Verbandes Heinrich Class haben Treitschkes Berliner Vorlesungen den entscheidenden Einfluß ausgeübt. In seinem Erinnerungsbuch „Wider den Strom", das dem Werdegang der „nationalen Opposition" im alten Reich gewidmet ist, führt er auch seine antisemitischen Überzeugungen auf Treitschke zurück: „Sein Wort ‚Die Juden sind unser Unglück' ging mir mit meinen 20 Jahren in Fleisch und Blut über; es hat einen wesentlichen Teil meiner späteren politischen Arbeit bestimmt." Der älteren liberalen Generation hält Class entgegen: „Wir Jungen waren fortgeschritten; wir waren national schlechthin; wir wollten von Toleranz nichts wissen, wenn sie Volks- und Staatsfeinde schonte; die Humanität im Sinne jeder liberalen Auffassung verwarfen wir, weil das eigene Volk dabei zu kurz kommen mußte."[8] Es war genau das, was Mommsen in bitterer Vorahnung befürchtet hatte.

Von der Gefolgschaft Stoeckers distanziert sich Class, weil ihm das kirchliche und soziale Reformprogramm gleichgültig oder suspekt ist, die Parteiantisemiten lehnt er mit Verachtung ab – obwohl er zugibt, den hessischen Antisemitenführer Otto Böckel 1890 für den Reichstag gewählt zu haben. Die Bekämpfung des Judentums wünscht Class nicht in Massenversammlungen, sondern als eine ruhige Beeinflussung des deutschen Bürgertums im Sinne des „vornehmen Idealismus" von Treitschke und auf wissenschaftlichem Niveau. Er stößt dabei zuerst auf

---

[7] v. Oertzen, II, 18.

[8] H. Class, Wider den Strom. Leipzig 1932, S. 16 f. Vgl. auch Massing, S. 153 ff.

den von Friedrich Lange 1894 gegründeten „Deutschbund“, begeistert sich für die völkische Weltanschauung, liest jetzt die Schriften von Gobineau, Lagarde und H. St. Chamberlain und rühmt sich, den nunmehr durch die Rassenlehre wissenschaftlich begründeten Antisemitismus in den Alldeutschen Verband hineingetragen zu haben, dessen Vorsitzender er später wird. Hier zeichnet sich in einem autobiographischen Rückblick deutlich die Entwicklung ab, die von der nationalistisch-antisemitischen Strömung der 80er Jahre ausgeht und in die „nationale Opposition“ mündet, zu der sich die rechtsradikalen Kreise des deutschen Bürgertums bekannten. Der Zusammenbruch von 1918, so faßt Class sein Geschichtsbild zusammen, habe den Alldeutschen recht gegeben; es ist das Urteil, in dem die Dolchstoßlegende einbegriffen ist.
Auch der Führer der alldeutschen Fraktion im österreichischen Reichsrat Georg Schönerer, der ein Gegner der katholischen Habsburger und Verehrer Bismarcks und der Hohenzollern war und an dessen Namen sich die Wiener antisemitische Bewegung der 80er Jahre knüpft, berief sich auf Treitschke, während Luegers katholische christlichsoziale Bewegung an Stoecker anschließt. Der österreichische Antisemitismus hat zwar eigene Wurzeln und bei der starken jüdischen Einwanderung nach Wien einen kräftigen Nährboden. Aber ermutigt wurde er doch durch die Vorfälle in Berlin. Erst später wirkt er auf die antisemitische Strömung in Deutschland zurück.
In Maximilian Hardens „Zukunft“ stellt 1893 ein Pfarrer Dithmar bei einem Rückblick auf die Stoecker-Bewegung die Frage, warum die Mehrzahl der Geistlichen an der Konservativen Partei festhalte und antisemitische Zeitungen lese. Der Antisemitismus hätte sich nicht so weit verbreiten können, wenn er nicht von den kirchlichen Sonntagsblättern unterstützt worden wäre.[9] Er kommt zu dem Ergebnis, daß der Antisemitismus der Pfarrer im wesent-

[9] Die Zukunft, 1893, IV, 613 ff.

lichen ein Symptom ihrer Bereitschaft sei, sich nunmehr in den Dienst der sozialen Aufgabe zu stellen. Auch die liberale Presse, die seit Jahren das „Mucker- und Stoeckertum“ verspotte und sich kirchenfeindlich und antisozial verhalte, sei schuld an der einseitigen, aber verständlichen Parteinahme der protestantischen Geistlichen. Er rät ihnen nun, den unchristlichen Antisemitismus beizeiten aufzugeben, da ja auch Stoecker sich von seinen radikalen Anhängern getrennt habe, aber die bestehende Sozialordnung trotzdem nicht als gottgegeben anzusehen. Das ist eine vorsichtige Mahnung, zumal hinzugefügt wird, daß es für den Geistlichen immer eine mißliche Sache sei, Politik zu treiben.

Es sieht hier wirklich so aus, als seien den evangelischen Christen politisch alle Wege verstellt: durch den antikirchlichen Liberalismus, den irreligiösen Sozialismus und den damals antisemitisch gefärbten Konservatismus. Der junge Friedrich Naumann fand für sich und eine kleine Gruppe eine Lösung, wurde aber von der Rechten als Sozialist und von der Linken als Nationalist verschrien. Was hier aber vor allem deutlich wird, ist die als natürlich und verständlich hingenommene Verkettung der kirchlich-sozialen Verpflichtung mit antisemitischen Neigungen. Die Landgeistlichen teilten sie mit den Bauern, die ihre Armut und Verschuldung allein dem jüdischen Wucher zur Last legten und die tieferen Gründe, die überkommene Besitzordnung, die wirtschaftliche Rückständigkeit und den Mangel an aufklärender Volksbildung, nicht erkannten. Treitschke hatte schon 1881 über die Aussichten in seinem Wahlkreis an seine Frau geschrieben: „Die Pfarrer sind, wie mir gestern Pfarrer Neidhart schrieb, alle auf meiner Seite. Ebenso die protestantischen Bauern, die mir namentlich wegen der Judensache wohl wollen, und ich denke, es wird gehen.“ [10]

---

[10] Treitschke, Briefe, III, 532.

Jüdische Antworten

Die Ereignisse von 1879/80 hatten auch die jüdische Intelligenz herausgefordert. In ihren Kreisen wurde der Angriff des liberalen Historikers mit größerer Betroffenheit aufgenommen und schmerzlicher empfunden als die „Volksbewegung" des konservativen Hofpredigers. Gewichtiger und tiefer als die Antwort des Ethnologen Moritz Lazarus und für die neuere jüdische Geistesgeschichte von großer Bedeutung war die Schrift des jungen Marburger Philosophen Hermann Cohen „Ein Bekenntnis in der Judenfrage" (1880). Sie wendet sich an Christen und Juden zugleich, an Treitschke, aber auch an Lazarus und an Heinrich Graetz, den Verfasser der „Geschichte der Juden", der am Breslauer Rabbinerseminar Cohens Lehrer gewesen war. Sie setzt sich von der religiös indifferenten Haltung von Lazarus ebenso ab wie von dem jüdischen Nationalismus des Breslauer Historikers, für eine „Partei der Palästineser" sei innerhalb der deutschen Kultur kein Boden.

Mit Treitschke weiß sich Cohen auf weiten Strecken einig: in dem bedingungslosen Bekenntnis zum Vaterland und zur Volkseinheit als einer sittlichen Aufgabe, aber auch in der Überzeugung, daß eine gemeinsame religiöse Grundlage notwendig sei für die erst im Werden begriffene deutsche Nation. Sogar für das völkische Pathos Treitschkes hat er Verständnis, ein „nationales Doppelgefühl bei den Juden" sei „nicht nur ein unsittlich Ding, sondern ein Unding". Bei solcher Zustimmung fühlt sich Cohen von einer Behauptung Treitschkes im Zentrum seiner philosophisch-religiösen Überzeugung getroffen. Ihre Widerlegung bildet denn auch den Kern dieses Bekenntnisses, von dem er selber seine „Umkehr" datiert, seine Heimkehr ins Judentum.

„Es ist doch wieder dahin gekommen, daß wir bekennen müssen. Wir Jüngeren hatten wohl hoffen dürfen, daß es uns allmählich gelingen würde, in die ‚Nation Kants' uns einzuleben, ... daß es mit der Zeit möglich werden würde, mit unbefangenem Ausdruck die vaterländische Liebe in uns reden zu lassen und das Bewußtsein des Stolzes, an Aufgaben der Nation ebenbürtig mitwirken zu dürfen. Dieses Vertrauen ist uns gebrochen; die alte Beklommenheit wird wieder geweckt."[11] So beginnt die Replik, der Franz Rosenzweig in seiner glanzvollen Darstellung der philosophischen Entwicklung Cohens einen bedeutenden Rang zuweist.

Um welche Behauptung Treitschkes handelt es sich? Nicht um die Endgültigkeit der Stammesunterschiede oder um Rassenfragen, die das Problem, wie Cohen sagt, undiskutabel machen würden, sondern um den Begriff der Religion. Treitschke hatte, sich gegen die liberale Auffassung vom Judentum als einer Konfession wendend, behauptet, es sei „die Nationalreligion eines uns ursprünglich fremden Stammes", die deshalb dem deutschen Christen auf seinem Wege zu einer neuen „reineren Form des Christentums" nichts zu geben habe. Es war aber die Überzeugung Cohens, daß in diese „reinere Form des Christentums", die er als Kantianer und Israelit anders verstand als Treitschke, auch der Prophetengott des Alten Testaments aufgenommen sein müßte, und es war ferner seine Überzeugung, daß die kantische Ethik mit dem Rigorismus der jüdischen Sittenlehre inhaltlich übereinstimme. „Männer von religiöser Bildung und einer das 18. Jahrhundert nicht ausschließenden nationalen Gesinnung", so sagt Cohen, „werden anerkennen müssen, daß wir Israeliten religiöse Gemeinschaft mit den Christen haben." Für diese Gemeinschaft gilt ihm die innere Verwandtschaft des an Kant und am deutschen Idealismus gebildeten modernen Judentums mit dem Protestantismus als das vornehmste Zeugnis. Wie dieser die Tradition der Kirche, so habe

---

[11] H. Cohen, Jüdische Schriften. Berlin 1924, II, 73.

jenes die Tradition des Talmud als eine verbindliche abgeworfen. Insofern die kulturgeschichtliche Bedeutung des Christentums darin bestehe, daß es in der dogmatischen Hülle der Humanisierung Gottes der Menschheit die Humanisierung der Religion gebracht habe, seien alle modernen, zumal deutschen Juden Protestanten, aber insofern ein Kern des alten Prophetengottes aller Vermenschlichung unzugänglich bleiben müsse, seien nun auch „alle Christen Israeliten".[12] „Vieles, was wir in unserem Judentum lebendig erkennen", so wendet sich Cohen zugleich mahnend an die orthodoxen Juden, „ist christliches Licht, das über jenem alten ewigen Grunde aufgegangen ist."

Das war eine kühne und eigenartige Behandlung des Verhältnisses von Judentum und Christentum, der Mißdeutung und dem Widerspruch auf allen Seiten ausgesetzt. Treitschke hörte vornehmlich das Bekenntnis zur nationalen Einheit des deutschen Volkes heraus und empfahl die Lektüre den jüdischen Glaubensgenossen Cohens. Die Beweisführung, daß Judentum und Christentum aus gemeinsamer Wurzel stammend, sich künftig aus dem Kern ihres Gottesglaubens heraus zu einer reineren Form der Religion zusammenfinden könnten – diese Darlegung, um die es Cohen eigentlich ging – beachtete er nicht. Die Frage des liberalen Kulturchristentums an die Juden lautete ja ganz einfach, ob sie assimilationswillig seien oder nicht, daher auch die versteckte Empfehlung der politischen Taufe. Der Entschluß dazu konnte so schwer nicht sein, wenn die Juden sich rückhaltlos zur deutschen Nation und zur deutschen Kultur bekannten. Aber er war wiederum vergeblich, wenn sich diese Nation völkisch, d. h. aus der gemeinsamen Abstammung und erlebten Geschichte, aus Blut und Tradition heraus verstand.

So verwickelt war das Problem, so hoffnungslos seine Lö-

[12] F. Rosenzweig, Hermann Cohens jüdische Schriften. In: Kleine Schriften. Berlin 1937, S. 315.

sung. Das wird auch aus der Kontroverse mit Heinrich Graetz deutlich, dem Treitschke seinen „Todhaß“ gegen das Christentum und seinen jüdisch-nationalistischen Hochmut vorwarf. Graetz hatte in seinem elfbändigen Werk die Geschichte des jüdischen Volkes zum erstenmal als eine Einheit aufgefaßt und dargestellt. Das war sein großes Verdienst. Da er bei dem ungeheuren Unternehmen die Zusammenhänge mit der Weltgeschichte oft außer acht gelassen hatte, da seine Geschichte der jüdischen Diaspora vornehmlich eine Leidens- und Gelehrtengeschichte war, da er die Wirtschafts- und Sozialgeschichte kaum berücksichtigt hatte und Politik und Recht nur den Hintergrund für die Verfolgungen des jüdischen Volkes und der Leistungen einzelner bildeten, so ergaben sich, auf das Ganze gesehen, groteske Verzerrungen. Zudem war der elfte Band, der die erste Hälfte des 19. Jahrhunderts behandelt, mehr Apologie des Judentums als Historie. Was Graetz für die Geschichte des jüdischen Glaubens und der jüdischen Passion aus den Quellen zutage gefördert hatte, lag weitab vom Interesse des deutschen Historikers, der hier die Ausschnitte abendländischer Geschichte wie in einem Zerrspiegel vor sich sah. Auch Mommsen fand nur spöttische Worte für das umfangreiche Werk. Graetz, der zeitweilig der Chowewe-Zion-Bewegung angehörte, einer frühen Form des Zionismus, sah als Nationaljude auf die Assimilanten zornig herab. Er war vom Nationalgehalt des Judentums überzeugt, aber Judentum war für ihn nicht mit Nationalität identisch. Es war aber im national erregten Deutschland der Reichsgründungszeit ganz unmöglich, den schwierigen Begriff einer nationalen Religion oder einer in der Religion begründeten Nationalität klarzumachen. So erscheint Graetz in diesem Streitgespräch vieldeutig und zuletzt ausweichend, während Treitschkes These, für eine Doppelnationalität sei auf deutschem Boden kein Raum, allen sonnenklar war. Auch die jüdische Intelligenz in Deutschland rückte von ihm ab. Graetz schloß seinen zweiten Artikel in der „Schlesischen Presse" vom 28. 12. 1879 mit der Bitte an Treischke, er möge seine Religions- und Stammesgenossen nicht für das verantwortlich machen, was er geschrieben habe. Wenn er gefehlt habe, so wolle er es allein büßen.

Was läßt sich daraus lesen? Die furchteinflößende Autorität Treitschkes im geistigen Deutschland, die Vereinsamung des sonst so streitbaren Gelehrten in seinen eigenen Kreisen? Denn er stand zwischen dem orthodoxen und dem liberalen Lager oder besser gegen beide. Inzwischen war Mommsens Replik erschienen, die ja auch den Juden riet, alle Schranken zwischen sich und den übrigen deutschen Mitbürgern mit entschlossener Hand niederzuwerfen. Graetz schrieb damals an Jacob Bernays, der mit Mommsen befreundet war, man müsse mit Ernst widersprechen, damit die Oberflächlichen nicht, von Mommsens Autorität geblendet, das Judentum zu den Toten würfen. „Es ist Ihre Pflicht", so schließt der Brief, „Ihrem Freunde klarzumachen, daß man eine vieltausendjährige Religion nicht so cavalièrement abtut."[13] Es ist unbekannt, ob Jacob Bernays sich mit diesem Anliegen an Mommsen gewandt hat.

---

[13] R. Michael, Graetz contra Treitschke. Bulletin Nr. 16 des Leo Baeck Institute. 4. Jg., Tel Aviv 1961, S. 321.

18. KAPITEL

DIE RADIKALEN STRÖMUNGEN

Antisemitische Parteibildungen und Kongresse

Wir haben bisher die judenfeindlichen Tendenzen in ihrer Verbindung mit verschiedenen politischen Gruppierungen der 70er und 80er Jahre kennengelernt, mit den Sozialreformern und der Mittelstandsbewegung, mit reaktionär-konservativen und kirchlich-orthodoxen Kreisen, mit den konservativen Föderalisten und den völkisch-gesinnten Nationalisten. Wie weit sich bei so verschiedenen politischen Zielvorstellungen der Antisemitismus in den Vordergrund drängte, war sowohl von der jeweiligen Opportunität wie von den führenden Persönlichkeiten abhängig.

In der „Berliner Bewegung", die viele Tendenzen zusammenfaßte, war von Anfang an eine Linie erkennbar, die zur Bildung selbständiger Antisemitenparteien führte. Ihr Ziel war die Verfassungsänderung auf parlamentarischem Wege, d. h. die Wiedereinführung des Fremdenrechts für die jüdischen Staatsbürger. An der Spitze dieser Parteigruppen stand eine Handvoll antisemitischer Doktrinäre und Desperados mit dem traurigen Mut, ein politisches Programm auf dem Anti-Affekt aufzubauen. Was sonst noch in die Parteiprogramme aufgenommen wurde, Arbeiterschutz, Bodenreform, christlich-nationale Erziehung, monarchische Gesinnung, Kolonialpolitik, Förderung des Mittelstandes und vieles andere, war zusammengelesen und widersprach sich zum Teil; es war die positive Verbrämung einer rein negativen Tendenz. Das schließt nicht aus, daß manche Programmpunkte ernst genommen wurden, wenn sie sich mit dem konsequenten Rassenglauben vereinigen ließen, der der ideologische Kern des radikalen Antisemitismus ist, nämlich mit der Überzeugung von einer staatstragenden germanisch-deutschen Herrenrasse und der parasitären Existenz eines Gastvolkes – woraus sich dann alles andere ergibt. Diese radikale Strömung, von der sich die konservativen, christlich-sozialen und nationalliberalen Judengegner alsbald distanzieren, ist doch nicht ohne Einfluß auf sie geblieben. In der rassenbiologischen Theorie, die dem Wunsch entgegenkam, eine schon vorhandene Überzeugung auch wissenschaftlich zu begründen, lag eine große Verführungskraft.

Antisemitische Parteien, die Moritz Busch zuerst gefordert und denen W. Marr mit seiner „Antisemiten-Liga" vorgearbeitet hatte, wurden 1881 von Dr. Henrici, dann von Liebermann von Sonnenberg und dem Gymnasiallehrer Bernhard Foerster gegründet, sie nannten sich „Soziale Reichspartei" und „Deutscher Volksverein". Sie befehdeten sich sogleich, weil Henrici mehr soziale Forderungen erhob und die letzteren eine ultrakonservative Richtung einschlugen und sich der Spitzenorganisation des Conservativen Central-Comités (C. C. C.) unterstellten.[1] Die antisemitische Propaganda kam bei den Reichstagswahlen von 1881 den Konservativen zugute, so daß sich in Berlin ihre Stimmenzahl von 14 000 (1878) auf 46 000 erhöhte. Aber eine entscheidende Niederlage der Fortschrittspartei war nicht erreicht worden, und die „Berliner Bewegung" hatte keinen ihrer Kandidaten in den Reichstag gebracht; Stoecker selbst verdankte sein Mandat dem Siegener Wahlkreis. Damit hatte auch Bismarck das Interesse an der antisemitischen Bewegung verloren, die ihm vorher als Bundesgenossin gegen den Fortschritt nicht unwillkommen gewesen war. Ein Jahr vorher hatte er eine öffentliche Anspielung Stoeckers auf seinen Bankier Bleichröder energisch abgewehrt und sogar gedroht, gegen die Agitation des Hofpredigers, von der er soziale Unruhen befürchtete, das Sozialistengesetz in Anwendung zu brin-

---

[1] Wawrzinek, S. 41.

gen.[2] Aber im Wahlkampf von 1881 waren die Christlich-Sozialen ein Vorspann für die Konservativen; dabei ließ Bismarck die antisemitische Agitation gewähren, deren radikale Führer er ohnedies nicht ernst nahm.

Von Stoecker wurde die kaiserliche Botschaft, die die Sozialgesetzgebung ankündigte, als ein persönlicher Triumph begrüßt, und in den folgenden Jahren erreichte seine Popularität ihren Höhepunkt. Aber die antisemitische Massenbewegung in Berlin entglitt allmählich seiner Führung. Als sich seit 1884 Bismarcks Kartellpolitik ankündigte, das Zusammengehen der Konservativen mit den Nationalliberalen also, war der antiliberale Antisemitismus nur noch ein Hindernis.[3] Das C. C. C. zerfiel, auch die „Berliner Bewegung" verebbte langsam. Einige ihrer radikalen Führer wanderten nach Amerika aus, andere verlegten ihre Tätigkeit nach Sachsen, Hessen und Westfalen, wo sich inzwischen neue Zentren der antisemitischen Propaganda gebildet hatten, die zwar keinen Rückhalt mehr an den größeren Parteien fanden, dafür aber auch nicht durch ein Bekenntnis zum Christentum und durch konservative Rücksichten eingeengt waren.

In Dresden hatte ein Anhänger W. Marrs durch Aufrufe und Flugschriften eine „Reformbewegung" in Gang gesetzt, die sich in Handwerker- und Kleinhändlerkreisen verbreitete und Anschluß an die Berliner Antisemiten suchte, ohne sich auf das christlich-soziale Programm festzulegen. Hier fand im Herbst 1882 aus Anlaß der Tisza-Ezlar-Affäre, eines angeblichen Ritualmords, dessen gerichtliche Untersuchung die ungarische Öffentlichkeit fast

[2] Brief vom 16. Oktober 1880 an den Kultusminister. (Frank, S. 115 f.) Vgl. Ludwig Bamberger zu Bismarcks Wahlmanipulation: „An dem Aufkommen des Antisemitismus der Stoecker und Treitschke war er unbeteiligt. Aber es gehörte zu seiner Methode, ein Geschoß, das ihm andere geschmiedet, nicht von der Hand zu weisen, es für vorkommende Fälle in sein Arsenal niederzulegen, es bald zur Einschüchterung, bald zur Herabsetzung eines Gegners zu verwerten." (O. Jöhlinger, Bismarck und die Juden. Berlin 1921, S. 61).

[3] Massing, S. 54 f.

zwei Jahre beschäftigte, der „1. Internationale Antisemiten-Kongreß" statt. Im Königreich Sachsen hatten die Juden bis ins 19. Jahrhundert hinein kein Wohnrecht gehabt, außer in Leipzig und Dresden, und hier unter sehr einschränkenden Bedingungen. Ihre Zahl war auch jetzt noch gering, sie betrug 1885 nur $^1/_4$ % der Gesamtbevölkerung, in Preußen dagegen $1^1/_8$ %. Berlin hatte damals acht- bis neunmal soviel Juden wie das ganze Königreich Sachsen. Von einer jüdischen Gefahr konnte hier also keine Rede sein; der sozialen Unzufriedenheit des kleinen Mittelstandes wurde lediglich die Angriffsrichtung gezeigt.

Die Einladung zum Kongreß hatten auch Henrici und Stoecker unterzeichnet, Stoecker vielleicht aus dem Grunde, den sein Biograph Oertzen angibt: er wollte „die Bewegung, auch soweit sie nicht christlich war, einigermaßen in verständigen Bahnen halten".[4] Die Mittel zur Lösung der Judenfrage waren alsbald heftig umstritten. Foerster und Henrici verlangten die Austreibung „auf gesetzlichem Wege" aus allen christlichen Staaten. Stoecker trat dieser Forderung entgegen, da sie „fast zu ideal, nicht ausführbar, beinahe phantastisch" sei, er gestand auch offen ein, daß die antisemitische Partei noch sehr schwach sei; wenn es jetzt in Deutschland zu einer parlamentarischen Abstimmung käme, so würden eher die Antisemiten als die Semiten ausgetrieben werden.[5]

Der Kongreß einigt sich auf Thesen, die die Rechts- und Verfassungsfrage ausklammern und nur allgemein feststellen, daß die Emanzipation sich im Widerspruch zu dem Wesen des Judentums und dem Wesen des christlichen Staates befinde. Dieser gefährlichen Zweideutigkeit mußte Stoecker zustimmen, er hatte sich zu oft selber in diesem Sinne geäußert. Ein radikaler Antrag auf Wiedereinführung von Ausnahmegesetzen (Ausschluß vom Militär-

---

[4] v. Oertzen, I, 273.

[5] Schulthess, 11. Sept. 1882.

dienst, Kopf- und Wehrsteuer, Einwanderungsverbot) wurde gegen seine Stimme zum Beschluß erhoben. Für ein „permanentes antijüdisches Comité" auf internationaler Grundlage gab er selbst die Anregung. Im ganzen zeigte sich doch, daß Stoecker der antisemitischen Bewegung nicht mehr die Richtung gab, das Gefährt rollte nun ohne ihn. Von den antisemitischen Kongressen hielt er sich künftig fern. Als ein Jahr später nur noch die Radikalen in Chemnitz zusammentrafen, wollten sie die Judenfrage nicht mehr „mit konfessionellen oder parteipolitischen Tendenzen" vermischt sehen, sondern sie als eine kulturelle oder rassische Frage behandeln, nämlich als „Protest des besseren Gesamtgeistes der europäischen Völker gegen die Denk- und Handlungsweise einer asiatischen Rasse".[6] Hier verrät schon die Diktion den Einfluß der konsequenten Rassenideologie des Berliner Philosophen Eugen Dühring.

Die in Dresden gegründete „Deutsche Reformpartei" nahm indes bald einen gemäßigten Kurs und ging später in konservative Führung über. Es hatten sich aber vielerorts „Reformvereine" gebildet, besonders zahlreich in Hessen und Westfalen, die die radikale Linie fortsetzten. 1885 versuchte es Theodor Fritsch in Leipzig mit einer zusammenfassenden Organisation in der „Deutschen antisemitischen Vereinigung", die das Ziel hatte, alle Parteien antisemitisch zu durchsetzen. Inzwischen hatte der Marburger Bibliothekar und Volksliedforscher Otto Böckel unter den hessischen Bauern, die arm, kulturell rückständig und bei den jüdischen Viehhändlern und Hypothekenvermittlern vielfach verschuldet waren, eine Massenagitation entfaltet, bei der er auch demokratische und sozialistische Forderungen vertrat und den völkischen Antisemitismus in antikirchliche und antikonservative Bahnen steuerte. Seine Broschüre „Die Juden, die Könige unserer

---

[6] Wawrzinek, S. 53.

Zeit" erlebte riesige Auflagen, Böckel eroberte sich einen hessischen Wahlkreis und zog 1887 als erster antisemitischer Abgeordneter in den Reichstag ein.[7] Damit hatte er den übrigen Gruppen den Weg gezeigt. Sie schlossen sich auf dem Bochumer Parteitag 1889 zur „Antisemitischen Deutsch-sozialen Partei" zusammen, spalteten sich alsbald wieder, gründeten neue Splitterparteien, eroberten aber bei den Reichstagswahlen 1890 doch fünf Mandate durch ein Wahlbündnis. 1893 hatten die Antisemiten 16 Abgeordnete im Reichstag und konnten eine eigene Fraktion bilden. Etwa 70 bis 85 Prozent ihrer Wähler wohnten auf dem flachen Lande und in Kleinstädten, vor allem in Hessen und Sachsen.

Die parlamentarische Tätigkeit der antisemitischen Fraktionen war unfruchtbar, da sich ihre Programme und Wahlschlager nicht in Gesetzesvorlagen umformen ließen. Schon über die Definition des „Juden" konnte man sich nicht einigen; die Taufe durfte nicht ausschlaggebend sein, und „Rassenzugehörigkeit" war gesetzlich nicht zu formulieren. Erst Hitler hat in dem „Arierparagraphen" der Nürnberger Gesetze, der doch wieder die Glaubensfrage stellt, aber an Eltern und Großeltern, also an die voremanzipatorische Generation, die diabolische Lösung für das bisher unlösbare Problem gefunden.

Da sich unter den Abgeordneten Männer wie Liebermann von Sonnenberg und Ahlwardt befanden, ein verschuldeter Leutnant mit demagogischer Begabung und ein bösartiger Verleumder, ferner der „hessische Bauernkönig" Böckel, alle untereinander bitter verfeindet und parlamentarisch unfähig, war die antisemitische Fraktion jahrelang eine bloße Radaugruppe, die dann allmählich verstummte. Politische Erfolge hat sie im Reichstag nicht gehabt.

[7] Zu Böckel vgl.: v. Gerlach, Vom deutschen Antisemitismus. Patria 1904. S. 150 ff. u. Massing, S. 83 ff.

Zu Anfang der 90er Jahre schien aber der radikale Antisemitismus als eine sich ankündigende Massenbewegung zu einer selbständigen politischen Größe geworden zu sein, die von allen Parteien aufmerksam beobachtet wurde. Immerhin war die Zahl der Wähler innerhalb von drei Jahren von 47000 auf 290000 gestiegen. In pommerschen Wahlkreisen siegte Ahlwardt über einen konservativen Kandidaten, und der Ahlwardt-Anhänger Paul Foerster gewann hier dreimal soviel Stimmen wie Stoekker.[8] Böckel agitierte gegen die „Parteien der Satten“, gegen Juden, Junker und Pfaffen, gegen die Konservativen und ihre „Manschettenbauernpolitik“, die ebenso schlimm sei wie die „Geldprotzen- und Judenpolitik“. Ein sozial-anarchistischer Unterton bei seinen Reden ließ aufhorchen. Da angesichts von Böckels Erfolgen alle Antisemitenparteien eine antikonservative Richtung einschlugen, drohte den Konservativen ein Stimmenverlust in bäuerlichen und mittelständischen Kreisen. Die ultrakonservative Kreuzzeitungsgruppe unter Stoecker und dem Freiherrn von Hammerstein fürchtete, die Führung des politischen Antisemitismus an die Radikalen zu verlieren. Sie drängte daher auf einen Parteitag und auf die Revision des Parteiprogramms von 1876.

Am 8. Dezember 1892 trat in den Tivoli-Sälen in Berlin die konservative Versammlung mit 1200 Parteimitgliedern zusammen. Es zeigte sich bald, daß die Stoeckergruppe, die eine entschiedene Stellungnahme zur Judenfrage wünschte, die Oberhand gewann. Der Programm-Entwurf enthielt bereits die Sätze der endgültigen Fassung: „Wir bekämpfen den vielfach sich vordrängenden und zersetzenden jüdischen Einfluß auf unser Volksleben. Wir verlangen für das christliche Volk eine christliche Obrigkeit und christliche Lehrer für christliche

---

[8] Schulthess, 1893.

Schüler." Aber es war hinzugesetzt: „Wir verwerfen die Ausschreitungen des Antisemitismus." Um diesen Zusatz entbrannte eine ungewöhnliche Diskussion. Während eine gemäßigte Gruppe, zumeist aus dem ostpreußischen Adel bestehend, es als unmöglich bezeichnete, die Forderung der radikalen Antisemiten zu übernehmen und den antisemitischen Artikel am liebsten ganz gestrichen hätte, da das Bekenntnis zum christlichen Staat genüge, bestanden die meisten Teilnehmer darauf, die Stellung zur Judenfrage so scharf wie möglich zu formulieren und den einschränkenden Zusatz zu streichen. Man werde sonst weite Volkskreise der Konservativen Partei entfremden. Die Auseinandersetzung spitzte sich auf die Frage zu: ob die Konservative Partei eine Volkspartei werden solle oder nicht. Als ein Dresdener Abgeordneter einwandte, es sei unmöglich, konservativ und „Ahlwardt" gleichzeitig zu wählen, erhob sich stürmischer Widerspruch. Zwei Deputierte aus Pommern bekannten sich sogleich zur Wahl Ahlwardts: „Lieber zwei Ahlwardts als ein Freisinniger!" und wurden ebenso stürmisch gefeiert.[9]
Dieser Vorfall verschaffte der Tivoli-Versammlung einen traurigen Ruhm. Caprivi erwähnte ihn mit Entrüstung im Reichstag und warnte die Partei vor einer bedenklichen Entwicklung. Graf Helldorf bezeichnete den Parteitag, der den Wählern Ahlwardts jubelnd zugestimmt hatte, im „Konservativen Wochenblatt" als den schwärzesten Tag in den Annalen der Partei. Aber der „Reichsbote" lobte den „deutsch-christlichen Volksgeist" der Versammlung. Stoecker, der sich von Ahlwardt persönlich distanzierte, sprach sich doch *für* die Streichung des mildernden Zusatzes aus, der auch wirklich im Tivoli-Programm wegfiel. Genau zur selben Zeit lief in Berlin der Prozeß gegen den mehrfach vorbestraften Rektor wegen verleumderischer Behauptungen in den „Judenflinten"; er wurde zu fünf

---

[9] Deutscher Geschichtskalender. 1. Dez. u. 8. Dez. 1892.

Monaten Gefängnis verurteilt, aber die Immunität des Abgeordneten schützte ihn vor der Verbüßung der Strafe.[10]

Die Partei hatte sich rein opportunistisch entschieden, als sie auf den Trennungsstrich zwischen der konservativen Tradition und dem Radau-Antisemitismus verzichtete. Schon mit der Aufnahme des antijüdischen Passus ging sie auf den Rechtszustand vor der Emanzipation zurück. In der Forderung einer christlichen Obrigkeit, aus der sich die bekannten Rechtsbeschränkungen für jüdische Staatsbürger notwendig ergaben, kamen Stimmungen und Vorbehalte zum Ausdruck, die ihre Mitglieder schon immer geäußert hatten, zuerst auf dem „Vereinigten Landtag", später in vielen Parlamentsdebatten. Mochte der Artikel aber noch so traditionsgemäß formuliert sein, er gewann doch in einer Zeit aufgewühlter Leidenschaften und Parteiungen, die sich gerade auf diese Fragen bezogen, eine neue und prononcierte Bedeutung: er konnte nicht anders als entschieden antisemitisch verstanden werden. So empfand ihn auch H. von Gerlach, der als Teilnehmer der Versammlung sich damals noch zu Stoecker bekannte. Es sei der Triumph der antisemitischen Bewegung gewesen, die mit dem Tivoli-Programm der Konservativen Partei, die dem Thron am nächsten stand und die wichtigsten Stellen im Staate besetzte, gleichsam „hoffähig" geworden sei.[11]

Die Konservativen hatten wenig Freude an der wahltaktischen Änderung ihres Programms. Im Reichstag mußten sie das befremdende Bündnis mit den Ahlwardt-Anhängern verteidigen oder ableugnen, in einigen Wahl-

---

[10] Ahlwardt hatte behauptet, daß die Firma Löwe 425 000 bei ihr vom Kriegsministerium bestellte Gewehre in untauglichem Zustande abgeliefert habe, um das deutsche Heer im nächsten Kriege gegen Frankreich der Vernichtung auszuliefern. Dabei hatte er nicht nur den jüdischen Inhaber, sondern auch mit der Aufsicht betraute Militärpersonen des Hochverrats und der passiven Bestechung bezichtigt. Die gerichtliche Untersuchung ergab die Unhaltbarkeit seiner Anschuldigungen.

[11] v. Gerlach, Antisemitismus. S. 154.

kreisen wurden sie von den Radikalen bekämpft und verloren mehrere Mandate an sie.[12]

Daß es zu einer Massenbewegung von rechts kam, verdankte die Konservative Partei nicht der Aufnahme eines antisemitischen Programmpunktes, mit dem man den Wahlerfolg von 1881 hatte wiederholen wollen, sondern den wirtschaftlichen Interessenverbänden, dem „Bund der Landwirte“ und dem „Deutsch-nationalen Handlungsgehilfen-Verband“, die beide 1893 gegründet wurden. Der „Bund der Landwirte“ setzte sich die politische Organisation der agrarischen Interessen zum Ziel, sein Programm enthielt wirtschaftliche und berufsständische Forderungen, die ohne ideologische Begründung vorgetragen wurden. Nur die Artikel 9 und 10 wenden sich gegen Börsenspekulation und Hypothekenvermittlung, sie verlangen die Aufsicht des Staates über die Produktenbörse und die Ausbildung des privaten und öffentlichen Rechts wie auch der Verschuldungsformen des Grundbesitzes, „auf Grundlage des deutschen Rechtsbewußtseins“.[13] Das richtet sich gegen kapitalistische und liberale Wirtschaftsformen, die bei den Agrariern als speziell jüdische angesehen werden, sowohl vom kleinen Bauernstand wie von den konservativen Großgrundbesitzern, die alsbald die Führung des „Bundes“ übernehmen. Mit dem antisemitischen Artikel des Tivoli-Programms war der „Bund der Landwirte“ durchaus einverstanden.

Deutlicher ist die antisemitische Tendenz im „Deutschnationalen Handlungsgehilfen-Verband“, der als antimarxistische und antigewerkschaftliche Berufsorganisation gegründet wurde und eine spezifisch mittelständisch-konservative Elite-Ideologie vertrat. Hier verteidigte der wirtschaftlich bedrohte Stand der kleinen Angestellten sich

---

[12] Schulthess, 1893. Im Anhang: H. Delbrück, Übersicht der politischen Entwicklung des Jahres 1893.

[13] F. Salomon, Die deutschen Parteiprogramme. Leipzig und Berlin 1912², S. 74 ff.

gegen die modernen Absatzmethoden der Warenhäuser und der Konsumgenossenschaften mit Argumenten, die noch aus der kleinhändlerisch-zünftlerischen Tradition stammen, und entwickelte ein berufsständisches Bewußtsein, das ihn von der Lohnarbeiterschaft deutlich abhob. Den Patriotismus und den Antisemitismus machte er dabei zu seinen Maximen. „Um die Gemeinschaft auch schwersten Proben auf Treue in der Not aussetzen zu können, beschlossen sie, nur Blutsbrüder aufzunehmen und das Ferment der Dekomposition, die Juden, sich fernzuhalten", heißt es in der Programmschrift eines seiner Führer.[14] Die Sozialdemokraten, die vergeblich versucht hatten, bei den abhängigen, vom Kapitalismus bedrohten Lohnempfängern der Angestelltenschaft Anhänger zu werben, bezeugten ihnen bald ihre volle Verachtung, da sie mit der Reaktion paktierten und den Antisemitismus auf ihre Fahne schrieben, der stets der „Rettungsstrick des bedrohten Privilegiums" sei. So behauptet Eduard Bernstein, daß alle Klassen mit ihm kokettierten, die sich nach den Privilegien des Ständestaats zurücksehnten, die Junker, der Klerus und die „Innungsschwärmer". Im kleinen Mittelstand seien die Juden als Repräsentanten einer Produktionsmethode verhaßt. Er verkenne aber seinen wahren Gegner, und so sei der Antisemitismus, wie sich schon Bebel geäußert hatte, nur der „Sozialismus der dummen Kerle", zuletzt aber der „Betrug am dummen Kerl".[15]
Der Handlungsgehilfenverband dachte darüber anders, und der Erfolg gab ihm recht. Die Verbindung einer spezifischen Standesideologie mit fremdenfeindlichen und völkisch-nationalen Parolen erwies sich als zugkräftig, seine Mitgliederzahl wuchs gewaltig, auch auf Kosten der Antisemitenparteien, die sich darüber beklagten, daß sie ihm zuerst Vorschub geleistet, dann aber ihre Anhänger

[14] Zit. nach Massing, S. 147.

[15] E. Bernstein, Das Schlagwort und der Antisemitismus. Neue Zeit, XI, 2, 1893, S. 234.

an ihn verloren hätten.[16] Es waren dieselben Schichten, die für die nationalsozialistische Propaganda in der Zeit der Wirtschaftskrise besonders anfällig waren. Auch der „Alldeutsche Verband“ trat das Erbe der sich immer mehr zersetzenden Antisemitenparteien an.

Zu welchen Konsequenzen der radikale Antisemitismus am Ende des 19. Jahrhunderts bereits gekommen war, zeigen die „Leitsätze“, die der Hamburger Parteitag der „Deutsch-sozialen Reformpartei“ unter dem Vorsitz Liebermanns von Sonnenberg und des früheren Reichstagsabgeordneten Zimmermann aufstellte. Nachdem der Schriftsteller Giese, Verfasser einer „jüdischen Kriminalstatistik“, die Juden als „Halbmenschen“ bezeichnet hatte, die das deutsche Volk von sich abschütteln müsse, einigte man sich auf folgende Programmpunkte: das Alte Testament sei aus dem christlichen Religionsunterricht auszuscheiden, die Zugehörigkeit zum Judentum müsse allein nach der Abstammung festgestellt werden, wofür ein „Judenmatrikelgesetz“ die Grundlage geben könne. Im 20. Jahrhundert werde die Judenfrage eine Weltfrage sein und als solche von den anderen Völkern gemeinsam und endgültig „durch völlige Absonderung und, wenn die Notwehr es gebietet, schließliche Vernichtung des Judenvolkes gelöst werden“.[17]

Ein Weltghetto also und – Vernichtung. Diese „Leitsätze“ einer im Reichstag vertretenen Partei gingen damals durch die Presse, ohne sonderliches Aufsehen zu erregen. Die „wissenschaftliche“ Rassenkunde hatte eine solche „Lösung der Judenfrage“ längst nahegelegt. Daß Fanatiker und Phantasten sie als Wunschbild und Gedankenspiel in ein politisches Programm aufnahmen, wurde eher mit Achselzucken als mit sittlicher Entrüstung quittiert. Die keineswegs affektbetonte, sachliche, den Gegenstand lediglich dehumanisierende Sprache dieser „Leitsätze“ verbarg die

---

[16] Massing, S. 149.

[17] Deutscher Geschichtskalender 1899, S. 69 ff.

groteske Tatsache, daß hier Mordparolen vorgetragen wurden, die sich als soziales Reformprogramm ausgaben. Aber es war ja keine Regierung und schon gar keine völkerrechtliche Übereinkunft der Staaten denkbar, die solche Phantasien in die Tat hätte umsetzen können. Und so blieb es den 418 Teilnehmern dieses Hamburger Parteitages unverwehrt, diesen „Leitsätzen" zuzustimmen, die in der Sprache des Unmenschen den Massenmord als für das Heil der Menschheit notwendig bezeichneten.

19. KAPITEL

DIE THEORETIKER DES RASSENANTISEMITISMUS

Übersicht

Wenn die Rassentheorie eher da gewesen wäre als der Versuch ihrer politischen Anwendung, hätte dieser Abschnitt an den Anfang gestellt werden müssen. Aber das Verhältnis von Theorie und Praxis ist nicht einfach das der Kausalität und historischen Folge. Als die antisemitische Bewegung in den 80er Jahren mächtig wird, ist eine neue „Wissenschaft" da, mit der sie sich legitimiert. Das von der Rassentheorie bestimmte Geschichtsbild wird zu einem Grundmuster, in das sich die Gefühle von Angst und Feindschaft, von Überlegenheit und Distinktion, in das sich bestimmte politische Wunschträume einzeichnen lassen.

1850 war Richard Wagners Kampfschrift „Das Judentum in der Musik" erschienen, damals anonym, da ihm die eigene liberale Vergangenheit noch zu nahe war, 1869 erst unter seinem Namen. Sie ist ein leidenschaftlich erregter und von willkürlichen Urteilen strotzender Angriff: ein Jude könne weder deutsch sprechen, noch singen, noch sich mit Anstand auf der Bühne bewegen. Eine so groteske Behauptung möchte hingehen, sie wurde sehr bald widerlegt. Gefährlich war der Vorstoß ins Allgemeine, Unbeweisbare, mit Glaubensvorstellungen mystisch Verwobene: der jüdische Charakter erscheint hier als ein determinierter und mit dem ahasverischen Fluche beladener Rassetypus, unschöpferisch, parasitär, ein dunkles dämonisches Widerspiel des germanischen Lichthelden. Untergang sei die einzige Form seiner Erlösung. Die Wirkung, die von Wagners theoretischen Schriften und später vom Bayreuther Kreis ausging, war bedeutend.

1855 und 1864 erschienen die meistgelesenen Romane der

bürgerlich-restaurativen Ära: Gustav Freytags „Soll und Haben“ und Wilhelm Raabes „Hungerpastor“. Sie haben viel dazu beigetragen, das Bild des kleinen, schäbigen Wucherjuden, ein spätmittelalterliches Relikt, dem deutschen Volksbewußtsein noch einmal einzuprägen, als diese Form jüdischer Existenz bis auf geringe Reste in Deutschland schon verschwunden war.

1853–55 gab Gobineau, von der deutschen Öffentlichkeit vorläufig unbeachtet, das für alle geschichtlichen Rassentheorien grundlegende Werk, den „Essai sur l'Inégalité des Races Humaines“ heraus. Es wurde erst 1897 durch die Übersetzung Ludwig Schemanns, eines führenden Alldeutschen, einem breiten Publikum bekannt, aber in der antisemitischen Literatur findet man seine Spuren schon früher.

1855 schrieb der Orientalist und Historiker Ernest Renan sein Jugendwerk über die semitischen Sprachen; als Träger dieser Sprachgemeinschaft nimmt er eine semitische Rasse an. Es ist der gleiche Irrtum, der zu dem Begriff „arische Rasse“ für die der indogermanischen oder arischen Sprachfamilie angehörigen Völker führte.[1] 1873 veröffentlichte W. Marr sein schon charakterisiertes Pamphlet, das populär wurde und Nachfolger fand, bis Eugen Dühring alle solche Publikationen in den Schatten stellte mit dem groß angelegten Versuch, die antisemitische Bewegung in Deutschland philosophisch, biologisch und historisch zu unterbauen. Das Buch „Die Judenfrage als Rassen-, Sitten- und Kulturfrage. Mit einer weltgeschichtlichen Antwort“ erscheint 1881 und erlebt bis 1930 eine Reihe von Neuauflagen. Eine weitere Publikation von 1883 hat den Titel „Der Ersatz der Religion durch Vollkommeneres und die Ausscheidung alles Judentums durch den modernen Völkergeist“. Hier ist die Rassentheorie zu ihrer letzten

[1] Vgl. zu dieser Übersicht Alexander Bein, Der moderne Antisemitismus und seine Bedeutung für die Judenfrage. Vierteljahrsschrift für Zeitgeschichte, 1958, 4. Heft, S. 340–360.

Konsequenz vorgetrieben, scharfsinnig und verblendet, mit der Logik des Hasses und der unwiderlegbaren Wahnvorstellung.
1886 erscheint in Frankreich das Werk des ehemaligen Voltairianers Edouard Drumond, der zum Katholizismus bekehrt war, „La France Juive". Es faßt alle Argumente des mittelalterlichen Judenhasses noch einmal zusammen. In den 70er und 80er Jahren erhebt auch der Orientalist und Kulturpolitiker Paul de Lagarde seine gewichtige Stimme; die nationalsozialistische Führung bediente sich seiner Schriften später als der klassischen Grundlegung des völkischen Bewußtseins. 1898 erscheinen in erster Auflage „Die Grundlagen des 19. Jahrhunderts" von H. St. Chamberlain, von 1932–42 in jährlich einer oder zwei Volksausgaben, 1944 in der letzten, der 29. Auflage. Für ein so anspruchsvolles Werk sind das erstaunliche Ziffern. – Diese Liste ist unvollständig, sie enthält nur die aus dem breiten und seichten Gewässer herausragenden und besonders erfolgreichen Literaturerzeugnisse des Rassenantisemitismus.

Gobineau

So verschiedenen Ranges die Geister sind, es lassen sich gemeinsame Tendenzen aufzeigen und auf ihren Ursprungsort zurückführen. Alle modernen antijüdischen Rassentheorien gehen auf Gobineau zurück, obwohl dem französischen Aristokraten am Judenproblem wenig gelegen war. Was das ausgehende 19. Jahrhundert an seinem Geschichtsbild faszinierte, war die „naturwissenschaftliche" Grundlegung einer Disziplin, die immer zu den Humaniora gehört hatte. Gobineau glaubte, mit dem Rassenprinzip die historische Welt als ein zweiter Kopernikus erst eigentlich entdeckt und die Lösung aller Rätsel gefunden zu haben.[2] Er wollte der Geschichte die Verläßlich-

[2] Vgl. E. Cassirer, The Myth of the State. London 1946, S. 225.

keit und die Würde der Naturwissenschaft geben und sie von der „interessierten Gerichtsbarkeit" des moralischen und politischen Urteils befreien. Sein Ausgangspunkt ist die Evidenz der Rassenunterschiede, er folgert daraus, daß die Rasse das universale Prinzip, die dominierende Kraft in der Geschichte sei, daß die weiße Rasse (die arische oder germanische, die Begriffe werden von ihm auch synonym gebraucht) die allein kulturschöpferische sei und daß Rassenmischung und Rassenverfall den eigentlichen Prozeß der Geschichte bildeten. Mit der Methode einer „historischen Chemie" ließen sich die Mischungsvorgänge analysieren, die Phänomene der Kulturblüte und des Kulturverfalls erklären, das Problem von Leben und Tod der Nationen lösen. Nur wenn der edle Bestandteil eines Volkes sich durch Mischung zersetzt, seine „Rassenkraft sich erschöpft habe", unterliege es seinen Besiegern.[3] Für die ägyptische, chinesische, aztekische Kultur müssen ursprünglich arische Ansiedlungen angenommen werden, das Gesetz kennt keine Ausnahme, die Beweise sind nachzuliefern, vorläufig treten Vermutungen an ihre Stelle. In allen zehn Zivilisationen der Menschheitsgeschichte waren die Weißen das Lebenselement, die Mischungen und die nicht einzuverleibenden Rassen das Todeselement, dafür will Gobineau Beweise liefern, „an denen der Schlangenzahn der demagogischen Idee nicht wird nagen können". Die „demagogische Idee" der Gleichheit und Brüderlichkeit konnte nur in Staaten totaler Rassenmischung proklamiert werden wie im Frankreich des tiers état, in dem nach seiner Meinung das keltische Element über die germanische Herrenrasse den Sieg davongetragen hatte. Auch der Patriotismus ist eine Tugend für Demokraten, kein arisches Ideal; Juden und Griechen haben ihn erfunden.

Gobineau stammte aus normannischem Adelsgeschlecht, er schrieb im Alter ein seltsames Buch, die Geschichte seines

[3] Gobineau, Versuch über die Ungleichheit der Menschenrassen. Stuttgart 1902², I, 44.

Ahnherrn, des norwegischen Wikingers Ottar Jarl, dessen Abstammung er auf Odin zurückführte! Was für die spätere populäre Rassenideologie so bezeichnend ist, das Gemisch von vermeintlich naturwissenschaftlicher Exaktheit und Ahnenmystik, das kündigt sich an ihrem Ursprung schon an. Aber die Verbindung mit dem Nationalismus ging sie erst später ein. Gobineaus Jugendbildung wurzelt in der Restauration. Er war Royalist, Aristokrat und überzeugter Katholik, er haßte die Demokratie und ihre Nivellierungstendenzen, nationalistische Ziele waren ihm fremd. Aus dem universalen Prinzip der Rasse leitete er den Elitegedanken ab, den Stolz auf die Abstammung, die Verachtung der niederen Menschenarten und aller humanitären und sozial ausgleichenden Bestrebungen. Die Rasse ist bei Gobineau das Fatum, man entgeht ihm nicht. Tugend läßt sich nicht erwerben, sie ist eine Gabe des edlen Blutes. Und worin bewährt sich die höhere Rasse? In ihrem höheren sittlichen Charakter. Jemand ist nicht gut, weil er gut gehandelt hat, sondern er handelt gut, weil er gut, d. h. edel geboren ist.

Ernst Cassirer meint in seiner klugen Analyse der Gobineauschen Gedankenwelt, daß diese reine Tautologie der Rassentheorie gerade ihre Wirkung gegeben habe; durch den Zirkel wurde sie unangreifbar, sie war nicht mehr durch rationale und empirische Beweise zu widerlegen.[4]

Gobineaus Lehre stand in striktem Gegensatz zum Christentum. Er half sich aber mit der Anerkennung seiner metaphysischen Wahrheiten und der Unterwerfung unter das Dogma der Kirche, war indes überzeugt, daß das Christentum in dieser Welt nichts bewirke und am ehernen Gesetz der Rasse nichts zu ändern vermöge. Auch die Freiheit und die Würde des Menschen waren aufgegeben, Recht und Gesetz bloße Abstraktionen. Das totalitäre Prinzip der Rasse duldete keine Werte neben sich.

Daß sich von hier aus der Weg zur Konzeption eines

[4] Cassirer, Myth. S. 238.

totalitären Staates öffnet, hat man erst erkannt, seitdem man die Erfahrung mit ihm gemacht hat. Gobineau hätte ihn für seine Person gewiß abgelehnt, auch glaubte er nicht, daß die Menschheit vor dem Schicksal des Rassenverfalls und dem Untergang zu retten sei; sein Weltbild war fatalistisch und tief pessimistisch. Aber gerade unter dem Vorzeichen des absoluten Determinismus läßt sich dieser Geschichtsideologie leicht eine andere Wendung geben: wenn man nämlich der germanischen Herrenrasse die Bestimmung zuschreibt, doch noch siegreich mit den Mächten des Verfalls fertig zu werden! Alle Mittel in diesem Kampfe wären legitim. Gobineau dachte aber gar nicht an eine Änderung der politischen und sozialen Ordnung. In der Widmung seines Werkes an Georg V. von Hannover sagt er, daß er nicht auf den Boden der zeitgenössischen Polemik herabsteigen, sondern eine Art „geistiger Geologie" betreiben wolle. Er stelle sich auf einen Gipfel, wo man nicht mehr Menschen und Bürger, sondern nur noch Rassen, Gesellschaften und Zivilisationen erkennen könne. Mit dieser kühlen und hochmütigen Distanz behandelt er auch die Juden: sie waren geschickt, stark und klug, solange sie in Palästina einen eigenen Staat besaßen, in der Diaspora erweisen sie sich als besonders schädlich in den germanischen und slawischen Ländern, weil sie ihren Gastvölkern an Gewandtheit und Bedenkenlosigkeit überlegen sind. Immerhin verdienen sie den ganzen Respekt, den man der Stärke schuldig ist.[5] Ein solcher Verzicht auf moralische Bewertung kann nur dann den Eindruck hoher wissenschaftlicher Objektivität erwecken, wenn man übersieht, daß Gobineaus Prämissen von Wert und Unwert der Rassen ganz willkürlich sind. Die gelbe Rasse hat nach seiner Behauptung selbständig keine Zivilisation geschaffen, die schwarze steht noch unter den Tieren.

---

[5] Gobineau, Rassenkunde Frankreichs. Hrsg. Jul. Schwabe, München 1926, S. 62 ff.

Als Otto Hintze 1903 in einem Aufsatz „Rasse und Nationalität und ihre Bedeutung für die Geschichte" die Werke „der beiden geistvollen Dilettanten" Gobineau und H. St. Chamberlain kritisch besprach, meinte er, daß es sich bei der Rasse um ein Problem von überwissenschaftlichen Dimensionen handle, bei dem das Glauben und Meinen eine größere Rolle spiele als das Wissen und Beweisen.[6] Er zeigt auch den seltsamen Widerspruch zwischen Gobineaus katholischem Glauben und der rassischen Degenerationstheorie auf und nennt den Verfasser „eine feine, resignierte, aristokratische Seele", die, dem Vaterland entfremdet, aus dem demokratisch-nivellierenden Zeitalter in „die Gefilde hoher Ahnen" flüchte. Den abstrusen Gedanken der Odin-Abstammung erwähnt er mit sachlicher Verwunderung. Im ganzen sei Gobineau mehr Prophet und Bekenner als Forscher; Gefühle und romantische Schrullen bestimmten seine Ueberzeugungen. Das war das nüchterne Urteil der deutschen Geschichtswissenschaft über den großen Dilettanten, mehr ließ sich damals wohl nicht erkennen.

Die gefährlich simplifizierende, alles aus einem Prinzip ableitende Konstruktion dieses Geschichtsbildes, die Zerstörung aller ethischen und humanen Werte, den Kulturpessimismus, der sich zuletzt als vollkommener Nihilismus enthüllt, die Vorbereitung der totalitären Ideologie – alles dies hat erst Ernst Cassirer aufgezeigt, ohne Tendenzen in Gobineau hineinzudeuten, die ihm und seiner Zeit noch fremd waren. Die Erfahrung von den Wirkungen auf eine spätere Generation macht oft den Untergrund eines gedanklichen Systems erst sichtbar, wie eine chemische Lösung geheime Schriftzüge ans Licht hebt, die wohl eingezeichnet, aber lange Zeit nicht lesbar waren.

Die antisemitischen Rassentheoretiker, die von Gobineau lernten, konnten mühelos ihren Haß und ihr Elitebewußtsein in sein Grundschema einzeichnen. Das Christentum,

[6] O. Hintze, Historische und politische Aufsätze. 1903, IV, 160–182.

an dessen unantastbarer Autorität der französische Aristokrat in einem seltsamen Widerspruch mit sich selber festhielt, ließ sich leicht abstreifen, es war seinem System nur lose angeheftet. Die Judenfrage rückte als das eigentliche europäische Rassenproblem von selbst in den Mittelpunkt, sobald man im eigenen Volkstum nach rassefremden Elementen Ausschau hielt.

Eugen Dühring

Der Berliner Nationalökonom und Philosoph Eugen Dühring hat in den 70er Jahren eine aufklärerische, aber nicht konsequent materialistische „Wirklichkeitsphilosophie" entwickelt, die sich biologischer Begriffe bedient und den Anspruch auf naturwissenschaftliche Exaktheit macht, aber die rational nicht auflösbaren Vorstellungen von germanischem Volksgeist und von Blut und Rasse als mythische Größen bestehen läßt. Dühring ist nur konsequent, wenn er das Christentum seinem Ursprung nach als Ausgeburt der jüdisch-orientalischen Rassenseele ebenso verurteilt wie das Judentum. Was an ihm positiv sei, habe der „moderne Völkergeist" erst aus ihm entwickelt. Auch die griechisch-römische Antike war schon durch den „Asiatismus" zersetzt, sie sei auch heute noch ein fremder Tropfen in unserem Blute. Das Mittelalter mit seiner „christlichen Geistesverjudung" bezeichnet er als „eine einzige Trug- und Greuelphase", der erst die französischen Enzyklopädisten als „Fahnenträger des neuen Geistes" ein Ende bereitet hätten. Dante, der Sokrates in die Hölle, jüdische Männer und Weiber in den Himmel versetzt, Tasso, Milton – sie alle sind vom „Asiatismus" vergiftet, mag ihr Talent noch so groß sein. Die Verdikte des „systemschaffenden" Philosophen, wie er sich selbst nennt, prasseln auf alles hernieder, was nicht in seine „Wirklichkeits-Philosophie" paßt. Ein Aufklärer also, ein verspäteter Voltairianer? In der eben erst entstehenden deutschen

Sozialdemokratie vermutete man es, und viele stimmten ihm zu, zumal Dühring auch eine ökonomische Lehre entworfen hatte, in der er das kapitalistische Lohnsystem verwarf und für den politischen Radikalismus der Marat, Babeuf und der Pariser Kommune eintrat.[7] Aber nicht Vernunft und Toleranz hießen die neuen Götter, sondern germanischer Rassengeist, Herrenmoral, Pflege des eigenen Charakters oder vage genug: die Nationalreligion des modernen Völkergeistes, worin ein Surrogat von Aufklärung mit dem Blutmythos eine Ehe eingegangen war.
Was besteht eigentlich vor dem giftigen Spott? Ein nebuloses Gebilde: Religiosität und Freiheitssinn der Germanen des Tacitus, die deutschen Klassiker, aber nur, soweit sie sich der altgermanischen Gefühls- und Denkweise nähern, die „natürliche Religion" des Nibelungenliedes. Viel ist das nicht, so muß Dühring des öfteren beteuern, daß die Germanen schon vor Jahrtausenden in ihren Wäldern „etwas Besseres" gehabt hätten als die Kundgebungen vom Sinai, denn die 10 Gebote enthielten nur den „typisch jüdischen Laster- und Verbrechenskatalog in moralischer Verkleidung".
Man fragt sich, was mit den Juden geschehen soll. Weder die Taufe noch die kulturelle Assimilation kann, laut Dühring, den Kern der Rassennatur verändern, niedere Rassen lassen sich nicht heraufbilden, sondern höchstens „domestizieren".[8] Also Ausschaltung, völkerrechtliche Internierung – oder Deportation, wofür man den kollektiven Landesverrat wohl abwarten müßte. Da das Judentum auch als ein „inneres Karthago" bezeichnet wird, ist das „esse delendam" zu ergänzen. Ausgesprochen wird das Vernichtungsziel nicht, aber es ist die logische Konsequenz.[9] Theodor Herzl schreibt in seinen Tagebüchern,

[7] F. Mehring, Geschichte der deutschen Sozialdemokratie. Stuttgart 1913, IV, 121.

[8] E. Dühring, Der Ersatz der Religion durch Vollkommeneres und die Ausscheidung alles Judentums durch den modernen Völkergeist. 1883, S. 131.

[9] A. Bein, S. 349.

daß ihn die Judenfrage zum erstenmal beschäftigt habe, als er in Berlin die Schriften Dührings las, er wäre ihr gern „entwischt ins Christentum", aber nun gab es keinen Ausweg mehr.

Dühring hatte sich in Berlin für Philosophie und Nationalökonomie habilitiert; seine ersten Schriften erregten Aufsehen, und er galt als eine Hoffnung der jungen Wissenschaft. 1877 wurde ihm aber die venia legendi entzogen wegen seiner beleidigenden Ausfälle gegen die Universität. Das trug ihm zuerst den Ruf eines Märtyrers seiner Überzeugungen ein. Er lebte bis 1921 als Privatgelehrter in Berlin, verbittert und früh erblindet, von seiner besonderen Sendung, den „germanischen Urgeist" aus der Verschüttung aufzuwecken, aber stets überzeugt. Im Jahre 1924 wurde noch eine Eugen-Dühring-Gesellschaft gegründet, die sich zu seiner Weltanschauung bekannte. Aber nicht diese Sekte hat seinen Namen lebendig erhalten, sondern Friedrich Engels tat es mit seiner Kampfschrift „Herrn Eugen Dührings Umwälzung der Wissenschaft", die seine sozialistische Theorie vom Standpunkt des dialektischen Materialismus aus schneidend widerlegt. Als „Anti-Dühring" ist der merkwürdige Mann in die klassische Literatur des Marxismus eingegangen.

Paul de Lagarde

Auch der Orientalist und Kulturpolitiker Paul de Lagarde – mit seinem eigentlichen Namen Paul Anton Bötticher – war ein Außenseiter, der sich von Feinden umstellt glaubte, von den Universitäten, die ihm lange die akademische Laufbahn verweigerten, den staatlichen Behörden, die ihm den schlechtbezahlten Schuldienst aufnötigten, der protestantischen Landeskirche, die er von der staatlichen Bindung befreien und in eine freie Volkskirche umwandeln wollte, vor allem von seinen späteren Fachkollegen, den Theologen. Denn seit 1869 hatte Lagarde einen Lehrstuhl für semitische Sprachen und alttestamentliche Exegese in Göttingen inne. Er wurde kein Sektengründer wie Dühring, er wollte auch nicht die Religion durch „etwas Vollkommeneres“ ersetzen, etwa durch den Rassenglauben oder den Wotanskult, aber er wollte das Christentum von der „paulinisch-jüdischen Verfälschung“ befreien und es mit einem vom Volksgeist geprägten „deutschen Glauben“ versöhnen. Deshalb standen ein halbes Jahrhundert später seine nationalen und religiös-ethischen Kernsätze in den Schullesebüchern und seine antisemitischen Ausfälle in der Schulungsliteratur der nationalsozialistischen Parteiorgane. Die „Deutschen Christen“ beriefen sich zu Recht auf ihn als den Begründer ihrer völkisch-christlichen Ideologie. Gegen Luther hatte Lagarde eine tiefe persönliche Abneigung, er verurteilte die Reformation, die das deutsche Volk gespalten hatte.

Lagardes Bildung wurzelte in der Spätromantik, deren organizistische Vorstellungen von Volkstum, Glaube und Sitte einer späteren naturwissenschaftlich erzogenen Generation die Biologisierung gesellschaftlich-politischer Kategorien erleichterte. Er verehrte Jakob Grimm und verkündete im Zeitalter der Großindustrie und der Arbeiterbewegung, die er ignorierte, im liberalen Bismarckreich, das er als ein „Kunstprodukt“ – vergleichbar den Jesuiten und dem Judentum – verabscheute, den Glauben an das echte, unverbildete, werktätige und wehrhafte, das eigentliche Volk: „Hinter dem Pfluge und im Walde, am Amboß der einsamen Schmiede ist es zu finden, es schlägt unsere Schlachten und baut unser Korn.“ [10]

Als Orientalist war Lagarde ein Schüler Rückerts. Seine Lebensaufgabe sah er in der Erforschung der Urkunden zur Entstehung des Christentums, und er nahm die Textherstellung der Septuaginta in Angriff. Kein Dilettant

[10] Paul de Lagarde, Die Religion der Zukunft, 1878. Deutsche Schriften, Göttingen 1903[4], S. 239.

also wie Gobineau und H. St. Chamberlain, sondern ein sprachkundiger Gelehrter, der seine mühselige Kleinarbeit in vielen Editionen syrischer, koptischer, arabischer, griechischer und lateinischer Handschriften und in sprachwissenschaftlichen Abhandlungen niedergelegt hat. An der Kultur- und Bildungspolitik seiner Zeit nahm er leidenschaftlich Anteil und wünschte, auch die Ergebnisse seiner wissenschaftlich-theologischen Arbeit in den Dienst der Volkserziehung zu stellen. Zum Praeceptor Germaniae fühlte er den Beruf in sich, aber zu Lebzeiten blieb er ein Außenseiter, streitbar, empfindlich und maßlos im Angriff, bitter und überheblich, wenn er sich verkannt glaubte. Als man später die „Germanisierung des Christentums", die ihm vor Augen stand, und die Ausrottung des Judentums, die er für notwendig erklärte, in Angriff nahm – aber doch auf andere Weise, als er es sich vorgestellt hatte– schien er wirklich zum Lehrer der Deutschen geworden zu sein.

Das Problem Lagarde ist nicht einfach. Man darf die Äußerungen von Judenhaß, die so schlimm waren, daß Hitler sie wörtlich wieder aufnehmen konnte, nicht isolieren; sie stehen im Zusammenhang einer theologischen und einer politisch-religiösen Grundüberzeugung, deren Wurzeln zurückreichen in mittelalterliche, in romantische und deutsch-idealistische Vorstellungen vom Judentum. Sie werden dadurch nicht besser, aber man muß den Boden kennen, auf dem solche Gefühle wachsen. Auch beim jungen Hegel erscheint in der Antithese zum absoluten Geist der Gott des Alten Testaments als ein „Dämon des Hasses". Bei Lagarde ist die theologische Konzeption eine Verbindung eingegangen mit dem romantischen Subjektivismus, dem Persönlichkeitskult der Klassik und der religiösen Verklärung von Volkstum und Nation. Zu dem prophetisch geschauten „deutschen Glauben" gesellte sich der Sturm nationaler Leidenschaft, die erweiterte Selbstliebe forderte den Haß gegen alles Fremde. Oder hat der Haß den Theologen schon blind gemacht?

Lagarde zerreißt das Band zwischen dem Alten und dem Neuen Testament, zwischen Verheißung und Erfüllung. Christus und die Kirche haben bei ihm keinen Zusammenhang mit dem Judentum. Das ist der erste verhängnisvolle Schritt, aus ihm folgt alles andere: daß der Monotheismus des alten Israel nur aus der Negation und aus dem Verstande komme, daß er reiner Götzendienst sei, daß der vertragsmäßig gefaßte Glaube an die Erwählung ein patriotischer Vorwand, die gesetzliche Absonderung Rassenhochmut sei und daß das geschichtslose Volk mit seinen atavistischen Riten als eine Gruppe „asiatischer Heiden" innerhalb der christlichen Welt lebe. Dagegen habe sich das Christentum, „veranlaßt durch Jesus von Nazareth", in den Gemütern der Menschen weiterentwickelt und von den Germanen erst seine Innerlichkeit empfangen. Es sei aber dem Untergang geweiht, wenn es sich von den paulinisch-jüdischen Elementen nicht befreien könne.[11] – Dies ist in aller Kürze Lagardes theologische Auffassung. Daß ihn eine protestantische Schriftenreihe 1913 unter die „Klassiker der Religion" aufgenommen hat, zeigt deutlich, daß die Gefahr nicht gesehen wurde, die hier für das christliche Bekenntnis entstanden war.[12]

Wer auf diese Weise den Wurzelstock des Ölbaums ausreißt, auf den, laut Römerbrief, das Reis der Kirche Christi gepfropft war, der muß versuchen, es in einen anderen Grund zu senken. Lagarde und alle, die ihm folgen, kennen nur den Wurzelgrund des deutschen Volkstums, das nun die religiöse Weihe erhält, die dem Alten Bund geraubt wird. Haben wir es mit der Scheindeckung einer theologischen Rechtfertigung für Haßinstinkte zu tun, die allem vorausgehen? Es ist schwer zu sagen. Lagarde war davon überzeugt, das von der „jüdischen Entstellung"

---

[11] Vgl. die beiden Aufsätze: Die Religion der Zukunft. a. a. O. und: Juden und Indogermanen, 1887. Ausgewählte Schriften. München 1934².

[12] Klassiker der Religion: Lagardes Schriften. Hrsg. Hermann Mulert, Berlin 1913.

befreite Evangelium, das er nicht dogmatisch, sondern ethisch verstanden wissen wollte, lasse sich mit den Gemütswerten der gesunden deutschen Volksseele auf eine natürliche Weise verknüpfen. „Frömmigkeit ist", so definiert er, „wie für den einzelnen Menschen so auch für ein Volk, das Bewußtsein zu gedeihen ... zu dem Ziele, das Gott der Nation und dem Einzelnen gesteckt. Frömmigkeit ist das Bewußtsein höchster Gesundheit."[13] Sie ist das Bekenntnis zum eigenen Wesen, „in dem von Geburt und Anlage her das Gottesbild schlummert".

Diesem eigenen Wesen, der deutschen Volkheit, ist die Judenheit, die nun als metaphysisches Prinzip aufgefaßt wird, für ewige Zeiten feindlich entgegengesetzt. Sie wird zum Phantom, zum Symbol des Hasses. Der magisch-verklärte Volksgeist verlangt sein Gegenbild: es ist „das Ungeziefer, das auf fremdem Leibe schmarotzt". Und nun die Sätze, die Hitler gebrauchen konnte: „Wo eine solche Masse Verwesung angehäuft ist wie in dem Israel Europas, da kommt man mit innerlicher Arznei erst zum Ziele, nachdem man durch einen chirurgischen Eingriff den angesammelten Eiter entfernt hat."[14] Lagarde fährt zwar fort, man solle den Juden das Geld abnehmen, aber seine Sprache denkt weiter als er selber. Und in einem anderen Zusammenhang, als er die jüdischen Wucherer anklagt: „Mit Trichinen und Bazillen wird nicht verhandelt, Trichinen und Bazillen werden auch nicht erzogen, sie werden so rasch und so gründlich wie möglich vernichtet."[15] Was hier mit dem Vokabular der Schädlingsbekämpfung und der sanitären Maßnahme ausgesprochen ist, hat – so darf man vielleicht vermuten – in seinem innersten Grunde etwas mit jener besonderen „Frömmigkeit" zu tun, die das „Bewußtsein höchster Gesundheit" ist.

Muß man diese Ausfälle so ernst nehmen? Die Juden wür-

---

[13] Klassiker der Religion. S. 63.

[14] Lagarde, Ausgewählte Schriften, S. 243.

[15] Lagarde, Ausgewählte Schriften, S. 239.

den, so heißt es an einer Stelle, uns selber dankbar sein, wenn wir sie vom Judentum befreiten. Das haben auch die Sozialisten gemeint, die gar nicht antisemitisch waren. Ein Begriffsgespenst also nur, ein abstraktes, politisches oder religiöses Prinzip?

Der Politiker Lagarde bewunderte den katholischen Konservativismus, wie es der Protestant Constantin Frantz getan hatte, er bekämpfte die Ideen von 1789 und 1848 als „jüdisch-keltische Theoreme" der Gleichmacherei, die die Freiheit des Individuums einschränkten und dem aristokratischen Geist der Deutschen fremd seien. Hier verrät er den Einfluß Gobineaus. Er möchte dem „Possenspiel der Parlamente" ein Ende machen, da nur „eines Mannes Wille" gelten dürfe in einem gesunden Volksstaat. „Wir wollen ein Reich, das nur so weit Staat ist, als die Nation den Staat nicht entbehren kann", „die Anerkennung, Erziehung und Verklärung unserer eigenen Natur", „wir wollen nicht von einem russischen Kutscher an einer französischen Leine gefahren und mit einer jüdischen Geißel geschlagen werden", heißt es in dem Aufsatz über die „Religion der Zukunft". Reichsmystik, Volksmystik, Führeridee – hier ist alles beisammen, und das macht die Gedanken erst so gefährlich. Politisch konstruktiv war das nicht, es entsprach eher einer schulmeisterlichen Vorstellung von einem starken, aber wenig spürbaren Regiment über ein fleißiges und gutartiges Volk, das zur Bejahung seines eigenen Wesens erzogen wird. Die Volkserziehung betrachtete Lagarde als seine eigentliche Aufgabe, und über die Bildungsphilisterei seiner Zeit hat er auch einige kräftige Wahrheiten ausgesprochen.

Als Paul de Lagarde 1891 starb, hielt ihm – da er sich einen Pfarrer verbeten hatte – der berühmte Gräzist der Göttinger Universität, Ulrich von Wilamowitz-Möllendorff, die Grabrede. Er feierte ihn als einen Propheten, der seine Stimme erhoben habe „über Staat und Kirche, Jugendbildung und Gottesdienst, Gesellschaft und Gesittung. Es habe ihn auch nicht irregemacht, wenn sie die Stimme eines Rufers in der Wüste blieb.“[16]

Aber sie wurde später von vielen gehört, von den Sekten, Bünden und weltanschaulichen Gruppen, die sich zu einem artgemäßen Glauben bekannten und in den 20er Jahren ihre erste Blütezeit erlebten. Es gab solche, die sich noch innerhalb eines unklar verstandenen Christentums angesiedelt wähnten, und andere, die entschlossen in die germanischen Wälder auswanderten, wie die „Wotansgesellschaften“, „Nornenlogen“ und viele andere mit ähnlichem Programm. Obwohl sie miteinander stritten, ist die Trennungslinie zwischen einem ausgehöhlten und verdorbenen Christentum und einem Neuheidentum schwer auszumachen; die Übergänge sind hier so gleitend wie die zwischen der völkischen Ideologie und dem Rassenfanatismus. Lagarde gehörte noch zu der völkischen Richtung eines „deutschen Christentums“, Julius Langbehn, der „Rembrandt-Deutsche“, verband den völkischen mit dem Elitegedanken eines neuen Adels aus Blut und Gesinnung und stimmte den Ruf nach dem „heimlichen Kaiser“ an, der nur ein „erstgeborener Sohn der deutschen Volksseele“ sein könne. H. St. Chamberlain faszinierte die gebildeten Schichten in Deutschland mit einer Weltanschauung auf der Basis des Rassendogmas, in die er die Gestalt Christi und ein sehr persönlich verstandenes Christentum einbezog.

H. St. Chamberlain

Die 1899 erschienenen „Grundlagen des 19. Jahrhunderts“ sind bei ihrem beispiellosen Erfolg ein wichtiges Kapitel der deutschen Bildungsgeschichte, sie haben eine Art Fortsetzung in Alfred Rosenbergs „Mythos des 20. Jahrhunderts“ gefunden. Der Engländer Chamberlain, der nach einem Wanderleben auf dem Kontinent Deutschland zu

[16] Lagarde, Ausgewählte Schriften, Einleitung, S. 21.

seiner Wahlheimat machte und später im Bannkreis Richard Wagners in Bayreuth lebte, hatte mit seiner schriftstellerischen Tätigkeit kein geringeres Ziel als die sittliche Erneuerung Europas; seine Lehre bereitete aber der geistigen Verwüstung und der Barbarei den Weg. Gobineaus aristokratischer Pessimismus ließ eine unmittelbare politische Anwendung seiner Rassenlehre nicht zu, Chamberlain dagegen glaubte, daß der germanischen Rasse die Zukunft gehöre, wenn man sie von den „antigermanischen“ Elementen befreie. Spes et Fides war sein Wappenspruch, und er übersetzte ihn: „Solange es noch echte Germanen gibt, solange können und wollen wir hoffen und glauben.“ [17] Das ist mehr als die Säkularisierung christlicher Begriffe, es bedeutet zugleich die Einengung des weltgeschichtlichen Aspekts auf den rassisch-völkischen. Chamberlain wollte die Elemente der abendländischen Kulturentwicklung im Lichte einer arischen Theodizee aufweisen: in die Rassenseele war der göttliche Keim gesenkt, der auf Entfaltung drängte.

Die „Grundlagen“ sind ein Bruchstück geblieben, ein zweiter Teil sollte das 19. Jahrhundert behandeln, das im Musikdrama Richard Wagners seinen vollendeten Ausdruck gefunden hatte, ein dritter Teil die geistige Entwicklung vom 13. bis zum 23. Jahrhundert (!) als eine einheitliche Epoche darstellen. Denn bis dahin würden die Vorstellungen des Altertums und des Semitismus, die den arisch-germanischen Geist einschnürten, erst endgültig überwunden sein.[18] Träger der Entwicklung würde der „germano-kelto-slavische homo Europaeus“ sein, die allein kulturschöpferische germanische Rasse, die keltische und slavische Elemente in sich aufgenommen hat. Seit dem „Völkerchaos“ am Ausgang der antiken Welt ist die Geschichte erfüllt vom Kampf zwischen dem germanischen

[17] Chamberlain, Die Grundlagen des 19. Jahrhunderts. 29. Aufl., München 1944, p. XV.

[18] Vgl. P. Joachimsen, H. St. Chamberlain. Zeitwende, 1927, S. 352.

und antigermanischen Prinzip, das sich wie Licht und Finsternis gegenübersteht. Antigermanisch ist das Judentum, das sich zuerst innerhalb des Christentums weiter behauptet, seit der Emanzipation aber eine neue bedrohliche Macht darstellt, antigermanisch ist die römische Kirche, verkörpert im inquisitorischen Eifer des Mittelalters und in der Gestalt des Ignatius von Loyola, der wie das Judentum zum Anti-Symbol wird. In das Völkerchaos traten die Germanen „als Retter der agonisierenden Menschheit aus den Krallen des Ewigbestialischen". Die Juden sind das andere Element, rassisch hochgezüchtet wie das Germanentum, aber nicht integrierbar in die europäische Kultur. Obwohl ein Kern stets rasserein bleibt, infizieren sie seit der Emanzipation die Indoeuropäer mit jüdischem Blut. Wenn diese sich nicht auf ihre Pflicht besinnen, wird es nach Jahrhunderten nur noch ein rassereines Volk geben, „alles übrige wäre eine Herde pseudohebräischer Mestizen".[19]

Das haben Antisemiten vom Schlage eines Theodor Fritsch und Artur Dinter nicht anders gesagt, aber Chamberlain distanziert sich vom primitiven Judenhaß ausdrücklich, er möchte das Problem mit Nüchternheit und Überlegenheit beurteilt wissen. Das über 1000 Seiten umfassende Werk hat auf seine vielen gebildeten Leser eine verwirrende, faszinierende, überredende oder doch aufrüttelnde Wirkung ausgeübt. Woran lag das? Man muß näher zusehen.

Chamberlain nennt sich mit Stolz einen „ungelehrten Mann", nur die „umfassende Ungelehrtheit" habe ihn den Gipfelpunkt ersteigen lassen, von dem aus die Übersicht über ein Ganzes möglich sei. Es ist Goethes Begriff von „Dilettantismus", den er hier meint, und Goethes formenden Blick nimmt er für den Betrachter der geschichtlichen Welt in Anspruch. Denn die Geschichte ist keine Wissen-

---

[19] Grundlagen, I, 383.

schaft, nur der Künstler kann den „Strom uferloser Willkür" zum Stehen bringen und ihm unter der Perspektive der Gegenwart Gesetz und Gestalt aufzwingen. Die Wahrheit erweist sich am Erlebnis, ein bloß Gedachtes kann ein Nichts sein, im Tief-Gefühlten dagegen muß ein Kern von Wahrheit stecken.

Diese gefährlichen Halbwahrheiten nehmen ihren Ausgang von dem Erlebnis der Wagnerschen Musik. Dem 20jährigen Studenten der Naturwissenschaft begegnet sie zuerst in der Schweiz. In einem Büchlein über die musikalischen Motive der Wagneropern lernt er die Noten, an Wagners Dichtung bemüht er sich zuerst um das Verständnis der deutschen Sprache. Es ist die große Wendung in seinem Leben von der Betrachtung der Natur zur Betrachtung der „Natur im Menschen"; Chamberlain hat sie in seinem Erinnerungsbuch „Lebenswege meines Denkens" dargestellt. In den Göttern und Dämonen von Wagners „Ring" glaubt er die mythischen Urkräfte des Menschen zu erkennen, in der Tonfolge des Schwertmotivs wird ihm der blitzartig auftauchende Gedanke Wotans klar, durch Heldenmut die Welt zu besiegen. Die Germanen seiner Geschichtskonstruktion tragen denn auch die Züge des heldischen Wotan oder des tumben Jung-Siegfried, erlösende Lichtgestalten sind sie, die in das finstere Völkerchaos der sterbenden antiken Welt einbrechen und ihm die Formen der „neuen Welt" entreißen. Das ist die Rückkehr zum Mythos, der sein Geschichtsbild formt, es ist das „Tief-Gefühlte", das ihn des letzten Wahrheitsbeweises enthebt. Immerhin schickt Chamberlain auf 1000 Seiten ganze Armeen von Beweisen ins Feld, um die Festungen der Ignoranz zu zerstören.

Was die Rassenfrage angeht, so entwickelt er eine andere Theorie als Gobineau, eine – wie er meint – nüchterne, praktische, auf schlichter Beobachtung von Naturgesetzen beruhende Einsicht. „Vor etwa 20 Jahren", so heißt es in dem Vorwort zur 4. Auflage der „Grundlagen", „wurde angesichts der gelben Gefahr, der schwarzen Gefahr, der jüdischen Gefahr, der ultramontanen (oder völkerchaotischen) Gefahr die Rassenfrage aus einer akademischen zu einer Lebensfrage."[20] Da sie streng wissenschaftlich nicht zu klären sei, habe er den Standpunkt eines schlichten Mannes der Praxis eingenommen und sich zu Darwin gesellt und zu den englischen Tier- und Pflanzenzüchtern, die die Wirkungen der Auswahl, Mischung und Inzucht am Objekt studiert hatten. Pferde und Hunde zeigten uns, daß geistige Gaben und moralische Anlagen mit den physischen zusammengehen. Warum sollte die Menschheit von einem erwiesenen Naturgesetz eine Ausnahme bilden? fragt Chamberlain. In einer aus vorzüglichem Material hochgezüchteten Rasse bilde sich das „Überschwengliche", das Geniale aus. „Was jedes Rennpferd, jeder rein gezüchtete Fuchsterrier, jedes Cochinchinahuhn uns lehrt, das lehrt uns die Geschichte unseres eigenen Geschlechts mit beredter Zunge! Ist nicht die Blüte des hellenischen Volkes ein Überschwengliches sondergleichen?"[21] Ursprünge interessieren ihn nicht, die Zukunft ist wichtig. Die Gobineausche Lehre von einer reinen arischen Urrasse lehnt er ab, man könne nur pessimistische Folgerungen daraus ziehen. Am Anfang, soweit wir Anfänge erkennen, steht allemal nur die günstige Blutmischung wie bei den Griechen und Germanen; durch Auslese und Inzucht veredelt sich der Rassencharakter. Das Aussetzen schwächlicher Kinder war eines der segenvollsten Gesetze bei Griechen, Römern und Germanen. Vom Untergang der Antike heißt es lapidar: „Wie ein Katarakt stürzt das fremde (orientalisch-semitische) Blut in das fast entvölkerte Rom, und alsbald haben die Römer aufgehört zu sein."[22] Das klingt nach der Retorte des Chemikers und steht in wunderlichem Gegensatz zur Geschichte als einer epischen Rhap-

[20] Sonderdruck des „Vorworts". München 1903, S. 14.

[21] Grundlagen, I, 321.

[22] Grundlagen, I, 322.

sodie, als eines Hohenliedes des arischen Heldengeistes. Aber das sind die Komponenten dieses Welt- und Geschichtsbildes: mit der mythischen Überhöhung gerät es ins Irrational-Atavistische, in den Methoden der Biochemie glaubt es seine reale Begründung und die Würde der exakten Naturwissenschaft zu finden.

Vielen war damit gedient, den Pragmatikern und den Schwärmern, aber auch den besorgten Eugenikern, nur die Moralisten kamen zu kurz. Man konnte ihnen entgegenhalten: was wissenschaftlich zu beweisen ist, braucht sich ethisch nicht zu verantworten. Es sieht auch so aus, als habe Chamberlain, wie vor ihm Gobineau, die Konsequenz des Immoralismus oder doch eines unbedingten Vitalismus nicht gescheut. Er erklärt offen, daß die Germanen vom Anfang ihrer Geschichte an bis heute ganze Stämme und Völker hingeschlachtet oder sie „durch grundsätzliche Demoralisation" hingemordet haben, um Platz für sich selber zu bekommen, daß sie nicht nur durch ihre Tugenden, sondern auch durch Gier, Grausamkeit, Verrat und Mißachtung der Rechte anderer ihre Siege errungen haben. Als Beispiele nennt er die Angelsachsen in England, den Deutschen Orden in Preußen und die Franzosen und Engländer in Nordamerika. „Doch wird jeder zugeben müssen", fährt er fort, „daß sie gerade dort, wo sie am grausamsten waren, dadurch die sicherste Grundlage zum Höchsten und Sittlichsten legten."[23]

Chamberlains Antisemitismus ist wie der Lagardes trotz der Rassenideologie primär im Religiösen verwurzelt, das heißt in einer religiös verklärten Weltanschauung, die er für die reine und zukunftsträchtige Form des Christentums hält. Deshalb ist er mit soziologischen Kategorien nicht zu fassen. Nichts verbindet ihn mit dem Ressentiment des Kleinbürgers, mit dem wirtschaftlichen Neid des gewerblichen und akademischen Mittelstandes, der restau-

[23] Grundlagen, II, 864.

rativen Gesinnung der katholischen Landbevölkerung oder mit den ständischen Vorurteilen der konservativen Aristokratie. Im Grunde war Chamberlain ein intellektueller Europäer, mit dem geistigen Erbe Englands, Frankreichs und Deutschlands in gleicher Weise vertraut, ein romantischer Charakter, entwurzelt, berufslos, heimatlos, im höchsten Grade reizbar und sensitiv. Die Wendung zum Deutschtum, oder besser zum deutschen Irrationalismus, erlebt er mit einer Art von religiöser Inbrunst, und mit dem Fanatismus des Bekehrten verfolgt er die Aufklärung und ihre „hohlen Phrasen der Menschenrechte", die „Mestizengesinnung" der römisch-katholischen Kirche und das alttestamentliche Judentum, weil sein Glaube irreligiös, rationalistisch, materialistisch, seelenlos sei. Es ist bekannt, daß Chamberlain viel Mühe darauf verwandt hat, die „arische" Abkunft Christi nachzuweisen. Gewagte Hypothesen von der Mischbevölkerung Galiläas führen ihn zu dem Schluß von „hoher Wahrscheinlichkeit", daß auch arisches Blut dorthin verpflanzt sei. Die Kenntnis der jüdischen „Rassenseele" und der ihr zugehörige rachsüchtige Wüstengott des Alten Testaments aber liefert ihm den strikten Beweis, daß Christus jedenfalls kein Jude war. Man hat das als eine Marotte abgetan, Chamberlains Christusverehrung aber doch als eine freie, undogmatische Form des modernen Protestantismus gelten lassen und ihm tiefe Religiosität nicht abgesprochen.[24]

Man mag diesen Begriff so weit fassen, wie man will, mit christlicher Überzeugung hat er nichts mehr zu tun, wohl aber mit dem Heroenkult, der die natürliche Ergänzung des Rassenglaubens ist. Der Held, als die höchste Steigerung des gefühls- und blutmäßig mit ihm verbundenen, rassisch verstandenen Volkstums, findet den Weg zur sittlichen Erneuerung der Kultur. Darauf kam es Chamberlain allein an, und nach dem Heldenbild formt er die

[24] So bei Hintze, Historische und politische Aufsätze, IV, 160–182 und P. Joachimsen, S. 433–437.

Lichtgestalt des „arischen" Christus, den er nun, da die Fesseln des Judentums abgestreift sind, mit anderen Offenbarungen des indoeuropäischen Geistes, mit Buddha, Platon, Kant und Goethe in eine Reihe setzt, ein sie alle überragender Mittelpunkt, von dem die religiöse Gesittung des Abendlandes ausstrahlt. Kein Gott für Sklavenseelen, sondern „der Gott der jungen lebensfrischen Indoeuropäer".

Eine neue Form religiöser Verfluchung des Judentums zeichnet sich hier ab: die konsequente Vereinzelung, die totale Ausschließung aus der menschlichen Gesellschaft. Von den Christusmördern konnten nur die Christen sprechen. Von dem schlechthin irreligiösen Volk, das sich einen Volksgott geschaffen hat, der alle anderen Götter totschlägt, dürfen sich alle distanzieren, die das „große Weltgeheimnis" verehren, die Australneger so gut wie Newton und Goethe, sagt Chamberlain.[25] Es ist die Ausstoßung im Namen einer Religiosität, die als „Zustand des Gemüts" indisch, goethisch, schopenhauerisch von ihm verstanden wird, als „dunkler Drang, im eigenen Herzen zu forschen" und als „Sehnsucht nach dem Höheren", die sich dann aber als „germanische Religion" sehr unduldsam gebärdet, unduldsam gegen die Offenbarungsreligion überhaupt, voller Haß gegen das Gottesvolk des Alten Bundes. Das totale Unverständnis für den religiösen Geist des Judentums zeigt sich etwa darin, daß Chamberlain das Sündenbewußtsein Israels aus einer alten „Rasseschuld" zu erklären versucht, aus der „blutschänderischen Kreuzung" von Beduinen und Syrern.[26] Die grotesken Beispiele ließen sich vermehren.

Der unklaren Vorstellung von Religion entspricht der nebulose und willkürliche Begriff der Rasse. Einmal wird sie definiert als die „Steigerung bestimmter wesentlicher Charaktere und der allgemeinen Leistungsfähigkeit", als

[25] Grundlagen, I, 465.

[26] Grundlagen, I, 441 f.

„das Hinaufschrauben des ganzen Wesens", wobei die Plastizität des Materials eine Vorbedingung ist. Rasse im Sinne des Züchters ist also ein Mehr oder Minder, ein Verhältnisbegriff.[27] Das sind die auf den Menschen angewandten Lehren aus dem Pferde- und Hühnerstall. In diesem Sinne hochgezüchtet ist der Grieche, der Engländer, aber auch der sephardische Jude, für dessen Rasseerscheinung Chamberlain Sympathie hat.

Rasse ist danach ein biologisches Substrat, das geistige Fähigkeiten hervorbringt; innere Seelengröße, heißt es, verleiht nur die Rasse. Das läßt sich grob materialistisch auffassen, und es gibt Belege genug in den „Grundlagen", daß es auch so gemeint ist. Aber dann schillert der Begriff wieder, der Geniegedanke kommt hinzu, das, was Chamberlain „das Überschwengliche" nennt. „Rasse und Ideal machen zusammen die Persönlichkeit des Menschen aus", heißt es an anderer Stelle, wobei es in der Schwebe bleibt, ob die Rasse die Ideale schon mit in die Wiege legt oder ob sie in einer geistigen Anstrengung, in der Herausforderung oder in der Begegnung mit den Mitmenschen erworben werden. Für den Germanen gilt das letztere, denn seine Natur ist plastisch, der Jude dagegen ist rassisch fixiert.

Da Chamberlain die Schädelmessungen und andere Methoden der Physiologie, aber auch die Ursprungstheorie Gobineaus ablehnt, ist die Frage berechtigt, woran sich Rasse erweist. Die Antwort ist einfach: die Tatsache der Rasse ist unmittelbar evident, sie liegt vor aller Augen, und sie erweist sich an der Leistung und Gesinnung. Und dann gibt es die Selbsterfahrung: wer einer reinen Rasse angehört, empfindet es an der Sicherheit seines Charakters. „Die Tyche seines Stammes weicht nicht von seiner Seite: sie trägt ihn, wo sein Fuß wankt, sie warnt ihn, wie der Sokratische Daimon, wo er im Begriffe steht, auf Irrwege

---

[27] Vorwort zur 4. Auflage, S. 16 ff.

zu geraten, sie fordert Gehorsam und zwingt ihn oft zu Handlungen, die er, weil er ihre Möglichkeit nicht begriff, niemals zu unternehmen gewagt hätte." [28] Das sagt der Verfasser eines Werkes über Immanuel Kant, und es wäre unbegreiflich, wenn nicht Diskontinuität des Denkens das Signum dieses gebildeten, aber verrannten und schwärmerischen Geistes wäre.

Interessanter als die Persönlichkeit Chamberlains ist die Faszination, die von den „Grundlagen des 19. Jahrhunderts" ausging. Die Fachwissenschaft lehnte das Werk zwar ab, aber das schadete seinem Erfolg nicht im geringsten. Der Historiker Paul Joachimsen, der nach dem Tode Chamberlains dessen Lebenswerk in einer größeren Abhandlung kritisch würdigt, berichtet, daß er die „Grundlagen" bei ihrem Erscheinen in einem Zuge durchgelesen und sie in innerster Erregung weggelegt habe.[29] Bewunderung der Persönlichkeit und ihrer Leistung ist auch in dieser Rezension von 1927 noch spürbar. Wir sind heute in der Lage, in Chamberlains Geschichtsmythos das Absurde und Gefährliche zu erkennen.

Worauf beruhte seine Wirkung? Einmal darauf, daß sich hier Weltgeschichte in einer großen Synthese darstellte, aus einem Prinzip entwickelt und in den Grundlinien überschaubar. Man war am Ende des positivistischen Jahrhunderts der Detailforschung und ihrer widerspruchsvollen Ergebnisse müde. Hier ging Geschichte aus Weltanschauung hervor und ließ die Umrisse einer „allgemeinen Lebenslehre" ahnen, mit deren Entwurf der junge Chamberlain seine schriftstellerische Tätigkeit begonnen hatte. Und dann war es wohl der Kulturenthusiasmus, die Verklärung von Kunst, Religion und Philosophie als schöpferischer Leistungen des germanischen Geistes, die der Bildungsschwärmerei einer breiten Leserschicht entgegenkam, ferner die Rassentheorie, die eine unsicher gewordene Generation in

[28] Grundlagen, I, 320.
[29] Joachimsen, S. 352.

ihrem Selbstgefühl stärkte, und nicht zuletzt die Überredungskraft, die von Simplifikationen jederzeit ausgeht. Chamberlain hat nicht nach Quellen gearbeitet, sondern Forschungsergebnisse großzügig und willkürlich benutzt, aber mit einer immensen Belesenheit und überlegenen Strategie, was ihren Einsatz im Kampf um seine Weltanschauung betrifft. Geschichtsschreibung im strengen Sinne war das nicht, eher ein einziges großes Raisonnement, das mitreißend wirkte, weil der Verfasser selber von seiner Mission erfüllt war, Licht in bisher dunkle Zusammenhänge zu bringen, in die von Germanentum und antikem Erbe einerseits und von Germanentum und Christentum andererseits. Ein Raisonnement, das dem müde gewordenen Fortschrittsdenken ein kühnes Zukunftsbild entgegenstellte, das man in Ruhe abwarten konnte – denn die germanische Welt war erst im Entstehen begriffen, und sie brauchte noch Jahrhunderte zu ihrer Vollendung – das aber auch mit einem moralischen Appell verbunden war. Chamberlain meint damit die „Unterwerfung der inneren Welt", bei der wir „diejenigen, die nicht zu uns gehören und die sich doch Gewalt über unser Denken erobern wollen, schonungslos zu Boden werfen und ausschließen".[30] Rücksicht sei nur ein Verbrechen an uns selber. Es ist der Krankheitsstoff in unserem Blut, es ist die eingeschleppte Reblaus, die unsere Weinberge verwüstet, es ist das alles Edle und Produktive zerfressende Gift des Judentums, es sind die Kaperschiffe, die wir in den Grund bohren müssen – mit Kaskaden von Bildern und Vergleichen wird der Gegengeist beschworen, nach dem die Heldenvision verlangt.
Chamberlain hat zugleich geglaubt, Goethes Weltfrömmigkeit mit Kants Vernunftreligion und Schillers ästhetischem Idealismus zu einer einzigen Kundgebung deutschen Geistes zu verbinden. Diese Bildungsreligion vertrug sich bei ihm mit dem Mythos von Germanentum und Antigermanentum. Ein umfassender Eklektizismus und eine

[30] Grundlagen, II, 859.

Exaltation des Geistes, bei der kein Gedanke bis auf seinen Entscheidungsgrund hin ernst genommen wird! Auch das gehört wohl zu dem Geheimnis seiner Wirkung. Die Lehre Chamberlains erlaubte es dem gebildeten Bürgertum, seinem Schulidealismus treu zu bleiben, seine Zugehörigkeit zur christlichen Kirche weiter zu bekennen und antisemitisch zu sein. Er führt auch den eindrucksvollen consensus ingeniorum von Tacitus über Voltaire und Herder zu Fichte ins Feld, sie alle seien einig in der Judenverachtung, und nichts stehe dem entgegen als „die hohlen Phrasen der droits de l'homme, eines parlamentarischen Wisches".

Sind nun bloße Gedankenfigurationen verantwortlich zu machen für spätere Verbrechen? Man täte den Erfindern unrecht. Es bedarf da noch vieler Zwischenglieder und neuer Anstöße: der Ausräumung moralischer Bedenken und äußerer Widerstände, der Übertragung in die Tatbereitschaft, der faktischen oder fingierten Motivation und des Entschlusses zur Tat. Das ist ein weiter und im voraus nicht zu überschauender Weg. Aber einprägsame Gedankenbilder, die, wie die Rassentheorie, emotionale Grundhaltungen hervorrufen, formen das Bewußtsein, wecken Wunschvorstellungen und mindern die sittlichen Abwehrkräfte gegen offenbares Unrecht, das vor aller Augen geschieht.[31]

Die Konventikler und Pamphletisten des primitiven Antisemitismus erhielten eine unerwartete Bestätigung aus dem Bereich hoher Bildung. Mit der Theorie des Sozialdarwinismus ließen sich Chamberlains Lehren leicht verbinden, das geschah alsbald in alldeutschen Kreisen, die ihn verehrten. Die „Deutschen Christen" beriefen sich später auf

[31] Vgl. hierzu K. Kupisch, Bürgerliche Frömmigkeit im Wilhelminischen Zeitalter. Zeitschrift für Religions- und Geistesgeschichte, XIV, 2, 1962, S. 126: „Chamberlains Buch gehörte zu den entscheidenden intellektuellen Anregern des modernen Antisemitismus. Man hat das damals sehr unbekümmert hingenommen. Aber was bei Chamberlain sich noch wie ein von Wagnerscher Musik umrahmtes geistvolles Salongespräch anhörte, ist 40 Jahre später in Auschwitz und Theresienstadt praktiziert worden."

ihn ebenso wie auf Lagarde, Langbehn und Artur Bonus, den Künder der germanischen Religion.[32]
Ein unbedingter Bewunderer Chamberlains war Wilhelm II., der noch von Doorn aus einen regen Briefwechsel mit ihm führte. Die Reden des Kaisers waren bis in die Diktion hinein von den Anschauungen Lagardes und Chamberlains durchtränkt. Auf seinen Wunsch schafften die preußischen Schulbibliotheken damals ein Pflichtexemplar der „Grundlagen" an.
Den ersten Weltkrieg erlebte Chamberlain mit Erschütterung als einen Bruderkrieg der germanischen Völker und verurteilte England wegen seines Verrats an der Rasse. Die Weimarer Demokratie lehnte er als eine undeutsche Staatsform von Grund auf ab. Aber auf Hitler, den der längst Gelähmte 1923 am Krankenbett kennenlernte, setzte er große Hoffnungen für die deutsche Zukunft. Er starb vier Jahr später und hat sie nicht mehr erlebt.

Der Alldeutsche Verband

Der aus der Kolonialbewegung hervorgegangene, 1891 gegründete „Alldeutsche Verband" bekannte sich alsbald zu der von Gobineau und Chamberlain entwickelten Rassenlehre. 1894 schloß er sich der „Gobineau-Vereinigung" an. Aber der Optimismus Chamberlains paßte noch besser in sein Programm der imperialistischen Expansionen und in seine Ideologie von der deutschen Weltsendung. Er wirkt denn auch wie eine Offenbarung. „Unsere Zukunft liegt im Blute! Wunderbar genug, daß man diese scheinbar einfache Tatsache so lange wenig beachtet hat", sagt damals der 1. Vorsitzende Ernst Hasse, der Professor für Rechts- und Staatswissenschaften und nationalliberaler Reichstagsabgeordneter war. In die Satzungen von 1903 wird der Passus aufgenommen: „Der Alldeutsche Ver-

[32] Die beste Übersicht über die Vielzahl „Deutsch-christlicher Bewegungen", ihre Ursprünge und Ahnherren, in dem Handbuch „Religion in Geschichte und Gegenwart", 1958[3].

band erstrebt Belebung der deutsch-nationalen Gesinnung, insbesondere Weckung und Pflege des Bewußtseins der rassenmäßigen und kulturellen Zusammengehörigkeit der deutschen Volksteile."
Die alldeutsche Propaganda hat keine Massenbewegung hervorgerufen, sie war viel zu sehr mit dem Elitegedanken verbunden und wandte sich an den gebildeten Mittelstand. Die Zahl der Verbandsangehörigen blieb klein. Sie erreichte 1900 mit 21735 Mitgliedern einen Höhepunkt unter der Einwirkung der Flottenagitation und der Burenbegeisterung. Aber von den 18184 Mitgliedern des Jahres 1901 gehörten 5339 akademischen Berufen an,[33] das ist eine sehr ungewöhnliche Zusammensetzung einer höchst aktiven politischen Gruppe. Die Träger des alldeutschen Gedankens waren Oberlehrer, Geistliche, Richter, Anwälte, Ärzte, Fabrikanten, Kaufleute, Professoren und Studenten, ihre Wirkung auf breitere Schichten geht aus ihrem sozialen Status und ihrer Berufsausübung ohne weiteres hervor. Außerdem konnten Vereine dem Alldeutschen Verband körperschaftlich beitreten, das taten u. a. studentische Korporationen und Ortsgruppen des Deutsch-nationalen Handlungsgehilfen-Verbandes. Aber es gab auch verwandte Organisationen, in denen sich die alldeutsche Ideologie mit speziellen Aufgaben verband: die „Deutsche Kolonialgesellschaft", der „Deutsche Flottenverein", der „Deutsche Wehrverein", der „Ostmarken-Verein" und der „Deutsche Schulverein in Österreich und Deutschland", aus dem der sehr einflußreiche „Verein für das Deutschtum im Ausland" (VDA) hervorging. Auf vielen Wegen also konnten Rassenglaube und nationalistische Geschichtspropaganda mit ihren antisemitischen Untertönen in die bürgerliche Presse und die in die höheren Schulen einsickern.

---

[33] L. Werner, Der Alldeutsche Verband, 1890–1918. Historische Studien, Heft 278, Berlin 1935, S. 64f.

20. KAPITEL

SOZIALISMUS UND JUDENTUM

Die französischen Utopisten

Zwischen den zahlreichen Feinden des Judentums auf der einen und seinen in der Finanzwelt und in der Presse mächtigen Freunden und Verteidigern auf der anderen Seite, zwischen der konservativ-reaktionären, nationalistischen Gruppe und der liberalen und fortschrittlichen stand seit den 70er Jahren die junge Sozialdemokratie, in der sich die sozialistische Arbeiterbewegung Lasallescher und Marxscher Richtung zusammengefunden hatte. Sie hat alsbald zur jüdischen Frage, die sich ihr politisch als die Frage des Antisemitismus darstellte, sowohl praktisch wie theoretisch Stellung nehmen müssen. Daß sie nach anfänglichem Schwanken, das aus der Desorientierung oder dem Opportunismus entstand, den Antisemitismus entschieden verwarf und aus ihren Reihen verbannte, nachdem sie ihn soziologisch analysiert hatte, war keineswegs selbstverständlich. Es hätten sich aus der sozialistischen Theorie der 40er Jahre, aber auch von Lasalle her andere Konsequenzen ziehen lassen. Die entschlossene Gegnerschaft gegen den Liberalismus legte sie ohnehin nahe, wenn man – wie es damals üblich war – Judentum und manchesterlichen Liberalismus als eng verbündet ansah. Die Sozialdemokratie hielt aber in der Beurteilung des Antisemitismus eine feste Linie ein, sie widerstand auf die Dauer allen Versuchungen, ihn propagandistisch oder taktisch zu benutzen.

Eine andere Frage ist es, wie sie sich zur religiösen, kulturellen oder nationalen Tradition des Judentums verhielt, zu seiner Existenz als einer ideellen Gruppe, zu seiner Lebensfähigkeit und Zukunftsgewißheit. Die Frage kompliziert sich dadurch, daß manche ihrer Führer jüdischer Abstammung waren und daß es Gelegenheiten gab, wo ihr Solidaritätsgefühl mit ihren Stammesgenossen aufgerufen war, das sie als Vorkämpfer der proletarischen Weltrevolution aufgegeben hatten. – Die Entscheidung der Sozialdemokratie, was den Antisemitismus und was das Judentum angeht, muß aus mannigfachen Umständen erklärt werden.

Eine auf gründlicher Quellenforschung beruhende Untersuchung von E. Silberner[1] hat nachgewiesen, daß sich durch die sozialistische Theorie des 19. Jahrhunderts, vor allem durch die Werke der französischen Utopisten, der Antisemitismus wie ein roter Faden hindurchzieht. Die Beurteilung des Judentums richtet sich bei den frühen Sozialisten nach der Einschätzung seiner wirtschaftlichen Funktionen. Dabei sind die Saint-Simonisten im allgemeinen judenfreundlich, da sie die Bedeutung von Handel und Bankwesen für den wirtschaftlichen Fortschritt erkennen. Dagegen gilt in der Gesellschaftsordnung auf genossenschaftlicher Basis, die Fourier entworfen hat, der Handel als unproduktiv und das Judentum als parasitär; Ausnahmegesetze und Kollektiverziehung sollen diesem Übelstand abhelfen.

Für Proudhon sind die Juden die Komplicen der Monarchen, die eigentlichen Souveräne der Epoche, die Verkörperung des kapitalistischen Ausbeutungssystems. Auf die antisemitische Literatur in Frankreich, vor allem auf Toussenel, den Verfasser des auch in Deutschland vielgelesenen Buches „Les juifs, rois de l'époque“ (1845), und auf Edouard Drumonds einflußreiches Werk „La France Juive“ haben die Sozialisten eingewirkt, obwohl ihre Judenfeindschaft nicht militant war, sondern aus der allgemeinen Ablehnung einer ökonomischen Struktur hervorging, die eine unproduktive Kaste begünstigte. Die sozialistische Presse verschloß sich dem Antisemitismus nicht, da

[1] E. Silberner, Sozialisten zur Judenfrage. Ein Beitrag zur Geschichte des Sozialismus vom Anfang des 19. Jahrhunderts bis 1914. Berlin 1962.

sie ihn für eine noch unentwickelte, aber doch nützliche Form des Antikapitalismus hielt.
Die Zahl der Juden in Frankreich war klein; sie betrug 1899 schätzungsweise, da Frankreich keine Konfessionsstatistik kennt, 75 000, das sind 0,3 Prozent der Gesamtbevölkerung (in Deutschland 0,95 Prozent); davon lebten in Paris allein 45 000. Aber nach der früh erfolgten Emanzipation gehörten sie bald dem besitzenden Bürgertum an und befanden sich als Industrielle, als Staatsbankiers und Besitzer großer Zeitungen in exponierter Stellung. Im französischen Sprachgebrauch bedeutete das Wort juif seit dem 12. Jahrhundert auch „Wucherer", und die Wörterbücher übersetzen „juiverie" mit Judenschaft, mit Ghetto und mit Wucherhandel. Eine solche selbstverständliche Synonymität kennt die deutsche Sprache nicht, obwohl das Grimmsche Wörterbuch verzeichnet, daß bis ins 18. Jahrhundert hinein der Wucherer gelegentlich einfach Jude genannt wurde. Wenn der Rheinländer Karl Marx das Judentum definiert, glaubt man den Unterton von „juiverie" deutlich zu hören.
Der französische Sozialismus erfuhr die entscheidende Wendung in seiner Haltung zum Judentum erst durch den Dreyfus-Prozeß, der die Frage endgültig klärte, auf welcher Seite der Antisemitismus zu finden war. Jaurès, der sich zu den Dreyfusards bekannte, gab der sozialistischen Partei damals die Richtung an.

Karl Marx zur Judenfrage

Durch zwei Schriften von Bruno Bauer angeregt, die sich mit demselben Thema befaßten, hat Marx 1843 eine Abhandlung „Zur Judenfrage" geschrieben, die ein Jahr später in Ruges „Deutsch-französischen Jahrbüchern" veröffentlicht wurde. Sie hat seinen Anhängern, aber auch der Marx-Forschung, manche Verlegenheit bereitet und wurde von den einen als Anwendung der dialektischen Methode am falschen Objekt bezeichnet, als „langweilige und hohle Arbeit", anderen galt sie als Beweis seiner Vorurteilsfreiheit oder auch als Ausdruck des jüdischen Selbsthasses. Franz Mehring, der sie 1902 wieder drucken läßt, nachdem sie fast in Vergessenheit geraten war, erklärt sie für grundlegend und das Thema schlechthin abschließend, aber auch für geeignet, den Philosemitismus, den er für geradeso irrig hielt wie den Antisemitismus, zu widerlegen.

Sowohl Bruno Bauer wie Marx wollen den Begriff der Emanzipation grundsätzlich klären; denn die Emanzipation der Juden wurde zu Beginn der 40er Jahre in Landtagsdebatten und Petitionen als ein Artikel der geforderten Grundrechte und als Teil der allgemeinen Verfassungsfrage behandelt. Der christliche und absolutistische Staat war in Deutschland im Begriff, sich in den „politischen Staat" zu verwandeln, was er in England und Amerika längst war, die feudale Gesellschaft in die bürgerliche. Aber noch war das Prinzip des christlichen Staates lebendig, der Staatsbürger unfrei, die Gesellschaft auf Privilegien gegründet.

Man müsse die geschichtliche Situation genau analysieren, sagt der Hegelianer Bruno Bauer, in der die Juden ihre politische Emanzipation verlangten und die Liberalen mit ihnen. Bauer hatte 1839 mit der Orthodoxie radikal gebrochen und sich als Privatdozent in Bonn bald zum konsequenten Atheismus bekannt, dem die Religion nur noch als eine Selbstverfinsterung des Geistes galt. Er hatte 1843 eine alsbald beschlagnahmte und erst 1927 wieder publizierte Schrift verfaßt, der er in deutlicher Anspielung auf das berüchtigte Werk Eisenmengers vom Jahre 1711, „Das entdeckte Judentum", den Titel gab „Das entdeckte Christentum".[2] Seine Freunde Ruge und Max Stirner, auch Marx und Engels hatten sie ohne Zweifel gelesen.

Bauers Kritik gilt dem religiösen Vorurteil und dem angemaßten Privileg auf beiden Seiten, im christlichen Staat

[2] Vgl. die Vorrede von E. Barnikol zur Neuausgabe: Das entdeckte Christentum im Vormärz. Jena 1927.

wie im Judentum. Wer soll die Befreiung gewähren? fragt er. Ein unfreier Staat, in dem niemand Staatsbürgerrechte hat, in dem „an das Judenviertel notwendig die Polizeiviertel grenzen, in die wir rubriziert sind"?[3] Die Juden leiden nicht allein. Welche Anmaßung, egoistische und partikuläre Ziele zu verfolgen, statt als Deutsche für die allgemeine politische Emanzipation zu kämpfen und als Menschen für die allgemein menschliche Befreiung von den Ketten der Religion und der politischen Vorrechte. Und wer verlangt die bürgerliche Gleichstellung? Ein Volk, das niemals sein wollte wie andere Völker, das selber in der „Chimäre des ungeheuersten Privilegs" befangen ist, nämlich in seinem Erwählungsglauben, seiner Messiashoffnung, seinem Traum von künftiger Weltherrschaft, ein Volk, das sich aus dem Gang der lebendigen Geschichte selber ausgeschlossen hat – und deshalb auch ausgeschlossen wurde. Es hat mehr Schlangenhäute abzustreifen als die Christen, bis es die Sache der Menschheit zu der seinen gemacht hat. Aber auch der christliche Staat muß seine Prärogative aufgeben, d. h. aufhören ein christlicher Staat zu sein. In der Religion steckt das Prinzip der Ausschließlichkeit und der Inkonsequenz. Warum die Beschneidung verbieten und die Taufe beibehalten, die uns ja auch von der übrigen Menschheit absondert? Über unwürdig gewordene Gegensätze spricht die Geschichte das letzte Urteil, sie hebt sie auf und schreitet weiter. Das ist die historische Phase, in die Bruno Bauer den Emanzipationskampf der Juden eingebettet sieht. Er hat dabei die Möglichkeiten zum Radikalismus, zur Revolution in Permanenz, weiterentwickelt, die die Linkshegelianer in dem System ihres Meisters entdeckt hatten.

Der Kritik an der Emanzipation setzt Marx nun die Kritik der Kritik gegenüber, wie er das in mehreren seiner schriftstellerischen Arbeiten getan hat, in denen er sich

---

[3] Bruno Bauer, Die Judenfrage, S. 61.

endgültig abgrenzt von einer Richtung, die, gerade weil sie ihm nahestand, nun doch die genaue Unterscheidung verlangt.[4] In dieser Weise setzten er und Friedrich Engels sich später mit Feuerbach und Max Stirner auseinander. Für Marx war der Atheismus kein theologisches Problem mehr, die Kritik der Religion hatte er für beendigt erklärt. Dagegen mußte die Kritik der bestehenden Gesellschaft, ihrer Ökonomie und ihrer Politik, jetzt in Angriff genommen werden, und zwar mit der Absicht auf Veränderung ihrer Zustände. Damit rückt auch die Judenfrage in eine andere Perspektive. Bruno Bauer faßte sie noch immer unter theologischen Kategorien, sie war gleichsam eingekapselt in die Frage: wie verhält sich der Staat zur Religion? Marx verlangt, daß die theologische Fassung des Problems gebrochen werde und daß man nicht mehr frage: wer ist emanzipationsfähiger, die Christen oder die Juden? sondern: um welche Emanzipation handelt es sich? Offenbar um die politische Emanzipation, die in Frankreich schon 1789 vollzogen wurde und die die bürgerliche Gesellschaft hervorgebracht hat. Erst durch die Kritik der politischen Emanzipation lasse sich auch die Judenfrage auflösen „in die allgemeine Frage der Zeit". Das ist eine radikale Änderung des Standpunktes.

Was hat die politische Emanzipation, die ihren vollkommenen Ausdruck in den Menschen- und Bürgerrechten gefunden hat, in den Staaten ihrer Verwirklichung bisher erreicht? Sie hat den Menschen gespalten in den öffentlichen und den privaten Menschen, sie hat die Sphäre des privaten Egoismus gesichert und abgedichtet und das Recht des Eigennutzes proklamiert. „Sie läßt jeden Menschen im anderen Menschen nicht die Verwirklichung, sondern vielmehr die Schranke seiner Freiheit finden." Diese Freiheit ist die Freiheit „einer isolierten, auf sich zurückgezogenen Monade". Das wahre Wesen des Men-

[4] Karl Marx, Frühschriften. Stuttgart 1953. Einleitung von S. Landshut, p. XLVII.

schen ist aber sein „Gattungswesen", d. h. was jeder einzelne Mensch ist, ist er in der Gemeinschaft mit anderen. Erst wenn er seine eigentlichen Kräfte als gesellschaftliche Kräfte erkannt und organisiert hat, erst dann ist die wahre, die menschliche Emanzipation vollbracht. Die politische Emanzipation ist die bloße Reduktion des Menschen auf das egoistische, unabhängige Individuum, sie hat die Gesellschaft atomisiert und den Menschen sich selbst entfremdet. Man muß nun zeigen, wie die wirkliche Befreiung des Menschen als Gattungswesen seine Entfremdung aufhebt und zu seiner Selbstverwirklichung führt.

Das ist „die allgemeine Frage der Zeit", in die sich die Judenfrage auflöst. „Marx fühlt sich selbst", so heißt es in der Einleitung zu den Frühschriften, „gleichsam von der Vorsehung beauftragt, der Welt auf den Kopf zuzusagen, welche Stunde geschlagen hat."[5] Was Bruno Bauer noch nicht erkannt hatte: die Stunde hat nicht für eine politische Emanzipation irgendwelcher religiösen Gruppen geschlagen, sondern für eine radikale Änderung der Gesellschaftsordnung, die die Befreiung des Menschen mit sich bringen wird. Die Geschichte geht nicht in die Richtung stärkerer Individualisierung und Ausdehnung des privaten Bereichs, sondern sie bewegt sich zu auf eine Aufhebung der Spaltung zwischen Individuum und Gesellschaft. In der Richtung dieses Prozesses muß sich auch die menschliche Entscheidung bewegen, wenn sie fortschrittlich und nicht reaktionär sein will.

Auf welcher „realen Erkenntnis" des heutigen Judentums beruht diese Entscheidung? Darauf, daß man es nicht aus dem Pentateuch oder dem Talmud erklärt, sondern sein empirisches Wesen aufzeigt: das ist der Eigennutz, der Schacher, und sein weltlicher Gott ist das Geld. „Eine Organisation der Gesellschaft, welche die Voraussetzungen des Schachers, also die Möglichkeit des Schachers aufhöbe,

---

[5] Landshut, p. XLIV.

hätte den Juden unmöglich gemacht. Sein religiöses Bewußtsein würde wie ein fader Dunst in der wirklichen Lebensluft der Gesellschaft sich auflösen."[6] Die bürgerliche Gesellschaft in einer christlichen Welt hat aber bisher das praktische Bedürfnis, den Eigennutz und das Geld als den allgemeinen Wert aller Dinge zum Prinzip erhoben, sie hat das Judentum nicht nur ermöglicht und begünstigt, sondern sie hat sich in ihm potenziert. „Das Judentum", heißt es hier, „ist die gemeine Nutzanwendung des Christentums." Oder anders gesagt: das Christentum, das aus dem Judentum entsprungen ist, hat sich wieder in das Judentum aufgelöst. Da hier der dialektische Prozeß aber noch nicht sein Ende erreicht hat und die Gesellschaft den Schacher und seine Voraussetzungen (die kapitalistische Wirtschaftsstruktur) aufheben wird, hebt sich auch das Judentum auf. In zugespitzter Formulierung lautet der bündige und oft zitierte Schlußsatz: „Die gesellschaftliche Emanzipation des Juden ist die Emanzipation der Gesellschaft vom Judentum."

Haben wir es hier mit einer Stellungnahme zur Judenfrage oder mit einer Kritik der christlich-bürgerlichen Gesellschaft zu tun? Die Frage scheint berechtigt. Aber Marx wollte das Problem aus seiner theologischen Umklammerung befreien und es an seiner gesellschaftlichen Wurzel fassen. Die gesellschaftliche Funktion der Juden sah er in der reinen Geldmacherei. Damit ist das jüdische Problem zugleich das des Menschen in der kapitalistischen Gesellschaft, es ist in einer größeren Fragestellung aufgehoben und löst sich nur in einem größeren Zusammenhang. Trotzdem bleibt bestehen, daß das Judentum bei Marx als eine rein negative, den Auflösungsprozeß der Gesellschaft und die Selbstentfremdung des Menschen fördernde Kraft erscheint, als eine antisoziale Kaste von Börsenjobbern, eine „chimärische Nation" von Kaufleuten mit der Reli-

---

[6] Marx, Frühschriften, S. 201.

gion von Kaufleuten. Das Vokabular der ältesten Judenfeindschaft könnte stutzig machen, wenn es nicht gleich darauf hieße: „Aus ihren eigenen Eingeweiden erzeugt die bürgerliche Gesellschaft fortwährend den Juden." Also ist der Jude nur ein Synonym für den skrupellosen Geldmacher? Man muß es annehmen, denn von Nordamerika, wo es damals nur wenige Juden gab (1840 ungefähr 15 000) sagt Marx, daß hier die praktische Herrschaft des Judentums über die christliche Welt den deutlichsten Ausdruck gefunden habe.

Gebraucht Marx den Juden als Zerrspiegel, in dem die bürgerliche Gesellschaft doch noch ihr eigenes Bild erkennt? Als Peitsche, um sie zu züchtigen? Wie dem auch sei, das Judentum, auf die ökonomische Funktion einer kleinen Gruppe von Finanzleuten eingeschränkt, von seiner religiösen und stammesmäßigen Wurzel abgeschnitten, in seinem Selbstverständnis als Lüge entlarvt, in seinem mannigfachen Erscheinungsbild als Realität geleugnet, wird zu einem bloßen Phantom. Das Haßsymbol der Antisemiten hat nicht mehr Phantomcharakter als der Begriff des Judentums bei Karl Marx, der es doch rein aus der Erfahrung ableiten wollte. Aber da ist ein Unterschied, auf den es nun allerdings ankommt: von einer Bekämpfung der Juden als einer Kaste, als einem parasitären Element innerhalb der kapitalistischen Gesellschaft, konnte nach Marx keine Rede sein. Das jüdische Problem ließ sich gar nicht mehr aussondern, es war vollkommen eingebettet in die notwendige Entwicklung der kapitalistischen Gesellschaft. Wer die Juden als Juden bekämpft, der lenkt nur von dem eigentlichen Gegner ab. Er hat überdies nicht verstanden, daß in den ökonomischen Verhältnissen der Gesellschaft Kräfte am Werk sind, die ihren Zusammenbruch von selbst bewirken. Es gilt also eher, sie zu fördern, als sie in ihrem Zerstörungswerk zu hindern. – Es ist einzusehen, daß aus diesen Gedankengängen kein Wasser auf die Mühlen des Antisemitismus abzulenken war.

Aber es gibt noch eine andere Folgerung: die jüdische Frage hat sich sozusagen aufgelöst, ihre Bestandteile haben sich mit anderen Elementen des sozialen Daseins verbunden. Ein anderer größerer Gegensatz beherrscht das Feld, der von Kapital und Arbeit, von Bourgeoisie und Proletariat. Der Klassenkampf hebt alle anderen Spannungen völlig auf, die religiösen, die nationalen, auch die später auftauchenden oder hervorgerufenen „rassischen" Gegensätze. Das Proletariat als Subjekt im menschlichen Emanzipationskampf ist Träger der künftigen Entwicklung.

Und eine dritte Folgerung: das Judentum als Judentum hat seine Existenzberechtigung verloren. Zeremonialgesetz, Berufsstruktur und Privilegierung, im positiven Sinne als Hoffinanziers, im negativen als Parias der Gesellschaft, sind Relikte des finstersten Mittelalters, sein religiöses Bewußtsein wird sich „wie ein fader Dunst in der wirklichen Lebensluft der Gesellschaft auflösen". Wenn die einzelnen Juden auf der Seite der Kapitalisten oder der Proletarier stehen – Marx wußte in den 40er Jahren noch nicht, daß es auch ein jüdisches Industrieproletariat geben würde –, so tun sie es nicht als Juden, sondern als Angehörige einer Klasse.

Was in dieser Prognose einer künftigen totalen Absorption der Judenheit nicht berücksichtigt war, ist die religiöse und nationale Substanz des Ostjudentums, für das Marx und Engels nur eine aufklärerische Verachtung hatten. Was nicht vorauszusehen war, ist die innere Erneuerung, die in der „jüdischen Renaissance" und im Zionismus um die Jahrhundertwende aufbrach. In Westeuropa schien die zunehmende Assimilierung der Judenheit in den nächsten Jahrzehnten Marx recht zu geben.

Der Briefwechsel von Marx und Engels enthält viele spöttische und verächtliche Bemerkungen über jüdisches Wesen, besonders Lassalles glänzende Begabung und unausgeglichener Charakter, sein phantastischer Ehrgeiz und seine effektvolle Schauspielerei fordern die beiden dazu heraus.

Marx, der einer alten rheinischen Rabbinerfamilie entstammte, aber schon in einem bürgerlich-assimilierten Elternhaus aufwuchs, hat sich nie als Jude gefühlt, wohl aber eine besondere Empfindlichkeit gegen „jüdische Eigenschaften“ zeitlebens bewahrt. Seine frühe Stellungnahme zur Judenfrage hat er später nicht mehr korrigiert, sie war für ihn abgetan. Auch zu der antisemitischen Bewegung der frühen 80er Jahre und zu den ersten Pogromen in Rußland, die er noch erlebte, hat er sich nicht mehr geäußert. Zur deutschen Sozialdemokratie bewahrte er kritische Reserve. Fragen der parteipolitischen Taktik interessierten den Alternden nicht mehr, der sich in der Bibliothek des Britischen Museums in seine wissenschaftliche Riesenarbeit vergrub. So ist Friedrich Engels, der Marx 12 Jahre überlebte, die Aufgabe zugefallen, von London aus die Führer der deutschen Arbeiterbewegung zu beraten; er hat dabei auch zum Antisemitismus Stellung genommen, der zu Beginn der 90er Jahre eine bedrohliche Macht zu sein schien.

Die deutsche Sozialdemokratie und der Antisemitismus

Dem politischen Antisemitismus begegnete die deutsche Sozialdemokratie zum erstenmal, als die Stoecker-Bewegung versuchte, in Berliner Arbeiterkreisen Fuß zu fassen. Da es in ihren eigenen Reihen Lassalleaner gab, deren rechter Flügel staatssozialistischen Tendenzen nicht abgeneigt und zu gelegentlichem Bündnis mit konservativen Sozialreformern sogar bereit war, da Eugen Dührings ökonomische Theorien in manchen Köpfen Verwirrung angestiftet hatten, war die junge Partei zu einer klaren Stellungnahme aufgefordert. Sie stand selbst seit 1878 unter dem Druck des Sozialistengesetzes und faßte im Januar 1881 eine Resolution, in der sie alle Versuche, die verfassungsmäßige bürgerliche Gleichberechtigung der Juden rückgängig zu machen, sie also auch unter ein Ausnahmegesetz zu stellen, entschieden verurteilte. Zugleich warnte sie die Arbeiter vor jeder Beteiligung an angeblich volksfreundlichen, im Grunde aber reaktionären Bestrebungen.[7] Das war eine Kampfansage an Bismarcks Sozialpolitik und an den kirchlich-konservativen Obrigkeitsstaat, als dessen Werkzeug sie Stoecker ansah. Auf die Judenhetze der „Berliner Bewegung" antwortete die Partei mit der Aufstellung Paul Singers, eines jüdischen Fabrikanten, als Kandidaten für das Berliner Stadtparlament. Singer hatte zuerst zu den „Freisinnigen" gehört, war aber nach dem Sozialistengesetz 1878 der Sozialdemokratischen Partei beigetreten. 1884 wurde er in den Reichstag gewählt und war ein Jahr später Fraktionsvorsitzender.

Aus London hatte sich Friedrich Engels 1881 in Briefen an die Führer der deutschen Sozialdemokratie über „die geistigen Veitstänze eines Narren wie Stoecker" geäußert. Die Bewegung sei von oben geleitet, ein reines konservatives Wahlmanöver, sie werde auf höheren Befehl wieder in nichts zusammenfallen. Man könne sie nicht verächtlich genug behandeln. Aber so rasch erfüllte sich diese Prognose nicht, und so schreibt Engels zwei Jahre später an Eduard Bernstein, darin bestehe gerade der für die Arbeiterklasse „arbeitende historische Witz", daß sich die verschiedenen Elemente der feudalen und bürgerlichen Klassen zu ihrem Vorteil aneinander abarbeiteten und sich gegenseitig auffräßen. Erst so würden die Verhältnisse „reif".[8]

Inzwischen hatten aber die Pogrome in Rußland die deutschen Sozialdemokraten aufhorchen lassen. In Wien organisierte Georg von Schönerer eine antisemitische Bewegung, die bei den Arbeitern wenig Anklang fand, aber Erfolge im Kleinbürgertum hatte. Es entstanden anti-

---

[7] Bernstein, Arbeiterbewegung. II, 59 f. Vgl. auch Massing, S. 180 ff.

[8] Briefe von Fr. Engels an Ed. Bernstein. Hrsg. E. Bernstein, Berlin 1925, S. 19; 24; 123 f.

semitische Vereine, und die Wahlen von 1891 brachten 13 antisemitische Abgeordnete in den Reichsrat. Eine Bewegung, die die Massen ergriff, mußte ökonomische Wurzeln haben, man konnte sie nicht als Wahlmanöver und Propagandatricks abtun. Das Interesse der sozialdemokratischen Führer wendet sich nun der soziologischen Analyse der für den Antisemitismus anfälligen Volksschichten zu. Denn nach der berühmten Formulierung von Marx ist es nicht das Bewußtsein der Menschen, das ihr Sein, sondern umgekehrt ihr gesellschaftliches Sein, das ihr Bewußtsein bestimmt.

Engels hatte in einem Brief vom 9. Mai 1890, der in einer Wiener Arbeiterzeitung abgedruckt wurde, das Phänomen des Antisemitismus zum ersten Male als den ideologischen Überbau einer bestimmten ökonomischen Struktur beschrieben.[9] Seine Grundgedanken sind in der Folgezeit immer wiederholt, genauer begründet und den jeweiligen Erscheinungen angepaßt worden. Damit erhielt das Gespräch über das Judentum und seine Gegner eine völlig neue, sehr nüchterne Basis.

Der Antisemitismus sei das Merkzeichen einer zurückgebliebenen Kultur, heißt es da, und finde sich vor allem in Ländern mit einer noch halbfeudalen Sozialstruktur und überholten Eigentumsverhältnissen, nämlich in Preußen, Österreich und Rußland. Dort sei die Produktion noch zum Teil in den Händen von Handwerkern, Bauern und Gutsbesitzern, mittelalterlichen, nunmehr dem Untergang verfallenen und häufig bei jüdischen Geldgebern verschuldeten Schichten. Wenn das Kapital sich der gesamten Produktion bemächtige und diese reaktionären Klassen jetzt vernichte, so tue es, was seine historische Aufgabe sei, und bringe die zurückgebliebenen Preußen und Österreicher auf den modernen Standpunkt, wo alle gesellschaftlichen Unterschiede aufgehen in dem großen Gegen-

[9] Text bei Massing, S. 188 f.

satz von Kapitalisten und Lohnarbeitern. „Der Antisemitismus“, so fährt Engels fort, „ist also nichts anderes als eine Reaktion mittelalterlicher, untergehender Gesellschaftsschichten gegen die moderne Gesellschaft ... und dient daher nur reaktionären Zwecken unter scheinbar sozialistischem Deckmantel; er ist eine Abart des feudalen Sozialismus, und damit können wir nichts zu schaffen haben.“ Inzwischen gebe es in England und Amerika, dank den europäischen Antisemiten und der großen jüdischen Emigration, schon Tausende von jüdischen Arbeitern, die ausgebeutet und elend seien. Also kein Bündnis mit dem Antisemitismus gegen das Kapital!

Das war die Parteilinie, an die sich die deutsche Sozialdemokratie von nun an hielt. Sie wurde aber durch die Agrarkrise zu Anfang der 90er Jahre noch einmal auf die Probe gestellt. Die erfolgreiche Agitation von Ahlwardt und Böckel unter der Landbevölkerung in Pommern und Hessen und der Wahlsieg der Antisemitenparteien erregten die Besorgnis, ob man sich die Stimmen der „untergehenden Schichten“ einfach wegfangen lassen könne. Aber Agrar- und Mittelstandspolitik betreiben hätte soviel bedeutet wie den Kleinbauern und Handwerkern das Privateigentum versprechen und diese „archaischen Klassen“ vor dem Untergang zu retten.[10] Das war im Sinne der marxistischen Theorie nicht möglich und wurde abgelehnt.

Auf dem Kölner Parteitag im Oktober 1893 kam auch der Antisemitismus auf die Tagesordnung, man hatte die Aussprache darüber lange verschoben. Bebel unternahm es, ihn sehr gründlich zu analysieren: seine widerspruchsvollen, teils ultrakonservativen, teils demokratischen und sozialistischen Forderungen, seine zur Schau getragene Opposition gegen bestehende Verhältnisse, die staatlich erlaubt sei und mit Beteuerungen der Loyalität und Königstreue

[10] Vgl. hierzu Massing, S. 193 ff.

zugleich vorgetragen werde, sein Zusammenhang mit Wirtschaftskrisen und mit der Mißstimmung bedrohter kleinbürgerlicher Schichten, seine Verbreitung bei „Junkern und Pfaffen", die fortschrittsfeindlich seien, und endlich seine echte ökonomische Grundlage, die ideologisch verbrämt sei, und seine psychologischen Motive, die man ins Bewußtsein heben müsse.

Die Beschreibung des komplizierten Phänomens war klug und richtig, seine ökonomische und sozialpsychologische Deutung einleuchtend. Man konnte glauben, sich seiner rational völlig bemächtigt zu haben, und wagte eine optimistische Prognose. Die von Bebel vorgeschlagene und von der Partei angenommene Resolution schließt mit dem Satz: „Die Sozialdemokratie bekämpft den Antisemitismus als eine gegen die natürliche Entwicklung der Gesellschaft gerichtete Bewegung, die jedoch trotz ihres reaktionären Charakters und wider ihren Willen schließlich revolutionär wirkt, weil die von dem Antisemitismus gegen die jüdischen Kapitalisten aufgehetzten kleinbürgerlichen und kleinbäuerlichen Schichten zu der Erkenntnis kommen müssen, daß nicht bloß der jüdische Kapitalist, sondern die Kapitalistenklasse überhaupt ihr Feind ist und daß nur die Verwirklichung des Sozialismus sie aus ihrem Elende befreien kann." [11]

Zu dieser Erkenntnis kamen jene Schichten aber keineswegs, und der Antisemitismus verwandelte sich nicht dialektisch in eine vorrevolutionäre Phase, die den großen Prozeß dann doch ins Rollen brachte. Vorläufig gab man die Hoffnung aber nicht auf, und die Sozialdemokratie konnte, theoretisch beruhigt, den unheimlichen Vorgängen zwar ablehnend, doch zuwartend und passiv gegenüberstehen. Auf die mit Sicherheit vorauszusehende Proletarisierung der zurückgebliebenen Mittelschichten war die Aufmerksamkeit vornehmlich gerichtet, sie würde den

---

11 Protokoll über die Verhandlungen des Parteitages der Sozialdemokratischen Partei Deutschlands. Berlin 1893, S. 224.

Antisemitismus von selbst aufheben. Es war der Determinismus der marxistischen Geschichtsauffassung, mit dem die Sozialdemokratie ihre passive Haltung angesichts einer Erscheinung rechtfertigte, die sie doch tiefer durchschaute und schonungsloser entlarvte als deren übrige Gegner.

Am entschiedensten trat Franz Mehring, der Geschichtsschreiber der deutschen Sozialdemokratie, für eine strikte Neutralität in der Auseinandersetzung zwischen Antisemiten und Philosemiten ein. Den Antisemitismus verachtete er, seine „Enklaven" seien über Deutschland verstreut „wie allmählich verdünstende Tümpel, welche die kapitalistische Überschwemmung zurückgelassen hat".[12] Den Philosemitismus der Fortschrittler sah er im Bunde mit merkantilistischer Wirtschaftsgesinnung und mißtraute ihm als dem gefährlicheren Gegner. „Über den Brutalitäten", sagt Mehring, „welche der Antisemitismus, mehr in Worten als in Taten, gegen die Juden begeht, darf man die Brutalitäten nicht übersehen, welche die Philosemiten, mehr in Taten als in Worten, gegen jeden begehen, der, sei es nun Jude oder Türke, Christ oder Heide, dem Kapitalismus widerstrebt." Die angeblich humane und tolerante Gesinnung des besitzenden Bürgertums zu entlarven, das sich über ein den Juden angetanes Unrecht entrüstete, das millionenfache Elend der arbeitenden Klasse aber nicht wahrhaben wollte, schien Mehring wichtiger, als die Schreier und Quacksalber zu bekämpfen, die mit dem Judenhaß um das Kleinbürgertum warben. „Herr Stoecker ist keine grellere Satire auf Karl Marx, als Herr Eugen (Richter) eine grelle Satire auf Lessing ist." Solche Gegensätze waren nichtig angesichts des gewaltigen Kampfes zwischen den Klassen, und die Fahnenträger der Scharmützel erschienen ihm als lächerliche Figuren, weil sie die Schlachtordnung im großen nicht kannten.

So schroff wie Mehring haben sich die anderen Führer der

[12] F. Mehring, Anti- und Philosemitisches. Neue Zeit, IX, 2, 1890/91, S. 585–588.

Sozialdemokratie nicht gegen den Liberalismus geäußert. Eduard Bernstein warnte sogar ausdrücklich davor, den sog. Philosemitismus in dieser Weise anzugreifen. Aber die Neutralität wurde doch die Parole der Partei, die die Hoffnung nicht aufgab, daß der Wind politischer Erregung, der die bisher stagnierenden Schichten erfaßt hatte, dereinst in ihre eigenen Segel blasen würde. So behauptete Philipp Scheidemann noch 1906 in einem Rückblick auf die „Wandlungen des Antisemitismus", seiner Demagogie gebühre doch das Verdienst, die verspießerten und versimpelten Schichten politisch interessiert zu haben, die bisher von keiner Partei in Bewegung gesetzt worden seien.[13]

Daß der Antisemitismus einen so friedlichen Nutzen gehabt habe, ist vom heutigen Standpunkt aus ein groteskes Fehlurteil. Damals aber sah es so aus, als sei die Bewegung der 80er und 90er Jahre wirklich das letzte Aufflackern von Judenhaß gewesen. Mit dem wirtschaftlichen Aufschwung der imperialistischen Ära versickerte die antisemitische Agitation, die Parteien schrumpften zusammen und waren im Reichstag nur noch ein Anhängsel der Konservativen, auf das diese aber verzichten konnten. Sobald der Antisemitismus politisch nicht mehr in Erscheinung trat und aufgehört hatte, eine Massenbewegung zu sein, interessierte er weder die Liberalen noch die Sozialdemokraten. In der völkischen Ideologie und im aggressiven Nationalismus lebte er allerdings weiter, und in dieser Verbindung tauchte er nach dem verlorenen Krieg gefährlich wieder auf.

An Wohlstand und Sicherheit der Vorkriegsjahre nahmen auch die deutschen Juden teil, ihre rechtliche und staatsbürgerliche Stellung war allen Angriffen zum Trotz unerschüttert geblieben. Alle Berufe außer der Offizierslaufbahn waren ihnen geöffnet. Gesellschaftliche Schranken

---

[13] Neue Zeit, XXIV, 2, 1906, S. 632 ff.

gab es zwar noch, aber in der halbfeudalen Gesellschaft bestanden sie auch für Bürgerliche und erst recht für Sozialdemokraten. Die Assimilation machte so rasche Fortschritte, daß die Juden als ein Kollektiv nur noch für die Anhänger der völkischen Ideologie und der Rassentheorie und für den dumpfen und latenten Antisemitismus existierten, wenn man von dem Band der jüdischen Religionsgemeinschaft absieht, das ja längst nicht mehr alle umfaßte. Die Sozialdemokratie war weit davon entfernt, Judentum als Rasse zu definieren, die Konfession interessierte sie nicht, die Juden in ihren Reihen waren Sozialisten, und die meisten wollten auch nichts anderes sein. Der Begriff Judentum schien sich aufgelöst zu haben, wie Marx vorausgesagt hatte.
Die Judenverfolgungen in Rußland und die bald darauf einsetzende große Auswanderung nötigten aber die sozialistischen Theoretiker, sich mit der lebendigen Realität Judentum nun doch auseinanderzusetzen. Sie taten es früher und mit größerer Aufmerksamkeit als die bürgerlichen Parteien; ihr Interesse galt dabei dem sozialen Phänomen, ihre Hoffnung richtete sich auf die künftige Revolution in Rußland.

Das Ostjudentum

In den osteuropäischen Staaten lebten vor der jüdischen Wanderbewegung im Anfang der 80er Jahre über 5$^1/_2$ Millionen Juden, davon fast vier Millionen in Rußland, die übrigen in Galizien, Ungarn und Rumänien.[14] Rußland war bis zum Ausgang des 19. Jahrhunderts das größte jüdische Siedlungsgebiet der Welt (1897: 5,2 Millionen), heute sind es die Vereinigten Staaten. In Polen, Litauen, Weißrußland und in der Ukraine drängte sich die Masse

---

[14] Adler-Rudel, Ostjuden in Deutschland 1880–1940. Schriftenreihe wissenschaftl. Abhandlungen des Leo-Baeck-Institute of Jews from Germany. Tübingen 1959, S. 2.

der jüdischen Bevölkerung in Ansiedlungsrayons zusammen, nur sechs Prozent lebten verstreut im übrigen Rußland. Innerhalb dieser Siedlungsgebiete machten sie elf Prozent der Gesamtbevölkerung aus, aber 80 Prozent aller Juden lebten in Städten. Daher war ihr Anteil an der Stadtbevölkerung der Rayons im Durchschnitt fast 40 Prozent, an der Landbevölkerung nur drei Prozent. Es gab auch Marktstädte mit 50 bis 80 Prozent Juden.[15] Diese Zusammenballung war das Ergebnis der restriktiven Gesetzgebung der zaristischen Regierung. Die Ermordung Alexanders II. hatte eine erste Pogromwelle ausgelöst, an der die staatlichen Behörden nicht unbeteiligt waren, da es ihnen um Ablenkung der revolutionären Unruhen zu tun war. Gerüchte von einem angeblichen Zaren-Ukas, der die Plünderung der Judenviertel freigab, gingen dem Pogrom voraus. Polizei und Militär standen untätig beiseite und griffen gewöhnlich erst am dritten Tage ein. Die Vorgänge wiederholten sich in vielen Städten nach demselben Schema, gewöhnlich in der Osterwoche: zuerst plünderten und brandschatzten die städtischen Kleinbürger, dann hielten die Bauern der Umgebung eine Nachlese. Mittelalterlicher, von den Popen genährter Judenhaß, wirtschaftlicher Konkurrenzneid und verhohlene staatliche Lenkung kamen zusammen.
Die Regierung nahm die Ausbrüche von Volkshaß als Beweis für die Schädlichkeit der Juden und beantwortete sie mit verschärften Ausnahmegesetzen. Das „Provisorische Reglement" von 1882, das 35 Jahre in Geltung blieb, verbot den Juden den Bodenerwerb und die Neuansiedlung auf dem Lande, preßte sie also noch enger in den Städten zusammen. Aus Petersburg, Moskau, Kiew und anderen Reichszentren wurden die dort ehemals als Handwerker zugelassenen Juden ausgetrieben. Es folgten weitere Gesetze, die die Freizügigkeit noch mehr einschränkten und

[15] Herder-Korrespondenz, Die Juden in der Sowjet-Union. Sept. 1961, S. 568.

den Besuch von Schulen und Universitäten an die „Prozentnorm" banden, also einen Numerus Clausus für die jüdische Jugend schafften. Man begründete das mit ihrem revolutionären Geist und hatte damit nicht unrecht, da Bildungsdrang und Freiheitsdrang schwer zu trennen sind. Man zwang sie damit, im Ausland zu studieren, wo sie mit revolutionären Gedanken erst recht in Berührung kamen. Das geschah sehr bald, vor allem an den Universitäten in Berlin, Zürich, Genf und Paris.[16]
Sowohl die Regierungsmaßnahmen wie die sich in den 90er Jahren, dann 1903 und während der Revolution von 1905 wiederholenden Pogrome in der Ukraine, in Polen und Beßarabien riefen die große Auswanderungsbewegung hervor, die größte in der jüdischen Geschichte seit der Vertreibung aus Spanien am Ende des 15. Jahrhunderts. Die Vereinigten Staaten, wo sie nach fünf Jahren das Bürgerrecht erwerben konnten, galten den Flüchtlingen als das gelobte Land. Die von den Rothschilds und Baron Hirsch geförderten Versuche, sie in Argentinien und in Palästina anzusiedeln, hatten wenig Erfolg. Von 1881 bis 1890 wanderten etwa 400 000 Juden aus Rußland, Galizien und Rumänien nach Amerika aus, zu einem Drittel blieben sie in New York, wo eine geschlossene jüdische Siedlung sie schon erwartete. In den 90er Jahren waren es jährlich fast 100 000, das wiederholte sich in den Pogromjahren 1903 und 1905. Von 1881 bis 1914 verließen etwa 2½ Millionen Juden ihre Heimat in Osteuropa.[17] Deutschland war für die Auswanderer nur das Durchgangsland, die preußisch-deutschen Polizeibestimmungen über Einreise und

---

[16] Vgl. Chaim Weizmann, Memoiren. Hamburg 1951.

[17] Statistische Angaben für die jüdische Einwanderung nach USA sind schwierig, da die offiziellen Immigrationsjahrbücher erst 1898 eine Nationalitätenrubrik einführen und die Auswanderungsländer die Höhe der jüdischen Emigration nur selten verzeichnen. Für den beträchtlichen Teil jüdischer Auswanderer, der sich in Hamburg nach Amerika einschiffte, liegen folgende Zahlen vor, aus denen sich die Massenflucht aus Rußland ablesen läßt: 1880: 8000, 1882: 31 000, 1887: 62 000, 1892: 136 000, von da an bis 1904: ca. 70 000 jährlich, ansteigend während des Jahrzehnts bis 1914 auf 109 000 jährlich. Adler-Rudel, Ostjuden in Deutschland, S. 5.

Aufenthalt von Ausländern wurden auf russische und galizische Juden mit äußerster Strenge angewandt, aber die Durchreise war ihnen erlaubt. Die Universitäten kannten keine Beschränkungen bei der Aufnahme russisch-jüdischer Studenten. In den europäischen Hauptstädten blieben viele der Flüchtlinge hängen, vor allem in Wien, Paris und London, wo es im Eastend um 1890 bereits ein jüdisches Industrieproletariat gab. Friedrich Engels hat diese Entwicklung aufmerksam beobachtet.

Die Begegnung mit dem ostjüdischen Flüchtlingsstrom und mit den jüdischen Studenten in Berlin, vor allem die Berichte russischer Sozialisten stellten der deutschen Sozialdemokratie ein unerwartetes Bild jüdischer Wirklichkeit vor Augen, das mit dem assimilierten, liberal und national gesinnten Westjudentum wenig zu tun hatte. Rußland war das Land ohne Emanzipation und ohne die Folgeerscheinungen der rechtlichen Gleichstellung und sozialen Eingliederung. In den weiträumigen Ghettos der den Juden zugewiesenen Siedlungsbezirke hatte sich eine eigenständige jüdische Kultur, eine eigene Sprache und Literatur (die jiddische), ein Gefühl nationaler Zusammengehörigkeit erhalten. Das Ghetto war die äußere Klammer, die das Judentum zu einer Schicksalsgemeinschaft zusammenschloß, durch die Verfolgungen wurde sie noch enger. Auch die strenge Befolgung der Religionsgesetze hatte sich hier lange bewahrt. Als am Ende des 19. Jahrhunderts unter dem Einfluß zionistischer und sozialistischer Gedanken, die die jüdische Jugend von Schulen und Universitäten mitbrachte, die religiöse Gemeinschaft sich allmählich lockerte, gab der aufflammende jüdische Nationalismus den verstreuten Volksgruppen ein neues Gefühl der Zusammengehörigkeit.

Da die äußere Emanzipation ihnen versagt war, fand in den Ansiedlungsrayons ein Prozeß der Selbstemanzipation statt. Es gab nun innerhalb der jüdischen Gemeinschaft verschiedene Richtungen: eine liberale mit assimilatorischen Tendenzen, eine zionistische sowohl religiöser wie areligiöser Färbung, eine orthodoxe, die den Zionismus erbittert ablehnte, und eine jüdisch-sozialistische, die innerhalb des russischen Sozialismus auf einer Sonderstellung beharrte. Der sich für die Rechte der Minderheiten und die Kulturautonomie einsetzende jüdische Sozialismus wurde in den 90er Jahren unter der Führung jüdischer Intellektueller zu einer Massenbewegung unter den Handwerkern und Lohnarbeitern in Litauen und Weißrußland, dann auch in den Industriezentren von Warschau und Lodz. Er schaffte 1897 im „Allgemeinen jüdischen Arbeiterbund" eine Sonderorganisation, die 1898 der neugegründeten russischen sozialdemokratischen Arbeiterpartei als Sondersektion beitrat, sich wegen ihrer föderalistischen Tendenzen zeitweilig von ihr löste, aber die Verbindung dann doch nicht aufgab.[18] Dieser jüdisch-sozialistische „Autonomismus" lehnte den Zionismus als eine geistige Bewegung nicht ab, war aber gegen die allgemeine Auswanderung nach Palästina und hielt den jüdischen Staat für eine Utopie. Er verstand Zionismus als eine auf kulturelle Autonomie und nationale Selbstbesinnung gerichtete Organisation des Judentums in der Diaspora. Die strengen russischen Marxisten sowohl wie die deutsche Sozialdemokratie lehnten den jüdisch-sozialistischen „Bund" ab, der ihrer Überzeugung von der Solidarität des Weltproletariats widersprach und sich auf nationale Traditionen berief, die nach ihrer Ansicht endgültig der Vergangenheit angehörten.

Aber gab es ein jüdisches Proletariat, auf das man rechnen konnte? In Deutschland existierte keine geschlossene Schicht von jüdischen Lohnarbeitern. In den USA und in England gab es erst seit der großen Auswanderung aus Osteuropa ein in bestimmten Zweigen der Fertigproduktion beschäftigtes jüdisches Industrieproletariat auch nur

---

[18] Dubnow, X, 351 ff.

in wenigen großen Städten.[19] In Österreich und Rußland hatte die plötzlich einsetzende kapitalistische Produktion die ökonomisch schwachen Schichten, zu denen auch die Juden gehörten, besonders getroffen. Hier gab es eine Schicht jüdischer Lohnarbeiter in meist rückständigen industriellen Kleinbetrieben, die Juden gehörten. Von der übrigen Arbeiterschaft trennten sie hier noch Sprache, Sitte und rituelle Bindung.

Aber sonst waren die jüdischen Massen in den Ansiedlungsrayons und in Galizien ein sozialer Sonderfall. Im agrarischen Rußland waren kurz vor dem Weltkrieg nur 3,55 Prozent in der Landwirtschaft beschäftigt, 38,65 Prozent im Handel, 35,43 Prozent waren Handwerker, 12,1 Prozent Dienstboten, Tagelöhner, deklassierte oder sog. Luftmenschen.[20] Die Zahl dieser letzteren, die von Gelegenheitsdiensten oder von nichts lebten, war in den Judenvierteln der größeren Städte und in den Elendsgebieten Galiziens noch beträchtlich höher, man schätzt sie auf 20 Prozent. Sie stellten eine besondere soziologische Kategorie des Ghetto dar. Die Kleinhändler und Handwerker, oft Alleinmeister und Heimarbeiter, waren eine gesunkene Schicht von Kleinbürgern, deren soziales Niveau sich häufig von dem des Bettlers nicht unterschied. Die Ursachen des Elends lagen einmal in der Anomalie der jüdischen Berufsstruktur überhaupt, dann in der Industrialisierung, an deren Früchten nur eine kleine Schicht jüdischer Fabrikanten teilnahm, vor allem aber in der Zusammenballung jüdischer Massen in den Städten, die ihnen keine ausreichende ökonomische Grundlage mehr boten. Im ehemaligen Polen hatten die Juden als Pächter und Agenten die Geschäfte des Gutsherrn besorgt und eine Zwischenschicht zwischen Adel und Bauern gebildet. Seit der Bauernbefreiung vermittelten sie zwischen Stadt und Land,

---

[19] Arthur Ruppin, Die Juden der Gegenwart. Eine sozialwiss. Studie. Köln und Leipzig 1911, S. 102 f.

[20] Jüdisches Lexikon, Berufsstatistik, Art. „Rußland".

kauften die landwirtschaftlichen Produkte auf und belieferten die Bauern mit städtischen Waren. Daraus erklärt sich der virulente Judenhaß des orthodoxen und notleidenden russischen Bauerntums, der sich in Krisenzeiten in Exzessen Luft machte. Gleichzeitig aber drängten viele landlose Bauern in die Städte und städtischen Gewerbe und trafen hier auf die lästige Konkurrenz jüdischer Handwerker. Die Verachtung der „Christusmörder" kam hinzu, sie wurde von den Popen geschürt und hatte ein mittelalterliches Gepräge.

Ein ungewöhnlich anschauliches Bild von diesen auch in der jiddischen Literatur oft geschilderten Zuständen in den Ansiedlungsrayons erhält man aus den Memoiren einer russischen Jüdin, die mit ihrer Familie 1894 nach Amerika, in das „Land der Verheißung", auswandert und mit einer erstaunlichen Kraft der Erinnerung eine Kindheit beschwört, die im Mittelalter gelebt wurde und im 20. Jahrhundert erzählt wird. Was sie schildert, ist eine in zwei Teile auseinanderfallende Welt, das heimische Polotzk und das fremde, feindliche Rußland, „das dem Zaren und der Polizei gehört", dann die Angst vor den Ostertagen und den Prozessionen, die Intensität des jüdischen Familienlebens und die zähe Verteidigung des immer schmaler werdenden Erwerbsraumes durch Bestechungen, Listen, Betrügereien – eine Art Kriegsbrauch, denn man lebt in Feindesland – das strenge Ritualgesetz, die Frömmigkeit und die Unwissenheit, der Hunger nach Bildung, die Flucht des Vaters nach Amerika und drei Jahre später die Auswanderung der völlig verarmten Familie in das Proletarierviertel einer amerikanischen Großstadt. Es ist der typische Ablauf des Schicksals von Hundertausenden, zugleich ein Kapitel moderner jüdischer Geschichte.[21]

Als die Pogromwellen in England und Frankreich Proteste hervorriefen, die Liberalen in Rußland aber schwiegen,

---

[21] Mary Antin-Grabau, Vom Ghetto ins Land der Verheißung. Stuttgart 1913.

gab es für die kleinen Kreise jüdischer Intelligenz nur zwei Wege, den zum revolutionären Sozialismus und den zum Zionismus.

Karl Kautsky über „Rasse und Judentum"

Die Entwicklung in Rußland wurde von der deutschen Sozialdemokratie aufmerksam verfolgt. Die sozialistische Wochenschrift „Neue Zeit" beschäftigte sich seit den 90er Jahren in einer Reihe von Artikeln mit der wirtschaftlichen Lage des Ostjudentums und seiner psychologischen Struktur, aber auch mit den Motiven des Judenhasses und mit der aus ökonomischen Bedingungen notwendig hervorgehenden künftigen Entwicklung. Sie tat es, wenn man an die gleichzeitigen ebenso ahnungslosen wie bösartigen Äußerungen der Rassentheoretiker und Völkisch-Nationalen denkt, mit Sachkenntnis und ohne Vorurteil, versuchte aber die befremdende wirtschaftliche Anomalie der jüdischen Bevölkerung dem Schema der Klassengegensätze anzupassen.[22] 1914 hat Karl Kautsky, der Theoretiker des Marxismus und Herausgeber der „Neuen Zeit", die Stellung der deutschen Sozialdemokratie zu Rasse und Judentum ausführlich und zusammenfassend erläutert.[23] Diese Schrift enthält viele Wahrheiten und einen großen Irrtum, der daraus entsteht, daß die religiöse Substanz des Judentums ausgeklammert oder geleugnet wird. So ist auch ihre Prognose falsch, obwohl sie sich auf eine gewissenhafte Analyse des derzeitigen Zustands stützt.

Kautsky widerlegt die primitiven Dogmen des Sozialdarwinismus und der Elitetheorie der Rassenlehre, die er eine Erfindung von Schulmeistern nennt. Mit der Berufung auf die Rasse habe man jede Kritik an der Gesellschaft und den Einfluß des Milieus leugnen können. Für die keineswegs angeborenen Eigenschaften des jüdischen Volkes gebe die jeweilige Umwelt und die ökonomische Struktur

---

[22] M. Zetterbaum, Klassengegensätze bei den Juden. Neue Zeit, XI, 2, 1893.

[23] K. Kautsky, Rasse und Judentum. Neue Zeit, 1914, Ergänzungsheft Nr. 20.

eine ausreichende Erklärung, man müsse nur bekannte Tatbestände analysieren. Die Juden seien das einzige Volk der Erde, das seit zwei Jahrtausenden eine rein städtische Bevölkerung bilde, die jüdische Eigenart sei die auf die Spitze getriebene Eigenart des Städters. Als Fremde unter Fremden lebend hätten sie sich dem Handel als dem nächstliegenden Beruf zugewendet. Aber nicht der Handelserwerb stehe in der Wertordnung jüdischen Daseins am höchsten, sondern die Geistesarbeit, vornehmlich die Beschäftigung mit der Philosophie und Medizin. Daß es das Talmudstudium war, das den polnischen Ghettojuden oft sogar vom kümmerlichen Broterwerb für die Familie abhielt, sodaß er ihn Frau und Kindern überließ, verschweigt Kautsky. Aber das gehörte für ihn zu den Relikten religiösen Aberglaubens, die er nicht anerkennen konnte.
Der Schwerpunkt der Judenfrage, so urteilt er richtig, liege heute in Rußland. Dort hätten der Druck des Zarismus und die Feindseligkeit der Umwelt eine besondere jüdische Nationalität bewahrt, die mit der Befreiung aus dem Ghetto von selber verschwinden werde. Der Zionismus, der sich auf sie berufe, sei ein Literatenprojekt, sein politisch-soziales Zukunftsbild eine reine Utopie, die jeder ökonomischen Gesetzmäßigkeit spotte. Ein Judenstaat müsse die Stufe des industriellen Kapitalismus erst nachholen, biblische Erinnerungen seien dafür kein Ersatz. Der Liberalismus habe die gesellschaftliche Gleichheit der Juden nicht durchsetzen können. Es gebe nur eine einzige Kraft, die jede gesetzliche und soziale Ungleichheit beseitigen müsse, wenn sie sich selbst befreien wolle: das siegreiche Proletariat. Das bedeute dann zugleich die Auflösung des Judentums. Aber „keine Träne fürs Ghetto!“ ruft der Verfasser aus. Sein Verschwinden werde Wohlstand und Gedeihen und ein neues höheres Menschentum zur Folge haben. Die Juden seien ein eminent revolutionärer Faktor geworden, das Judentum aber ein reaktionärer,

ein Bleigewicht am Fuße der Vorwärtsdrängenden. Nur im sozialistischen Staat der Zukunft werde Ahasver endlich zur Ruhe kommen.

Das war die Überzeugung der Sozialdemokratie, die wieder in Marx einmündet, bereichert um die Erfahrung des Ostjudentums und der nationaljüdischen Bewegung, aber nicht eigentlich belehrt. Sie ist der antisemitischen Verstocktheit beträchtlich überlegen, aber dem neuen Dogma der Milieutheorie und des ökonomischen Gesetzes verfallen. Dem Determinismus der Rassenlehre setzte sie eine andere Zukunftsgewißheit entgegen: sie beruhte auf ökonomischen Einsichten *und* auf Glaubenssätzen, die manche richtigen Erkenntnisse verabsolutierten und sie wieder in Irrtümer verwandelten. Die „absterbenden Schichten" des Kleinbürgertums erwiesen sich als zäh und lebenskräftig, und der Antisemitismus hatte noch andere und tiefere Wurzeln als die wirtschaftliche Notlage. Das Judentum war in seiner religiösen und nationalen Idee zu einer inneren Erneuerung fähig, es hat sich nicht „in Dunst aufgelöst", wie Marx voraussagte, und die Utopie des Judenstaates wurde Wirklichkeit.

Man könnte sich fragen, wie es in Ländern aussieht, die mit dem Marxismus ernst gemacht haben. Heute lebt etwa ein Viertel der gesamten Judenheit in der Sowjet-Union. Der sowjetischen Verfassung nach ist der Antisemitismus ein verbrecherisches Delikt. Aber die politische Praxis hat offenbar das Ziel der gewaltsamen Assimilation und Absorption der jüdischen Volksgruppen. Denn die Rechte, die die anderen und zum Teil viel kleineren nationalen Minderheiten haben, hat man den Juden nicht zugestanden. Der Versuch, ihnen ein selbständiges Territorium, Birobidjan an der mandschurischen Grenze, anzuweisen, ist gescheitert. Dort leben nur etwa 30 000 von den 2,5 bis 3 Millionen Juden der Sowjet-Union.[24]

---

[24] Vgl. Martin Buber u. Nahum Goldmann, Die Juden in der UdSSR. München und Frankfurt 1961.

Als Kautsky am Vorabend des Weltkrieges die Lösung der Judenfrage im Sinne des Marxismus noch einmal zusammenfaßte, hatte die zionistische Bewegung längst Gestalt gewonnen. Aber die festen Positionen der Liberalen, der Sozialisten und der Antisemiten wurden davon nicht angerührt. Nur in Rußland, wo der sozialistischen Partei der Abfall der revolutionären jüdischen Jugend drohte, wurde der Zionismus politisch ernst genommen und heftig bekämpft. Chaim Weizman, der später der erste Präsident des Staates Israel wurde und als Student in der Schweiz 1898 die erste „Zionistische Gesellschaft" der revolutionären, im Ausland studierenden jüdischen Jugend gegründet hatte, war bei den Anhängern Lenins auf stärksten Widerstand gestoßen. Nach dem Schluß der Gründungsversammlung fragte ihn der Sozialist Plechanow voller Zorn: „Was fällt Ihnen ein, Uneinigkeit in unsere Reihen zu bringen?" „Aber, Monsieur Plechanow! Sie sind doch nicht der Zar", gab er zur Antwort.[25] Von nun an, so berichtet Weizman weiter, begann der Kampf gegen die Verschmelzung der jüdischen Jugend mit der russischen Revolution. Aber es begann auch die Auseinandersetzung mit einer für das zionistische Bewußtsein nunmehr abgeschlossenen Epoche der jüdischen Geschichte, die mit der Emanzipation begonnen hatte, nämlich mit der Epoche der Assimilation, der – wie der Antisemitismus des 19. Jahrhunderts gelehrt hatte – nicht gelungenen und jetzt nicht mehr gewollten Assimilation.

[25] Weizmann, Memoiren. S. 83.

21. KAPITEL

DAS WESTJUDENTUM VOR NEUEN AUFGABEN

Die Einwanderung aus Osteuropa

Die assimilierten Juden in West- und Mitteleuropa sahen sich durch die Begegnung mit dem Elend der ostjüdischen Massen zum erstenmal vor eine Frage gestellt, die an ihr Verantwortungsgefühl, ihre Hilfsbereitschaft und ihre konstruktive Phantasie sehr hohe Ansprüche stellte. Es gibt mehrere Phasen der Rezeption des Ostjudentums, die mit der Wandlung des jüdischen Selbstbewußtseins durch den Zionismus eng zusammenhängen. Wir haben es vorerst mit der frühen Phase zu tun: die russischen Pogrome, das galizische Judenelend, das gleichzeitig bekannt wurde, und die Auswanderung der besitzlosen Massen appellierten an das jüdische Solidaritätsgefühl. Existierte es noch bei den fast völlig anglisierten Juden in England, bei den schnell zu amerikanischen Staatsbürgern gewordenen Juden in USA, bei der jüdischen Bourgeoisie in Frankreich, die seit hundert Jahren die Gleichberechtigung besaß, bei den „Deutschen Staatsbürgern jüdischen Glaubens", die ihre Zugehörigkeit zur deutschen Nation so beredt verteidigten, bei der jüdischen Finanzaristokratie, die in ihrer Lebensform von den russischen Ghettojuden so weit entfernt war wie die europäischen Fürstenhäuser vom Arbeiterproletariat? Gab es eine Judenheit, die nun zur Verantwortung aufgerufen war und die sich als solche empfand? Die Frage berührt die Existenz des noch lebendigen Judentums, die mehr umfaßt als die Zugehörigkeit zur Synagogengemeinde und die Bezeichnung „mosaische Konfession", die der jeweiligen Staatsangehörigkeit hinzugefügt wurde.

Für die eingebürgerten deutschen Juden des liberalen 19. Jahrhunderts war der polnische Ghettojude eine seltene und fast legendäre Erscheinung, verächtlich oder bemitleidenswert, was seine zivilisatorischen Mängel betraf, verehrungswürdig wegen seiner Frömmigkeit. Hermann Cohen berichtet aus seiner Kindheit, daß seine fromme Mutter zu beten pflegte, es möge zum Sabbathmahl ein polnischer Wanderjude als Gast erscheinen. Wenn ein solcher Mann in Lumpen ein rabbinischer Gelehrter war, was manchmal vorkam, führte sein Vater talmudische Gespräche mit ihm. Armut verband sich mit geistiger Würdigkeit, und der Glaubensbruder mit der Krone der Thora auf seinem Haupte habe damals, so glaubt Cohen sich zu erinnern, die soziale Gesinnung in ihm geweckt und den jüdischen Enthusiasmus entzündet.[1] Das war in den 50er Jahren.

Nach dem Zarenmord und den ersten Pogromen setzten sich ganze Flüchtlingsströme in Bewegung. In der galizischen Grenzstadt Brody sammelten sich 1881 etwa 20 000 Auswanderer, die für ihre Weiterreise nach Amerika auf die Unterstützung der großen Hilfsorganisation, der „Alliance Israélite Universelle“, hofften. Die Bewegung war mit elementarer Kraft ausgebrochen, sie verlief ganz unorganisiert, und es dauerte lange, bis die Bevollmächtigten aus Paris eintrafen, die ein Bild entsetzlichen Elends erwartete. Das Problem stellt sich hier mit aller Schärfe. Die europäischen Hilfskomitees hätten die mittellosen Auswanderer am liebsten alle nach den Vereinigten Staaten verfrachtet, aber die New Yorker Juden sträubten sich dagegen und drohten, die Flüchtlinge zurückzuschicken, Europa müsse ihnen helfen. Auch die englischen Juden warnten vor einer Überflutung der Industriestädte durch jüdisches Proletariat. Der Leiter der „Israelitischen Allianz“ in Wien, Joseph von Wertheimer, schrieb damals an den Baron Edmond de Rothschild nach Paris, daß Österreich-Ungarn keine Emigranten aufnehmen könne, weil

---

[1] H. Cohen, Der polnische Jude. Monatsschrift „Der Jude“, 1. Jg. 1916/17, S. 149–156.

dort die Juden mit dem Kampf gegen den Antisemitismus schon genug zu tun hätten. Er stelle die Frage, ob es richtig sei, die Situation von 1½ Millionen Juden in Gefahr zu bringen, um einigen hundert Flüchtlingsfamilien aus Brody zu helfen.[2] Wertheimer hatte in den 30er Jahren in Wien zusammen mit einem katholischen Priester die ersten Kindergärten geschaffen; als Gründer von jüdischen Waisenhäusern, Schulen und Vereinen zur Förderung des jüdischen Handwerks hatte er sich einen geachteten Namen erworben, er wurde später geadelt und erhielt das Ehrenbürgerrecht von Wien. Der nunmehr 80jährige hatte eine ganze Lebensarbeit daran gesetzt, für die Juden der Doppelmonarchie die bürgerliche Gleichberechtigung zu erkämpfen, die von der Agitation der Schönerer-Bewegung jetzt wieder bedroht zu sein schien.

Gleichzeitig teilt der Historiker Heinrich Graetz aus Breslau im Namen der schlesischen Juden der „Alliance“ in Paris mit, daß man die Spenden für die Flüchtlinge insgeheim sammeln und nach Rußland schicken werde. Die „Alliance Israélite“ gelte in Deutschland als eine jüdische Internationale zur Erlangung der Weltherrschaft, seine Glaubensgenossen trügen Scheu, ihr offen anzugehören.[3]

Wie weit hier die Erinnerung an die „solidarische Haftung“ des jüdischen Kollektivs aus der Zeit vor der Emanzipation mitredet und die dumpfe Angst bestimmt, mag dahingestellt sein. Daß der Geschichtsschreiber des „jüdischen Volkes“ zu ihrem Fürsprecher wird, charakterisiert den Zustand in Deutschland. Der große Kritiker des assimilierten Westjudentums Achad Haam meint gerade diese Sorge um den Besitz errungener Rechte und das ängstliche Streben nicht aufzufallen, wenn er sagt, daß die Juden im Westen „in äußerer Freiheit bei innerer Knechtschaft“ lebten. Die „innere Knechtschaft der Galuth“ (des Exils) wurde der Kampfruf der Zionisten.

---

[2] Adler-Rudel, S. 8.

[3] Adler-Rudel, S. 9.

Aber die Sorge der deutschen und österreichischen Juden vor dem plötzlichen Ansturm einer ostjüdischen Einwanderung war nicht unberechtigt. Es war zu erwarten, daß sich die mittellosen jüdischen Flüchtlinge in den großen Städten zusammendrängten. Hier war ihre „Fremdheit" weniger auffällig und weniger gefährlich, hier hatten sie bessere Aussichten, in der aufblühenden Industrie und im Handel eine Beschäftigung zu finden, auch waren die Juden von jeher Städter, und eine Rückwanderung aufs Land widersprach der allgemeinen Tendenz der Zeit. Von den jüdischen Einwanderern in England haben sich 60 Prozent in London und weitere 30 Prozent in anderen großen Industriezentren niedergelassen, in New York blieben auch etwa 60 Prozent aller aus dem europäischen Osten eingewanderten Juden. Nach der Volkszählung von 1900 lebten im Deutschen Reich 42,72 Prozent aller deutschen Juden in den Großstädten gegenüber 15,90 Prozent der übrigen Bevölkerung.[4] Besonders auffallend war die starke Zunahme der jüdischen Bevölkerung in Berlin und Wien seit der Emanzipation. Daß sie zum größten Teil einer Binnenwanderung der Juden von Osten nach Westen zuzuschreiben war, geht aus der Bevölkerungsstatistik der östlichen Provinzen Preußens und Galiziens deutlich hervor. In Posen und Westpreußen nahm die Zahl der Juden in der zweiten Hälfte des 19. Jahrhunderts fast in dem gleichen Zahlenverhältnis ab, wie sie in Berlin zunahm. Es waren diese „Ostjuden" mit ihrer Armut und noch vom Ghetto geprägten äußeren Erscheinung, mit dem zähen Erwerbsgeist und sozialen Aufstiegswillen, die dem Antisemitismus der 70er und 80er Jahre die Argumente geliefert hatten und Treitschke zu der hochmütigen Bemerkung Anlaß gaben, man hätte sie erst an den Gebrauch von Seife und Kamm gewöhnen sollen, bevor man sie zu deutschen Staatsbürgern erklärt habe. Aber auch für das längst

---

[4] Ruppin, Die Juden der Gegenwart. S. 99 f.

assimilierte jüdische Bildungsbürgertum waren sie eine bedrohliche Erscheinung.
In Wien war eine breite Schicht der Zugewanderten in der bettelhaften Existenz von Trödlern und Hausierern steckengeblieben, hier war der Gegensatz zur jüdischen Bourgeoisie besonders stark. Theodor Herzl beginnt deshalb auch seinen 1901 geschriebenen utopischen Roman „Altneuland“ mit einer krassen Gegenüberstellung von jüdischer Bettelarmut und Parvenüreichtum, aber nicht, um zur Mildtätigkeit zu ermahnen, sondern um den Verfallserscheinungen der Judenheit das Bild einer neuen Gesellschaft entgegenzusetzen.

Jüdische Philanthropie

Die Akte der Mildtätigkeit und humanen Verantwortung angesichts der jüdischen Not im Orient und in Osteuropa entsprangen aber auch dem Gefühl jüdischer Solidarität, und die Zahl der Philanthropen war groß. Früh schon verband sich mit der finanziellen Hilfe der Plan des Landerwerbs und der Gründung von Ackerbaukolonien. Als 1840 in Damaskus eine Ritualmord-Beschuldigung Pogrome hervorrief, reisten Sir Moses Montefiore und der spätere französische Minister Adolphe Crémieux in die Türkei, um die Ausbreitung der Verfolgung zu verhindern. Montefiore verhandelte anschließend mit dem Vizekönig von Ägypten über Konzessionen für die Ansiedlung orientalischer Juden in Palästina. Crémieux gründete 1860 in Paris eine interterritoriale jüdische Weltorganisation, die „Alliance Israélite Universelle“. Sie sah ihre Aufgabe darin, überall in der Welt die Juden zu unterstützen, die in ihrer Eigenschaft als Juden zu leiden hatten, für ihre Emanzipation einzutreten, sie zum Handwerk zu erziehen und die Auswanderung und die Neuansiedlung zu organisieren. Sie beruhte auf dem Grundsatz jüdischer Solidarität. Die Alliance hatte bald Gelegenheit, in Algier,

Marokko, Tunis, Persien, in der Türkei und in Rußland zugunsten verfolgter Juden zu intervenieren und sie finanziell zu unterstützen. Sie gründete zahlreiche Schulen im Orient und in den Balkanländern, auch die erste Ackerbauschule (Mikwe Jisrael) in Palästina, die für die Kolonisation später wichtig wurde. In Frankreich und Italien wurde die Alliance in ihrer Tätigkeit unterstützt, in Deutschland und Österreich aber sehr kühl aufgenommen. Nach 1870 entstanden in England, Deutschland und Österreich Sondergründungen, da das Prinzip der Interterritorialität Mißtrauen erweckte. Damit verblaßte die Idee der Solidarität des Weltjudentums wieder.
Die stärkste Unterstützung hatte die Alliance durch den Baron Moritz Hirsch erhalten. Hirsch war durch den riskanten, aber erfolgreichen Bau der türkischen Eisenbahnen zu einem der reichsten Männer der Welt geworden. Da er keine Erben hatte, widmete er sein ganzes Vermögen der Linderung des Judenelends in Osteuropa. Als die russische Regierung 1891 die Absicht äußerte, die Auswanderung der Juden selbst zu fördern, bot er ihr hohe Summen zur Gründung von Ackerbau- und Handwerkerschulen in Rußland, aber das Geld versickerte. Hirsch gründete darauf die „Jewish Colonization Association" (ICA) und ließ sich von seinen Beratern bestimmen, in Argentinien ein größeres Territorium zu erwerben, mit dem der Anfang zu einer Massenansiedlung gemacht werden sollte. Später übernahm die ICA auch die von Baron Edmond de Rothschild, dem Chef des Pariser Hauses, in Palästina gegründeten Ackerbaukolonien in ihre Verwaltung. Im Jahre 1900 organisierte sie die jüdische Auswanderung aus Rumänien, sie schickte auch Kommissionen nach Kleinasien und Mesopotamien, um für die Ansiedlung geeignete Gebiete zu finden. Daß es mit der Organisation der Auswanderung und mit der finanziellen Unterstützung der Emigranten nicht getan war, sondern daß es auf die berufliche Umschichtung ankam, hatte man längst

erkannt. 1882 waren die ersten jüdischen Studenten aus Rußland nach Palästina gegangen, um als Arbeiterpioniere auf eigene Faust und unter den härtesten Entbehrungen mit der Kolonisation zu beginnen. Sie gerieten bald in Not, und Rothschild übernahm diese Siedlungsversuche in seine Obhut. Er sorgte für fachmännische Unterweisung im Weinbau und in der Gartenkultur, für die Entwässerung von Sumpfgebieten und für den Bau von Arbeiterhäusern, Schulen, Synagogen, Krankenhäusern und Asylen. Das alles geschah großzügig und mit bedeutendem finanziellen Aufwand, aber auch mit persönlicher Anteilnahme und wachsendem Verständnis für die zionistische Idee, die er zuerst abgelehnt hatte. Die Kolonisten verehrten „den Baron" als ihren Wohltäter.

Die Bilanz der philanthropischen Unternehmungen war trotzdem keine gute. Argentinien übte wenig Anziehungskraft auf die Auswanderer aus. Die Massen strömten in die Vereinigten Staaten. Nach 40jähriger Siedlungsarbeit (1930) war die Zahl der jüdischen Kolonisten in Argentinien auf kaum 20 000 angewachsen.[5] Die Ackerbaukolonien in Palästina litten unter den türkischen Einwanderungsschikanen, der türkisch-ägyptischen Mißwirtschaft und der Ungunst des Bodens. Vor allem aber lähmte die Rothschildsche Administration und später die Bevormundung der ICA-Verwaltung die Initiative der Siedler. Für die Administratoren war die Ansiedlung der Einwanderer in Palästina ein Wohltätigkeitsunternehmen. Hier setzte später die scharfe Kritik der Zionisten ein. Die Heimat in Palästina konnte nicht Geschenk von Philanthropen, sondern sie mußte das Ergebnis der Willensanstrengung des jüdischen Volkes sein.

Da die „Alliance Israélite" immer mehr unter französischen Einfluß geriet, wurde in Deutschland 1901 der „Hilfsverein der deutschen Juden" gegründet. Er ist mit dem Namen Paul Nathans verknüpft, der drei Jahrzehnte

[5] Encyclopaedia Jud. „Jewish Colonization Association".

an seiner Spitze stand.[6] Die erste Katastrophenhilfe leistete er bei dem Pogrom von Kischinew 1903. Als die russische Revolution von 1905 die Existenz der Juden aufs neue bedrohte, verhandelte Nathan mit dem Premierminister Witte und ein Jahr später mit Stolypin. Er wollte einmal den Schutz der Regierung, die ja selber an den Verfolgungen beteiligt war, es aber nicht zugeben konnte, vor allem aber eine Lockerung der harten Ghettobestimmungen, wofür die revolutionäre Situation günstig war. Es sah auch so aus, als habe er Erfolg gehabt, denn der Ministerrat legte 1906 dem Zaren einen Entwurf vor, der die schlimmsten Einschränkungen aufhob. Da inzwischen aber die Revolution niedergeschlagen war, blieb Nikolaus II. auf der alten Bahn und lehnte die Erleichterungen ab. Jede politische Umwälzung im Osten verschärfte die Gefahr für die dort lebenden Juden. Während der Balkankriege intervenierte der Hilfsverein in Serbien, Bulgarien und Griechenland und organisierte den wirtschaftlichen, finanziellen und ärztlichen Beistand für die Balkanjuden. Seine Haupttätigkeit bestand aber in dem Jahrzehnt vor dem ersten Weltkrieg in der Organisation der jüdischen Auswanderung. Von 1905 bis 1914 war Deutschland das Durchgangsland für 700 000 Juden aus Osteuropa, die mit Geldmitteln unterstützt wurden und deren Einschiffung man möglichst beschleunigte. Für ihre Ansiedlung in Deutschland konnte man sich nicht einsetzen. Aber das war überall so, auch die Vereinigten Staaten verschärften damals die Aufnahmebedingungen, und England schützte sich 1905 durch die Anti-Alien-Bill vor dem weiteren Zustrom der ostjüdischen Flüchtlinge. Dieses lange umkämpfte Gesetz, das die englische Tradition der Asylgewährung verletzte, war weniger einer antisemitischen Haltung zuzuschreiben als der Befürchtung der Gewerkschaften, daß die Löhne gedrückt würden.

---

[6] E. Feder, Das Lebenswerk Paul Nathans. Publikationen des Leo Baeck Institute. Bull. Nr. 7, 1959.

Die über alle Kulturstaaten verbreiteten jüdischen Hilfsorganisationen haben viel zur Linderung der Not beigetragen, aber das eigentliche jüdische Problem schien unlösbar. Leon Pinsker, der Arzt aus Odessa, der Herzls Gedanken vorwegnahm, hat es in seiner Broschüre „Autoemanzipation" scharf formuliert: „So ist der Jude für die Lebenden ein Toter, für die Eingeborenen ein Fremder, für die Einheimischen ein Landstreicher, für die Besitzenden ein Bettler, für die Armen ein Ausbeuter und Millionär, für den Patrioten ein Vaterlandsloser, für alle Klassen ein verhaßter Konkurrent."[7] Die deutsch geschriebene Broschüre von 1882 war das erste Manifest des politischen Zionismus, der die Selbstbefreiung des jüdischen Volkes, das Bekenntnis zur eigenen Nation, den Willen zum eigenen Staat proklamierte und die Philanthropie ablehnte; denn „als Jude geplündert zu werden oder als Jude beschützt zu sein", sei gleicherweise beschämend. Was diese kühne Stimme für den Zionismus in Osteuropa bedeutete, davon wird noch die Rede sein. Im Westen wurde sie kaum gehört.

Die Selbstverteidigung des deutschen Judentums

Theodor Mommsen hatte in seinem offenen Brief an Treitschke den deutschen Juden warnend zugerufen, der Eintritt in eine große Nation koste seinen Preis. Die Juden hatten ihn bezahlt mit der freudigen Teilnahme am kulturellen Leben, mit der Erfüllung ihrer staatsbürgerlichen Pflichten, auch mit der Ablegung ihrer „Sonderart", die von vielen gern geleistet wurde, da sie ja selber unter ihr gelitten hatten. Welche Erwartungen sollten sie eigentlich noch erfüllen? Da war der ständige Vorwurf der doppelten Nationalität, er ging durch das ganze 19. Jahrhundert. Schon Gabriel Riesser, dann Moritz Lazarus, auch Hermann Cohen hatten darauf geantwortet und viele kleinere

[7] Zit. bei A. Böhm, Die zionistische Bewegung. Berlin 1935², I, 101.

Geister. Wenn man Nation als Staatsnation verstand, wie damals allgemein gebräuchlich, so existierte das Problem gar nicht. Das Bundesgesetz von 1869 hatte die staatsbürgerlichen Rechte vom religiösen Bekenntnis für unabhängig erklärt.

Sehr spät reagierten die deutschen Juden als eine Gemeinschaft auf die Angriffe des Antisemitismus; als sie 1893 den „Central-Verein deutscher Staatsbürger jüdischen Glaubens" gründeten, brachten sie in seinem Namen schon zum Ausdruck, daß sie sich auf das Gesetz beriefen. Hier war der „jüdische Glaube" ein staatspolitischer Begriff, er bezeichnete die staatliche Rubrik, in der das Judentum eingeordnet war. Der § 1 der Satzung lautete: „Der Centralverein ... bezweckt, die deutschen Staatsbürger jüdischen Glaubens ohne Unterschied der religiösen und politischen Richtung zu sammeln, um sie in der tatkräftigen Wahrung ihrer staatsbürgerlichen und gesellschaftlichen Gleichstellung sowie in der unbeirrbaren Pflege deutscher Gesinnung zu bestärken."[8] Eine Rechtsschutzkommission beobachtete die verleumderischen Angriffe in der Presse und in Volksversammlungen und veranlaßte die gerichtliche Verfolgung der Schuldigen. Druckschriften sorgten für Aufklärung über die jüdische Lehre und die Widerlegung antisemitischer Verdächtigungen. Der Verein gab eigene Monatshefte heraus und gründete einen jüdischen Verlag (Philo-Verlag).

Die Grundlage seiner Überzeugung war, daß das Judentum als volksmäßig-politische Einheit endgültig der Geschichte angehöre und es keine politische Gemeinschaft zwischen deutschen und ausländischen Juden gebe, daß es auch keine nationale Minderheit darstelle, sondern daß die Einwurzelung in das deutsche Volk als vollzogene Tatsache bejaht werden müsse. Indes seien die religiösen Werte des Judentums innerhalb der Kultusgemeinden be-

[8] Encyclopaedia Jud., „Central-Verein".

sonders zu pflegen. Die Assimilation als eine Selbstaufgabe lehnte der „Centralverein" ab, in der Stärkung des jüdischen Selbstbewußtseins sah er seine spezielle Aufgabe, die Taufe galt seinen Mitgliedern als Fahnenflucht. Aber die Wiederherstellung eines jüdischen Staatsvolkes hielt er weder für möglich, noch für notwendig, noch für wünschenswert.

Der „Centralverein" umfaßte den größten Teil der deutschen Juden. Wenn sie bereit gewesen waren, als einzelne in der deutschen Nation aufzugehen, so schloß die Feindseligkeit ihrer Umgebung sie wieder zusammen. Wer vergessen wollte, daß er Jude war, der erfuhr es aus einem distanzierenden Wort und einer ablehnenden Geste, und wer die religiöse Überzeugung aufgegeben hatte, weil sie ihm durch eine verknöcherte Orthodoxie verleidet war, der hielt doch aus Pietät oder aus verletztem Stolz am Judentum fest. Es gibt eine Reihe von Lebenszeugnissen deutscher Juden, die solche Erfahrungen eindringlich schildern.[9]

Die Zionisten behaupteten später, es sei nie ein Kampf mit schlechteren Mitteln geführt worden als der Kampf des „Centralvereins" gegen den Antisemitismus. Er habe ihn als einen Irrtum mit Vernunftgründen widerlegen wollen und seine irrationalen Haßmotive nicht erkannt, er habe bei der ständigen Bekundung seines national-deutschen Empfindens das Judentum verraten und die Achtung nicht erzwingen können, die man nur dem Mutigen und Selbstsicheren entgegenbringe.[10] Es steht dem nichtjüdischen Historiker nicht an, dieses Urteil einfach zu übernehmen. Aber die Frage ist ihm erlaubt, ob die Gefahr des Antisemitismus wirklich erkannt war, ob man sie erkennen wollte und erkennen konnte.

Für die ostjüdischen Studenten, die um die Jahrhundert-

---

[9] Bulletin Nr. 8, Leo Baeck Institute, 1959.

[10] K. Blumenfeld, Antisemitismus. Zionistisches Handbuch. Hrsg. G. Holdheim, Berlin 1923, S. 30–33.

wende in Deutschland studierten, war das assimilierte deutsch-jüdische Bürgertum ein unbegreifliches Phänomen. Chaim Weizman, der seine Kindheit in einem russischen Ansiedlungsrayon verlebt hatte und während der ersten Semester in Darmstadt Unterricht an einer jüdischen Lehranstalt erteilte, erzählt in seinen Memoiren von dem orthodoxen Leiter: er habe sich bei der strengsten Beobachtung des Ritualgesetzes als ein Deutscher gefühlt, „mit derselben Kultur, denselben seelischen Hintergründen und denselben Anlagen wie die Nachkommen der Cherusker". In diesem Sinne habe er auch gegen den Antisemitismus Stellung genommen, den er für eine vorübergehende und belanglose Erscheinung hielt. Dem jungen Russen kam gleich der Verdacht, daß diese Haltung dem Wunsch entsprang, die Existenz des jüdischen Volkes zu leugnen. Er ist dagegen überzeugt, daß der schwerfällige, gründliche und pedantische Antisemitismus in Deutschland gefährlicher sei als die Aufwallungen des russischen Mob und ihre zynische Ausbeutung durch russische Politiker und Priester; denn er durchsetzte langsam und sicher das Gefüge des nationalen Bewußtseins. Das Unbehagen an der deutsch-jüdischen Umwelt weckt in ihm das Heimweh nach Pinsk, „obwohl Pinsk doch Rußland war und Rußland Zarismus, Beschränkung auf das Siedlungsgebiet, numerus clausus und Pogrome bedeutete". „In Rußland", so fährt er fort, „hatten wir Juden wenigstens unsere eigene Kultur, und zwar eine sehr hohe; wir hatten Selbstachtung und dachten nicht im Traum daran, daß unser Judentum etwas sei, das abgestreift und verheimlicht werden müßte." Es sei ihm damals aufgegangen, was Achad Haam mit der inneren Sklaverei der emanzipierten Westjuden gemeint habe.[11]

Man muß bedenken, daß der Erzähler die Erfahrungen seines Alters kennt, wenn er die Erfahrungen seiner Ju-

---

[11] Weizman, Memoiren. S. 51 ff.

gend heraufbeschwört. Das gilt auch für die Einschätzung des deutschen Antisemitismus. Ein so scharfer und mißtrauischer Beobachter wie Franz Mehring konnte ihn damals auch für ganz impotent halten. Im übrigen ist eine solche befremdende Begegnung von Ost- und Westjudentum in vielen Zeugnissen belegt.

Es gab unter den deutschen Juden aber auch warnende Stimmen, die eine Selbstauflösung prophezeiten. Die Zahl der Taufen und Mischehen nahm ständig zu, und der allgemeine Geburtenrückgang wirkte sich in der Bevölkerungsstatistik der Juden stärker aus als bei den Nichtjuden. Das Buch von Felix A. Theilhaber mit dem schokkierenden Titel „Der Untergang des deutschen Judentums" hatte in seiner ersten Auflage von 1911 den Nachweis erbracht, daß der natürliche Zuwachs des preußischen Judentums von 1880 bis 1910 fast allein auf das Konto der Zuwanderung von ausländischen Juden ging. In der zweiten Auflage von 1921 wagte Theilhaber auf Grund seiner statistischen Berechnungen die Prognose, daß das deutsche Judentum bis zum Ende des Jahrhunderts bei fortwährendem Geburtenrückgang verschwunden sein würde.[12]

---

[12] Vgl. hierzu A. Leschnitzer, Saul und David. Die Problematik der deutsch-jüdischen Lebensgemeinschaft. Heidelberg 1954.

22. KAPITEL

THEODOR HERZLS GROSSER ENTWURF

Der „Judenstaat"

Theodor Herzl trägt in sein Tagebuch zu Pfingsten 1895 in Paris folgendes ein: „Ich arbeite seit einiger Zeit an einem Werk, das von unendlicher Größe ist. Ich weiß heute noch nicht, ob ich es ausführen werde. Es sieht aus wie ein mächtiger Traum."[1] Ob aus diesem Traum vom Judenstaat die Tat hervorgehen oder ob er den Stoff zu einem schon entworfenen Roman liefern sollte, wird damals noch nicht klar. Man ahnt aber, daß im Thema des Romans der Kern von Herzls Erlebnis, das innerste Motiv seiner Tatbereitschaft steckt. Der Held war ursprünglich ein junger Jude, der aus Verzweiflung über sein jüdisches Schicksal Selbstmord verübt; aber dann wird der Freund zum eigentlichen Helden, der durch „Zufälle seines Lebens" dahin kommt, das „Gelobte Land" zu entdecken, richtiger zu gründen. Als er, schon auf dem Schiff und zur Abfahrt bereit, den Abschiedsbrief des Verzweifelten erhält, faßt ihn der Zorn, und er ruft: „Dummkopf, Lump, Elender! Ein verlorenes Leben, das uns gehörte!"[2]
Damit beginnt es. Herzl entwirft den „Judenstaat" in wenigen Wochen der „Glut und Arbeit". „Ich schrieb gehend, stehend, liegend, auf der Gasse, bei Tisch, bei Nacht, wenn es mich aus dem Schlaf jagte."[3] Was waren die Zufälle seines Lebens, die ihn dazu bringen, das „Gelobte Land zu gründen"? Sie haben nichts Ungewöhnliches, es sind die typischen Erfahrungen des intellektuellen, assimilierten Juden seiner Zeit. Herzl war 1860 in Budapest geboren, er war der Sohn eines wohlhabenden

[1] Theodor Herzls Tagebücher. Berlin 1922, I, 3.
[2] Tagebücher, I, 15.
[3] Tagebücher, I, 28.

Kaufmanns; seine jüdische Erziehung war oberflächlich. Er studierte Jura in Wien, gehörte einem deutsch-nationalen Studentenverband an und trat aus, als dieser mit den Antisemiten sympathisierte. Er wurde Journalist, hatte als Schriftsteller und Lustspieldichter Erfolge und wurde 1891 von der Wiener „Neuen Freien Presse“ als Korrespondent nach Paris geschickt. Die Judenfrage beschäftigte ihn, seit er die Bekanntschaft mit Eugen Dührings Schriften gemacht hatte. Er berichtet später, daß ihm das „Hep-Hep“ und der „Saujud“ zweimal in seinem Leben nachgerufen worden sei, in Mainz und in Wien. In Paris ging man „unerkannt“ durch die Menge. Hier las er Drumonds dickleibiges Werk „La France Juive“, das ihm sogar imponiert, weil es mit soviel Konsequenz ein ganzes Welt- und Geschichtsbild auf der „Judenschädlichkeit“ aufbaut. Aber 1895 rollte die erste Phase des Dreyfus-Prozesses ab, und Herzl erlebte nach der feierlichen Degradierung des Hauptmanns im Hof der Ecole Militaire den Wutschrei der Menge „A mort les juifs“, der ihm noch Jahre später in den Ohren gellt. Er hatte das französische Volk für das fortschrittlichste und aufgeklärteste in der Welt gehalten. Gleichzeitig hatte Luegers Christlich-Soziale Partei in Wien große Erfolge, die antisemitische Mehrheit im Wiener Gemeinderat kündigte sich schon an. Es war also sinnlos, den Antisemitismus noch zu bekämpfen; die „Abwehrvereine“, meint Herzl, seien nichts anderes als Hilfskomitees nach Überschwemmungen.
Sein persönliches Schicksal hat mit all dem wenig zu tun, die Wiener Zeitung ist in liberal-jüdischem Besitz und stellt eine geistige Macht dar. Aber hier berühren die allbekannten Ereignisse einen Geist von hoher Empfindlichkeit und ungewöhnlichem Stolz. Es war beides in ihm, der verzweifelnde Romanheld mit dem hochmütigen Selbstmord – und der Entdecker des „Judenstaates“. Daß Herzl von der Bewegung der „Zionsfreunde“ in Rußland kaum etwas erfahren hatte, daß er von der Not der ostjüdischen

Massen nicht mehr wußte als ein gewöhnlicher Zeitungsleser, daß ihn die messianische Sehnsucht des jüdischen Volkes in seinem assimilierten Elternhaus gar nicht anrühren konnte, das gerade macht seinen Durchbruch zum Nationaljudentum so überraschend und so außerordentlich. „Wir sind ein Volk, *ein* Volk" – das ist die plötzliche Erkenntnis, die seine Tagebücher wie eine Eingebung schildern. Er fühlt sich als ihr Werkzeug.

Herzl war sich damals kaum bewußt, daß er etwas wiederentdeckt hatte, was bis ins 18. Jahrhundert hinein lebendig gewesen war. Bis zum Eintritt der Juden in die christliche Kulturwelt war die nationale Eigenart der jüdischen Gemeinschaft nicht umstritten. Moses Mendelssohn sprach noch unbefangen von der „jüdischen Nation". Erst seit der französischen Revolution war der Begriff verpönt. An die bürgerliche Gleichberechtigung hatte man die Bedingung geknüpft, die zum ersten Mal der Abgeordnete Clermont-Tonnerre in dem bekannten Satz formulierte: „Den Juden als Nation ist alles zu verweigern, den Juden als Menschen aber ist alles zu gewähren." Von nun an bekannten sich die emanzipierten Juden zur Nation ihrer Vaterländer, nur die Judengegner sprachen weiter von einer jüdischen Nationalität, um die gefallene Ghettomauer wieder aufzurichten. Wo sich das Ghetto erhalten hatte, wie in Rußland, war auch das Volksbewußtsein der Juden lebendig geblieben. Aber davon wußte Herzl kaum etwas.

Der „Judenstaat" geht von zwei negativen Erfahrungen aus: daß der Antisemitismus unüberwindlich sei und daß die Assimilation niemals gelingen könne. Die aufsteigende Klassenbewegung der autochthonen Juden erzeuge immer wieder den Judenhaß in den Heimatländern, und die Infiltration armer Einwanderer verschleppe ihn in die Aufnahmeländer. Die Assimilation werde verhindert durch die zu spät gekommene Emanzipation: als die Juden das Ghetto verließen, waren sie schon ein Mittelstandsvolk und für ihre Umgebung sogleich eine unerträgliche Konkurrenz. In der neueren Zeit habe die Überproduktion an mittleren Intelligenzen eine ungesunde Entwicklung eingeleitet: da es keinen normalen Aufstieg für sie gibt, werden sie nach unten zu Umstürzlern proletarisiert, und gleichzeitig wächst nach oben die furchtbare Geldmacht der Juden. Es mache sich bereits in den oberen jüdischen Schichten Unbehagen bemerkbar, im Mittelstand dumpfe Beklommenheit, bei den Armen herrsche die nackte Verzweiflung. Diesen Zirkel von Antisemitismus und Nicht-Assimilierbarkeit habe bisher kein philanthropischer Versuch der Berufsumschichtung oder der kolonisatorischen Ansiedlung unterbrechen können. Und nun kommt die kühne Folgerung Herzls, die bisher in Westeuropa niemand auszusprechen wagte: die Judenfrage ist überhaupt keine soziale, sondern eine nationale Frage. Um sie zu lösen, muß man sie zu einer politischen Weltfrage machen, die im Rate der Kulturvölker zu regeln ist. Der Judenstaat ist ein Weltbedürfnis.

Was Herzl nun entwirft, stellt sich ihm als eine bloße Kombination unbestreitbarer Fakten dar. Auch mit dem Bau einer Maschine vergleicht der für die Technik Begeisterte seinen Entwurf des Judenstaates. Auf die treibende Kraft komme es an, das sei die Judennot, niemand könne leugnen, daß diese Kraft vorhanden sei. Die einzige Voraussetzung sei „die Souveränität auf einem Stück der Erdoberfläche", alles andere gehe notwendig aus menschlichen Unternehmungen hervor, die, einmal begonnen, wie Zähne und Räder ineinandergreifen. Ob sich der Staat in Palästina oder in Argentinien gründen lasse, ist für Herzl vorläufig nicht entscheidend, auch die Staatsform bezeichnet er vage genug als die einer aristokratischen Republik, da eine demokratische Monarchie nicht in Betracht kam. Eingehend behandelt er aber die Aufgaben der staatsbildenden Organe, die Formen der Auswanderung, die Liquidation von Vermögenswerten, den Landkauf, die Organisation der

Arbeit und die Kreditbeschaffung. Er entwirft den modernen technisierten Musterstaat mit Sieben-Stundentag, Ansätzen zur Planwirtschaft unter Beibehaltung kapitalistischer Wirtschaftsformen und mit einer schon industrialisierten Landwirtschaft. Die vorderhand wichtigste Aufgabe schien ihm die Herauslösung sehr verschiedener jüdischer Schichten aus ihrer bisherigen wirtschaftlich-kulturellen Situation zu sein und ihre Einwurzelung in einem fremden Land unter neuen, attraktiven Bedingungen. Darin stecken auch psychologische Probleme, die Herzl erkennt und meisterlich behandelt. Da die Auswanderung freiwillig sein soll, müssen die Bedenken beschwichtigt, muß das Motiv überzeugend, das Ziel lockend sein.

Wie kann man ein Volk zu der großen Wanderung bewegen, da ja immer nur diejenigen ausziehen, die sicher sind, ihre Lage zu verbessern? Zuerst werden die Verzweifelten auswandern, dann die Armen, dann die Wohlhabenden, zuletzt die Reichen. Für die besitzlosen Massen gibt es Gründe genug. Sie werden in geregelter Arbeit, geführt von der Intelligenz der Mittelschichten, Heimstätten und Verkehrswege bauen, Flüsse regulieren und Industrieanlagen schaffen. Sie erhöhen damit den Wert des Landes und locken das Kapital der Besitzenden herbei, dann diese selber mit ihren Bedürfnissen, die dem Markt und der Arbeitsbeschaffung zugute kommen. Die Kapitalisten sind unentbehrlich, das Interesse der Finanzmagnaten wird man gewinnen. Aber auch für die Hilflosen, die Alten und Kranken wird gesorgt sein, man muß mit einer sehr hohen Zahl rechnen, von ihnen darf niemand zurückbleiben. Was früher unmöglich war, den sozialen Staat zu schaffen, das erlaubt die moderne Technik, das erlaubt die Arbeitsorganisation und die Aufsicht über die industrielle Produktion.

Für die Durchführung der Aufgaben sind zwei Organe zu schaffen, die Society of Jews als moralische Person, die die Staatsgründung wissenschaftlich und politisch vor-

bereitet, und die Jewish Company als juristische Person, die in der Weise einer Chartered Company oder Landnahmegesellschaft die Auswanderung, die Ansiedlung und den wirtschaftlichen Aufbau organisiert. Beide handeln im Auftrag des jüdischen Volkes, das in der Diaspora seine Geschäfte nicht selber führen kann. Daß ihnen Herzl den Sitz in London zuweist, zeigt, daß er Englands spätere Bedeutung für den Zionismus schon jetzt richtig einschätzt.
Der Judenstaat ist als ein neutraler Staat gedacht, er braucht nur ein Berufsheer zur Aufrechterhaltung der Ordnung. Er wird keine Theokratie sein, sondern ein weltlicher Staat, der religiöse Toleranz übt. Heer und Klerus sollen eine ehrenvolle Stellung erhalten, aber man wird sie „in ihren Tempeln und den Kasernen festzuhalten wissen", damit sie nicht in den Staat hereinreden. Jeder behält seine heimatliche Sprache, die Schweiz ist dafür ein Vorbild. „Wir können doch nicht hebräisch miteinander reden", meint Herzl, „eine Sprache, in der man kein Bahnbillet verlangen kann."[4]
Sollte man sich für Palästina entscheiden, so wird man der Türkei ihre Staatsschulden bezahlen müssen, um sie zur Abtretung des Landes zu bewegen. Für Europa wird der Judenstaat ein Wall gegen Asien, ein Vorposten der Kultur im verwahrlosten Orient sein. Das jüdische Vermögen muß allmählich und unter äußerster Schonung der Gastländer aus dem Wirtschaftsgefüge herausgezogen und transferiert werden. Herzl macht für diesen Vorgang ausführliche Vorschläge, denn der neue Staat soll keine Feinde haben. Auch die Antisemiten werden versöhnt sein, und die assimilierten Juden, die zurückbleiben wollen, werden von der Feindschaft ihrer Umwelt und von der Sorge um die Judennot befreit sein.
Für die heiligen Stätten der Christenheit wird man eine völkerrechtliche Form der Exterritorialisierung finden. Die

[4] Th. Herzl, Der Judenstaat. 12. Aufl., Zürich 1953, S. 88.

Juden werden die Ehrenwache bilden. „Diese Ehrenwacht wäre das große Symbol für die Lösung der Judenfrage nach achtzehn für uns qualvollen Jahrhunderten", heißt es hier.[5]
Ist irgendetwas nicht bedacht? Herzl war überzeugt, die einzige Lösung und die umfassende Lösung gefunden zu haben; man werde in den Tempeln beten für das Gelingen des Werkes, aber in den Kirchen auch! Uns fällt heute vor allem auf, daß die klassische Schrift des Zionismus – es gibt mehrere, aber Herzls „Judenstaat" hat eine neue Epoche eingeleitet – den Zionsgedanken gar nicht enthält. Als er Argentinien und Palästina mit ihren Vorteilen und Nachteilen gegeneinander abwägt, nennt er Palästina „die unvergeßliche historische Heimat", dieser Name wäre „ein gewaltig ergreifender Sammelruf für unser Volk". Das ist alles, und man vermutet nicht zu unrecht, daß er nur an die Propagandawirkung der Zionsidee gedacht hat. In der fiktiven Rede an den Rothschildschen Familienrat heißt es: „Ich will Ihnen vom ‚Gelobten Lande' alles sagen; nur nicht, wo es liegt. Das ist eine rein wissenschaftliche Frage. Es muß auf geologische, klimatische, kurz auf natürliche Verhältnisse aller Art mit voller Umsicht, unter Berücksichtigung der neuesten Forschungen, geachtet werden."[6] In der Tagebuch-Eintragung vom 16. VI. 95 notiert Herzl wie unter einer plötzlichen Eingebung den Satz: „Niemand dachte daran, das Gelobte Land dort zu suchen, wo es ist – und doch liegt es so nah. Da ist es: in uns selbst!... Das Gelobte Land ist dort, wohin wir es tragen!"
Der „mächtige Traum", den Herzl im Tagebuch erwähnt, erscheint in seiner Broschüre eigentlich nüchtern, umsichtig, kühn und realistisch zugleich, da er die praktischen Fragen klug in den Vordergrund rückt. Er tastet den Horizont der Wirklichkeiten ab, die von ihm erfahren und

[5] Judenstaat. S. 39.
[6] Tagebücher, I, 149.

die ihm sichtbar waren. Er kannte die assimilierten Juden, und er kannte den Antisemitismus, beide spricht er an. Das Volksbewußtsein der Ostjuden ist ihm fremd, er weiß nur von dem Massenelend und der großen Emigration. Für die politischen Machtverhältnisse hat er als Journalist bisher nur ein psychologisch-ästhetisches Interesse gehabt. Von dem Landerwerb glaubt er, er sei eine Geldfrage -- was bei der Türkei nicht ganz falsch, aber auch nicht richtig war, wie sich später zeigte. Deshalb hält er vorläufig die Beteiligung der jüdischen Finanzmagnaten an seinem Vorhaben für die wichtigste Voraussetzung.

Die Tagebücher

Herzls Tagebücher öffnen den Zugang in eine tiefere Schicht seines Wesens, sie führen uns auch zu dem Gespräch zwischen Juden und Deutschen, besser zwischen Juden und Nichtjuden zurück, also zu dem Leitgedanken dieser Untersuchung, den wir verlassen hätten, wenn der Zionismus nur eine innerjüdische Angelegenheit gewesen wäre.
Als Herzl im Frühjahr 1895 überzeugt war, daß er „die Lösung" gefunden habe, standen ihm sofort unzählige Einzelheiten vor Augen. Er hat alle Einfälle aufgezeichnet, praktische, phantastische, läppische, geniale, er hat Briefe, Redeskizzen, Audienzberichte, Gespräche und Betrachtungen gesammelt und das Tagebuch von Anfang an als Dokumentation eines historischen Vorgangs betrachtet. In diesen Wochen fieberhafter Produktivität werden alle Pläne sofort in Aktion umgedacht. Er wendet sich zuerst an Baron Hirsch, die Unterredung verläuft ohne Ergebnis, aber er verteidigt in einem Brief vom 3. Juni seine Idee: es wird nötig sein, Gleichgültige zu erschüttern, Leidende aufzurichten, ein feiges und verlumptes Volk zu begeistern und mit den Herren der Welt zu verkehren; dazu muß man eine Fahne aufrollen. „Wie? Sie verstehen das Inponderabile nicht? . . . Und was ist die Religion? Den-

ken Sie doch, was die Juden seit zweitausend Jahren für diese Phantasie ausstehen. Ja, nur das Phantastische ergreift die Menschen." Das ist an die Adresse des aufgeklärten Philanthropen gerichtet, der mit veralteten und unzureichenden Mitteln eine große Aufgabe lösen will; aber hier spricht auch der Führer der Massen, der es durchaus so meint. Am 7. Juni notiert Herzl: „Übrigens erziehe ich alle zu freien, starken Männern, die im Notfall als Freiwillige einstehen. Erziehung durch Patriotenlieder und Makkabäer, Religion, Heldenstücke im Theater, Ehre, usw." Am 11. Juni: „Arbeitskompagnien werden wie Militär unter Klängen einer Fanfare zur Arbeit ausziehen und ebenso heimkehren." Es ist auch viel von Arbeiterwohnungen die Rede, vom beruflichen Aufstieg und der Pensionierung der Arbeiter; Herzl hat dabei wohl die Bismarcksche Sozialgesetzgebung vor Augen. Arbeiter müssen aus dem Heer der unskilled labourers aufsteigen können durch Fleiß und Intelligenz, „wie im napoleonischen Heer". Manches klingt wie naiver Zynismus. 6. Juni: „Wunderrabbi von Sadagora ausführen, zu einer Art Bischof einer Provinz machen. Überhaupt ganzen Klerus gewinnen." Wie man den Klerus richtig einsetzt, aber seine Verbindung mit dem Militär verhindert, wie eine Volksmasse zu begeistern, zu verführen und richtig zu lenken ist, das sind Kammerprobleme der Dritten Republik, die Herzl als Pariser Berichterstatter sehr genau kannte, es sind keine jüdischen Fragen. Aber er konnte in diesem Anfangsstadium die Bildung eines Nationalstaates nicht anders sehen als in den konventionellen Formen, die ihn umgaben, und er ist nicht wählerisch bei der Empfehlung der Mittel.

Dem assimilierten Bürgertum muß man keine Fahne der Begeisterung vorantragen und keinen Wunderrabbi versprechen, aber die Verpflanzung des Milieus, in dem es sich wohlfühlt. Man spürt eine ernste Sorge. 7. Juni: „Ich bin auf alles gefaßt: das Jammern um Ägyptens Fleisch-

töpfe, den Tanz ums Goldene Kalb – auch auf den Undank der am meisten Verpflichteten." „Die Jugend (auch die Armen) bekommt englische Spiele: Kricket, Tennis usw., Lyzeen im Gebirge." „Circenses baldigst: deutsches Theater, internationales Theater, Oper, Operette, Zirkus, Café-Concert, Café Champs-Elysées." Herzl plant Gartenstädte nach englischem Muster, Hirsch soll einen neuen Louvre bauen, Wiener Caféhäuser müssen da sein. Aus den Kulturdetails Europas ist das neue Staatswesen in seiner Phantasie zusammengesetzt, aber man muß bedenken, welche ungeheuerliche Zumutung es für eine breite Schicht prosperierenden jüdischen Bürgertums war, ihre Zivilisationswelt aufzugeben und sich sozusagen in der Wüste niederzulassen, immer vorausgesetzt, daß gerade die besitzenden und die meisten intellektuellen Juden den Antisemitismus als vorübergehende Erscheinung ansehen wollten und sich in ihrer Sicherheit nicht ernsthaft bedroht fühlten.
Die Tagebuchnotizen verraten aber noch etwas anderes, es geht Herzl darum, die verletzte Menschenwürde des jüdischen Volkes, die Judenehre, wieder herzustellen. Seit er sich in einer plötzlichen Entscheidung mit dem jüdischen Schicksal identifiziert hat, brennen auch Schande und Spott von Jahrhunderten in seiner Seele. Er gibt den Antisemiten recht, nennt sie „unsere besten Freunde", aber er schmiedet ihre Waffen um in Werkzeuge für die neue Aufgabe. Am 11. Juni notiert er: „Wir können nicht (militärische) Führer werden, und die Staaten haben darin recht; sonst wären wir innerhalb zweier Generationen überall die Brigadegeneräle, besonders da der Krieg eine gelehrte Übung geworden ist. Und die Völker können sich doch nicht selbst aufgeben, indem sie die Angehörigen einer unverdauten und unverdaulichen Gruppe zu Führern der Heere machen." „Ja, wir sind eine Geißel geworden für die Völker, die uns einst quälten. Die Sünden ihrer Väter rächen sich an ihnen. Europa wird jetzt für die

Ghetti bestraft.“ Im Judenstaat wird es keine Börsenjobber mehr geben, sondern ein staatliches Börsenmonopol. „Wir müssen ein Volk von Erfindern, Kriegern, Künstlern, Gelehrten, ehrlichen Kaufleuten, aufsteigenden Arbeitern sein.“ (9. VI.) Wenige Tage später schreibt Herzl auf: „Das Gelobte Land, wo wir krumme Nasen, schwarze oder rote Bärte und gebogene Beine haben dürfen, ohne darum schon verächtlich zu sein. Wo wir endlich als freie Männer auf unserer eigenen Scholle leben und in unserer eigenen Heimat ruhig sterben können. Wo auch wir zur Belohnung großer Taten die Ehre bekommen. Wo wir im Frieden mit aller Welt leben, die wir durch unsere Freiheit befreit, durch unseren Reichtum bereichert und durch unsere Größe vergrößert haben. So, daß der Spottruf „Jude!“ zu einem Ehrenworte wird, wie Deutscher, Engländer, Franzose.“ (14. VI.) Die Zeichen und Symbole für den Zukunftsstaat beschäftigen ihn, er entwirft eine weiße Fahne mit sieben goldenen Sternen: das weiße Feld bedeutet das neue, reine Leben, die Sterne sind die Stunden der Arbeit, „im Zeichen der Arbeit ziehen wir in das Gelobte Land“.

Der Selbstmord – wir denken an das Romanmotiv! – soll verpönt sein, unter Strafe gestellt durch Verweigerung eines ehrlichen Begräbnisses, das Duell aber ist erlaubt, ja empfohlen, wenn der Handel ein ernsthafter ist. Wenn beim nächsten europäischen Krieg die Juden noch nicht ausgewandert sind, sollen sie alle ins Feld ziehen, ob gesund oder krank, dienstpflichtig oder nicht. „Hinschleppen müssen sie sich zur Armee ihrer bisherigen Vaterländer, und wenn sie im feindlichen Lager stehen, aufeinander schießen. Die einen mögen das für Tilgung einer Ehrenschuld ansehen, die anderen als eine Anzahlung auf unsere künftige Ehre. Tun müssen es alle.“ Herzl hat nicht mehr erlebt, daß sie es im ersten Weltkrieg alle getan haben.

Es gibt da noch einen seltsamen Einfall, den er den Rothschilds in seiner gedachten Ansprache vorträgt, diesem glänzenden Stück von Überredungskunst, naivem Freimut und kluger List, großherziger Begeisterung und psychologischer Berechnung. Der Turm des Rothschildschen Vermögens werde nach dem natürlichen Gesetz weiter in die Höhe wachsen, aber bei seinem Einsturz alle bedrohen, wenn man ihm nicht das breite Fundament einer sittlichen Tat gebe und auf seine Spitze das Licht einer großen Idee setze, sagt Herzl dem Familienrat, den er dafür gewinnen will, die Society of Jews mit einer Milliarde Goldfrancs auf eine solide finanzielle Basis zu stellen. Wenn nicht mit den Rothschilds, dann gegen sie, der Plan werde sich auch mit den mittleren Vermögen durchführen lassen, wenn die großen sich versagen. Aus dem Hause Rothschild, das sich zum Judenstaat bekennt, werde man den ersten Wahlfürsten nehmen. Und nun folgt die Schilderung einer Krönung im Tempel; denn dem Volk müsse man Ideen in der Form von Symbolen darstellen. Alle werden glänzende und festliche Kleider tragen, nur ein Mann in ihrer Mitte werde in „der dürftigen und schändlichen Tracht eines mittelalterlichen Juden" gehen, mit dem spitzen Judenhut und dem gelben Fleck. Erst im Tempel werde man ihm einen Fürstenmantel um die Schultern legen und eine Krone aufs Haupt setzen. „Jetzt glauben Sie schon wieder", fährt Herzl fort, „daß ich einen Roman erzähle! Sie sind gerührt und erschüttert und möchten doch spotten. Wo sage ich denn etwas Unmögliches? Was ist daran unwirklich? Der Tempel? Den baue ich, wohin ich will. Unsere Festkleider? Wir werden reich und frei genug sein, sie zu tragen. Die Menge? Die ziehe ich, wohin ich will. Die wunderbare Tracht des Fürsten? Sie waren bewegt, als ich sie schilderte, waren Sie es nicht – tant pis pour vous! Andere Völker sehen bei solchen Festaufzügen auch alte Kostüme, halten sie aber nicht für Maskeraden, sondern für tiefsinnige Erinnerungen an die Vergangenheit. Und warum halte ich mich, da ich mit Geschäftsleuten rede und mit ihnen rechne, so lange bei dieser Schilderung auf? Weil dieses ungreifbare Element der Volksbegeisterung, wallend wie aus erhitztem Wasser entstandener Dampf, die Kraft ist, mit der ich die große Maschine treibe!"[7]

Man muß bedenken, es ist eine fiktive Ansprache, ein dramatischer Entwurf, der auch schauspielerhafte Züge trägt. *So* müßte man den Rothschilds entgegentreten, wenn man sie zur Einsicht zwingen will, so selbstsicher und all ihre Einwände vorwegnehmend! Der Judenstaat ist ein Weltbedürfnis, er wird mit den Rothschilds entstehen und ohne sie, früher oder später, par la force des choses. „Ins Wasser werfen kann man uns nicht – wenigstens nicht alle – bei lebendigem Leib verbrennen auch nicht. Es gibt überall Tierschutzvereine. Also was? Man müßte uns schließlich ein Stück Land auf dem Erdball suchen, wenn Sie wollen – ein Weltghetto."[8]

Von dem „Weltghetto" hatten die Judenfeinde gesprochen, auch davon, daß die Judenfrage im Rate der Kulturvölker international zu lösen sei. Herzl nimmt das Wort ironisch auf, denn er bleibt stets im Gespräch mit ihnen, er vertauscht die Vorzeichen: aus dem Weltghetto wird der „Musterstaat", aus dem verworfenen Volk das zu seiner eigenen Bestimmung befreite Volk, aus seiner „schädlichen" Intelligenz wird die konstruktive Phantasie, sein gehaßter Reichtum wird sich segensvoll auswirken, aus einer Verzweiflung geht der Zukunftswille hervor. Im utopischen Roman „Altneuland" hat er das am Aufstieg des armen Judenjungen David Litvak dargestellt. In der Rede an die Rothschilds heißt es am Schluß: „Die Antisemiten haben recht behalten. Gönnen wir es ihnen, denn auch wir werden glücklich."

Herzl führt erst ein Jahr später ein Gespräch mit Edmond de Rothschild, als er längst eingesehen hat, daß er auch ohne die Finanzgewaltigen ans Ziel kommen werde. Diese

---

[7] Tagebücher, I, 189 f.

[8] Tagebücher, I, 196.

Ansprache an den Familienrat benützt er aber einigemal als Prüfstein bei Freunden. Ihre Reaktion enthielt alle Schattierungen von Begeisterung, Entsetzen und Zweifel an seinem Verstand. Als der „Judenstaat" im Februar 1896 erschien, wirkte er bei den russischen Zionisten wie ein Blitz aus heiterem Himmel, die jüdisch-liberale Presse schwieg die Broschüre tot, assimilierte Juden und deutsche Rabbiner protestierten, es schieden sich sofort überall die Geister. Damit hatte Herzl gerechnet, aber nicht gewußt, wie weit der Boden schon für seine Idee vorbereitet war.

23. KAPITEL

URSPRÜNGE DER ZIONISTISCHEN BEWEGUNG

Moses Hess

Die Palästina-Sehnsucht des jüdischen Volkes ist so alt wie die Geschichte seiner Zerstreuung, sie hat in den messianischen Bewegungen vom 16. bis 18. Jahrhundert ihren mächtigsten Ausdruck gefunden. Aber von jeher sind fromme Juden in das Heilige Land gepilgert, um dort begraben zu werden, haben Verfolgte dort ein Asyl gefunden und ist es der Brauch gewesen, in der Diaspora Spenden für die Beter in Jerusalem zu sammeln. Wie alle mystischen Richtungen, so hat auch der Chassidismus das Gefühl der Verbundenheit mit Zion neu belebt.

In unserem Zusammenhang muß die Frage nach den Ursprüngen sich auf die Motive beschränken, die der national-jüdischen Bewegung am Ende des 19. Jahrhunderts zugrunde liegen. Der politische Zionismus knüpft zwar an das jüdische Volksbewußtsein an, wo es noch vorhanden ist, und nimmt religiös-geschichtliche Traditionen auf, aber er hat seine Impulse doch von der Aufklärung und der nationalstaatlichen Bewegung des 19. Jahrhunderts erhalten: nämlich die Gedanken der individuellen Freiheit und Gleichheit und der nationalen Befreiung der Völker. Er begreift die Regeneration des jüdischen Volkes als eine Form der nationalen Selbstbesinnung und sieht das Ziel in der Gründung eines jüdischen Nationalstaates. Insofern entspringt er der Ideenwelt der französischen Revolution. Daß der Zionismus gleichzeitig andere Quellen aufgeschlossen hat und aus der jüdischen Überlieferung noch andere Vorstellungen von Nation und Staat gewinnt als die im modernen Europa üblichen, wird uns später noch beschäftigen. Entstanden ist der politisch-aktive Zionismus aber in den Köpfen emanzipierter und assimilierter

Juden, das gilt auch für Rußland. Die intellektuellen Führer der zionistischen Bewegung im Ostjudentum sind durch die Haskalah[1] hindurchgegangen und haben westliche Bildung in sich aufgenommen.
Umstritten ist heute noch die Frage der Priorität des östlichen oder westlichen Zionismus. Chaim Weizman berichtet über die Wirkung von Herzls „Judenstaat" bei den ostjüdischen Studenten in Berlin folgendes: „Grundsätzlich enthielt der ‚Judenstaat' für uns keinen einzigen neuen Gedanken. Das, was die jüdische Bourgeoisie verblüffte und den Unwillen und Hohn der westlichen Rabbiner hervorrief, war seit langem Inhalt unserer zionistischen Überlieferung. Es fiel uns auch auf, daß dieser Herzl seine Vorgänger auf dem Gebiet in seinem kleinen Buch nicht erwähnte: Männer wie Moses Hess, Leon Pinsker und Nathan Birnbaum. Letzterer war Wiener wie Herzl und hatte das Wort ‚Zionismus' geprägt, den Namen, unter dem die Bewegung bekannt wurde. Offenbar wußte Herzl auch nichts von der Chibbat Zion; er erwähnte auch Palästina nicht und legte kein Gewicht auf die hebräische Sprache."[2] Aber Herzls Wagemut, Klarheit und Energie machten doch tiefen Eindruck auf die ostjüdischen Studenten an den europäischen Universitäten, sie wurden trotz ihrer Kritik an ihm seine ersten Hilfstruppen.
Herzl wußte tatsächlich nichts von seinen Vorgängern und kaum etwas von der in Rußland verbreiteten und schon in einigen europäischen Hauptstädten auftauchenden Bewegung der Chibbat Zion (Zionsliebe). Er liest Leon Pinskers „Autoemanzipation" erst, als er den „Judenstaat" in Druck gegeben hat, und ist erstaunt über die Gleichheit der Ideen. Das für den Zionismus grundlegende Buch von Moses Hess „Rom und Jerusalem" lernt er erst auf seiner Palästinareise im Herbst 1898 kennen.

---

[1] Aufklärungsbewegung im Judentum des 18. und 19. Jh.s in Mittel- und Osteuropa.

[2] Weizman, Memoiren. S. 70.

Es ist also doch ein deutscher Jude, der alle Gedanken des modernen Zionismus zuerst ausgesprochen hat, und es ist merkwürdig genug, daß er aus dem Kreis der „metaphysischen Revolutionäre" der frühen vierziger Jahre hervorging, zu dem Bruno Bauer, Feuerbach, Arnold Ruge und vor allem der junge Marx gehörten. Hess lehrte in seinen frühen Schriften einen ethischen Kommunismus. Unter dem Einfluß von Marx hatte er damals den Juden den besonderen Beruf zugeschrieben, „das Raubtier aus der Menschheit zu entwickeln". Zwar hatte ihn, wie auch den jungen Lassalle, die Damaskus-Affäre von 1840 an die Solidarität des jüdischen Schicksals gemahnt, aber er glaubte damals noch, sich den größeren Leiden des Proletariats widmen zu müssen. Nach der gescheiterten Hoffnung auf die Revolution trieb Hess in der Emigration in Paris naturwissenschaftliche Studien, auch die Rassen- und Völkerkunde beschäftigte ihn. Mit der jüdisch-religiösen Überlieferung war er, anders als Karl Marx, seit Kindertagen vertraut, aber diese Quelle blieb lange verschüttet. Nach zwanzigjähriger Entfremdung vom Judentum bricht sie als mächtige Erinnerung wieder auf: er schreibt 1862 sein Bekenntnisbuch „Rom und Jerusalem. Die letzte Nationalitätenfrage".
Im Grunde hat Hess keine seiner früheren Überzeugungen aufgegeben, er ist Sozialist geblieben und Hegelianer, er sieht in der französischen Revolution den Anbruch des messianischen Zeitalters, und er ist weiterhin überzeugt, daß die soziale Struktur des Exiljudentums den Schmarotzer erzeugen muß. Die neue Erkenntnis, die ihn überfällt, ist der Gedanke der jüdischen Nationalität, die unzertrennlich ist „von dem heiligen Land und der ewigen Stadt". Mit der nationalen Wiedergeburt muß die soziale Gesundung des jüdischen Volkes zusammengehen, das ist nur möglich in einem Gemeinschaftsleben auf eigenem Boden, das sich auf produktive Arbeit gründet. Die jüdische Religion, die Hess nicht als abgesonderte Sphäre

aus Kult und Theologie begreift, sondern als Einheit von Leben und Lehre, bedarf des lebendigen Volkstums. Nur ein staatlich organisiertes Volk kann aber die soziale Lebenstat verwirklichen, die schon von den Propheten gefordert wurde.

Wie sich hier die nationale Forderung mit der sozialen Idee verbindet, so hat Hess in seiner Geschichtsphilosophie Hegels Gedanken von der Entwicklung der Menschheit als einer Entfaltung immanenter Kräfte mit dem nationalen Universalismus der jüdischen Prophetie zu einer Einheit zusammengefügt. Der göttliche Geschichtsplan für das Werden der Menschheit, der sich in der Schrift offenbart, hat die Mannigfaltigkeit der Volksstämme zur Voraussetzung, er stellt ihr harmonisches Zusammenwirken als Aufgabe und setzt die Einheit des Menschengeschlechts als Ziel. Der aus der dialektischen Entwicklung endlich hervorgehende Friede kann aber nicht erreicht werden, solange das jüdische Volk nicht als Volk befreit und als Nation selbständig ist. Er kann sich nicht über die Welt ausbreiten, solange der Sozialgehalt der biblischen Lehre nicht in der Gesellschaftsordnung verwirklicht ist. Die Judenfrage ist also „die letzte Nationalitätenfrage", die noch gelöst werden muß. Hess lehnt die Alternative ab, vor die sich das Judentum bis jetzt gestellt sah: Humanität und Auflösung im allgemeinen Menschentum *oder* ausschließliches Heil in der orthodoxen Befolgung des Gesetzes. Er ist überzeugt, daß die nationale Bestimmung des Judentums die soziale und humane Aufgabe, den Menschheitsauftrag, mit umgreift. „Den zukünftigen sozialen Schöpfungen liegt das national-humanitäre Wesen der jüdischen Geschichtsreligion zugrunde", heißt es in „Rom und Jerusalem".[3]

Die Assimilation und das ubi bene ibi patria, lehrt Hess, mache die Juden gerade verhaßt. Auch wenn sie sich „in-

[3] Moses Hess, Rom und Jerusalem. Die letzte Nationalitätenfrage. Neuaufl. Wien und Berlin 1919, S. 66.

cognito durch die Welt schleichen“ wollten, jede Beleidigung des jüdischen Namens treffe sie doch. Wenn die Emanzipation im Exil nicht vereinbar sei mit jüdischer Nationalität, dann müsse die erstere geopfert werden. Das ist eine erstaunliche Ansicht für die liberalistischen 60er Jahre, als die hart umkämpfte Gleichberechtigung der deutschen Juden kurz bevorsteht. Mit der Radikalität der Gesinnung, die für ihn bezeichnend ist, wollte Hess sagen: wir lassen uns unsere Nationalität nicht durch die Emanzipation abkaufen. Er meinte damit den Vertrag, den die französischen Juden im Großen Sanhedrin einst mit Napoleon geschlossen hatten.

Auch die volkstümlich-religiöse Bedeutung des Chassidismus erkennt er schon und wendet sich prophetisch und visionär an die „Millionen treuer Brüder“ im Osten, die in ihrem Volkstum „das lebendige Korn“ aufbewahrt haben.[4] Die praktischen Vorschläge umfassen die Gründung jüdischer Kolonien in Palästina, den Gemeinbesitz des Volkes am Boden und den gesetzlichen Schutz der Arbeit, enthalten also ein sozialistisches Programm. Für diese Kolonien verlangt er den Schutz der Großmächte und denkt dabei an Frankreich und seine politischen Interessen im Orient.

Was Moses Hess in seinem Bekenntnisbuch wirr und unzusammenhängend vorträgt und was eher einer Eruption gleicht als einem philosophischen System, enthält doch alle wesentlichen Erkenntnisse des späteren Zionismus. „Im ersten Anlauf ist hier eine kühne geistige Initiative bis auf den Grund der Zionsidee vorgestoßen“, sagt Martin Buber von ihm.[5] In die politische Wirklichkeit haben seine Ideen damals nicht eingreifen können; es war dem Verfasser auch mehr um die Aufrüttelung der Geister und Herzen zu tun. Auf den russischen Zionismus, vor allem auf Achad Haam, hat er später Einfluß gehabt. Die ge-

[4] Rom und Jerusalem. S. 43.

[5] M. Buber, Israel und Palästina. Zürich 1950, S. 140.

lehrten Mitarbeiter an der „Wissenschaft des Judentums" lehnten sein Buch scharf ab, und seine früheren sozialistischen Freunde verspotteten ihn als den „Kommunistenrabbi". Hess war nach dem Bruch mit Marx und Engels auch mit Lassalle befreundet und an der Gründung des „Allgemeinen Deutschen Arbeitervereins" mitbeteiligt, er nahm tätigen Anteil an der Internationale. Seit 1862 arbeitete er auch für die „Alliance Israélite". Er war ein Sohn der Aufklärung, ein kosmopolitischer Sozialist, der den nationaljüdischen Gedanken entdeckte, als er mit wachem Interesse die italienische Einigungsbewegung beobachtete; denn der Anstoß kam für ihn von dem politischen Zeitgeschehen. Wie Rom im geeinten Italien neu ersteht, so soll Jerusalem im jüdischen Palästina wieder auferstehen. Eine bedenkliche Analogie, aber sie gibt eigentlich nur den Titel des Buches her und setzt seine Phantasie, seine religiöse Erinnerung, sein politisches Wunschdenken und alle Kräfte in Bewegung, die ihn mit der Überlieferung und der messianischen Hoffnung seines Volkes verbinden. Was sonst in getrennte und feindliche Lager auseinanderfiel, das hat dieser radikale und zugleich harmonisierende Geist zu einem Weltbild und zu einer Zukunftshoffnung zusammengefügt. Er hat sein Leben zum größten Teil als politischer Emigrant in den Zentren der sozialistischen Arbeiterbewegung verbracht, er ist in Paris 1875 gestorben und auf dem alten jüdischen Friedhof in Deutz bei Köln begraben.

Die Palästinabewegung in Rußland

Schon zwei Jahrzehnte vor dem Auftreten Herzls setzte in Rußland die Palästina-Bewegung ein, und zwar in den letzten Regierungsjahren Alexanders II., als sich die Reaktion auf die Reformen ankündigte, die auch den Juden Erleichterungen gebracht hatten. Ihre Führer waren aus der Haskalah hervorgegangen, in hebräischer Sprache appellierten sie an das Volksbewußtsein der jüdischen Massen, die sie aus der geistigen Erstarrung und dem Aberglauben herausführen wollten. Sie waren Gegner der Orthodoxie und des damals schon zum primitiven Wunderglauben entarteten Chassidismus. Die Bewegung verbindet sich mit den Namen von Smolenskin, David Gordon, Lilienblum, Pinsker und Achad Haam.[6] Alle kannten den Westen, hatten die Ideen der europäischen Aufklärung verarbeitet, waren auf Umwegen mit Herders Volksbegriff in Berührung gekommen und von der nationalstaatlichen Bewegung auf dem Balkan beeindruckt. Zuerst war ihre Aktivität, mit Ausnahme von Pinsker, eine rein kulturpolitische. Die Juden wurden von Smolenskin als Volk des Geistes, der Idee, angesprochen, nicht als Volk der Tat. Mit der Wiederbelebung der hebräischen Sprache wollte man den verschütteten Nationalgeist des jüdischen Volkes wecken, seine Bildung fördern und es zur Selbstachtung aufrufen. Der nationalistische Panslavismus, die wachsende Judenfeindschaft der Regierungsstellen, die enttäuschte Hoffnung auf die Emanzipation und die Verschlimmerung ihrer rechtlichen Lage schloß die jüdische Intelligenz zu einer Abwehrgemeinschaft zusammen, die das Zarenregime und die assimilierte jüdische Bourgeoisie gleicherweise bekämpfte. Die Erinnerungen des jüdischen Nationalisten Shmarya Levin geben ein eindrucksvolles Bild von einer jüdischen Jugendbewegung, die von dem Gedanken der nationalen Wiedergeburt und der Palästinahoffnung ergriffen wird.[7]

Das Pogromjahr 1881/82 gab der Bewegung den entscheidenden Anstoß zur Tat. Als sich in den russischen Grenzstädten die Flüchtlinge sammelten und auf die Hilfe der „Alliance“ warteten, die ihnen die Überfahrt nach Amerika ermöglichen sollte, erhoben die hebräischen Schriftsteller und Kulturpolitiker den Ruf „Nach Palä-

[6] Vgl. hierzu Böhm, I. Bd., 7. u. 8. Kap.
[7] Shmarya Levin, Jugend im Aufruhr. Berlin 1935.

stina". In Rußland, aber auch in Rumänien, Galizien und in Wien entstehen Zionsvereine, und die Studenten organisieren sich, um in Palästina Kolonien aufzubauen. In die Dörfer und Kleinstädte der Rayons dringt das Gerücht von der Chibbat-Zion-Bewegung wie eine fromme Legende, und da nach jüdischer Lehre eine Zeit bitteren Leidens der Ankunft des Messias vorausgeht, so erfaßt Endzeitstimmung die Gläubigen. Die Studenten selber sind weniger vom Messianismus als von der sozialrevolutionären Idee erfüllt, sie haben Berührung mit den „Narodniki" gehabt, den russischen Intellektuellen, die „ins Volk gehen". Unter dem Eindruck der Pogrome wendet sich ihr revolutionärer Elan dem eigenen Volk zu, sie werden jüdische Nationalisten und propagieren den Aufbau der Volksheimat in Palästina. Es gelingt einer kleinen Gruppe der in der „Bilu"-Organisation[8] zusammengefaßten jüdischen Studenten, als Arbeiterpioniere die erste landwirtschaftliche Kolonie in Palästina zu gründen. In ihren Statuten nehmen die Biluim den Kibbutz, die Arbeitspflicht und den Kollektivbesitz vorweg. Sie leiten die erste Alijah ein, die erste Einwanderungsperiode unter zionistischem Einfluß. Ohne die Hilfe Rothschilds wäre ihr unerfahrener Idealismus schon nach zwei Jahren mit dem Projekt gescheitert.

Aber die Pogrome erschütterten auch gebildete Juden der bürgerlich-assimilierten Schicht, Aufklärer und Russifikatoren, die bis 1881 für die Emanzipation gekämpft hatten. Zu ihnen gehört Leon Pinsker, ein Arzt für die Reichen in Odessa, ein Aristokrat des Geistes; er war ohne jüdische Erziehung aufgewachsen und von der völkischen Ergriffenheit dieser Jahre unberührt. Sein junger Freund und Bewunderer, der zionistische Schriftsteller Ben Ami (M. Rabinowicz), erzählt von ihm, er habe einen Widerwillen gegen das Jiddisch und eine Abneigung gegen die

[8] Bilu, Anfangsbuchstaben von Jes. 2,5: „Haus Jakobs, auf, lasset uns gehen!"

Massen gehabt, hebräisch überhaupt nicht, russisch ziemlich schlecht und deutsch vorzüglich gesprochen.[9] In einem klaren, geschliffenen Deutsch ist auch die Broschüre „Autoemanzipation" geschrieben, die 1882 in Berlin erscheint und sich vornehmlich an die westeuropäische Judenheit richtet; sie ist das erste Dokument des politischen Zionismus. Mit seiner scharfen Diagnose des jüdischen Lebens in der Diaspora kommt Pinsker zu dem Ergebnis, daß die Juden das „auserwählte Volk des Hasses" bleiben werden, bis sie durch eine eigene Staatsgründung die Ebenbürtigkeit unter den Nationen gewonnen haben. Er fordert Erwerb eines Territoriums als Machtzentrum und Asyl, ein jüdisches Staatswesen als Abhilfe für die politische und soziale Not, vor allem aber Wiederherstellung der moralischen Würde des jüdischen Volkes. Denn wie Herzl durch den Dreyfuß-Prozeß, so ist Pinsker durch das Erlebnis der Pogrome tief verletzt und erschüttert. Er schlägt einen Nationalkongreß vor, der in Amerika, in der asiatischen Türkei oder auch in Palästina ein Land als Nationalgut erwerben soll, der Ort ist ihm nicht wichtig. Erst als er von der deutsch-jüdischen Presse und den philanthropischen Gesellschaften abgelehnt wird, schließt Pinsker sich den Chowewe-Zion-Kreisen (Zionsfreunde) in Rußland an, die ihn begeistert aufnehmen. Er organisiert die schon bestehenden Zionsvereine und tritt selbst an die Spitze des „Odessaer Komitees", das sich die Kolonisation in Palästina und die Volksmetamorphose durch Rückkehr zum Ackerbau als Ziel setzt, dann aber doch in die Abhängigkeit der großen Wohltäter gerät. Pinsker hatte ursprünglich etwas ganz anderes gewollt. Als er 1891 starb, befanden sich die überstürzt vorgenommenen kolonisatorischen Versuche in einer schweren Krise, die jetzt neu einsetzende Massenauswanderung nahm ihre Richtung nach Amerika.

---

[9] Ben Ami, Erinnerungen an Leo Pinsker. Der Jude, 1, 1916/17. S. 583–590.

Im Jahre 1889 trat der bedeutendste geistige Führer der jüdischen Erneuerungsbewegung Achad Haam mit dem kritischen Essay „Nicht dies ist der Weg!" an die Öffentlichkeit. Usher Ginzberg – er nannte sich Achad Haam („Einer aus dem Volke") – hatte eine jüdische Bildung in streng chassidischer Umgebung erhalten, später in Westeuropa studiert, wo ihn Darwin und Spencer beeinflußten, war dann Mitglied des „Odessaer Komitees" und bereiste 1891/93 Palästina, um die Verhältnisse in den jüdischen Kolonien zu studieren. Seine Kritik an der Unfähigkeit der Kolonisten und an der demoralisierenden Protektion durch die Rothschild-Verwalter war scharf. Er hat in mehreren Aufsätzen über „Die Wahrheit aus Palästina" berichtet. Aber auch den politischen Zionismus von Pinsker und Herzl lehnte Achad Haam ab, da er von negativen Erscheinungen ausgehe, von der Nichtassimilierbarkeit der Juden und vom Antisemitismus. Der Plan der Staatsgründung hatte in seinen Augen schon zuviel vom modernen europäischen Nationalismus aufgenommen. Beide Wege also, die der Zionismus eingeschlagen hatte, schienen ihm falsch. Als Herzl später auf dem ersten Zionistenkongreß seine Aktionspläne entwickelte, äußerte Achad Haam sich mißtrauisch und besorgt: man sei nicht nach Basel gekommen, um den „Judenstaat" heute oder morgen zu gründen, sondern um der Welt zu zeigen, daß das jüdische Volk noch lebe und sich aus seiner Gesunkenheit erheben wolle. „Das Heil Israels wird durch Propheten kommen, nicht durch Diplomaten", sagte er damals.[10]

Aber welches war der Weg, den Achad Haam vorschlug? Seine kritischen und seine fordernden Gedanken haben den Zionismus in allen seinen Phasen aufs stärkste beeinflußt und sind später in die „Jüdische Bewegung" eingegangen, die sich an den Namen Martin Bubers knüpft.

---

[10] Zit. nach A. Bein, Theodor Herzl. Wien 1934, S. 383.

Sie gehören also auch zur geistigen Geschichte des deutschen Judentums.

Achad Haam ging davon aus, daß das jüdische Problem nicht in der physischen Not, sondern in der inneren Krise des jüdischen Volkes begründet sei, einer durch die Emanzipation und Assimilation erzeugten Krise geistig-seelischer Art. Eine Volkspersönlichkeit bewahrt nur ihren Bestand, wenn sie ihre Einheit, ihren geschichtlichen Charakter, ihre Überlieferungen, ihre Ursprünge und Entfaltungen zum Gegenstand ihres Bewußtseins macht und sie mit ihrer Bestimmung und ihrer Zukunftshoffnung verknüpft. Zu den inhaltlichen Bestimmungen der jüdischen Volksidee gehört auch die Auserwähltheit, die eine sittliche Verpflichtung umfaßt, es gehört dazu der prophetische Messianismus, der das jüdisch-nationale Ideal mit der Befreiung der Menschheit verbindet. Das hatte schon Moses Hess gelehrt und dabei ebenso wie Achad Haam die orthodoxe Auffassung des Gesetzes abgelehnt. Diese Volksindividualität ist nun in der Gefahr, sich aufzulösen und ihre eigentümlich jüdische Seelensubstanz durch Angleichung und Überfremdung zu verlieren. Retten könnte sie nur die Wiedervereinigung aller Juden im Heiligen Land, aber das durch eine politische Aktion plötzlich herbeiführen zu wollen, ist utopisch und widerspricht auch den Gedanken der inneren Erneuerung und Selbstfindung, die der Begriff „Zionsliebe“ enthält. Achad Haam ist Evolutionist und gegen alle Sprünge. Was sich aber allmählich verwirklichen läßt, ist die Errichtung eines geistigen und kulturellen Zentrums in Palästina, das auf die Diaspora ausstrahlt und die zersetzende Wirkung der Assimilation aufhebt. Darum müssen die Einwanderer eine Elite sein und die „Arbeit von Priestern“ verrichten. Eine Akademie in Palästina ist mehr wert als hundert landwirtschaftliche Kolonien. Der geistige Mittelpunkt kann aber nur wirksam werden, wenn in den Herzen des Volkes das Verlangen nach nationaler Einheit entzündet ist. Darum der ständige Aufruf zur „Belebung der Herzen". Achad Haam lehnte den „Judenstaat" nicht ab, er begriff wohl, daß eine politische Sicherung des geistigen Zentrums notwendig war. Aber er sollte nur der Weg zum Ziel sein, nicht das Ziel selbst. Seine Grundüberzeugung war, daß alle großen Entscheidungen der Menschheit im Geiste bereitet werden, daß also auch die nationale Frage kein Machtproblem ist, sondern geistig und sittlich entschieden wird.[11]

Das war keine bequeme Lehre, sie enthielt auch kaum eine Anweisung, wie man sich in der drängenden Not der Stunde verhalten solle. Aber es war eine charakteristisch jüdische Lehre, sowohl was ihre Skepsis gegenüber der zweckstrebigen politischen Tüchtigkeit und ihre Hochschätzung des Geistes angeht, wie auch ihre Überzeugung von der Einzigkeit des Volkes, seinem besonderen Auftrag und der notwendigen Anomalie eines jüdischen Staates. Achad Haam hätte dem Wort Heines wohl nicht zugestimmt, der die Bibel einmal „das aufgeschriebene Vaterland der Kinder Gottes" nennt. Aber daß es mit dem Vaterland in Palästina eine besondere und einzigartige Bewandtnis habe, hat er immer betont. Er ist auch für die Realpolitiker der zionistischen Bewegung die Stimme des Gewissens geblieben, die sie nicht überhören konnten. Chaim Weizmans Vorstellung von einem jüdischen Palästina als einem Lehr- und Lernzentrum der modernsten Wissenschaft ist von Achad Haam ganz wesentlich beeinflußt. Dieser Erzieher und unerbittliche Kritiker hat sich dem Optimismus und dem eiligen Erfolg immer in den Weg gestellt. Daß ihn zuerst die russischen Juden und später die jungen Zionisten in Deutschland und Österreich als ihren geistigen Führer verehrten, zeigt doch wohl, daß er ihrem national-jüdischen Bewußtsein den tiefsten Ausdruck gegeben hat.

Die Frage, was Herzl in Deutschland und Österreich vor-

[11] Vgl. H. Kohn, Zur Geschichte der zionistischen Ideologie. Zionistisches Handbuch, Berlin 1923.

fand, ist schneller beantwortet. Die eigentlich nationaljüdischen Anregungen gingen auch hier vom Osten aus. In Wien schlossen sich 1882 jüdische Studenten zum ersten Mal zu einer Verbindung zusammen, als der Schönerer-Antisemitismus an Boden gewann und die deutsch-studentischen Verbände Juden ausschlossen. Zu den Gründern der „Kadimah" gehörten Smolenskin und Nathan Birnbaum, die ihr ein zionistisches Programm gaben. Als der „Judenstaat" erschien, baten die begeisterten Studenten Herzl sofort, die Führung der zionistischen Bewegung zu übernehmen.

Es ist bezeichnend, daß es eine ähnliche Vereinigung deutsch-jüdischer Studenten in Berlin nicht gab, obwohl Stoeckers Agitation in den 80er Jahren ein Anlaß hätte sein können. Die nationaljüdische Idee wurde hier zum ersten Mal von russischen Studenten erörtert, die 1889 den „Russisch-jüdisch wissenschaftlichen Verein" gründeten. Er war eher eine Diskussionstribüne, wo Nationaljuden, die sich erst später Zionisten nannten, mit Assimilanten auf der einen Seite und jüdischen Sozialisten auf der anderen stritten. Die Sozialisten waren in der Mehrheit, revolutionär waren beide Gruppen, d. h. sie wollten beide den Umsturz der Zarenherrschaft. Die russische Regierung hatte mit der Prozentnorm für Schulen und Hochschulen die revolutionäre Armee der jungen jüdischen Intelligenz selber ins Ausland geschickt, wie sie es auch mit den Sozialisten, aber oft auf dem Weg über Sibirien, getan hatte. Es waren nur kleine Gruppen, aber mit ungewöhnlichen Eigenschaften ausgestattet: mit absoluter Bedürfnislosigkeit, mit geistiger und politischer Leidenschaft, mit der Fähigkeit zu hungern und mit einer grenzenlosen Wißbegierde. Shmarya Levin, der später als jüdischer Abgeordneter in der 1. Reichsduma saß, Chaim Weizman und manche anderen Teilnehmer und Beobachter haben es eindrucksvoll geschildert. Schon in Rußland hatten sie einen heroischen Kampf um die Schulbildung geführt, die ihnen versagt oder nur durch Bestechung möglich war. In Berlin lebten sie isoliert, von den deutschen Studenten, wie alles Östliche, mit Geringschätzung, von den deutschen Juden mit Sorge und Argwohn betrachtet. Sie vergalten es mit dem geistigen Hochmut der Erweckten und Wissenden, sie verachteten „das auf Eis gelegte Judentum der deutsch-jüdischen Intelligenz", die ihre „mosaische Konfession" nur noch als romantisches Relikt aufbewahre und den Geist des jüdischen Volkes für ein „papierenes Recht" verkauft habe.

Als die russischen Behörden im kältesten Wintermonat des Jahres 1891 die sofortige Deportation der Juden aus Moskau anordneten, weil für den Einzug des Großfürsten Sergej die Stadt „judenrein" sein sollte, und sich bei den Razzien schlimme Szenen abspielten, da erschütterte die Nachricht die jüdischen Studenten im Ausland deshalb so sehr, weil es sich um eine Regierungsmaßnahme handelte, nicht um einen wie auch immer provozierten und gelenkten Volksausbruch. Eine brutale, ja verbrecherische Regierung, so meinten sie, sei in Westeuropa unvorstellbar, und damit hatten sie recht. Die Pogrome waren das unwiderlegbare Argument der jüdischen Nationalisten, auch den Sozialisten gegenüber, die von der Solidarität des Proletariats überzeugt waren. Als in einer Versammlung, so berichtet Shmarya Levin, ein junger Sozialist den Nationalismus heftig angriff und zuletzt die internationale Zusammenarbeit der Völker an seinem Rock demonstrierte, dessen Wolle in England gesponnen und in Lodz gewebt war, dessen Garn aus Österreich und dessen Knöpfe aus Deutschland kamen, platzte dem heftig Gestikulierenden der Ärmel. Da erhob sich mitten im Applaus eine Stimme: „Und der Riß an Ihrem Ärmel stammt vom Kiewer Pogrom!"[12]

[12] Shmarya Levin, S. 278.

In Deutschland war der Antisemitismus am Ausgang des 19. Jahrhunderts akademischer Natur in jedem Sinne, eine Sache der Studenten und bestimmter gesellschaftlicher Kreise und ein Gegenstand der literarischen Polemik. Die Regierung duldete keine Ausschreitungen. So fehlte auch dem deutschen Judentum im allgemeinen jeder revolutionäre Zug. Von den wenigen jüdisch-sozialistischen Intellektuellen abgesehen, war die überwältigende Mehrheit liberal und national gesinnt, zum mindestens bewahrte sie gegenüber dem Staat, der sie schützte, eine dankbare oder auch besorgte Loyalität. Es ist für das jüdische Bürgertum in Deutschland sehr charakteristisch, was M. I. Bodenheimer von seiner Entwicklung zum Zionisten erzählt.[13] Nachdenklich machen den jungen Referendar in einer westdeutschen Kleinstadt zuerst die Kasinowitze und die nicht einmal feindliche, aber doch vorurteilsvolle Haltung der Gesellschaft, dann Nachrichten von außerhalb: die Stoecker-Bewegung und die russischen Pogrome. Er kommt ganz selbständig, wie er meint, auf den Gedanken der Auswanderung nach Palästina, aber der Gedanke lag in der Luft, und Judenstaatsprojekte gab es in Frankreich und England im 19. Jahrhundert eine ganze Reihe, die meisten von christlichen Autoren.[14] Da man in Deutschland vom „jüdischen Volk" oder der „jüdischen Nation" nicht reden durfte, ohne den Antisemiten recht zu geben – während in England jewish people die geläufige Bezeichnung war – nannte Bodenheimer seine Broschüre „Wohin mit den russischen Juden?" Er rückt also den philanthropischen Gesichtspunkt, mit dem es ihm ebenso ernst war, in den Vordergrund. Er liest jetzt mit Entzücken Moses Hess und gewinnt Fühlung mit den Zionsfreunden in

[13] M. I. Bodenheimer, So wurde Israel. Aus der Geschichte der zionistischen Bewegung. Frankfurt a. M. 1958.

[14] R. Lichtheim, Die Geschichte des deutschen Zionismus. Jerusalem 1954, S. 31 ff.

Wien und in England und mit kleinen jüdischen Gruppen in Berlin, die Kolonisationspläne entwerfen und aus der Beschäftigung mit jüdischer Tradition und Geschichte ein neues Selbstgefühl gewinnen. Mit dem aus Litauen gebürtigen Kölner Kaufmann David Wolffsohn zusammen gründet er 1893 in Köln einen „Verein zur Förderung von Ackerbau und Handwerk in Palästina". Aber innerhalb der deutschen Judenheit sind das winzige und kaum beachtete Versuche, den nationaljüdischen Gedanken zu erwecken. Den Anstoß hatte die antisemitische Bewegung gegeben, das negative Erlebnis also.

Der junge Martin Buber nennt in einem frühen Aufsatz diesen Weg zum Zionismus den vulgärsten, und um nichts wertvoller sei die bequeme Philanthropie, die Sorge um „die armen Juden da draußen im Osten", mit der man sein Gewissen beschwichtige.[15]

Wenn sie sich plötzlich als Volk erkennten, so habe das nur der Haß der Umwelt zustande gebracht, urteilte Achad Haam von den ersten deutschen Zionisten.[16]

Aber was die Ostjuden – Buber brachte von seiner Kindheit in Galizien die ostjüdische Erfahrung mit – den deutschen Juden vorwarfen, war nicht gerecht und konnte auch nicht gerecht sein. Das deutsche Judentum war tiefer mit Geist und Gesittung der deutschen Kultur verbunden als irgendwo die Juden mit der Kultur ihrer Vaterländer. Es war ja nicht nur ihre bürgerliche Sicherheit und Wohlsituiertheit, die sie durch den nationaljüdischen Gedanken bedroht sahen, es war ihr Leben und Denken in Kant und Goethe, in Lessing und Hegel, ihre tatsächliche Einwurzelung in den deutschen Geist. Man konnte die breite Schicht gebildeter deutscher Juden, die den deutschen Nationalstaat jetzt als ihren eigenen ansahen, nicht „angeglichen", nachahmerisch, parvenuhaft und feige nennen, aber das

[15] M. Buber, Wege zum Zionismus (1901). Die jüdische Bewegung. Berlin 1920, I, 39 f.

[16] Ein Brief Achad Haams von 1903. Der Jude, 1. Jg. 1916/17, S. 354–358.

Wort „Assimilanten“ faßte sie alle polemisierend und simplifizierend zusammen. Sie waren eben die Gegner der jüdischen Wiedergeburt.
Verständlich war auch die tiefe Betroffenheit, mit der die erst seit zwei Generationen Eingebürgerten auf die Anzeichen von Fremdheit und Feindschaft ihrer gesellschaftlichen Umgebung reagierten. Herzl war auf keinem anderen Wege zum Zionismus gekommen als dem, den der junge Martin Buber damals so hochmütig den vulgärsten nannte. Die jungen russischen Juden in Berlin hatten übrigens recht, als sie beim Erscheinen des „Judenstaates“ sagten, für die deutschen Juden möge er aufregend sein, für sie enthalte er nichts Neues. Aber sie wußten noch nicht, daß das Neue nicht in dem gedanklichen Entwurf bestand – obwohl dessen Ton sie aufhorchen ließ – sondern in dem Willen und in der Fähigkeit Herzls, ihn in politische Aktion umzusetzen.

24. KAPITEL

DIE POLITISCHE AKTION

Die Aufgabe

Es ist die Begeisterung der zionistischen Jugend, die Erregung der ostjüdischen Massen, die Herzl zur Aktion treibt. Er erlebt sie gleich nach dem Erscheinen seiner Broschüre „Der Judenstaat" in Studentenversammlungen, Zuschriften und Resolutionen. Zionsvereine aus Polen und Galizien schreiben ihm, die ganze Judenheit warte auf ihn, und jüdische Gemeinden erklären, sie seien sofort zur Auswanderung bereit. Ein polnischer Rabbi ist überzeugt, daß sich die drei Millionen Chassidim der Bewegung anschließen werden, Herzl vermerkt es in seinem Tagebuch (8. Mai 1896). Noch stärker ist der Eindruck der persönlichen Begegnungen. Bei der ersten Reise in die Türkei empfangen ihn in Sofia die bulgarischen Juden und Flüchtlinge aus Rumänien mit stürmischer Begeisterung und rufen ihm zum Abschied auf hebräisch zu: „Nächstes Jahr in Jerusalem". Herzl spürt jetzt zum ersten Mal, wie sich religiöse Erregung in die Hoffnung der Ärmsten mischt. Auf einer Massenversammlung im Londoner Eastend, wo damals fast 80000 Juden leben, wird er als Moses und Kolumbus gefeiert, und er empfindet es selber, wie seine Legende entsteht. Aber erst als das lange begehrte Gespräch mit Rothschild in Paris flau und enttäuschend verläuft und die Verwaltung des Hirsch-Fonds die Unterstützung seines Planes ablehnt, da die Philanthropen begreiflicherweise eine plötzliche Masseneinwanderung nach Palästina fürchten, fällt die Entscheidung. Herzl entschließt sich damals, die zionistische Organisation von unten her aufzubauen und sie auf eine Massenbewegung zu gründen. „Mich lieben die Bettler, darum bin ich der Stärkere", notiert das Tagebuch. (10. April 1896)

Herzls Ausgangspunkt war die Erkenntnis, daß die Not der Judenheit unaufhebbar sei, solange es ihr am politischen Zentrum und an der einheitlichen politischen Leitung fehle. Er war ferner überzeugt, daß die von den Zionsvereinen propagierte Kolonisation und allmähliche Infiltration Palästinas der falsche Weg sei, da Siedlungen völkerrechtlichen Schutz brauchten, um zu gedeihen. Es waren also zwei große Aufgaben zu lösen: die Vorbereitung des Judenstaats von innen her und die Bildung der politischen Organe und seine Konstituierung und Sicherung von außen durch Erwerb eines Territoriums und die Zustimmung der Mächte. Daß nur Palästina dieses Territorium sein könne, hatte ihm die Reaktion der Juden gezeigt.
Man muß die eigentümlichen Schwierigkeiten der Konzeption deutlich sehen. Es geht um die Organisation der über Europa verstreuten Judenheit und um die Steuerung ihres politischen Willens, der ja noch chaotisch und widerspruchsvoll ist, auf den sich Herzl aber als politischer Unterhändler zu seiner Legitimation berufen muß. Aber für welches Ziel ist der politische Wille zu aktivieren? Es schwebt noch über den Wolken. Es war ferner die diplomatische Aktion nötig, um die Zustimmung der Türkei und die Garantie der Großmächte zu erhalten. Aber auf welche politische Realität gründet sie sich, wen vertritt der Geschäftsträger der Juden? Die große Mehrheit der Westjuden protestiert gegen seine Pläne. Die Fragen bleiben offen. Es handelt sich um eine Staatsbildung ohne Fundament, um ein Projekt, das schwebt.
Daß sich das Problem in dieser Einzigartigkeit stellt, hängt mit der ganzen jüdischen Exilsgeschichte zusammen, alle ihre eigentümlichen Momente finden sich ein. Ein Volk, das sich an der Feindseligkeit der Umwelt als Volk erkennt, das keine gemeinsame Sprache, das eine anomale Berufsstruktur hat und die äußersten ökonomischen Gegensätze in sich vereint. Eine Nation, die allein im Staats-

willen existiert, der aber noch unartikuliert ist. Das Land, im Besitz der Türken, umfaßt die heiligen Stätten der Christenheit und ist durch die Macht der religiösen Überlieferung mit dem jüdischen Volk verbunden. Die europäischen Großmächte sind gleichgültig oder mißtrauisch, aber an dem Erbe der zerfallenden Türkei *oder* an ihrer Erhaltung interessiert. Die Staatsschulden machen den Sultan für jüdische Finanzhilfe empfänglich, es ist eine fast mittelalterliche Grundlage auf der Herzl verhandelt. Ein Relikt der Exilsgeschichte auch dies: Juden haben den Wert des baren Geldes, Judenschutz ist eine Einnahmequelle, so sah es der Sultan. Und dann die Paradoxe: es verhandelt ein Staatsmann ohne Staat, er will zuerst einen Freibrief, eine Garantieurkunde, einen Charter und dann erst die Ansiedlung. Ein assimilierter Jude des Westens tritt an die Spitze einer Bewegung, deren starke Wurzeln im Ostjudentum sind, das er nicht kennt.[1] Seine totale Machtlosigkeit ist der Reflex der politischen Ohnmacht des von ihm geführten Volkes, das seit fast zweitausend Jahren nur Objekt der Geschichte ist.

Ohne das phantastische Element in seiner Natur hätte Herzl die politische Aktion wohl gar nicht begonnen. Er notiert in sein Tagebuch: „Große Dinge brauchen kein festes Fundament. Einen Apfel muß man auf den Tisch legen, damit er nicht falle. Die Erde schwebt in der Luft. So kann ich den Judenstaat vielleicht ohne jeden sicheren Halt gründen und befestigen. Das Geheimnis liegt in der Bewegung.“ (12. Mai 1896)

Die beiden Aufgaben, nämlich der den Staat vorbereitende Aufbau einer Organisation und der völkerrechtliche Erwerb eines Territoriums, sind eng verflochten. Herzl braucht die diplomatischen Erfolge, um die Zionisten zu überzeugen; er braucht ihre Zustimmung und finanzielle Hilfe, um diplomatisch weiterzukommen. Beides nimmt

[1] Vgl. hierzu M. Buber, Theodor Herzl (1904). Die jüdische Bewegung. I, 137–152.

er gleichzeitig in Angriff. Er sucht Kontakt mit den einflußreichen Juden des „Makkabäerklubs“ in London, die an der Kolonisation in Palästina längst interessiert sind, aber für den Staatsgedanken erst gewonnen werden müssen. Er fährt nach Konstantinopel, um die Aussichten des merkwürdigen Geschäfts zu prüfen, das er dem Sultan vorschlagen läßt: Regulierung der türkischen Finanzen gegen Hoheitsrechte in Palästina. Er wird vom Großherzog von Baden empfangen und überzeugt den liberalen und judenfreundlichen Fürsten von der zionistischen Idee, er hofft durch ihn Verbindung mit dem deutschen Kaiser und dem Zaren zu erhalten.
Inzwischen breitet sich die zionistische Bewegung aus. In der Wochenschrift „Die Welt“, die Herzl aus eigenen Mitteln gründet, hat sie bereits ihr Organ. Aber es war eine Heerschau nötig, eine Tribüne, ein Bekenntnis zur jüdischen Gemeinschaft, ein alle Richtungen vereinigendes Programm und endlich ein Parlament und eine Exekutive als Keimzellen des Staates. Im Januar 1897 faßte Herzl den Plan, einen Kongreß einzuberufen. Für sein Tagebuch übernimmt er die scherzhafte Anspielung eines englischen Journalisten und nennt es jetzt das „Logbuch der Mayflower“. Denn der Zionismus, so formuliert er damals mit der knappen Kürze, die seine Worte berühmt machen, der Zionismus ist „das jüdische Volk unterwegs“.

Der 1. Zionistische Kongreß in Basel 1897

Da die Münchener Kultusgemeinde sich unter dem Einfluß der protestierenden Rabbiner gegen die Abhaltung des Zionistenkongresses in München gewehrt hatte, fand er im August 1897 in Basel statt. Es kamen 197 Delegierte aus allen Ländern Europas, aber auch aus Palästina, Algier und Amerika. Besonders zahlreich waren die Führer der Zionsbewegung aus Rußland. Herzl wollte alle gewinnen, die Orthodoxen und die Freidenker, er wollte auch die

Assimilanten nicht vor den Kopf stoßen. Er sprach vor der Weltöffentlichkeit und mußte mit den christlichen Konfessionen rechnen und mit dem Mißtrauen des Sultans und des Zaren. Deshalb sollte auf dem Kongreß kein Jammern und keine Anklage laut werden, aber auch kein hybrider Anspruch; der Zionismus sollte keinen chiliastischen Schrecken verbreiten, sondern den Eindruck einer vernünftigen und gesitteten Bewegung machen.

Die Wirkung von Herzls Persönlichkeit ist oft geschildert worden, seine angeborene Würde, die Hoheit seiner Erscheinung, die Gemessenheit von Sprache und Bewegung. Den aus aller Welt herbeigeeilten, von der Größe ihrer Sendung und ihrer Hoffnungen erregten Delegierten erschien er wie der Geist ihrer alten Geschichte, ein „aus dem Grabe erstandener königlicher Nachkomme Davids". Der erste Satz seiner Ansprache enthielt schon das Programm und zeigte kluge Mäßigung in der Formulierung: „Wir wollen den Grundstein legen zu dem Haus, das dereinst die jüdische Nation beherbergen wird." Herzl würdigt die Kolonisationsversuche der Zionsfreunde und Philanthropen, möchte sie aber erst fortgesetzt sehen, wenn ihnen eine Basis des Rechts und nicht der bloßen Duldung gegeben sei. Daher müsse der Kongreß „öffentlich-rechtliche Bürgschaften" anstreben. Er spielt auf die Befürchtungen der Antisemiten an: die Zionisten wollten keinen internationalen Geheimbund, sondern eine internationale Diskussion in aller Öffentlichkeit. Er beruhigt die Regierungen: man wolle keinen Umsturz, sondern den friedlichen und freiwilligen Auszug der Juden. Aufklärung und Beruhigung solle auch künftig von dem Kongreß ausgehen, der eine dauernde Einrichtung werden müsse, ein politisches Organ des zur Nation erwachten jüdischen Volkes. „Wir sind mit uns im Reinen", sagt Herzl, „wir sind sozusagen nach Hause gegangen. Der Zionismus ist die Heimkehr zum Judentum noch vor der Rückkehr ins Judenland." Damit hat er die Formel gefunden, die alle

Richtungen im Zionismus umfaßt, sie ist prägnant und vieldeutig zugleich. Herzl verstand darunter das Bekenntnis zur jüdischen Gemeinschaft und ihren Nöten, nicht einen besonderen geistig-kulturellen Gehalt wie die Anhänger Achad Haams.

Das wichtigste Ergebnis des Kongresses ist die Grundlegung des politischen Zionismus durch das „Baseler Programm". Es war nicht leicht, den richtigen Ausdruck für ein völkerrechtlich neues Gebilde zu finden. Art und Umfang der für die Ansiedlung in Palästina verlangten Autonomie waren noch umstritten, auch durfte der Sultan als Souverän nicht verstimmt werden. Man einigt sich auf den Satz: „Der Zionismus erstrebt für das jüdische Volk die Schaffung einer öffentlich-rechtlich gesicherten Heimstätte in Palästina." Als „National home for the Jewish people in Palestine" ist diese Formulierung später in die „Balfour-Declaration" von 1917 und in den Text des Palästina-Mandats von 1922 aufgenommen worden. Man hatte in Basel den vorsichtigen Ausdruck „öffentlich-rechtlich" gewählt, da er nur als Garantie der politischen Faktoren verstanden werden sollte, die über das Schicksal Palästinas bestimmen konnten, und man das völkerrechtliche Novum nicht zu fordern wagte. Der Artikel 4 verlangt aber noch „vorbereitende Schritte zur Erlangung der Regierungszustimmungen, die nötig sind, um das Ziel des Zionismus zu erreichen". Darin steckt Herzls Idee vom „Kulturrat der Völker". Sie hat sich erst verwirklicht in der Konstruktion des Palästina-Mandats durch den Völkerbund. Artikel 1 und 3 enthielten Zugeständnisse an die Verfechter der Palästina-Kolonisation und an die „Kulturzionisten". Artikel 2 verlangte die „Gliederung und Zusammenfassung der gesamten Judenschaft durch geeignete örtliche und allgemeine Veranstaltungen nach den Landesgesetzen".[2]

---

[2] Encyclopaedia Jud. „Baseler Programm".

Der Kongreß war von Herzl als ein jüdisches Weltparlament gedacht, das aus gewählten Vertretern bestand und jedes Jahr einmal zusammentreten sollte. (Von 1901 an alle 2 Jahre.) Es wählte aus seiner Mitte das Große Aktionskomitee und ein engeres Komitee als Permanenz-Ausschuß, zwei Organe, die die Exekutive darstellten und die später wichtige Vorentscheidungen fällten. Auch die Pläne einer Kolonialbank, eines jüdischen Nationalfonds und einer Universität in Jerusalem wurden schon diskutiert.

Im Jahre 1806/07 hatte zurst der Notabelnkongreß, dann das „Synhedrion" in Paris auf Verlangen Napoleons den Verzicht der Juden auf ihre Nationalität ausgesprochen. Der Baseler Zionistenkongreß ist die Revision einer historischen Entscheidung: er meldet die nationalen Ansprüche des jüdischen Volkes vor der Weltöffentlichkeit an, und er schafft zugleich das politische Zentrum und die weltweite Organisation.[3]

Herzl schreibt noch unter dem Eindruck seines Erfolgs wenige Tage später: „Fasse ich den Baseler Kongreß in ein Wort zusammen – das ich mich hüten werde, öffentlich auszusprechen – so ist es dieses: in Basel habe ich den Judenstaat gegründet. Wenn ich das heute laut sagte, würde mir ein universelles Gelächter antworten. Vielleicht in 5 Jahren, jedenfalls in 50 wird es jeder einsehen. Der Staat ist wesentlich im Staatswillen des Volkes, ja selbst eines genügend mächtigen Einzelnen (l'Etat c'est moi, Ludwig XIV.) begründet. Territorium ist nur die konkrete Unterlage, der Staat ist, selbst wo er Territorium hat, immer etwas Abstraktes. (Tagebuch 3. Sept. 1897)

Die Kühnheit und Sicherheit dieser Überzeugung teilte sich den Kongreß-Delegierten mit, die zum großen Teil mit unbestimmten Wünschen und phantastischen Hoffnungen oder mit zweifelnder Kritik nach Basel gekommen

---

[3] Vgl. Bein, Th. Herzl, S. 356.

waren. Die russischen Juden gaben zu, daß der Kongreß dem Zionismus erst eine Form gegeben habe, da sie selbst nichts von parlamentarischer Tätigkeit und wenig von praktischer Organisation verstanden. Über die nächsten Ziele der politischen Aktion äußerte sich Achad Haam aber bald sehr mißtrauisch. Für Herzl dagegen war das ungebrochene Nationalgefühl der Ostjuden, die sich gar nicht assimilieren *wollten,* eine wichtige Erfahrung. Er überhört die Kritik und drängt auf Einigung. Um dem abstrakten Gebilde Staat, das er schon gegründet zu haben glaubt, die konkrete Unterlage eines Territoriums zu schaffen, beginnt er sofort wieder seine diplomatischen Verhandlungen. Es stellt sich heraus, daß sie schwieriger sind, als er gedacht hat.

Die Hoffnung auf das deutsche Protektorat

Herzl hatte schon mehrere Male versucht, zu einer Audienz bei Wilhelm II. zugelassen zu werden, und klug berechnete Briefe entworfen, die von „einer kolonialen Ableitung des nicht resorbierbaren Teiles der Judenschaft" und von einer Teillösung der Orientfrage sprachen. Auch verhindere die zionistische Bewegung, daß die Juden durch materielles Elend oder gesellschaftliche Ächtung in die Umsturzparteien gedrängt würden. Das war durchaus Herzls Überzeugung, zielte aber auch auf die Sozialistenfurcht des Kaisers. Der Großherzog von Baden hatte die Vermittlung übernommen, auch Eulenburg hatte sich für ihn verwandt. Alle Hoffnungen, die Herzl auf Wilhelm II. und seinen Einfluß auf den Sultan setzte, schienen sich zu erfüllen, als der Plan der Palästinareise bekannt wurde und Eulenburg ihm schrieb, der Kaiser wünsche ihn in Jerusalem mit einer Deputation der Zionisten zu empfangen.

Mit der Orientreise des Kaisers verband die deutsche Politik ganz reale wirtschaftspolitische Ziele, es ging um weitere Konzessionen für den Bau der Bagdadbahn und

den Handelshafen in Haidar Pascha. Den deutschen Einfluß auf friedlichem Wege bis an die indische Grenze auszudehnen, das war ein Programm, das die Phantasie Wilhelms II. entflammte. In Jerusalem wollte er die evangelische Erlöserkirche einweihen und das Protektorat über die deutschen Katholiken übernehmen. Als seine Absichten bekannt wurden, entstand in der Weltpresse eine allgemeine Debatte wegen des Protektorats über die heiligen Stätten in Palästina. Das brachte Herzl auf den Gedanken einer deutschen Schutzherrschaft über die Juden. Er verknüpft nun die Sultansfreundschaft mit dem Kaiser, die Finanzierung der Bagdadbahn, die türkische Konzession und das deutsche Protektorat zu einem einzigen kühnen Projekt und glaubt sich schon nahe am Ziel, als ihm Eulenburg zuversichtlich sagt, der Kaiser habe sich in den Protektoratsgedanken bereits ganz eingelebt, und als der Großherzog ihm nach einem Empfang in Potsdam bestätigt, der Kaiser sei voller Enthusiasmus für diesen Plan. „Merkwürdige Schicksalswege“, notiert das Tagebuch, „durch den Zionismus wird es den Juden wieder möglich werden, dieses Deutschland zu lieben, an dem ja trotz alledem unser Herz hing.“ (8. Okt. 1898)
Aber das Gespräch mit Bülow und Hohenlohe stimmt die Erwartungen wieder herab. Die für die deutsche Politik verantwortlichen Staatsmänner, der Außenminister und der Reichskanzler, hätten ernsthafte politische Gegengründe anführen können, den Widerstand Englands und die vermutliche Absage des Sultans, aber sie reduzieren das Palästinaproblem im wesentlichen auf eine reine Geldfrage. Die Juden würden ihre Börse kaum im Stich lassen, sie seien auch in Berlin zu gut installiert, meint Hohenlohe und erkundigt sich nach den Mitteln, die den Auswanderern zur Verfügung ständen. Als Herzl auf verschiedene Fonds hinweist und den Betrag von 10 Millionen Pfund nennt, sagt Bülow: „Das ist viel. Das Jeld wird's vielleicht machen. Damit wird man an die Sache 'rankönnen.“

(Tagebuch, 9. Oktober 1898.) Herzl spürt den antisemitischen Unterton und die dilatorische Kälte sehr deutlich heraus, hofft aber auf die Audienz beim Kaiser.
Er ist auf dieser denkwürdigen Reise zweimal von Wilhelm II. empfangen worden, im Sultanspalast in Konstantinopel und im kaiserlichen Zeltlager in Jerusalem. Beide Begegnungen hat er sorgfältig aufgezeichnet. Wilhelm II. befand sich auf dieser Reise in einer Rolle, die seinem Wesen entsprach. Er versicherte in dem berühmten Trinkspruch von Damaskus den 300 Millionen Mohammedanern in der Welt, daß zu allen Zeiten der Deutsche Kaiser ihr Freund sein würde – warum nicht auch Schutzherr der Juden in Palästina! Das erste Gespräch fand in Yildiz Kiosk statt, auch Bülow war zugegen. Herzls Vorschlag betraf eine jüdische Landgesellschaft mit türkischer Konzession unter deutschem Protektorat, der Kaiser wollte sich dafür beim Sultan verwenden. Ort und Stunde konnten nicht günstiger sein, und Herzl glaubte sich im Zentrum der Entscheidung. Für ihn ging von der Erscheinung des jugendlichen Kaisers, der ihn ungezwungen empfing und aufmerksam anhörte, eine merkwürdige Faszination aus. „Mir war, als wäre ich in den Märchenwald gekommen, wo das fabelhafte Einhorn hausen soll.“ Der Kaiser findet Herzls Plan einleuchtend. Es gebe unter den Juden, besonders in Hessen, viele Wucherer, die könnten sich in Palästina nützlicher machen, meint er. Herzl ärgert sich insgeheim über die Identifizierung der Juden mit den paar Wucherern und spricht von der Kränkung durch den Antisemitismus, die ihn mitten ins Herz getroffen habe. Da mahnt Bülow zur Dankbarkeit gegen das Haus Hohenzollern, aber die Juden seien nicht dankbar, sie hielten es mit den Oppositionsparteien, sogar mit den antimonarchischen. „Singer!“ murmelt der Kaiser und stimmt Bülow zu.[4] Das gerade werde der Zionismus un-

[4] Paul Singer war sozialdemokratischer Abgeordneter im Berliner Stadtparlament und im Reichstag.

möglich machen, kann Herzl erwidern. Der Kaiser bemerkt nun, die Juden würden sich schon für die Kolonisierung Palästinas einsetzen, wenn sie wüßten, daß er sie unter seinem Schutz behalte, daß sie also Deutschland eigentlich gar nicht verließen! Das Gespräch hält sich länger beim Dreyfus-Prozeß auf und kommt über die Finanzierung zum Gegenstand zurück. Bülow spielt auf die Bestechlichkeit der türkischen Minister an, aber der Kaiser weist das ab. Es werde dem Sultan doch wohl Eindruck machen, wenn der Deutsche Kaiser Interesse für die Sache zeige. Was er vom Sultan verlangen solle? „Eine Chartered Company – unter deutschem Schutz." Der Kaiser wiederholt es: „Gut! Eine Chartered Company!" Es klingt, als sei das alles einfach und abgemacht.
In Jerusalem wollte er die zionistische Deputation empfangen. Aber vorher fand noch eine Begegnung mit Herzl vor der Landwirtschaftsschule Mikweh Israel statt, die Rothschild in seine Verwaltung übernommen hatte. Eine denkwürdige Szene: während die jüdischen Schüler Spalier stehend das „Heil dir im Siegerkranz" anstimmen, reitet der Kaiser mit Gefolge heran und reicht Herzl, den er unter den Wartenden erkennt, spontan die Hand. Die Audienz im kaiserlichen Zelt in Jerusalem ließ aber auf sich warten. Herzl hatte den Text seiner Ansprache mit einigen Korrekturen zurückerhalten. Was sich darin auf die jüdische Landgesellschaft, ihre rechtliche Sicherung und den Schutz des Kaisers bezog, war herausgestrichen.[5] Die Audienz war kurz. Der Kaiser antwortete Herzl und seinen Begleitern: die Kolonisation in Palästina sei nützlich und notwendig, das Land brauche nur Wasser und Schatten. Die künstliche Bewässerung werde allerdings Milliarden kosten. „Na, Geld haben Sie ja genug", rief der Kaiser jovial und beklopfte sich mit der Reitpeitsche den Stiefel, „mehr Geld wie wir alle." Bülow abandonait dans ce

---

[5] Text bei Bein, S. 704 ff. (Beilage C).

sens: „Ja, das Geld, das uns so viele Schwierigkeiten macht, haben Sie reichlich." (Tagebuch, 2. Nov. 1898)
Von einem Protektorat ist keine Rede mehr, und die amtliche Pressenotiz, die kurz darauf durch die deutschen Zeitungen geht, klingt nach den Hoffnungen, die das erste Gespräch erwecken mußte, wie blanke Ironie: der Kaiser habe eine zionistische Deputation empfangen und alle Maßnahmen zur Hebung der Landwirtschaft in Palästina gebilligt, die dem Türkischen Reich zur Wohlfahrt dienten, unter Respektierung seiner vollen Souveränität.
Da Herzl vor der Reise in zionistischen Kreisen mit großer Zuversicht von den Verhandlungen gesprochen hatte, war diese Zeitungsmeldung ein schwerer Schlag. Bülow hat später über diese Vorgänge im einzelnen falsch berichtet, aber sich an Tendenz und Stimmung im ganzen wohl richtig erinnert. Er behauptet, der Kaiser sei anfänglich Feuer und Flamme für die zionistische Idee gewesen, weil er auf diese Weise sein Land von unsympathischen Elementen zu befreien hoffte. Als ihm klargemacht wurde, daß der Sultan von einem jüdischen Staat nichts wissen wolle, habe er die zionistische Sache fallen lassen und sich geweigert, ihre Vertreter zu empfangen.[6] Richtig ist nur, daß er von nun an Herzl nicht mehr empfangen hat, der sich schwer von dem Gedanken an ein deutsches Protektorat trennen konnte. Erst als ihm der Großherzog von Baden im Frühjahr 1900 mit schmerzlicher Enttäuschung erklärt, daß von der deutschen Regierung nichts zu erwarten sei, wendet er sich entschlossen den Verhandlungen mit England zu, ohne die Türkei ganz aufzugeben. Der 4. Zionistenkongreß findet in London statt.
Gewiß war die Grundlage für das deutsche Projekt irreal, wenn man die politischen Machtverhältnisse im Orient im Jahre der Faschoda-Krise bedenkt. Sie wäre auch ohnedies fragwürdig gewesen, da der ursprüngliche „Enthusiasmus" des Kaisers mit seiner Eitelkeit und mit dem Wunsch,

[6] B. v. Bülow, Denkwürdigkeiten. Berlin 1930, I, 254.

lästige Juden loszuwerden, im Zusammenhang stand. Trotzdem hätte der Versuch Herzls, den Kaiser als Ratgeber und Helfer zu gewinnen oder sich seiner moralischen Autorität zu vergewissern, nicht mit der Gleichgültigkeit und Geringschätzung behandelt werden müssen, mit der die deutsche Politik die Judensache abtat. Die Gespräche verraten deutlich, daß das antisemitische Klischee alle Vorstellungen beherrscht: große Geldjuden und kleine Wucherer, die einen möchte man halten (sie gehen auch gar nicht!), die anderen loswerden (aber sie haben kein Geld!). Was Wilhelm II. unter Protektorat versteht, ist mit naiver Selbstverständlichkeit eine Art von mittelalterlichem Judenschutz. Herzl hat später eingesehen, daß man ihn teuer hätte bezahlen müssen. Der Antisemitismus war durch die Konservative Partei und durch Stoecker hoffähig geworden. Nicht in lauten Proklamationen äußert er sich hier, aber als Gedankenbarriere blockiert er jedes Verständnis. Es fällt auf, daß in den entscheidenden Gesprächen der Palästina-Gedanke der nationaljüdischen Bewegung überhaupt nicht anklingt, während er von den christlichen Staatsmännern Englands durchaus verstanden und bei aller politischen Nüchternheit ernst genommen wurde.

Der Kampf um den Charter

Daß die türkische Regierung nicht bereit war, Palästina für die Gründung eines jüdischen Vasallenstaats abzutreten, war nun ganz klar geworden. Aber angesichts ihrer Finanznot mußte sich eine neue Basis für die Verhandlungen finden lassen. Auf dem 3. Kongreß gebraucht Herzl zum ersten Mal offiziell das Wort „Charter". Nach englischem Recht ist ein Charter eine Urkunde, mittels derer die Krone Privilegien und Gerechtsame an Korporationen verleiht. Eine mit Schutzbrief ausgestattete Landgesellschaft in Palästina und als Gegenleistung die Sanierung der türkischen Finanzen – das ist die Leitschnur einer höchst komplizierten Politik, die sich in „mäandrischen Windungen“ weiterbewegt. Schon um das Ohr des Sultans zu erreichen, mußte sich Herzl fragwürdiger Protektionen bedienen, Erpresser abwehren und Vermittler belohnen. Und was für eine bedenkliche Figur war dieser Abdul Hamid selber, der von Herzl immer wieder eine freundliche Erwähnung in der Weltpresse verlangte, weil seine Armenier-Massaker ihm einen schlechten Ruf verschafft hatten. Die sog. Verhandlungen in Yildiz Kiosk mit Ministern und Sekretären sind theatralische Szenen mit einer Statisterie von Bakschischjägern, kostspielig und erfolglos. Herzls Gegner im Kongreß machen ihm Vorwürfe, weil er Geheimdiplomatie treibe und Geld verschwende an nichtswürdige Unterhändler. Aber endlich gelingt im Mai 1901 eine Audienz beim Sultan; zu diesem von einer Kamarilla bewachten Despoten vorzudringen, war an sich schon eine Sensation. Herzl erzählt ihm die Geschichte von Androklus und dem Löwen, die Staatsschuld sei der Dorn, von dem er den kranken Löwen befreien möchte. Es ist ein gewagtes Spiel, weil er keineswegs sicher ist, daß die großen Geldgeber darauf eingehen werden. Der Sultan gesteht nur eine Einwanderung in kleinen Gruppen zu, zerstreute Siedlungen in Kleinasien und Mesopotamien, und macht die türkische Untertanenschaft mit Militärpflicht zur Bedingung. Um ein individuelles Asylrecht aber war es Herzl nicht zu tun, und auf Palästina konnte und wollte er nicht verzichten. Trotzdem bricht er die Verhandlungen nicht ab, denn hinter den räuberischen Forderungen der Paschas, die so etwas wie einen Millionen-Vorschuß erwarten, erkennt er die trostlose finanzielle Lage der Türkei. Aber die großen jüdischen Bankhäuser sind mißtrauisch, und die Jewish Colonial Association ist für eine Massenansiedlung in Argentinien, nicht in Palästina, wo sie gerade die Rothschildschen Kolonien übernommen hat.

Es ist im Grunde ganz einfach: die Türken wollen erst Geld sehen und die Finanzleute erst einen Charter. Herzl fühlt sich nach einer verzweifelten Kreditsuche von allen im Stich gelassen, da kommt ihm auch noch der französische Finanzminister Rouvier zuvor, der dem Sultan die Konversion der Staatsschulden zu günstigeren Bedingungen anbietet. Jetzt sind die Verhandlungen endgültig gescheitert, an denen zuletzt die Türken mit zäher Begehrlichkeit festhielten, kurz vor dem Ziel, wie Herzl glaubte. Er hatte immer nach mehreren Seiten gleichzeitig verhandelt in diesen Jahren einer unerhörten Aktivität. In seiner Schachpartie figurierten jetzt Cecil Rhodes, Theodore Roosevelt, der König von England, der Zar, schreibt er am 23. September 1901 in sein Tagebuch. Als ihm auch die Freunde vorwerfen, er sei in seinem Verkehr mit den Fürsten unaufrichtig gegen das jüdische Volk, warnt er, man dürfe den Mann auf dem Seil nicht schwindlig machen.[7]
Herzl hatte die Hoffnung auf die Rothschilds nie aufgegeben. Als ihn der englische Journalist Greenberg im Juni 1902 als Experten für die Einwanderungskommission in London empfahl, die sich mit einer Alien-Bill befassen sollte, war die Gelegenheit da, mit Lord Nathaniel Rothschild zu sprechen. Die gemeinsame Sorge, wohin der Strom der ostjüdischen Flüchtlinge zu lenken sei, verband sie plötzlich. Rothschild war bisher ein Gegner der „demagogischen“ Bestrebungen Herzls gewesen, die zionistische Bewegung hielt er für gefährlich. Aber Herzl fand eine neue Formel, die den alten Lord auf der Stelle überzeugte: ein Charter für eine „jüdische Kolonie in britischem Besitz“. Er schlägt dafür die Sinai-Halbinsel, El Arish und Zypern vor. Es war eine große und folgenreiche Wendung in seiner diplomatischen Aktion. Den Türken gegenüber hatte Herzl jede Kolonisation außerhalb Palästinas abgelehnt, aber hier schien er den

---

[7] A. Bein, Th. Herzl, S. 505.

Gedanken des „Territoriums n'importe où" wieder aufgenommen zu haben, von dem er im „Judenstaat" ausgegangen war. Aber die Sinai-Halbinsel war Palästina benachbart und durch die religiöse Überlieferung mit dem jüdischen Volk verbunden. Als ein Nahziel unter Beibehaltung des Endzieles Palästina versucht er seinen Gedanken den englischen Zionisten begreiflich zu machen. Man vermittelt ihm ein Gespräch mit Josef Chamberlain, dem Leiter des Kolonialamts.

Die Verhandlungen werden mit freundlich-sachlicher Hilfsbereitschaft bei nüchterner Erwägung der Realitäten geführt. Chamberlain und der Außenminister Lord Lansdowne haben Verständnis für den zionistischen Gedanken, lehnen aber Zypern ab, weil man die griechische und mohammedanische Bevölkerung nicht verdrängen könne. Über die fast leere Sinai-Halbinsel und die Ebene von El Arish ließe sich reden. Aber die Machtverhältnisse sind kompliziert: das Territorium gehört Ägypten, steht unter der Oberhoheit der Türkei und liegt im Machtbereich der englischen Okkupation. Herzl arbeitet sofort einen ausführlichen Charterplan aus, der alle Schwierigkeiten berücksichtigt, und bereitet eine Expedition vor, die die Eignung des Landes für eine Massensiedlung untersuchen soll. Bevor noch ein Resultat vorliegt, plant er den ersten Spatenstich für den Herbst 1903 und will dann sofort die Einwanderung organisieren. Rothschild scheint bereit, bei der Finanzierung zu helfen, und verzweifelte und arbeitswillige Menschen sind genug da. „Auch ist die Zeit unseres Lebens kurz, und wir müssen uns beeilen, wenn wir Gutes schaffen wollen, solange wir auf der Erde sind." (Tagebuch, 10. Februar 1903) Von einem schweren Herzleiden immer mehr bedrängt und gemahnt, will Herzl den vorläufigen Erfolg, die Etappe zum Ziel, auf jeden Fall erreichen. Der Bericht der Kommission lautet, daß eine Besiedlung nur bei hinreichender Bewässerung möglich sei. Die ägyptische Regierung weigert sich aber, einer Ablei-

tung von Nilwasser zuzustimmen. Herzl verhandelt in Kairo selbst mit Lord Cromer, der auch aus politisch-strategischen Gründen Bedenken gegen den Plan hat; alle Wasserfachleute raten ab. Das El Arish-Projekt ist gescheitert. Und nun überstürzen sich die Ereignisse in diesem letzten Lebensjahr, das dem rastlos Tätigen noch vergönnt ist.
Kurz bevor die ägyptische Regierung die Konzession endgültig verweigert, schlägt Chamberlain ihm ein Territorium in Britisch-Ostafrika vor, das er gerade besucht hat: Uganda. Aber Herzl wolle ja nur nach Palästina gehen. Er müsse es, erwidert Herzl, die Basis müsse in oder nächst Palästina sein, später könne man auch Uganda besiedeln; denn Massen von Menschen seien zur Emigration bereit. (Tagebuch, 24. April 1903) Damit ist der Uganda-Plan geboren, der bald eine so ungeheure Erregung hervorruft, daß er die zionistische Organisation beinahe gespalten hätte.
Für Herzl ist dieser noch ganz unverbindliche Vorschlag des englischen Kolonialministers vorläufig nur die Anregung zu wilden Spekulationen. Er denkt an das portugiesische Mozambique als Tauschobjekt, um doch noch die Sinai-Halbinsel samt Nilwasser einzuhandeln, an Belgisch-Kongo, er verhandelt mit den Türken wieder über Mesopotamien. Inzwischen sind die Gerüchte von dem Pogrom in Kischinew während der Osterwoche in die Weltpresse gelangt, eine neue Auswanderungswelle steht bevor – und „man's life is short“, notiert das Tagebuch. Hat Herzl den Zionsgedanken aufgegeben? Nein, aber er will nun das Ziel auf Umwegen erreichen. Nicht nur in Ostafrika, auch in anderen Teilen der Welt ließen sich „Chartered Companies“ gründen, alle seien sie Stützpunkte und Stationen auf dem Weg nach Palästina. Aber ein erster Schritt zur Verwirklichung und zur Abhilfe der dringendsten Not müsse getan werden. „Wie Sie wissen, bin ich eine Art Armenadvokat für unglückliche Juden“, schreibt er damals

an den österreichischen Ministerpräsidenten. (Tagebuch, 19. Mai 1903)
Unmittelbar nach den Ereignissen von Kischinew bemüht sich Herzl wieder um eine Audienz beim Zaren, von dessen Intervention beim Sultan er doch noch eine Charter für Palästina erhofft. Durch sein persönliches Eintreten glaubt er auch die schlimme Lage der Verfolgten erleichtern zu können. Freunde vermitteln ihm wenigstens Gespräche mit den beiden einflußreichsten Ministern, mit Plehwe und dem Grafen Witte, und im August tritt er die Rußlandreise an. Es ist der Weg in die Höhle des Löwen; denn es wurde allgemein angenommen, daß Plehwe der Polizei den Befehl gegeben habe, bei den Ausschreitungen ruhig zuzusehen. Die Londoner „Times“ veröffentlichten später ein Geheimschreiben, das den Minister noch schwerer belastete.[8] Da Plehwe aber dem kurz bevorstehenden Zionisten-Kongreß und der öffentlichen Diskussion über die Pogrome mit einigem Unbehagen entgegensah, empfing er Herzl nicht ungern, nannte sich persönlich einen Freund der Juden und versprach, für die Intervention des Zaren beim Sultan unverzüglich einzutreten und die zionistische Organisation in Rußland zu begünstigen. Herzl hatte das Gefühl eines bedeutenden Erfolgs. Er überhörte auch die offene Brutalität, die Plehwes Sympathie für den Zionismus zugrundelag: Rußland wollte die armen, ungebildeten und nutzlosen jüdischen Massen gern loswerden, die intelligenten und assimilierten Juden aber behalten. Herzl war von seiner Aufgabe besessen und schaute nicht hin, was für Hände sich ihm zur Hilfe anboten. Die russischen Zionisten nahmen ihm später diese Verhandlungen sehr übel und setzten kein Vertrauen auf die Redlichkeit der Regierungszusagen, womit sie recht behielten.
Auf der Rückreise erlebt Herzl bei einem kurzen Aufenthalt in Wilna erst Rußland, das jüdische Rußland. Eine

---

[8] Dubnow, X, 373.

unübersehbare Menschenmenge empfängt ihn auf den Straßen, feiert ihn als Befreier, als künftigen König („Hamelech Herzl"), und noch spät in der Nacht, als er auf Seitenstraßen zum Bahnhof fährt, fiebert die Stadt. Es gibt brutale Zusammenstöße mit der Polizei. Der Eindruck auf Herzl ist ungeheuer, er hat alles in einem Bild und in wenigen Stunden erlebt: das Elend des Ghettos, die Hoffnung und Begeisterung der Massen, den Druck der Polizeiherrschaft, den Dank für ein Werk, das noch gar nicht da ist. Von Rußland aus fährt er sofort nach Basel zum 6. Kongreß.

25. KAPITEL

DER UGANDA-KONFLIKT UND DIE INNERE KRISE DES ZIONISMUS

Politischer Zionismus und Kulturzionismus

Herzls Tagebuch vermerkt über die Kongreß-Tage nur ganz kurz: „Der 6. Kongreß. Das alte Treiben. Ich habe Herzzustände vor Ermüdung. Wenn ich es um Dank täte, wäre ich ein großer Narr. Gestern gab ich dem ‚Großen Aktionskomitee' meinen Bericht. Ich brachte England und Rußland. Und es streifte keinen von ihnen auch nur sekundenlang der Gedanke, daß mir für die größten der bisherigen Leistungen ein Wort, ja ein Lächeln des Dankes gebühre." (22. August 1903)
Daß er die russische Regierung für seine Pläne gewonnen habe, war eine Überzeugung, die dem Wunschdenken entsprang. Aber die zwei langen Gespräche mit Plehwe und dessen zur Schau getragene freundliche Bereitwilligkeit sahen wohl wirklich wie ein Erfolg aus angesichts der heillosen Situation der russischen Juden. England brachte er wirklich. In Petersburg hatte Herzl das offizielle Angebot eines Territoriums in Ostafrika erhalten, mit einem jüdischen Beamten als Oberhaupt der lokalen Verwaltung und mit voller Autonomie in den inneren Angelegenheiten. Es war ein nobles Angebot, ob man es annehmen konnte oder nicht, es änderte die Situation des Zionismus in Europa. Zum ersten Mal verhandelte die Regierung einer Großmacht mit dem jüdischen Volk, das bis jetzt als politischer Begriff und als politische Person gar nicht existiert hatte, als Vertragspartner, sie traute der zionistischen Organisation den Aufbau und die Verwaltung eines Landes zu.[1] Die moralische Bedeutung bestand darin, daß sich der Zionismus als eine von den Mächten politisch ernst zu

[1] Vgl. Böhm, I, 258 f.

nehmende Größe hatte durchsetzen können; das war allein Herzls Verdienst. Schon seine mündlichen Verhandlungen mit den englischen Staatsmännern hatten ein anderes Klima geschaffen. Die kühle und respektvolle Nüchternheit der englischen Unterhändler stand in schärfstem Gegensatz zu der Albernheit und Unaufrichtigkeit, die in den Gesprächen mit Wilhelm II. und Bülow zutage traten, und zu dem brutalen Egoismus der Russen, der durch eine interessierte Höflichkeit nur schlecht getarnt war. In England hatte Disraeli lange die Staatsgeschäfte gelenkt, der festländische Antisemitismus war hier fast unbekannt und hatte die höheren Gesellschaftsschichten nie erreicht. Der puritanische Bibelglaube hatte das Volk des Alten Testaments immer mit seiner Heimat in Palästina verbunden, so daß es längst christliche Freunde des Zionismus gab. Die jüdische Frage wurde damals allein von den Engländern ohne hämische Anspielungen auf das jüdische Geld und den jüdischen Charakter behandelt.
Herzl war davon ausgegangen, daß man die Juden zuerst aus dem Ghetto und der Zerstreuung herausführen und ihnen das Glück der Freiheit und des gemeinschaftlichen Lebens in einem gesicherten Staatswesen verschaffen müsse; alles andere werde von selbst kommen. Deshalb verhandelte er mit den Machthabern um den Charter, mischte die Karten des diplomatischen Spiels und gab nie eine auf. Die Staatsgründung war für ihn eine Sache der politischen Technik. Er hat oft seine Bewunderung für Bismarck und das komplizierte Werk der Reichsgründung ausgesprochen, seinem konstruktiven und politisch-formalistischen Denken fühlte er sich verwandt. Dagegen entspricht es jüdischer Tradition, daß er den Zukunftsstaat als eine soziale Utopie entwirft, ein Gemeinwesen, das völlige Neutralität nach außen wahrt und im Aufbau einer „neuen Gesellschaft" die Prinzipien der menschlichen Freiheit und sozialen Gerechtigkeit verwirklicht. Das ist mehr ethisch als politisch gedacht, aber auf dem Weg dahin

müssen alle Mittel der politischen Praxis in einer nationalstaatlich und machtpolitisch orientierten Welt angewandt werden. Das konnte nach Herzls Überzeugung nur der verantwortlich handelnde Staatsmann.

Den Zionismus hatte er zu einer alle weltanschaulichen Gegensätze vereinigenden Weltorganisation geformt, er war „das Volk unterwegs", nämlich das Volk auf dem Wege zu Nation und Staat. So wird auch in all seinen Unternehmungen der Vorentwurf eines Staates deutlich, zuerst in den leeren Raum gezeichnet, dann in dem Versuch, ihn am Boden zu befestigen. Das Volksbewußtsein definiert Herzl nüchtern nach seinen Erfahrungen als „die Erkenntnis einer Anzahl Menschen, daß sie durch geschichtliche Umstände zusammengehören und in der Gegenwart aufeinander angewiesen sind, wenn sie nicht zugrunde gehen wollen". Was man unter „jüdischer Kultur" verstehe, wisse er nicht. Der Held seines Romans „Altneuland" ist auf seiner Palästinareise erschreckt von dem Anblick der geschäftsmäßig betenden Bettler an der Klagemauer in Jerusalem und sagt zu seinem Begleiter: „Sie sehen, wir haben uns wirklich zu Tode gestorben. Vom jüdischen Reiche ist nichts mehr übrig als ein Stückchen Tempelmauer. Und ich kann in meinem Gemüte bohren, so viel ich will, mit diesen kleinen verkommenen Industriellen der Nationaltrauer habe ich nichts zu tun."[2] Er wird alsbald von einem russischen Juden belehrt, daß es in Rußland noch eine jüdische Nation gebe mit lebendiger Überlieferung und dem Glauben an die Zukunft. Es sind Herzls eigene Erlebnisse auf der Palästinareise und bei der Begegnung mit den russischen Zionsfreunden. Das Land hat ihn mächtig bewegt, aber nicht seine Vergangenheit, sondern seine Zukunftsmöglichkeiten. Die „neue Gesellschaft", die er in „Altneuland" schildert, hat in Palästina ein technisches und zivilisatorisches Wunderwerk

---

[2] Th. Herzl, Altneuland. Authentische Dokumentarausgabe. Wien-Basel-Stuttgart 1962, S. 34 f.

modernster europäischer Prägung geschaffen, das keine spezifisch jüdischen Züge aufweist. Als der Roman 1902 erscheint, wird er von den Kulturzionisten und besonders von Achad Haam scharf kritisiert.

Der Konflikt, der auf dem 6. Kongreß im August 1903 ausbrach, hatte sich schon lange vorbereitet; der Uganda-Plan verschärfte aber die inneren Gegensätze im Zionismus bis zur Unversöhnlichkeit. Die ostjüdischen Zionisten hatten Herzl seit langem seine „Jagd auf Fürsten und Herrscher" vorgeworfen, die nebulosen Verhandlungen ohne greifbares Ergebnis, die autokratische Führung der Geschäfte. Sie glaubten, daß er seine Politik allzu einseitig auf den Erwerb eines Charters abgestellt habe und daß man die allmähliche Infiltration und Kolonisation Palästinas nicht vernachlässigen dürfe. Sie hielten viel von der sittlichen Erziehung durch Landarbeit und hatten das heroische Beispiel der „Bilu"-Studenten vor Augen, die den heimatlichen Boden durch harte Pionierarbeit wieder erobern wollten. Sie fühlten sich als Sprecher der jüdischen Massen, aus denen die Bewegung hervorgegangen war und die im Zionismus ihre Selbstverwirklichung erstrebten, nicht nur die Befreiung aus dem Ghetto.[3] Es ist das sozialrevolutionäre Element bei den Russen, der Einfluß Tolstois, es ist die mystische Verklärung der Volksseele, die gegen die rationale, am westeuropäischen Vorbild orientierte Politik Herzls aufbegehrt. Weizmann unterscheidet den organisch gewachsenen Zionismus der Russen von dem schematisch-theoretischen Zionismus Herzls, der einer plötzlichen Einsicht entspringt und sie unmittelbar in Aktion umsetzt.

Auf dem 3. Kongreß im Jahre 1899 hatte sich schon eine Opposition gebildet, die verlangte, daß man jüdische Kulturfragen diskutiere. Zwei Jahre später schloß sich diese von M. Buber, B. Feiwel und Ch. Weizman geführte

[3] Vgl. Weizman, S. 85 ff.

Gruppe zu der „demokratischen Fraktion" zusammen. Sie stellte dem politischen Nahziel Herzls ein kühn entworfenes Kulturprogramm entgegen, das die sammelnde und zugleich zur Produktion aufrufende Tätigkeit eines jüdischen Verlags umfaßte, den von Weizman vertretenen Plan einer Universität in Jerusalem, die Pflege der hebräischen und jiddischen Sprache und Literatur, aber auch die praktische Palästina-Kolonisation. Die Forderungen kamen von einer jungen Generation, die ihr jüdisches Nationalgefühl nicht aus dem Protest gegen den Antisemitismus und der Notwendigkeit politischer Selbstbehauptung herleitete, sondern aus dem noch lebendigen geistig-geschichtlichen Volksbewußtsein der östlichen Judenheit und aus dem Glauben an die kulturelle Renaissance.[4] Herzl war von der bitteren Erfahrung ausgegangen, daß die Juden so lange ehrlos, ohne Selbstgefühl, verachtet und darum verächtlich, unter den Völkern gelebt hatten. Die jungen Zionisten der Opposition hatten erlebt, daß die Ghettoexistenz im Osten ein begabtes Volk zur Unproduktivität verurteilte und daß die Assimilation im Westen den Verlust jüdischer Substanz bedeutete. Auf den Erfolg der politischen Aktion Herzls glaubten sie nicht warten zu können, daher forderte Martin Buber vor allem die kulturelle „Gegenwartsarbeit" in der Diaspora. An dieser Frage schieden sich die Geister: der Zionismus als Weltanschauung und der Zionismus als politische Aktion standen sich gegenüber. Aber auch an Herzls Alleinregierung übte man Kritik und wünschte die zionistische Bewegung auf eine breitere demokratische Basis gestellt zu sehen, die den jungen Kräften verantwortliche Mitarbeit erlaubte. Seine Rußlandreise hatte man ihm verübelt, und nun kam das Ugandaprojekt hinzu.

---

[4] Vgl. H. Kohn, Martin Buber. Sein Werk und seine Zeit. Köln 1961[2], S. 40 ff.

Herzl begründete das Projekt mit äußerster Umsicht: er gab einen Überblick über die gescheiterten Verhandlungen der letzten zwei Jahre, schilderte seine Eindrücke von Wilna, die drängende Not, die Hoffnung der Verfolgten, und hob die politische und staatsrechtliche Bedeutung des englischen Angebots hervor, das nur eine „Kolonisationsaushilfe" sei, allerdings auf nationaler und staatlicher Grundlage. Der Kongreß müsse nun einen Weg finden, von dem Anerbieten Gebrauch zu machen, ohne das Endziel Palästina aufzugeben. Was Herzl vorausgesehen hatte, geschah: die Versammlung war von dem diplomatischen Erfolg überrascht und von der Großmut Englands bewegt, sie beantwortete seine Rede mit starkem Beifall. Aber bei der Diskussion erwachten die Bedenken. Als Max Nordau, einer der ersten Anhänger Herzls, der bisher auf jedem Kongreß das Grundsatzreferat gehalten hatte, jetzt die Verteidigung des Ugandaplans unternahm, wurde er scharf angegriffen. Er tat es gegen seine innerste Überzeugung, sprach von der Errichtung eines Notbaus für die unglücklichen Auswanderer, von einem „Nachtasyl" für die Heimatlosen, das aber zugleich der politischen Erziehung zu einem gesitteten und selbständigen Volke dienen könne, das sich trotz allem auf dem Wege nach Palästina befinde – und was der Widersprüche mehr sind. Je genauer man hinsah: hier war der Territorialgedanke aus Herzls „Judenstaat" wieder aufgetaucht und stand im Widerspruch zum „Baseler Programm" und der „Heimstätte" in Palästina, und das „Nachtasyl" war die reine Philanthropie, die man immer verworfen hatte. Die Befürworter des Plans machten geltend, daß man Realpolitik statt Gefühlspolitik treiben und den Verfolgten Brot statt Steine geben müsse, und erweckten immer schärferen Widerstand, weil darüber in Vergessenheit geriet, daß man nicht über die Frage: Palästina oder Uganda? sondern lediglich über ein zu bildendes Komitee abzustimmen habe, das eine Expedition nach Ostafrika vorbereiten sollte. Nur dahin ging der Antrag, der dem Plenum zur Beschlußfassung vorgelegt wurde.

Mit 295 gegen 177 Stimmen wurde er angenommen, 100 Delegierte enthielten sich der Abstimmung, die namentlich stattfand. Mit Nein stimmten fast alle Russen, auch die Abgeordneten von Kischinew, außerdem die westlichen Mitglieder der „demokratischen Fraktion". Für den Antrag waren unter Führung der deutschen alle anderen Landsmannschaften, aber auch die Orthodoxen und die Sozialisten.[5] Es ist ein interessantes Ergebnis, an dem sich die innere Situation des Zionismus ablesen läßt.

Was sich dann begab, kam für alle Teilnehmer überraschend. Als das Resultat verkündet wurde, verließ die Mehrzahl der russischen Delegierten protestierend den Saal. Chaim Weizman erzählt, daß die Verzweifelten in einem Nebensaal, auf dem Fußboden sitzend, die rituelle Totenklage zum Gedächtnis an die Zerstörung des Tempels angestimmt hätten.[6] Es gelang Herzl, sie für diesmal zur Rückkehr zu bewegen. In einer großen Schlußrede überzeugte er auch den Kongreß davon, daß er das „Baseler Programm" nicht aufheben wolle. Als er in hebräischer Sprache das alte Gelöbnis wiederholte: „Wenn ich dein vergesse, Jerusalem, verdorre meine Rechte", erhob sich ein gewaltiger Beifall.

Gleich darauf erklärte er wenigen Freunden, wie es in ihm aussah, und was er zu tun gedachte. Entweder würde er in zwei Jahren Palästina haben oder eingesehen haben, daß jede weitere Bemühung aussichtslos sei. Dann werde seine Rede vor dem 7. Kongreß – wenn er ihn noch erlebe – lauten: „Es war nicht möglich. Das Endziel ist nicht erreicht und wird in absehbarer Zeit nicht erreicht werden. Aber ein Zwischenresultat liegt vor: dieses Land, in wel-

---

[5] Bein, Th. Herzl. S. 637.

[6] Weizman, S. 137 f.

chem wir unsere leidenden Massen auf nationaler Grundlage mit Selbstverwaltung ansiedeln können. Ich glaube nicht, daß wir um eines schönen Traumes oder um einer legitimistischen Fahne willen den Unglücklichen diese Erleichterung vorenthalten dürfen. Aber ich verstehe, daß in unserer Bewegung hiermit eine entscheidende Spaltung eingetreten ist, und dieser Riß geht mitten durch meine Person hindurch. Obwohl ursprünglich nur Judenstaatler – n'importe où – habe ich später doch die Zionsfahne ergriffen, und ich selbst bin ein Lover of Zion geworden. Palästina ist das einzige Land, wo unser Volk zur Ruhe kommen kann. Aber sofortige Hilfe tut Hunderttausenden not. Um diesen Zwiespalt zu lösen, gibt es nur eins: ich muß von der Leitung zurücktreten. Ich werde, wenn ihr wollt, euch noch die Verhandlungen dieses Kongresses leiten, und zum Schluß wählt ihr zwei Aktionskomitees, eines für Ostafrika und eines für Palästina. Ich lasse mich in keines mehr wählen. Aber ich werde denjenigen, die sich der Arbeit widmen, meinen Rat nie vorenthalten, wenn sie ihn verlangen. Und ich werde diejenigen, die sich dem schönen Traum hingeben, mit meinen Wünschen begleiten. Durch das, was ich getan, habe ich den Zionismus nicht ärmer, aber das Judentum reicher gemacht. Adieu!" (Tagebuch, 31. August 1903)
Es läßt sich kein Dokument denken, das die innere Krise des Zionismus und Herzls persönliche Tragik deutlicher enthüllte. Was Herzl den „schönen Traum" und die „legitimistische Fahne" nennt, war für die große Mehrheit der Zionisten Ursprung, Inhalt, Sinn und Ziel der Bewegung. Zugleich muß man die Wandlung ganz ernst nehmen, von der hier die Rede ist. Das Sinnbild Zion hat ihm, wie Martin Buber sagt, wirklich das Herz überwältigt. „Er ist nicht bloß mit den Massen, sondern auch mit der Tiefe der Geschichte – ohne beide recht eigentlich zu kennen – einen Bund eingegangen, der unauflösbar ist." [7] Den 7. Kongreß,

[7] M. Buber, Israel und Palästina, S. 170.

für den Herzl diese Rede entwirft, hat er nicht mehr erlebt.
Zunächst schien sich die Spaltung, die er voraussah, zu verwirklichen. Zwar erhoben sich in England und in Ostafrika bald Widerstände gegen das Ugandaprojekt, die ihm und seinen Freunden nicht einmal unwillkommen waren, da das Land sich als ungeeignet erwies. Er setzte auch sofort seine diplomatischen Bemühungen um Palästina fort und gab selbst den El-Arish-Plan nicht auf. Aber die grundsätzliche Entscheidung in Basel für eine Uganda-Kommission, also für die Möglichkeit eines bloßen Refugiums, hatte die russischen Zionisten tief erregt. Ihr Führer Ussischkin, ein Freund Achad Haams und Mitglied des Odessaer Komitees, der während des Kongresses die Kolonisation in Palästina organisiert hatte, richtete jetzt einen offenen Brief an Herzl, in dem er ihm den Bruch des Prinzips, den Verrat an der Idee vorwarf. Kurz darauf traten die russischen Zionistenführer in Charkow zu einer Konferenz zusammen und stellten ihm eine Art Ultimatum: er solle schriftlich versprechen, dem Kongreß keine Projekte mehr für ein Territorium außerhalb Palästinas vorzulegen und das System der eigenmächtigen Entscheidungen aufzugeben. Sie drohten mit der Einberufung eines Sonderkongresses, mit der Einstellung der Geldzahlung und mit öffentlicher Agitation.
Wenn man den Zionismus als den Staat auf dem Wege ansieht, wie Herzl es tat, so war die Charkower Konferenz ein Staatsstreich oder „eine Revolution aus Prinzipientreue".[8] Als Herzl nach einem Attentatsversuch auf Max Nordau die Beschlüsse der Charkower zugleich mit dieser Nachricht veröffentlichen ließ, erhob sich ein Sturm der Entrüstung in der zionistischen Presse über die Zerstörer der Einheit. Im Frühjahr 1904 gelang es ihm noch, auf einer Sitzung des Großen Aktionskomitees einen Aus-

---

[8] Bein, Th. Herzl, S. 663.

gleich herbeizuführen; er überzeugte seine Gegner davon, daß er Palästina niemals aufgeben werde. Dann waren seine Kräfte erschöpft. Er plante noch Reisen nach Paris und London, konnte sie aber nicht mehr ausführen. Seit Jahren hatte ihn die Gewißheit eines frühen Todes begleitet. Nur so versteht man seinen ungeduldigen Willen, ans Ziel zu kommen, seine eigenmächtigen Entschlüsse und den schonungslosen Einsatz der Kräfte. Polemische Auseinandersetzungen überließ er anderen, die Versöhnung der Gegner übernahm er selber.

Als Herzl als 44jähriger am 3. Juli 1904 starb, war der Judenstaat nicht gegründet, aber seine Idee hatte sich tief in die Gemüter eingegraben. Für die Juden Osteuropas war seine Gestalt zu einem Symbol der Befreiung und der verheißenen Rückkehr nach Zion geworden, sein unerwarteter Tod rief Ausbrüche tiefster Verzweiflung hervor. Herzl hatte in seinem Testament ein vorläufiges Grab auf dem Döblinger Friedhof in Wien bestimmt, bis das jüdische Volk seine Reste nach Palästina überführen werde. Das ist im August 1949 geschehen.

Rückblick auf Herzl

Man hat oft gefragt, ob die Charterpolitik der richtige Weg für den jungen Zionismus war. Gewiß hat Herzl viele Faktoren falsch eingeschätzt: den Einfluß des Großherzogs von Baden auf die Politik der Reichsregierung, die Macht und die Persönlichkeit Wilhelms II., die Berechenbarkeit der türkischen Bedürfnisse und den guten Willen der russischen Staatsmänner. Die Politik der Pforte trieb ein undurchsichtiges Spiel mit ihm. Die Araberfrage hat Herzl fast ganz aus seinem Bewußtsein verdrängt; mit Toleranz, die er in „Altneuland“ für alle Fremden in Palästina fordert, war das schwierige Problem nicht zu lösen. Das Uganda-Projekt war ein politischer und taktischer Fehler, denn es erwies sich bald als nicht realisier-

bar und brachte Verwirrung und Spaltung in die zionistische Bewegung. Aber es hatte ihn auch wieder zu seinem größten politischen Erfolg geführt, zu der grundsätzlichen Anerkennung durch die englischen Staatsmänner, die später dem jüdischen Volk zu einer Heimstätte verhalfen. Balfour war während der Verhandlungen von 1903 Premierminister, und Lloyd George hat damals den Charter-Entwurf für Ostafrika angefertigt. Als Chaim Weizman, der Herzls Gegner gewesen war, in England die Verbindung mit beiden Staatsmännern wieder aufnahm, setzte er Herzls Charterpolitik fort. Vom Uganda-Plan führt also doch ein direkter Weg zur Balfour-Declaration und zum Palästina-Mandat. Martin Buber hat in einer nachträglichen Würdigung von Herzls „elementaraktiver“ Persönlichkeit gesagt, seine Irrtümer seien oft fruchtbarer gewesen als die Erkenntnisse seiner Gegner.[9]
Was Herzl damals zu dem Entschluß brachte, „irgendwo die Pfähle einzurammen, auf denen Venedig stehen soll“, war die Reaktion auf die Pogrome von Kischinew. Es sei nur eine einzige Antwort möglich, schrieb er damals an Freunde, die planvolle Massenauswanderung in ein rechtlich geschütztes Territorium, denn Kischinew sei nicht zu Ende. Die Erkenntnis von der Recht- und Schutzlosigkeit der Juden traf ihn im Innersten. Er behielt zuerst in einem ganz vorläufigen Sinne recht, denn die Pogrome in Rußland hörten nicht auf, in größerem Umfang wiederholten sie sich nach der Revolution von 1905 und im Bürgerkrieg der weißen und roten Armeen. Was uns heute betroffen macht, ist etwas anderes als die voraussehbare Verfolgung einer unter Ausnahmerecht und Ghettobedingungen lebenden Minderheit in einem stets von der Revolution bedrohten Staat. Herzl hatte damals um jeden Preis die nach Millionen zählende Bevölkerung der russisch-polnischen Ansiedlungsgebiete retten wollen, in denen sich 40 Jahre

---

[9] Buber, Er und wir. Die Jüdische Bewegung. I, 200.

später der organisierte Völkermord abspielte. Kischinew war nicht das Ende der Verfolgungen, aber in einem viel entsetzlicheren Sinne nicht, als damals vorauszusehen war. Er hätte mit seinen kühnen und verzweifelten Ansiedlungsplänen, die den meisten als Verrat an der Zionsidee erschienen, die Kinder der Wilnaer Ghettojuden, die ihn 1903 so stürmisch feierten und ein Jahr später beweinten, vor Hitlers Vernichtungslagern gerettet – wenn diese Pläne ausführbar gewesen wären, aber sie waren es wohl nicht.

Worin bestand Herzls Leistung und was hat sich als dauerhaft erwiesen? Völlig neu war sein Begriff von der Judenheit als einer weltlichen Nation. Er war einseitig, weil er die religiöse und geistig-kulturelle Bedeutung der jüdischen Nationalität außer acht ließ, aber er vereinfachte das jüdische Problem. Nur durch ihn war es möglich, eine Organisation der Juden als Volksgesamtheit zu schaffen, die für alle politischen, religiösen und sozialen Richtungen Raum hatte.[10] Erst seit Herzl gibt es jüdische Politik, das ist die große Wende in der jüdischen Geschichte. Dauerhaft waren die Institutionen, die er als Organe eines künftigen Staatswesens geschaffen hatte: der Kongreß, der Nationalfonds, die jüdische „Colonialbank". Er hat die West- und Ostjuden zu gemeinsamer Arbeit zusammengeführt, die Westjuden aufgerüttelt und vor die Entscheidung gestellt, den Ostjuden Klarheit über ihre politischen Ziele gegeben.

Es sieht so aus, als habe Herzl den Judenstaat rein politisch und praktisch konzipiert, ein modernes, säkulares Gemeinwesen, mit einer industriellen Gesellschaft, das außenpolitisch strikte Neutralität wahrt. Aber er war doch überzeugt, daß dieser Staat anders sein müsse als andere Staaten: ein Musterstaat, ein Idealstaat auf der Grundlage der sozialen Gerechtigkeit, der Toleranz und

---

[10] Vgl. Böhm, I, Kap. XXI.

der völkerverbindenden Humanität. Als die politische Verwirklichung des Gebots der Menschenliebe hatte er ihn in „Altneuland" entworfen, radikal in der ethischen Forderung. Erfahrungen der Exilsgeschichte und unbewußte biblische Tradition sind in diese moderne und zugleich zeitlose Utopie einer „neuen Gesellschaft" im „Gelobten Lande" eingegangen. Franz Rosenzweig nennt Herzl in einem Brief an seine Eltern einen „größeren Menschen und jüdischeren Juden (all in seiner Ahnungslosigkeit)" als seine damaligen Gegner und Kritiker Buber und Achad Haam. „Bei Herzl allein spürt man jüdische Antike, bei Buber und Ginzberg (Achad Haam) doch höchstens jüdisches Mittelalter, Herzl hat ‚Moses und die Propheten'." [11]

[11] F. Rosenzweig, Briefe. Berlin 1935, S. 118.

26. KAPITEL

DAS DEUTSCHE JUDENTUM VOR DEM ERSTEN WELTKRIEG

Der Zionismus im Streit der Meinungen

Die weitere Geschichte des Zionismus und die Ereignisse, die zur Balfour-Declaration (2. 11. 1917) und zum Palästina-Mandat (22. 7. 1922) führen, gehören nicht mehr zu unserem Thema. Die Entscheidung fiel im ersten Weltkrieg. Als die Türkei an der Seite Deutschlands in den Krieg eintrat, gelang es den Führern der zionistischen Bewegung, vor allem Chaim Weizman und Nachman Sokolow, England und seine Alliierten für ihre Ziele zu gewinnen. Beide Rothschilds unterstützten damals die Verhandlungen. Das Zentrum der zionistischen Organisation, das sich nach Herzls Tode in Deutschland befand, wurde während des Krieges zuerst nach Kopenhagen, dann nach London verlegt.

Die deutsche Öffentlichkeit hat auch in dem Jahrzehnt vor dem Krieg die zionistische Bewegung wenig beachtet. Die deutsche Außenpolitik war an der Orientfrage nur wirtschaftlich interessiert, von den Anfängen der jüdischen Palästina-Bewegung nahm sie ernsthaft keine Notiz. Die Judenfrage galt immer noch als ein rein innerdeutsches Problem. Wenn man ihr Beachtung schenkte, so ging es um die seit 40 Jahren diskutierte Frage, ob die Emanzipation gute oder schädliche Folgen gehabt habe und ob die Assimilation möglich, erwünscht oder unerwünscht sei. An der illegalen Einwanderung von Ostjuden, die bei der Durchreise nach Amerika in Deutschland hängenblieben, entzündete sie sich immer wieder neu.

Als Werner Sombart in seiner Broschüre „Die Zukunft der Juden“ (1912) Sympathie für den Zionismus bekundete, geschah es, wie er selber sagt, „im Interesse der deutschen Volksseele“, die auf diese Weise „von der Umklammerung durch den jüdischen Geist“ befreit würde. Eine Verschmelzung von Deutschen und Juden hält er für unmöglich, da niemand „aus seiner Rasse austreten“ könne. Von der national-jüdischen Bewegung erhofft er gerade, daß die volklichen Unterschiede sich wieder deutlicher akzentuieren und daß die Juden den falschen Ehrgeiz aufgeben, die letzten Schranken beseitigen zu wollen. Da sie im Durchschnitt so sehr viel gescheiter und betriebsamer seien, wäre es möglich, daß sie sämtliche Lehrstühle an deutschen Universitäten besetzten – ein unerträglicher Zustand. „Das bißchen Offizierwerden kann sie doch wirklich nicht so arg reizen“, so heißt es in der Broschüre, in der der Gelehrte unbekümmert und salopp seine persönliche Meinung vorträgt, „fürchten sie denn gar nicht die schlimmen Folgen, hat der Dreyfus-Skandal in Frankreich sie gar nichts gelehrt?“ [1]

Man sollte meinen, daß der Dreyfus-Prozeß andere Lehren erteilt habe als die hier offenbar gemeinte vom bestraften Übermut des jüdischen Hauptmanns. Aber an Naivitäten ist dieses Bekenntnis reich. Sombart ist entschiedener Gegner des landläufigen Antisemitismus, er schätzt die jüdische Sonderart, sie muß der Welt erhalten bleiben. „Wir wollen die tiefen, traurigen Judenaugen niemals verlieren“, heißt es an einer anderen Stelle, auch nicht „die wundersame Melancholie der jüdischen Dichtung“ und nicht den jüdischen Witz.[2] Er traut den Juden zu, daß sie in Palästina sowohl tüchtige Staatsmänner wie fleißige Bauern werden, und er wünscht ihnen den Stolz und das Selbstbewußtsein, das nur die eigene Nation ihren Angehörigen verleiht. Aber Palästina sei klein, nicht alle würden dort Platz finden, und niemals könne Deutschland zulassen, daß seine „reichsten und betriebsamsten Bürger“

[1] W. Sombart, Die Zukunft der Juden. Leipzig 1912, S. 85.

[2] Sombart, S. 57.

auswanderten, was einem Zusammenbruch der deutschen Volkswirtschaft gleichkäme.
Sombarts Stimme hatte Gewicht. Ein Jahr vorher war sein großes Werk „Die Juden und das deutsche Wirtschaftsleben" erschienen. Jetzt spricht er von der zionistischen Bewegung wie von einer wichtigen Entdeckung – allerdings 15 Jahre nach ihrer Entstehung – zu der man Stellung nehmen müsse, eine durchaus positive Stellung, die er ja auch begründet. Daß er in seinen Motiven zweideutig, in seiner Logik anfechtbar war, kam ihm wohl selber nicht zum Bewußtsein.
Die Reaktion, die der Zionismus, oder genauer der erste Baseler Zionistenkongreß, auf der untersten Ebene hervorrief, waren die „Protokolle der Weisen von Zion". Das in Rußland 1905 erschienene Werk mit einer romanhaften Entstehungsgeschichte wurde von dem Hauptmann a. D. Müller von Hausen, einem Freunde Ludendorffs, nach dem Kriege in deutscher Sprache herausgegeben und tat seine Wirkung in der antisemitischen Hochflut der 20er Jahre. Es wurde in viele Sprachen übersetzt und auch von führenden englischen Zeitungen zuerst ernst genommen. Als ein Korrespondent der Times 1922 es als Fälschung nachweisen konnte, war die Rolle der „Protokolle" in England ausgespielt, aber in Deutschland keineswegs. Die „Weisen von Zion" sind die Großmeister der jüdischen Logen, die angeblich in Basel 1897 während des Kongresses tagen und ein Programm für die Eroberung der jüdischen Weltherrschaft aufstellen. Sie wollen sie mit künstlich erregten Wirtschaftskrisen, mit Arbeitslosigkeit, Kriegen und Seuchen erringen, die Völker und Regierungen in der ganzen Welt korrumpieren und unter das jüdische Joch beugen. In der ursprünglichen Fassung dem Zaren zugedacht, erwies sich die plumpe und bösartige Erfindung als gut berechnet für alle von Angstträumen verwirrten Gemüter und für jede Situation, in der man den Schuldigen sucht. Daher die weite Verbreitung und zähe Lang-

lebigkeit dieses Produkts, mit dem sich für Millionen, die es vom Lesen oder vom Hörensagen kannten, nun die Vorstellung vom Zionismus verband.[3]

Im allgemeinen reagierten die Antisemiten eher unsicher und verlegen auf den Zionismus als aggressiv oder triumphierend, wie seine jüdischen Gegner befürchtet hatten. Er schien zwar ihre Überzeugung zu bestätigen, daß die Juden als eine fremdstämmige Nation in Palästina am besten aufgehoben seien, verblüffte sie aber durch den Stolz und das Selbstbewußtsein, mit dem die Waffe umgeschmiedet wurde. Wenn die deutsche Öffentlichkeit dem Zionismus wenig Aufmerksamkeit schenkte, so konnten sich ihre Sprecher ganz mit Recht auf die jüdisch-liberale Presse berufen, die die nationaljüdische Bewegung totschwieg, und auf die überwältigende Mehrheit der deutschen Juden, die sie kühl und mißtrauisch beobachtete. Die zionistischen Gruppen waren in Deutschland vor dem ersten Weltkrieg klein und zahlenmäßig gering, ihre Mitglieder waren meist Akademiker, Intellektuelle, Wirtschaftler, Studenten und Journalisten. Erst während des Krieges, als deutsche Truppen im polnischen Okkupationsgebiet mit dem Ostjudentum in nähere Berührung kamen und als der Palästinagedanke greifbare Formen annahm, öffneten sich weitere Kreise für den Zionismus. Damals entstand auch eine jüdische Jugendbewegung, die das Ideal der sittlichen und nationalen Erneuerung begeistert aufnahm und gegen die ältere Generation verteidigte.

Die deutschen Juden stellten keine Einheit dar, sie standen schon lange nicht mehr als geschlossene Gruppe den Nichtjuden gegenüber, und wenn wir jetzt noch von Deutschen

---

[3] Vgl. auch Norah Bentinck, Der Kaiser im Exil. Berlin 1921, S. 43: „Der Zionismus ist eine andere Frage, die den Kaiser sehr beschäftigt. Als ich im vergangenen Sommer in Holland war, las die Gesellschaft von Doorn Mann für Mann die antisemitischen „Protokolle" der Ältesten von Zion. Und alle glaubten felsenfest, daß die Machinationen, die in der merkwürdigen Schmähschrift angeblich enthüllt werden (von jüdischer Seite wird das Pamphlet als grobe Fälschung zaristischer Agenten bezeichnet), zu den Entstehungsursachen des Weltkrieges und später des russischen Bolschewismus gehören."

und Juden sprechen, so brauchen wir Begriffe, die eigentlich verschiedenen Ebenen angehören.[4] An selbstloser Begeisterung, an Opfersinn, an Stolz auf die deutsche Nation und an lautem Patriotismus haben es die Juden so wenig wie die Christen fehlen lassen. Wenn sie die „mosaische Konfession" nicht aufgaben, auch wenn sie ihnen nicht mehr viel bedeutete, kann man ihnen so wenig einen Vorwurf daraus machen wie den zahlreichen Christen, die in der Kirche bleiben, ohne ihr Glaubensbekenntnis als verbindlich anzusehen. Immer wieder haben deutsche Juden erklärt, daß sie die Solidarität mit dem Judentum nicht aufgeben könnten, solange die Schmach des Antisemitismus noch andauere.[5]

Die große Mehrheit der deutschen Juden, die auf die Herausforderung des Zionismus abweisend antwortete, war seit Generationen assimiliert; sie war bodenständig, fortschrittsgläubig und vor allem dem preußischen Staat, von dem die Emanzipation ausgegangen war, mit dankbarer Anhänglichkeit verbunden. Der Stolz alter Berliner Familien, die von den ersten Preußenkönigen privilegiert waren, hat etwas von dem Adelsstolz preußischer Junker. Der Vergleich mit den vertriebenen Ostjuden stärkte das Bewußtsein, innerhalb der europäischen Judenheit einer Elite anzugehören; das Schicksal der Verfolgten weckte zwar Mitleid und Hilfsbereitschaft, gab aber noch nicht Anlaß, die eigene Situation kritisch zu überdenken. Der Geschichtsschreiber des Berliner Judentums, Ludwig Geiger, schlug sogar vor, den überzeugten Zionisten die Staatsbürgerrechte zu nehmen, da sie für eine andere Nation optierten als die deutsche. Daran hatten nicht einmal die Antisemiten gedacht. Zwischen den Juden gebe es keine Gemeinsamkeit, erklärt damals der Schriftsteller

---

[4] Porträts zur deutsch-jüdischen Geistesgeschichte. Nachwort von Max Horkheimer. Köln 1961, S. 271 f.

[5] J. Wassermann, Die psychologische Situation des Judentums. In: Volk und Reich der Deutschen. Berlin 1929, I, 451.

Ernst Lissauer, die sie berechtige, sich ein Volk zu nennen, weder die Gemeinsamkeit des Bodens, der Sprache, noch die der Geschichte, der Sitte und der Gesetze. Man müsse den unaufhaltsamen und notwendigen Prozeß der Zersetzung und Assimilation bejahen und dürfe nicht denen folgen, die „zum Rückzug blasen und eine palästinensische Enklave in Deutschland herstellen wollen". Er erzählt in diesem Zusammenhang eine kleine Begebenheit, die sich ihm eingeprägt hat. Als er mit jüdischen Mitschülern vor der Tür seines Berliner Gymnasiums stand, kam vom Bahnhof Friedrichstraße ein Mann im Kaftan mit Peijeslocken und fragte erregt: „Gibt es denn gar keine Juden in Berlin?" Instinktiv habe er damals geantwortet „nein", „denn der Mann meinte mit dem Wort anderes als wir".[6]

Bekenntnis, Selbsterfahrung und Selbstkritik

Von Herzl war der Anstoß ausgegangen, der das deutsche Judentum in zwei sehr ungleiche Gruppen spaltete, die kleine und aktive der Zionisten und die große der Nichtzionisten, die in der simplifizierenden Sprache der Polemik als Assimilanten erscheinen. Wir dürfen diesen Begriff nicht einfach übernehmen, haben auch nicht das Recht, Partei zu ergreifen, und wollen nur noch versuchen, die Motive und Erlebnisschichten hüben und drüben zu bezeichnen und den Konflikt anzudeuten, der sich in den Selbstzeugnissen deutscher Juden ausspricht. So sehr man das für ein rein innerjüdisches Problem halten kann – was es natürlich auch war – es hat zugleich mit dem spezifisch deutsch-jüdischen Schicksal innerhalb der deutschen Bildungswelt zu tun, mit den gegenseitigen Reflexen gesellschaftlichen Verhaltens, mit Hoffnungen, Wünschen und

[6] Der „Kunstwart" veröffentlichte 1912 einen Aufsatz von Moritz Goldstein „Deutsch-jüdischer Parnass", der die Schriftsteller jüdischer Herkunft aufforderte, sich auch öffentlich zum Judentum zu bekennen. Die Zeitschrift erhielt daraufhin 90 Zuschriften, in denen die mit Recht für zionistisch gehaltene Entscheidungsfrage erregt diskutiert wurde. Ernst Lissauer beteiligte sich an dem Gespräch. Kunstwart, 25. Jg. 1912, Aprilheft. S. 6–12.

Enttäuschungen, die nur in Deutschland möglich waren. In keinem anderen Lande ist die zionistische Ideologie auf so erbitterten Widerstand gestoßen und hat sie sich zu solcher Radikalität ihrer Forderungen entwickelt. Wir haben lange die Diskussion zwischen Deutschen und Juden verfolgt, die zuletzt nichts Neues mehr zutage förderte, und müssen uns zum Schluß dem Gespräch der deutschen Juden untereinander zuwenden, in dem Umwelt- und Selbsterfahrung, Sinndeutung ihres Schicksals und innere Entscheidung zum Ausdruck kommen.

Für Herzl war die Judenfrage aus der Feindseligkeit der Umwelt hervorgegangen. Er konnte die Bedingung für ihre Lösung ganz einfach und unpathetisch formulieren: „Wenn ihr wollt, ist es kein Märchen“, heißt das Motto von „Altneuland“. Wer den Judenstaat nicht wollte und sich für die Assimilation entschied, der würde in einer nunmehr friedlichen, von antisemitischen Spannungen befreiten Umgebung als Bürger seines Staates leben können. Der von Achad Haams und Martin Bubers Gedankenwelt beeinflußte Zionismus verlegte die Entscheidung in eine tiefere Schicht und machte das jüdische Problem zu einer individuellen Lebens- und Gewissensfrage, der sich keiner entziehen konnte. Von 1909–1913 hielt Martin Buber im Prager jüdischen Studentenverein „Bar-Kochba“ seine „Reden über das Judentum“, die auf die zionistische Jugend tief eingewirkt haben. Es geht ihm darum, die Zwiespältigkeit jüdischer Existenz zu überwinden. Dazu gehört die Besinnung auf die Abstammung und den Geschlechterzusammenhang und die Bejahung der Wesensbesonderheit und der eigentümlichen Bestimmung des jüdischen Volkes, die aus seiner Geschichte ablesbar ist. Nicht als eine Gemeinschaft im Raum, sondern als eine in der Zeit, als die Gemeinschaft der Toten, Lebenden und Ungeborenen, stellt sich das jüdische Volk in seiner Einheit dar. „Was sie erlebt haben und erleben werden, das empfindet er (der Jude) als ein innerstes Schicksal. Die Vergangenheit seines

Volkes ist sein persönliches Gedächtnis, die Zukunft seines Volkes ist seine persönliche Aufgabe. Der Weg des Volkes lehrt ihn sich selbst verstehen und sich selbst wollen."[7]
In einem späteren Aufsatz, der das Judentum nunmehr eindeutig als Phänomen der religiösen Wirklichkeit begreift, heißt es: „Wer sich nicht erinnert, daß Gott ihn aus Ägypten geführt hat, wer nicht den Messias erwartet, ist kein wahrhafter Jude mehr."[8]
Ein Jahr vor dem Weltkrieg gab der Verein jüdischer Hochschüler in Prag ein Bekenntnisbuch der jungen Zionisten heraus. Es betont den national-völkischen, den sittlichen und sozialen Gedanken, der im Judentum vom Element des religiösen Erlebnisses aber nicht zu trennen ist, das Verlangen nach einer neuen Gemeinschaft, den Zukunftsglauben und den Willen zur Tat. Martin Buber, Nathan Birnbaum, die Historiker Adolf Böhm und Hans Kohn, der Schriftsteller Robert Weltsch, der Philosoph Hugo Bergmann gehören zu seinen Mitarbeitern, aber auch Karl Wolfskehl, Gustav Landauer und Jakob Wassermann, der kein Zionist war, sind beteiligt. Wir haben in einem Querschnitt die Aspekte vor uns, die die nationaljüdische Bewegung freigelegt hat. Sie sind mannigfaltig und ergänzen einander, aber das Gemeinsame wird auch deutlich.
Da ist einmal die radikale Absage an die vergangene Lebensform, die philiströs, äußerlich geschäftig, innerlich träge, satt und verlogen war, an den feinen klugen Genießer fremder Geisteserzeugnisse, den verantwortungslosen Beobachter ohne natürliche Bindungen, den einsamen Menschenverächter. Ein Zionist muß wissen, daß das jüdische Leben bisher Lüge und Verirrung war.
Unverkennbar ist hier die Sprache der deutschen Jugendbewegung, ihr Wahrheitswille, ihr Pathos, ihre Exaltation.

---

[7] M. Buber, Reden über das Judentum. Gesamtausgabe, Frankfurt a. M. 1923, S. 9.
[8] M. Buber, Der Preis. Der Jude, 2. Jg. 1917/18, S. 507.

„Die Tat tut der, der mit allem bricht, was ihm bisher schön und gut war, der den Schein alles Unwesentlichen abtut und sich reiner Erde vermählt, Bauer wird in Palästina."[9] Da ist ferner das romantisch-völkische Element, anti-fortschrittlich und anti-liberal. Die Mächte des Irrationalen werden gerühmt, der Mythos, der Volksgeist, die Blutströme des Lebens. Es ist eine vage und verschwärmte Sehnsucht, die Trunkenheit eines neuen Lebensgefühls. Und was der Leser fast fürchtete, auch Paul de Lagarde wird zitiert, ohne daß der jugendliche Verfasser ahnt, welche Geister er beschwört.
In den bedeutenden Beiträgen tritt aber das Ethos der jüdischen Bewegung klar hervor, die unbarmherzige Selbstkritik, die Verantwortung für ein neues Gemeinschaftsleben, die Härte der sittlichen Forderung. Der jüdische Nationalismus begreift sich – und er ist dabei vom deutschen Idealismus, besonders von Fichte, beeinflußt – in erster Linie als eine Erneuerung der sittlichen Persönlichkeit und als Befreiung des schöpferischen Elements in einem Volk, das so lange in Lethargie versunken war, als das rinascimento einer Volksseele. Aber alle Begriffe enthalten falsche Analogien zu Erscheinungen der europäischen Geistesgeschichte, ob man von Nationalismus oder jüdischer Renaissance spricht. Was sich hier ereignet, fällt aus der geschichtlichen Vorstellungs- und Sprachwelt des modernen Europa heraus; Buber und Rosenzweig haben dem später deutlichen Ausdruck gegeben.
Es hängt mit dem Erlebnis der Zeitenwende zusammen, daß sich auch das jüdische Geschichtsbewußtsein neu orientiert. Die Ghetto-Vergangenheit erscheint in einem anderen Licht, sie hat das Volk vor der Auflösung bewahrt. Es war nicht nur der Zwang der feindlichen Umwelt, sondern zugleich die selbstgewählte Lebensform, die innerhalb der schützenden Mauern der Judengasse dem Volk die Identi-

---

[9] Vom Judentum. Ein Sammelbuch, Leipzig 1913, S. 18.

tät erhalten hatte. An der jiddischen Volkspoesie und der neuhebräischen Literatur des russischen Judentums erkennt man, daß die Volkssprache und die heilige Sprache lebendig geblieben sind. Bubers Studien über den Chassidismus verklären das religiöse Gemeinschaftsleben des Ghettos und vertiefen die Vorstellung von einer bedeutenden Phase der eigenen Geistesgeschichte. Die jüdischen Historiker des 19. Jahrhunderts, die die Emanzipation wie den Anbruch des messianischen Zeitalters begrüßt haben, sind widerlegt. Die geschichtliche Entwicklung nach Öffnung der Ghettoschranken ist, wie sie Adolf Böhm, der Geschichtsschreiber des Zionismus, darstellt, mit dem Schema Hegels zu kennzeichnen, wenn man nämlich „als Position das Judentum, als Negation die Assimilation und als Synthese den Zionismus setzt". Das gelte vor allem für den inneren Zustand der Juden: „Sie haben sich vom Judentum innerlich loszulösen versucht und sich assimilieren wollen. Erst als assimilierte Juden haben sie die Unmöglichkeit ihrer Situation empfunden, und was daraus entstand, war nicht etwa eine Strömung zur Rückkehr zum früheren Judentum, sondern eine Bewegung zum Aufbau eines modernen Judentums."[10] Die Tore gegen die umgebende Kulturwelt sollen weit geöffnet bleiben, und die Errungenschaften des Exils sollen dazu dienen, in der alten Heimat den modernen Staat aufzubauen. Das ist die Synthese, in der auch Herzls Konzeption enthalten ist.

Da ist ferner die kritische Stimme, die in den allzu lauten Deklamationen von jüdischer Nationalität ein Zeichen von Schwäche erkennt. Es ist Gustav Landauer mit seinem Aufsatz „Sind das Ketzergedanken?" Er fürchtet die Selbstbefriedigung der jüdischen Bewegung in sich selber, die Dogmatisierung, die lieblos verketzernde Unduldsamkeit. Nation ist kein Wert in sich, sondern sie ist „eine Bereitschaft oder Disposition, die dürr und hohl und klap-

---

[10] Vom Judentum, S. 142.

pernd wird, wenn sie ohne Verbindung mit der Sachwirklichkeit, mit Aufgaben und Arbeiten auftritt und wenn sie anderes ist als deren Ursprung und Tönung."[11] „Nation sein heißt ein Amt haben", steht hier. Was der Sozialist Landauer unter diesem Amt versteht, das knüpft ebenso an die biblische Tradition wie an den Humanitätsgedanken Mendelssohns und an die eschatologischen Träume von Moses Hess an, obwohl hier ein ganz moderner Mensch spricht, vertraut mit allen Revolutionstheorien der Neuzeit und zur Aktion im Dienste der Idee entschlossen. Er glaubte, daß das Judentum nur seinen uralten Auftrag ans Licht heben müsse, um den Weg einzuschlagen, der der Menschheit insgesamt vorgezeichnet war; er glaubte ferner, daß sich eine freie und gerechte Gesellschaft „empörerisch allen alten Nationalstaaten, dynastischen Staaten, Unrechts- und Gewaltstaaten entgegenwerfen" werde. In Gustav Landauer verbinden sich Sozialismus und Zionismus auf eine überzeugende Weise. Es ist nicht der religiöse Sozialismus Martin Bubers, sondern ein ethisch-revolutionärer, der dem Marxismus aber fern stand. Landauer war mit Buber in engster Freundschaft verbunden.

Was die zionistische Diskussion so erregte, die Palästinafrage, das Hebräische als künftige Nationalsprache, die Abgrenzung von den deutschen, russischen, allgemein europäischen Kulturelementen, ist für Landauer nicht wichtig. Er sieht Merkmale des traditionellen Nationalismus darin. Proportion und Abhängigkeitsverhältnis von Judentum und Deutschtum möchte er nicht untersuchen. „Mein Deutschtum und Judentum tun einander nichts zuleid und vieles zulieb . . . Ich erlebe dieses seltsame und vertraute Nebeneinander als ein köstliches . . . Ich akzeptiere den Komplex, der ich bin, und hoffe noch vielfältiger eins zu sein, als ich weiß."[12]

[11] Vom Judentum, S. 252.
[12] Vom Judentum, S. 255.

Die Aussöhnung von Deutschtum und Judentum war leicht, wenn man auf eine Menschheitsrevolution hoffte, in der alle Völker, ohne sich selbst aufzugeben, ihre gemeinsame Aufgabe finden würden. Das Problem der deutschen Juden sah anders aus für Jakob Wassermann. Er hat es oft in seinen Romanen, Briefen und Aufsätzen behandelt und 1921 in der vom Antisemitismus vergifteten Nachkriegsatmosphäre ein tapferes und hochherziges Bekenntnis abgelegt in der Autobiographie „Mein Weg als Deutscher und Jude".

In den zionistischen Sammelband von 1913 ist Wassermanns Beitrag aufgenommen, weil er die psychologische Situation des modernen assimilierten Juden untersucht. Sie war seit Heinrich Heine, der sie beschrieb und lebte, so deutlich nicht mehr gesehen worden. Daß Wassermann sie erkannte, verdankt er einem Gegenbild, das er den Orientalen nennt, den legitimen Erben, den Stammesbewußtsein an die Vergangenheit knüpft. Er hat sich persönlich gegen den Zionismus entschieden, aber zwischen den Lagern stehend, als Jude Angriffen oder Taktlosigkeiten ausgesetzt, als deutscher Schriftsteller im Judentum nicht mehr beheimatet, konnte er wie kein anderer eine geistige Situation analysieren, aus der es für viele keinen Ausweg gab. „In der Existenz des Juden", heißt es in dem Aufsatz, „gibt sich die schärfste Gegensätzlichkeit geistiger und seelischer Eigenschaften kund. Er ist entweder der gottloseste oder der gotterfüllteste aller Menschen; er ist entweder wahrhaft sozial... oder er will in anarchischer Einsamkeit nur sich selber suchen. Entweder ist er ein Fanatiker oder ein Gleichgültiger, entweder ein Söldner oder ein Prophet." Der aus der Bindung des Mythos herausgetretene Jude gerät in die Spannung zwischen Vereinzelung und Zugehörigkeit, zwischen Anarchie und Tradition. Weil er sich von der Vergangenheit abschneiden möchte, aber in der neugewonnenen Freiheit die tiefe Unsicherheit seiner Position spürt, greift er zu Mitteln, die seinen Charakter kompromittieren, indem sie sein Selbstgefühl nur in der Gebärde steigern. „Er muß sich behaupten, er muß sich durchsetzen, und da er ohne lebendige Wechselwirkung und ohne tiefere Zugehörigkeit lebt, muß er seine Anlagen und Fähigkeiten überspannen." Sich den kosmopolitischen Literaten zuwendend, fährt Wassermann fort: „Wir kennen sie und wir leiden an ihnen, diesen Tausenden sogenannten modernen Juden, die alle Fundamente benagen, weil sie selbst ohne Fundament sind; die heute verwerfen, was sie gestern erobert, heute besudeln, was sie gestern geliebt ... Die in der Gier und im Krampf vergeudete Seelenkraft macht ihr Gemüt alsbald arm und öde und drängt sie auf das Feld steriler Spekulation, das heißt sie treiben Kritik um der Kritik willen, der Formel und dem Urteil zuliebe. Aber sie leiden auch selbst, und ihr Leiden ist ein tödliches, das wissen sie so gut wie wir, die wir ihnen nur ins Antlitz zu schauen brauchen, um den Tod darin zu erkennen." [13]

Hier ist alles ausgesprochen, was die Gegner des Judentums über seine „zersetzenden" Kräfte jemals aufgebracht haben. Die jüdische Selbstkritik, für die Wassermann hier nur als ein Beispiel steht, ist nicht weniger scharf und hellsichtig als die deutsche Selbstkritik. Ihr steht das Urteil an, uns kommt es nicht zu, denn wir sind ja diejenigen, die den Ghetto-Entlassenen die „lebendige Wechselwirkung" und die „tiefere Zugehörigkeit" versagt haben.

1923 legte ein deutscher Philosoph, wie Wassermann berichtet, ihm freundlich nahe, in das Land seiner Väter heimzukehren. „Das Land meiner Väter; es ist barer Hohn; jeder italienische Marktflecken, jeder deutsche Dom geht tiefer in die Empfindung. Hat irgendwer in der

---

[13] Vom Judentum, S. 5–7.

Welt das Recht, mich, mein Bewußtsein, meine Form um 700 bis 1000 Jahre zurückzuwerfen, auszulöschen, was durch seine Sprache Geschlechter lang in mich geflossen ist, durch die Landschaft, durch die Geschichte, durch die Kunst, durch das stumme Miterleben Jahrhundert um Jahrhundert? ‚Sie können mich zu einem Exilierten machen', rief ich meinem Philosophen zu, ‚zu einem Palästinenser machen können Sie mich nicht.'" [14]

Das ist der Protest nach der einen Seite, einer unverkennbar antisemitischen, die mit ihm eine Gemeinschaft ohne Humanität prätendierte. Nach der zionistischen Seite fügt Wassermann den Gründen noch einen anderen hinzu: wenn die Juden als Nation und Volk gelten wollten und in einem eigenen Staat Wohlfahrt und Gleichrangigkeit unter anderen Nationalstaaten erstrebten, sei ihre weltgeschichtliche Mission beendet. Und worin besteht sie? Im Sendbotentum, Verkündertum, Vermittlertum, in der Unseßhaftigkeit, die vor dem Quietismus schützt, sie sind kein Volk, sondern eine Summe von Individuen, das ist ihr Verhängnis und ihre Menschheitszukunft. Man schlage sie tot, treibe sie aus, mache sie zum Kinderschreck – alles sei weniger verhängnisvoll, als wenn sie Berufung und Schicksal für ein gewöhnliches Los aufgäben. Und zuletzt, müde vom Kreislauf der Gedanken, von ihrer Vergeblichkeit, ihrer gespenstischen Leere, schließt er ab: warum das sinnlose Reden über *die* Juden und *die* Deutschen? Ich weiß nur von einzelnen Menschen. – Das ist die Kapitulation vor der „Judenfrage", erschöpft von dem Kampf gegen zwei Fronten, geht Wassermann an den Punkt zurück, wo sie gar nicht besteht. Seine Stimme spricht für die Mehrheit des gebildeten deutschen Judentums, das sich einer unverständlichen Feindschaft und einer ebenso unbegreiflichen Forderung gegenübersah.

Die Zionisten beantworteten den Gedanken von der Mis-

---

[14] Jakob Wassermann, Antisemitismus und Rassenfrage. Ges. Studien, Erfahrungen und Reden aus 3 Jahrzehnten. Leipzig u. Zürich 1928, S. 170.

sion in der Diaspora immer mit Empörung; er werde nur dort geäußert, wo man sich persönlich ganz wohl befinde. Allerdings war die nackte Not der ostjüdischen Flüchtlinge etwas anderes als die erlittene Fremdheit und geistige Heimatlosigkeit der Intellektuellen. Wassermann sprach auch als Ästhet, als der isolierte Mensch westlicher Bildung, dem das Ostjudentum fremd und abstoßend erscheint und der Sorge trägt um die individuelle Freiheit und das geistige Erbe Europas, an dem die Juden längst mit ihrem Verständnis, ihrer Deutung und ihrer eigenen Leistung beteiligt waren. Die Spaltung war tief, sowohl zwischen den Gruppen wie auch in der Seele des einzelnen.

Entschiedener noch als Wassermann hat Walther Rathenau den Zionismus abgelehnt und sich zur deutschen Nation, ja zum Preußentum bekannt, einem Preußentum der Liberalität und Humanität, der strengen Kargheit und Unbestechlichkeit, das er verehrte und liebte. 1897 trat er zum ersten Mal mit einem Aufsatz an die Öffentlichkeit, der den fast blasphemischen Titel trug: „Höre Israel!" Er erschien in Maximilian Hardens „Zukunft" im selben Jahre, als in Basel der erste Zionistenkongreß tagte. Er beginnt mit dem Satz: „Von vorneherein will ich bekennen, daß ich Jude bin." Und dann die „seltsame Vision" am Berliner Sonntag in der Tiergartenstraße oder abends im Theater-Foyer: „Inmitten deutschen Lebens ein abgesondert fremdartiger Menschenstamm. Glänzend und selbstgefällig staffiert, von heißblütig beweglichem Gebaren. Auf märkischem Sand eine asiatische Horde ... In engem Zusammenhang unter sich, in strenger Abgeschlossenheit nach außen; so leben sie in einem halbfreiwilligen, unsichtbaren Ghetto, kein lebendes Glied des Volkes, sondern ein fremder Organismus in seinem Leibe." Aber er ruft es denjenigen zu, die dieser Zustand schmerzt und beschämt, die „sich aus der Ghettoschwüle in deutsche Waldes- und Höhenluft sehnen". Was also muß geschehen?

„Die bewußte Selbsterziehung einer Rasse zur Anpassung an fremde Forderungen ... eine Anartung in dem Sinne, daß Stammeseigenschaften, gleichviel ob gute oder schlechte, von denen es erwiesen ist, daß sie den Landgenossen verhaßt sind, abgelegt und durch geeignetere ersetzt werden ... Das Ziel des Prozesses sollen nicht imitierte Germanen, sondern deutschgeartete und -erzogene Juden sein.“ [15]

Rathenau hat sich später nicht mehr so herausfordernd geäußert, aber seine tieferfahrene Zugehörigkeit zur deutschen Nation immer mit gleicher Entschiedenheit betont, so in einem Brief an Wilhelm Schwaner vom 23. Januar 1916: „Ich habe und kenne kein anderes Blut als deutsches, keinen anderen Stamm, kein anderes Volk als deutsches. Vertreibt man mich von meinem deutschen Boden, so bleibe ich deutsch, und es ändert sich nichts.“ Und ein Jahr später an Karl Scheffler: „Für mich steht es fest und selbstverständlich da, daß ein anderes Nationalitätsgefühl als das deutsche für einen gebildeten und gesitteten Juden nicht bestehen kann ... Daß die Blutmischung der Juden eine ältere ist, hat für mich keine Bedeutung für ihre nationale Eingliederung; ich halte alle Rassetheorien für Zeitspielerei und kenne nur eins, was Völker zu Nationen, Nationen zu Staaten macht: die Gemeinsamkeit des Bodens, des Erlebnisses und des Geistes.“ [16]

Wie weit die eigentümliche Variabilität seines Wesens, die innere Spannung und Zerrissenheit bei aller überlegenen Klugheit und ruhig abwägenden Sachlichkeit, aus einem doch nicht überwundenen Konflikt herrührt, kann man nur vermuten. Es geht aus manchen Äußerungen Rathenaus hervor, daß er unter dem „Staatsbürgertum zweiter Klasse“, wie er es nannte, und der zwielichtigen gesellschaftlichen Stellung der Juden im wilhelminischen Staat

[15] Harry Graf Kessler, Walter Rathenau. Sein Leben und sein Werk. Wiesbaden, o. J. S. 42 ff.

[16] W. Rathenau, Briefe. Dresden 1926, I, 203 u. 321.

empfindlich gelitten hat. Nach dem Kriege fürchtete er, daß die Rolle, die nunmehr auch die Juden im politischen Leben der Republik spielten, den durch die Niederlage tödlich verletzten kollektiven Stolz herausfordern und die lauernden Kräfte im Hintergrund wecken könnte. Er ist dann ihr erstes Opfer geworden.

Rathenau hatte die völlige Assimilation gefordert, nicht die Selbstauflösung des Judentums. Wie 130 Jahre vor ihm Mendelssohn von Lavater, so war auch er aufgefordert worden, den letzten Schritt zu tun und zum Christentum überzutreten. Er konnte keine Antwort geben, wie sie Mendelssohn gegeben hatte, aber wie der ihm sehr verwandte Vorkämpfer der Emanzipation Gabriel Riesser weigerte er sich, den kirchenlosen Glauben des Judentums zu verlassen. Er forderte Versöhnung, nicht Verschmelzung.[17]

1906 erregte ein Buch Aufsehen, das den Titel trug „Vom Ghetto zur modernen Kultur". Der Verfasser Jakob Fromer hat eine armselige Kindheit im Ghetto von Lodz erlebt und schildert die Flucht und den mühsamen Aufstieg über Bettler- und Vagabundentum, private Studien und Hauslehrerelend zur Promotion in Breslau und zur Bibliothekarsstelle in Berlin. Im Rückblick erscheinen ihm – wie mehr als 100 Jahre vor ihm dem Philosophen Salomon Maimon – Ghetto und Chassidismus als ein Abgrund der Finsternis. Er zieht das Fazit: das Judenelend wird dauern, solange es Juden gibt, also Auflösung, totale Absorption. Den Assimilierten wirft er Mangel an Logik vor: ihr sagt, ihr seid keine Nation mehr, hättet keine Dogmen mehr, nur eine Ethik. Dann schließt die Synagogen und tretet dem „Verein für ethische Kultur" bei! Diesen Aufruf an seine Stammesgenossen hatte Maximilian Harden schon 1904 in der „Zukunft" veröffentlicht. Fromer verlor seine Bibliothekarsstelle in der Jüdischen

---

[17] Kobler, Juden und Judentum, S. 391.

Gemeinde und wurde Märtyrer seiner pathetisch vorgetragenen Überzeugungen, die Ausdruck einer tiefzerrütteten Natur waren. Denn im Grunde liebte er das polnische Ghetto und haßte das emanzipierte Westjudentum. Den Weg, zu dem er anderen riet, konnte er selbst nicht gehen.

Auch die Liberalen und die Sozialisten und alle Gegner des Antisemitismus schienen nur eine Lösung der Judenfrage zu kennen, die Absorption. In demselben Jahre 1895, als Herzl in Paris die Erschütterung erfährt, die er in einem berühmten Brief an Arthur Schnitzler mit einer Eruption, mit dem Aufschießen eines Basaltberges vergleicht, schreibt Richard Dehmel einen Brief über das „zugrundegehende Judentum“ an Detlev von Liliencron. Die Indianerstämme Nordamerikas seien auch zugrundegegangen, heißt es darin. „Bei den Juden geht es bloß langsamer, weil sie eben eine alte Kulturrasse sind; aber die moderne Kultur wird sie auch auffressen, Gott sei Dank.“[18]

Und da wir einmal bei den „Gleichzeitigkeiten“ sind: 1914 erschien Karl Kautskys schon besprochene Schrift über die marxistisch-deterministisch vorauszusehende Auflösung des Judentums im sozialistischen Zukunftsstaat, und ein Jahr vorher hatten die jungen Zionisten in Prag ihr Bekenntnisbuch herausgegeben.

Ausblick

Wir haben die Geschichte der deutschen Juden bis an den Vorabend des ersten Weltkrieges verfolgt und deuten nur noch die Tendenzen an, die während seines wechselvollen Ablaufs zutage treten. Der Ausbruch des Krieges schien in allen Ländern den Anhängern der Assimilation recht zu geben. Die Juden identifizierten sich völlig mit der nationalen Verteidigung, und wenn es unter ihnen kritische und besorgte Stimmen gab, so gab es sie ja auch bei

[18] Kobler, Juden und Judentum, S. 353.

den Sozialisten. Der Krieg gab ihnen die Gelegenheit, durch Taten und Opfer zu beweisen, daß sie dazugehörten. Es fiel jetzt auch eine der letzten Schranken der veralteten Gesellschaftsordnung, sie konnten Offiziere werden. Der „Burgfriede" umfaßte gleicherweise Parteien und religiöse Gruppen, antisemitische Kundgebungen wurden verboten.

Vom Herbst 1915 an hatten die Mittelmächte drei Jahre lang ganz Kongreß-Polen und den größten Teil von Litauen fest in der Hand, unter der Bevölkerung befanden sich 2 Millionen Juden. Im Verlauf des Krieges wurde also die Ostjudenfrage erörtert: von jüdischer Seite aus mit der wachsenden Hoffnung, daß man eine Nationalitätenfrage daraus mache und bei einer künftigen politischen Ordnung Ostmitteleuropas der jüdischen Volksgruppe Minderheitsrechte gewähre; in der deutschen Öffentlichkeit aber mit der Sorge vor einer neuen und stärkeren ostjüdischen Einwanderung, so daß eine Grenzsperre erwogen wurde, während gleichzeitig Tausende von jüdischen Arbeitern aus den polnischen Elendsgebieten in deutschen Fabriken beschäftigt wurden, deren sich der „Hilfsverein" annahm. Viele jüdische Kriegsteilnehmer kamen in Polen und auf dem Balkan zum ersten Mal in Berührung mit ostjüdischen Gemeinden und mit der Realität des jüdischen „Volkes", die ihnen bisher fremd gewesen war.[19] Der Zionismus gewann dadurch an Überzeugungskraft.

Der Ausgang des Krieges rückte in beiden Richtungen, die das Judentum eingeschlagen hatte, das Ziel näher heran: mit der Balfour-Declaration und dem Völkerbundsmandat über Palästina den Judenstaat, mit der demokratischen Verfassung in Deutschland die gesellschaftliche Gleichstel-

[19] Vgl. auch Franz Rosenzweig über die spaniolischen Juden ins Üsküb und das Gespräch mit dem aufgeweckten Kind, das den Ausdruck „patrie en danger" nicht begreift. Rosenzweig sieht das deutsche Judentum plötzlich von außen. Briefe an die Eltern vom 10., 11. und 13. April 1917. Briefe, S. 183 ff.

lung und die volle Assimilation. Aber beide Lösungen des Problems waren durch schwere Auflagen belastet, die neue politische Schöpfung in Palästina mit der Araberfrage und der englischen Mandatsverwaltung, die Assimilation im Nachkriegsdeutschland mit dem wiederauflebenden Antisemitismus. Er meldete sich schon während des Krieges, als die Oberste Heeresleitung, dem Drängen der öffentlichen Meinung nachgebend, eine „Judenzählung" vornehmen ließ, die feststellen sollte, ob die Zahl der „Drückeberger" unter ihnen unverhältnismäßig groß sei. Sie war nicht nur diffamierend, sie verletzte auch den Grundsatz der staatsbürgerlichen Gleichheit. Ihr Ergebnis ist nie veröffentlicht worden.

Der politischen und nationalen Lösung der Judenfrage drohte eine andere Gefahr; sie wurde während der Kriegsjahre in der von Martin Buber herausgegebenen Zeitschrift „Der Jude" häufig erörtert, und sie bildete den eigentlichen Gegenstand seiner großen Auseinandersetzung mit Hermann Cohen, der ein Gegner des Zionismus war. Es ging um die Verwirklichung eines Staates, der nicht sein durfte wie andere Staaten, einer Nation, die sich nicht einreihen konnte in die Nationalitätenbewegung der übrigen Welt. Ob man die besondere Bestimmung des Volkes Israel nun als Auftrag im theologischen Sinne oder im säkularen versteht oder beides miteinander verbindet, sie rückt in jedem Falle die Erfüllung in eine ferne Zukunft.

Franz Rosenzweig hat es in einem Brief vom 1. 5. 1917 wie folgt ausgesprochen: „Willst Du meine Stellung genau wissen? Die Judenheit spaltet sich seit der Emanzipation in zwei Ströme: die Assimilierten und die Zionisten. Das sind beides *Wege*, insofern untadelig. Aber beide sind in der Gefahr, aus Wegen durch den Weltraum zu Straßen nach dem Haus Nr. soundsoviel zu werden. Das heißt, beide stehen in der Gefahr, ein erreichbares Ziel zu erreichen. Die *Assimilierten*, wenn sie statt Börsianer, Privatdozenten, Journalisten, Bohemiens und Wucherer, kurzum statt

extremer, stets den Haß der Völker neu anfachender „jüdischer Köpfe", mittlere Beamte, Handwerker und gar – Gott behüte und bewahre – deutsche Bauern würden. Die *Zionisten,* wenn sie ihr Serbien oder Bulgarien oder Montenegro in Palästina wirklich zustande kriegen. Die erste Gefahr droht, glaube ich, nicht ernsthaft; denn die Vergangenheit läßt sich in diesem historisch vollgestopften Europa nicht beiseiteschieben, man kann nur in ihrem Strom schwimmen. Aber die zweite droht; denn Asien ist heute vergleichsweise leer. Das ist der Grund, weshalb Cohens todsicherer Instinkt die Zionisten haßt." [20]
In seiner Einleitung zu Cohens „Jüdischen Schriften" berichtet Rosenzweig, der Philosoph habe ihm sein allzu tolerantes Verhältnis zum Zionismus vorgeworfen und als er es zu verteidigen suchte, ihn unterbrochen. „Er schob seinen ungeheuren Kopf, den die zartesten Locken umgaben, dicht und drohend an mich heran und sprach: ‚Ich will Ihnen etwas sagen', und dann, die Stimme zu einem donnernden Flüstern dämpfend: ‚die Kerls wollen glücklich sein!'" Rosenzweig fährt fort: „Die Zukunft des Zionismus ist darin beschlossen, ob diese Worte gegen ihn oder für ihn gesagt sind."

---

[20] Rosenzweig, Briefe, S. 199.

NACHWORT

Am 1. April 1933 wurde dem deutschen Judentum, das am Ende des 19. und zu Beginn des 20. Jahrhunderts einen Höhepunkt seiner kulturellen und geistigen Entfaltung erreicht und eine Fülle größter Begabungen hervorgebracht hatte, der Krieg erklärt. Es zeigte sich damals, daß die Emanzipation revidierbar war und daß eine Kulturnation bereit war, sich auf ein System der Unfreiheiten umzustellen. So unheilverkündend dieser Auftakt war, er rückt das, was am Ende daraus hervorging, nicht in die Zone unseres Begreifens.

Auch die Geschichte des wandlungsreichen deutsch-jüdischen Verhältnisses vom Mittelalter bis in das 20. Jahrhundert darf nicht als eine Entwicklung aufgefaßt werden, an deren Ausgang eine längst sich ankündigende Katastrophe steht. So oft man auch drohende Anzeichen zu erkennen glaubt, die eine gefährliche Situation blitzartig beleuchten, sie haben nie den Charakter von Prämissen, aus denen die Geschichte ihre Schlüsse zieht. Im ganzen gesehen entwickelt sich das Zusammenleben von Deutschen und Juden weder zum Bösen, noch zum Guten. Es tritt im Lauf der Jahrhunderte in verschiedene Phasen ein, die jeweils durch geschichtliche Vorgänge und Wandlungen bedingt sind, durch die Kreuzzüge etwa, die Zersplitterung des Reiches, die Reformation und Gegenreformation, durch die Aufklärung und in ihrem Gefolge die Emanzipation, durch den Nationalismus, die ostjüdische Wanderung, das Auftreten Herzls, den verlorenen Krieg. Innerhalb solcher Phasen gibt es allerdings Entwicklungsabläufe, da Ideen, Gesetze und Institutionen sich auswirken und Folgen zeitigen. Einige Phasen waren von vornherein negativ bestimmt, hier rückten alle Faktoren zusammen, die dem Geist feindseliger Ausschließung und zerstörenden

Hasses günstig waren. Aber keine läßt Hitlers mörderischen Wahnsinn als verständlich oder konsequent erscheinen. Man könnte die Intention dieser Darstellung nicht ärger mißverstehen, als wenn man auf den Gedanken käme, daß sie den Untergang des deutschen Judentums historisch erklären, das völlig Unbegreifliche begreiflich machen wolle. Außerdem verschieben sich alle Aspekte, wenn man vom Ende her argumentiert.

Das heißt aber nicht, daß man die Geschichte der deutschen Juden heute noch aufblättern könne, als sei Auschwitz nicht gewesen und als sei das stumme Dabeistehen der meisten nicht gewesen, als das Unheil deutlich wurde. Die tief eingegrabenen Erfahrungen der miterlebten Geschichte machen hellsichtig und argwöhnisch zugleich, und auf die früheren Kundgebungen gedankenloser Roheit, hochmütiger Verachtung oder gleichgültiger Kälte fällt ein fahles Licht. Es sind nicht die ungeheuerlichen Verbrechen einzelner, die sich lange vorbereiten, sondern es ist der mangelnde Wille der vielen, sie im Keim zu ersticken, der auf Traditionen hinweist, auf tief eingewurzelte Gefühle, Denkgewohnheiten und Urteilsklischees. Sie haben eine lange Geschichte. Welche Formen die Feindseligkeit gegen die Juden auch angenommen hat, ob sie als der doktrinäre Haß von politischen Ideologen oder als der abergläubische Haß der Dummen und der neidische der Erfolglosen oder als der theoretische Haß der Gelehrten erscheint, ob sie vom aufklärerischen Hochmut der Atheisten oder vom christlichen Hochmut der Religiösen ausgeht, sie hat das sittliche Gefühl gelähmt und den Schrei der Empörung erstickt.

Aber auch die Verteidiger des Judentums und Ankläger ungerechter Zustände haben seit langem das Wort erhoben. Ihre Zahl ist von Lessing, Dohm und Humboldt bis zu Mommsen und den Sozialisten nicht gering. Aber wenn sie Duldsamkeit und Gerechtigkeit fordern, so erkennen sie doch das Wesen des Judentums kaum, ihr aufklärerischer Rationalismus oder ihr Liberalismus steht ihnen dabei im Wege. Zuletzt läuft es darauf hinaus, daß sie den Juden in aller Freundschaft raten, sie möchten aufhören es zu sein.

Es war deshalb nötig, das jüdische Schrifttum und vor allem die jüdische Historiographie heranzuziehen. Denn hier enthüllt sich das Selbstverständnis des jüdischen Geistes. Da sowohl den Christen wie den liberalen Deisten und den sozialistischen Ungläubigen die Besonderheit jüdischer Existenz so schwer verständlich ist – was sie durch radikale Mißdeutung oft bewiesen haben – muß man die jüdische Literatur selbst befragen, die Juden über sich selber. Ihnen wurde auch die Kritik am Judentum überlassen, an seiner inneren Zerrissenheit, seiner Problematik, seinem Verfall, seiner Schädlichkeit für die Umgebung, die ja ihre historischen Wurzeln hat. Dabei ist den innerjüdischen Fragen der neuesten Zeit ein ziemlich breiter Raum gegeben worden, weil sie sich an dem Verhältnis zur Umwelt, vor allem der deutschen und der russischen Umwelt, entzünden.

Eine argumentierende Auseinandersetzung mit dem Antisemitismus ist unfruchtbar. Man kann ihn nur beschreiben und bis zu einem gewissen Grade psychologisch und soziologisch erklären, das haben zuerst die Sozialisten richtig erkannt. Der Antisemitismus hat mächtige Motive, er hat keine räsonnablen Gründe, und wenn es irgendwann ausgesehen hat, als könne er auch berechtigte Einwände gegen den „jüdischen Einfluß" vorbringen, so haben seine Folgen ihn selber gerichtet.

Die Geschichte des deutschen Judentums, das aufgehört hat zu bestehen, ist ein abgeschlossenes, ganz der Vergangenheit angehörendes Thema. Es gibt also auch die Problematik des Zusammenlebens nicht mehr. Die ungelöste Aufgabe kann in Zukunft nicht mehr von uns gelöst werden, und den Reichtum deutsch-jüdischen Geistes müssen wir entbehren. Doch das Ende dieses Zeitabschnitts und die Art, wie dieses Ende herbeigeführt wurde, zwingt uns die Auseinandersetzung mit seinen Ursachen auf, die zu jeder Zeit geistig-sittliche Entscheidungen waren. Dieser Überzeugung verdankt die vorliegende Arbeit ihre Entstehung.